sg · juin · 03

Collection dirigée par Thierry Discepolo

ALAIN ACCARDO, *De notre servitude involontaire.*
Lettre à mes camarades de gauche

NORMAND BAILLARGEON, *Les chiens ont soif.*
Critiques & propositions libertaires

NOAM CHOMSKY, *De la guerre comme politique étrangère des États-Unis*
(Préface de Jean Bricmont)

ROBIN HAHNEL, *La Panique aux commandes.*
Tout ce que vous devez savoir sur la mondialisation économique

YVES SALESSE, *Réformes & révolution.*
Propositions pour une gauche de gauche

JEAN-PIERRE BERLAN, *La Guerre au vivant.*
OGM & autres mystifications scientifiques

SERGE HALIMI & DOMINIQUE VIDAL, « *L'opinion, ça se travaille…* »
Les médias, l'OTAN & la guerre du Kosovo

OBSERVATOIRE DE L'EUROPE INDUSTRIELLE (CEO), *Europe Inc.*
Liaisons dangereuses entre institutions & milieux d'affaires européens

NOAM CHOMSKY, *Responsabilités des intellectuels*
(Préface de Michael Albert)

MICHEL BARRILLON, *D'un mensonge « déconcertant » à l'autre. Rappels*
pour les bonnes âmes qui voudraient s'accommoder du capitalisme

PAUL NIZAN, *Les Chiens de garde*
(Préface de Serge Halimi)

© Agone, 2002
BP 2326, F-13213 Marseille cedex 02
www.atheles.org /agone
ISBN : 2-910846-62-8

Pierre Bourdieu

Interventions, 1961-2001

Science sociale & action politique

Textes choisis et présentés par
Franck Poupeau et Thierry Discepolo

Devant la servitude du travail à la chaîne ou la misère des bidonvilles, sans parler de la torture ou de la violence et des camps de concentration, le « C'est ainsi » que l'on peut prononcer avec Hegel devant les montagnes revêt la valeur d'une complicité criminelle. Parce que rien n'est moins neutre, quand il s'agit du monde social, que d'énoncer l'Être avec autorité, les constats de la science exercent inévitablement une efficacité politique, qui peut n'être pas celle que voudrait exercer le savant.

« Leçon inaugurale au Collège de France », 1982

S'il fallait à tout prix justifier ces interventions de la science sur le terrain de l'actualité la plus brûlante, on pourrait au moins invoquer les fonctions critiques qu'elles peuvent exercer en ces temps où les autorités politiques s'autorisent de compétences ou de garants scientifiques pour convertir les problèmes politiques en choix purement techniques et où les commentaires autorisés font de plus en plus souvent appel à des ressources d'allure scientifique, comme les sondages, qui donnent l'apparence d'un fondement rationnel à l'ambition de parler au nom de « l'opinion publique ». Et il n'est pas interdit en tous cas d'espérer que ces contributions limitées, révisables et souvent négatives à la compréhension du présent, puissent servir d'antidote au scepticisme, voire à l'irrationalisme qu'a favorisé la faillite des grandes prophéties.

« La science et l'actualité », 1986

Initié à l'automne 1999, ce projet de recueil des interventions politiques de Pierre Bourdieu s'appuie sur un travail de Franck Poupeau conçu pour l'Amérique latine, « Utopías sociologicamente fundadas », *in* Pierre Bourdieu, *El Campo político*, Plural Editores, La Paz, 2001.

Si l'organisation thématique et chronologique comme le choix des textes et l'iconographie sont de notre fait, ils furent pour l'essentiel approuvés par Pierre Bourdieu suivant le but que nous nous étions initialement fixé : mettre à jour, par le seul fait d'un alignement organisé, les soubassements d'une œuvre issue d'un travail qui ne s'est jamais coupé des cahots de l'histoire sociale et politique.

En dépit de la portée internationale d'une œuvre amplement commentée et discutée, nous avons privilégié, pour des raisons de clarté, la dimension française des interventions et des polémiques qu'elles ont parfois suscitées.

Les textes de Pierre Bourdieu ont été reproduits, la plupart sous leurs titres d'origine, à quelques corrections stylistiques et, parfois, quelques coupes près. Les citations en retrait dans nos présentations sont toutes de Pierre Bourdieu, ainsi que les exergues de chaque période historique.

Nous remercions tout particulièrement Marie-Christine Rivière et Yvette Delsaut pour leur bibliographie des travaux de Pierre Bourdieu, sans laquelle ce recueil n'aurait pu être conçu (*Bibliographie des travaux de Pierre Bourdieu*, Le Temps des cerises, Pantin, 2002).

Nos remerciements vont également à Jérôme Bourdieu, Michel Caïetti, Pierre Carles, Pascale Casanova, Patrick Champagne, Rosine Christin, Frédéric Cotton, Isabelle de Bary, Serge Halimi, Isabelle Kalinowski, Sébastien Mengin, Marc Pantanella, Pierre Rimbert, Béatrice Vincent et Loïc Wacquant pour leurs précieux concours.

Merci enfin à tous ceux qui nous ont autorisé à publier ici leurs textes cosignés avec Pierre Bourdieu – et nos excuses à ceux que nous n'avons pu retrouver.

Textes & contextes
d'un mode spécifique
d'engagement politique

> Je m'expose à choquer ceux d'entre [les chercheurs] qui, choisissant les facilités vertueuses de l'enfermement dans leur tour d'ivoire, voient dans l'intervention hors de la sphère académique un dangereux manquement à la fameuse « neutralité axiologique », identifiée à tort à l'objectivité scientifique. [...] Il faut coûte que coûte faire entrer dans le débat public, d'où elles sont tragiquement absentes, les conquêtes de la science.
>
> Préface à *Contre-feux 2*, 2001

L ES INTERVENTIONS PUBLIQUES *de Pierre Bourdieu depuis les grèves de décembre 1995 ont été l'objet de condamnations souvent virulentes, notamment de la part des journalistes et des intellectuels médiatiques dont il analyse le pouvoir dans ses écrits sur la télévision et le journalisme. Il fut alors accusé de découvrir l'action politique « sur le tard », d'abuser de sa notoriété scientifique ou encore de revenir à des figures intellectuelles surannées. Ce qui semblait choquer avant tout, c'était le fait qu'un savant intervienne de la sorte, portant le fer de la critique dans le domaine politique : pourquoi ce « mandarin » descendait-il « dans la rue » ?*

Les interventions du sociologue dans l'espace public datent pourtant de son entrée dans la vie intellectuelle, au début des années 1960 à propos de la guerre d'Algérie. Dès lors, une réflexion constante sur les « conditions sociales de possibilité » de son engagement politique l'incite à se démarquer aussi bien d'un scientisme donneur de leçons que du spontanéisme, alors si courant, des « intellectuels libres ».

Ce recueil, évidemment non exhaustif, n'a pas seulement pour but de regrouper les nombreux textes « politiques » ou « critiques » souvent peu accessibles ou inédits en français, qui ont été extraits des archives du Collège de France avec l'aide de Marie-Christine Rivière. Il tient avant tout de la mise en situation : invitation à la lecture d'une œuvre souvent neutralisée et rendue inaccessible par ses conditions académiques de réception ; rassemblement d'analyses, d'entretiens et de textes de circonstance, écrits souvent mineurs qui se retrouvent parfois dans les livres sous une forme plus élaborée, plus « savante ». Il s'agit de montrer, à travers les étapes de l'itinéraire du sociologue, replacé dans son contexte historique, une articulation certaine entre recherche scientifique et intervention politique : ce travail de conversion des pulsions sociales en impulsions critiques qui donne à la sociologie cette portée ou cette utilité sans laquelle, comme disait Durkheim, elle « ne vaudrait pas une heure de peine », mais aussi la vigilance par laquelle la science sociale peut aider à rompre avec les problèmes politiques et sociaux banalisés par l'« actualité » en les éclairant sous un jour nouveau.

Avec certaines continuités thématiques (comme l'éducation, les enquêtes d'opinion, l'autonomie des intellectuels ou le journalisme), nous avons privilégié l'ordre chronologique, intercalant des rappels historiques ou biographiques mêlés d'extraits qui relient les textes de l'époque aux retours de l'auteur sur leur contexte de production.

À travers ce parcours, c'est finalement la genèse d'un mode d'intervention politique spécifique qui est retracée : science sociale et militantisme, loin de s'opposer, peuvent être conçus comme les deux faces d'un même travail d'analyse, de décryptage et de critique de la réalité sociale pour aider à sa transformation. La trajectoire illustrée par les textes qui suivent montre comment la sociologie elle-même se trouve enrichie par l'engagement politique et la réflexion sur les conditions de cet engagement.

Le temps est venu de dépasser la vieille alternative de l'utopisme et du sociologisme pour proposer des utopies sociologiquement fondées. Pour cela il faudrait que les spécialistes des sciences sociales parviennent à faire sauter collectivement les censures qu'ils se croient en devoir de s'imposer au nom d'une idée mutilée de la scientificité. [...] Les sciences sociales ont payé leur accès (d'ailleurs toujours contesté) au statut de sciences d'un formidable renoncement : par une autocensure qui constitue une véritable automutilation, les sociologues – et moi le premier, qui ai souvent dénoncé la tentation du prophétisme et de la philosophie sociale – s'imposent de refuser, comme des manquements à la morale scientifique propres à discréditer leur auteur, toutes les tentatives pour proposer une représentation idéale et globale du monde social. [1]

---

1. « Monopolisation politique et révolutions symboliques » (1990), *in Propos sur le champ politique*, Presses Universitaires de Lyon, 2000.

Ce parti d'intervenir dans le débat public implique une autre façon de « parler politique », c'est-à-dire la construction d'un autre point de vue sur la politique.

> Nous vivons immergés dans la politique. Nous baignons dans le flot immuable et changeant du bavardage quotidien sur les chances et les mérites comparés de candidats interchangeables. Nous n'avons pas besoin de lire les éditorialistes de quotidien ou d'hebdomadaire ou leurs ouvrages d'analyse qui fleurissent à la saison électorale et qui iront rejoindre les assortiments jaunis des bouquinistes, pâture des historiens des idées, après un bref passage dans la liste des best-sellers : leurs auteurs nous offrent sur toutes les radios et sur toutes les télévisions des « idées » qui ne sont si faciles à recevoir que parce qu'il s'agit d'« idées reçues ». Tout peut se dire et se redire indéfiniment, puisqu'en fait il ne se dit jamais rien. Et nos débatteurs appointés qui se rencontrent à heure fixe pour discuter de la stratégie de tel homme politique, de l'image ou des silences de tel autre, disent la vérité de tout le jeu lorsqu'ils expriment l'espoir que leur interlocuteur ne sera pas d'accord, « pour qu'il puisse y avoir un débat ». Les propos sur la politique, comme les paroles en l'air sur la pluie et le beau temps, sont d'essence volatile, et l'oubli continué, qui évite d'en découvrir l'extraordinaire monotonie, est ce qui permet au jeu de continuer. [2]

Le sociologue est alors en conflit non seulement avec les professionnels de la politique (élus, délégués syndicaux, etc.), mais aussi avec les professionnels de l'analyse politique et du discours demisavant sur la chose publique – ceux que Pierre Bourdieu appelle les « doxosophes » : journalistes politiques, intellectuels médiatiques et autres essayistes. S'il faut, selon lui, rompre avec ces discours, ce n'est pas seulement en raison de leurs « erreurs scientifiques », mais à cause des lieux communs et des mystifications qu'ils introduisent dans le débat public. Si la critique sociologique de leur fonction sociale semble constituer un véritable « attentat contre les normes de la bienséance sociale », c'est parce qu'elle implique la transgression de « la frontière sacrée entre la culture et la politique, la pensée pure et la trivialité de l'agora [3] ».

2. « Penser la politique », *Actes de la recherche en sciences sociales*, mars 1988, n° 71/72, p. 2-3.
3. *Ibid*.

Et tout cela est en effet présent dans les critiques récentes des inter-
ventions politiques du sociologue : depuis les « savants » qui l'ac-
cusent de compromettre la science en jouant au « mage » jus-
qu'aux protagonistes politiques ou médiatiques qui lui dénient le
droit d'intervenir justement parce qu'il n'est pas « des leurs ». Au
bout du compte, les interventions de Pierre Bourdieu révéleraient
l'« intention mal intentionnée » de sa sociologie, qu'il définit
pourtant ainsi :

> [La sociologie] s'oppose aux prudences de la bienséance
> académique qui inclinent à la retraite vers les objets éprou-
> vés ; mais elle s'oppose tout autant aux fausses audaces de
> l'essayisme ou aux imprudences arrogantes du prophé-
> tisme. Écartant l'alternative dans laquelle s'enferment ceux
> qui préfèrent avoir tort avec Sartre que raison avec Aron,
> ou l'inverse, celle de l'humanisme décisoire que l'on tient
> pour générosité et de l'indifférence désenchantée qui se
> veut lucidité, elle vise à soumettre l'actualité, autant que
> c'est possible, aux exigences ordinaires de la connaissance
> scientifique. [4]

L'analyse sociologique ne rencontre pas seulement des « résis-
tances » : c'est la nature même de l'objet politique qui pose pro-
blème, dans la mesure où les « faits » ne sont pas donnés mais pré-
construits par tous ceux qui en définissent l'interprétation pour les
orienter en fonction de leurs intérêts. L'illusion d'avoir affaire à
des « problèmes d'actualité » immédiatement accessibles constitue
le premier obstacle à franchir.

> On ne peut songer à soumettre l'actualité à l'analyse scien-
> tifique si l'on n'a pas rompu avec l'illusion de tout com-
> prendre d'emblée qui définit le rapport ordinaire à cette
> donnée immédiate de l'expérience sociale. La rupture ré-
> side dans le fait de constituer comme faisant question ce
> qui paraît hors de question, évidence, de cette évidence
> qui s'impose à l'indignation éthique, à la sympathie mili-
> tante ou à la conviction rationnelle. La distance sociale, et
> mentale, entre le débat public et la problématique scienti-
> fique est en ce cas si grande que c'est la rupture inaugurale
> qui est exposée à faire figure de prise de position inspirée
> par le préjugé. [5]

---

4. « La science et l'actualité », *Actes de la recherche en sciences sociales*,
mars 1986, n° 61, p. 2-3.
5. *Ibid.*

Cette volonté de « politiser les choses en les scientificisant » et de « penser la politique sans penser politiquement » s'est manifestée dès les premiers travaux de Pierre Bourdieu sur l'Algérie. Et c'est toute la sociologie de Pierre Bourdieu, comme l'a noté Abdelmalek Sayad, qui « garde la marque de cet apprentissage initial » [6].

6. Abdelmalek Sayad, entretien publié dans *MARS*, 1996, n° 6.

1958-1962 : engagements politiques
en temps de guerre de libération

L'Algérie avant l'indépendance représente trois départe-
ments français où vivent plus d'un million d'Européens et
dont l'administration est confiée au ministère de l'Intérieur.
Les neuf millions de « citoyens algériens », dont le revenu
brut est vingt fois inférieur en moyenne à celui des
Européens, votent dans un collège séparé, et 15 % seulement des enfants musulmans sont scolarisés. La guerre
d'indépendance, qui débute en novembre 1954, polarise
pendant plusieurs années la vie politique et intellectuelle
française, provoquant la chute de six présidents du Conseil
puis l'effondrement de la IVe République. Le Front républicain, qui a porté en 1956 Guy Mollet et les socialistes au
pouvoir, conduit à une politique accentuant la répression,
notamment avec la loi sur les pouvoirs spéciaux de mars
1956. Cette politique ne manque pas de susciter de multiples réactions parmi les intellectuels : même si on doit, avec
Pierre Vidal-Naquet, souligner la diversité des formes d'engagement [1], la dénonciation de la répression et de la torture
constitue la cause la plus généralement défendue par les
divers comités de soutien aux Algériens. Des journaux
comme *France Observateur*, *L'Express*, *Témoignage Chrétien*
ou *Le Monde* mènent à l'époque une bataille pour l'information. À la pointe de ce combat, les éditions de Minuit,
dirigées par Jérôme Lindon, publient *La Question*, d'Henri
Alleg, et *Déserteur*, de Maurienne, ce qui entraînera de multiples saisies pour incitation à la désobéissance et atteinte à
la sûreté de l'État.

Parmi les figures marquantes de la scène intellectuelle, Albert
Camus, partagé entre le refus des positions des ultras de
l'Algérie française et sa réticence à admettre l'indépendance
algérienne, choisit de se taire, alors que Jean-Paul Sartre
prend position dès 1956 en faveur de la lutte contre la
« tyrannie coloniale » [2]. Il préconise l'indépendance algérienne immédiate et la lutte aux côtés du peuple algérien,

---

1. Pierre Vidal-Naquet, « Une fidélité têtue. La résistance française à la
guerre d'Algérie », *Vingtième siècle. Revue d'histoire*, avril-juin 1986,
n° 10, p. 17.
2. Jean-Paul Sartre, *Situations V*, Gallimard, Paris, 1964, p. 42.

tout en dénonçant la torture, témoignant à des procès, participant à des manifestations, signant le « Manifeste des 121 » [3], apportant son soutien au réseau Jeanson d'aide au Front de libération national (FLN). La revue *Les Temps modernes*, dont Sartre est le directeur, devient l'organe du tiers-mondisme laïque, et le livre de Frantz Fanon, *Les Damnés de la terre*, qu'il préface, lui donne l'occasion d'affirmer son anticolonialisme et de justifier une violence censée constituer, pour le colonisé, le « moyen de recomposer sa nature humaine ». L'activisme sartrien veut contrebalancer la tiédeur des partis et syndicats de gauche. Dans le camp de la droite libérale, Raymond Aron, qui condamne toute action illégale et clandestine mais dont la *Tragédie algérienne* (1957) est favorable à l'indépendance, se trouve en porte à faux dans le journal où il écrit, *Le Figaro*, dirigé par Pierre Brisson, favorable à l'Algérie française.

---

3. « Le "Manifeste des 121 sur le droit à l'insoumission dans la guerre d'Algérie", signé par autant d'intellectuels […], n'appelait pas à l'insoumission ou à la désertion mais les "respectait" et les jugeait "justifiées". Il proclamait solennellement que la cause du peuple algérien était celle de tous les hommes libres. » (Pierre Vidal-Naquet, *Mémoires II*, Seuil-La Découverte, Paris, 1998.)

1961-1963

Le peuple sera ce qu'on le provoquera à être : force de révolution perdue pour la révolution ou force révolutionnaire.

THE ALGERIANS

PIERRE BOURDIEU

With a preface by RAYMOND ARON

Édition américaine (Beacon Press, 1962) de *Sociologie de l'Algérie* (PUF, 1958)

Guerre coloniale & conscience révolutionnaire

J'avais entrepris des recherches sur les structures temporelles de l'expérience affective. [...] Je me pensais comme philosophe et j'ai mis très longtemps à m'avouer que j'étais devenu ethnologue. [...] Je voulais par exemple établir le principe de la différence entre prolérariat et sous-prolétariat ; et, en analysant les conditions économiques et sociales de l'apparition du calcul économique en matière d'économie mais aussi de fécondité, etc., j'ai essayé de montrer que le principe de cette différence se situe au niveau des conditions économiques de possibilité, de prévision rationnelle dont les aspirations révolutionnaires sont une dimension.

« Fieldwork in Philosophy », *Choses dites*, 1987

APRÈS UNE ANNÉE D'ENSEIGNEMENT *de philosophie au lycée de Moulins (Allier), Pierre Bourdieu arrive en Algérie en 1955 pour faire son service militaire. Il occupe ensuite un poste d'assistant de philosophie à la faculté des lettres d'Alger et ne le quitte qu'en avril 1960, lorsque Raymond Aron lui propose d'enseigner à la Sorbonne. Pendant ces années d'Algérie, Pierre Bourdieu entreprend des enquêtes ethnologiques en Kabylie dans des conditions décrites par son étudiant et collaborateur Abdelmalek Sayad comme précaires et difficiles. Ce que Bourdieu appellera par la suite « le choc de l'Algérie* [1] *» l'incite à écrire son premier livre,* Sociologie de l'Algérie, *« dans une logique militante » — l'édition américaine par Beacon Press présente en couverture le drapeau algérien alors même que l'indépendance n'est pas proclamée — éclairée par une connaissance de la réalité algérienne dont ne disposaient pas nombre d'intellectuels français* [lire p. 37].

Les deux premières interventions politiques de Pierre Bourdieu sont recueillies en 1961 par Esprit [lire p. 21] *et en 1962 par* Les Temps modernes *— deux des revues les plus influentes de l'époque, dont il ne partage pas forcément les orientations* [2]. *Construits sur*

---

1. « Tout est social », entretien avec P.-M. de Biasi, *Magazine littéraire*, octobre 1992, n° 303, p. 104-111.
2. « Les sous-prolétaires algériens », *Les Temps modernes*, décembre 1962, n° 199, p. 1030-1051. Parallèlement à ces textes, Pierre Bourdieu

un arrière-plan ethnographique, aboutissement de plusieurs mois d'enquête de terrain, ces textes cherchent à rompre avec un usage apolitique de l'ethnologie pour en faire un instrument de lutte symbolique. Ils analysent les effets déstructurants de la situation coloniale en refusant la neutralité axiologique comme prétexte au désengagement [3].

> Je voulais être utile pour surmonter mon sentiment de culpabilité d'être simplement un observateur participant dans cette guerre consternante. Mon intégration plus ou moins heureuse dans le champ intellectuel est peut être à l'origine de mes activités en Algérie. Je ne pouvais me contenter de lire des journaux de gauche ou de signer des pétitions, il fallait que je fasse quelque chose en tant que scientifique. [...] Il était absolument indispensable pour moi d'être au cœur des événements de façon à informer l'opinion, quel que soit le danger que cela ait pu représenter. Pour voir, enregistrer, faire des photographies. [4]

Renvoyant dos à dos radicalisme verbal et condamnations humanistes de principe qui font alors de la révolution algérienne l'objet de débats abstraits, la posture savante adoptée par Pierre Bourdieu le conduit à analyser les conditions d'accès à la conscience révolutionnaire. Le moment de la guerre est celui de la révélation du rapport de violence exercé par le système colonial : elle oppose moins des « ennemis » qu'elle n'expose la révolte de la société dominée contre cette structure de domination. Ni guerre civile ni guerre entre nations, elle ne s'épuise pas non plus dans la lutte d'une classe contre une autre classe, parce qu'elle prend pour cible le système de castes en tant que tel – avec des armes qui, pour la première fois, ne sont pas seulement symboliques. Selon Pierre Bourdieu, cette « révolution » révolutionne à son tour la société qui la produit dans la mesure où elle fait perdre aux conduites traditionnelles le caractère de naturalité qui leur semblait attaché, et impose à tous un déracinement qui s'apparente à l'expérience de l'immigré.

fait paraître d'autres articles dans des revues plus académiques telles que « Guerre et mutation sociales en Algérie », *Études méditerranéennes*, printemps 1960, n° 7, p. 25-37 ; et « La hantise du chômage chez l'ouvrier algérien. Prolétariat et système colonial », *Sociologie du travail*, décembre 1962, n° 1, p. 313-331.
3. Lire *Travail et travailleurs en Algérie* (avec A. Darbel, J.-P. Rivet et C. Seibel), Mouton, Paris-La Haye, 1963 ; et *Le Déracinement* (avec A. Sayad), Minuit, Paris, 1964.
4. « The Struggle for Symbolic Order », entretien avec A. Honneth, H. Kocyba et B. Schwibs, *Theory, Culture and Society*, 1986, n° 3, p. 37.

Toutefois, l'étude d'un conflit colonial par une science elle-même coloniale ne risque-t-elle pas d'invalider les bases scientifiques de toute intervention politique ?

Il faut rappeler, pour la soumettre à l'examen, l'idéologie selon laquelle toute recherche menée dans la situation coloniale serait affectée d'une impureté essentielle. « Si, écrit Michel Leiris, pour l'ethnographie plus encore que pour d'autres disciplines, il est déjà patent que la science pure est un mythe, il faut admettre de surcroît que la volonté d'être de purs savants ne pèse rien, en l'occurrence, contre cette vérité ; travaillant en pays colonisés, nous ethnographes qui sommes non seulement des métropolitains mais des mandataires de la métropole puisque c'est de l'État que nous tenons nos missions, nous sommes fondés moins que quiconque à nous laver les mains de la politique poursuivie par l'État et par ses représentants à l'égard des sociétés choisies par nous comme champ d'étude. [5] » Pour les complices que nous sommes, tout cela paraît aller de soi. On oppose la science « pure » à l'idéologie engagée au service de tel ou tel pouvoir ou de tel ou tel ordre établi. Et l'on ajoute que l'intention pure de faire une science pure est nécessairement vouée à l'échec. Le postulat qui sert de base à la démonstration, c'est que l'ethnographe, en raison de son appartenance à la société colonisatrice, porte le poids de la faute originelle, le péché du colonialisme. […] Mais cette complicité originelle est-elle d'une autre nature que celle qui lie à sa classe le sociologue étudiant sa propre société ? […] Faut-il penser, comme on le dit souvent, qu'il ne sera d'ethnologie « pure » que faite par les indigènes ? Mais pourquoi ce privilège éthique et épistémologique ? Autant de questions qu'on n'a garde de poser, parce qu'elles éloigneraient du terrain assuré des évidences indiscutées. [6]

La mise en évidence des implications colonialistes de l'ethnologie ne doit donc pas conduire, selon Pierre Bourdieu, au constat de l'impossibilité de toute science sociale : elle implique une analyse de l'écart non explicite qui sépare l'enquêteur et les dominés afin de rendre visible ce que ceux-ci ne peuvent exprimer du fait

---

5. Michel Leiris, « L'ethnographe devant le colonialisme », *Les Temps modernes*, août 1950, p. 359.
6. *Travail et travailleurs en Algérie,* « Avant-propos » (1963), *op. cit.*

même de leur situation. Ce travail réflexif sur la situation d'enquête ne constitue pas un impératif moral mais une exigence scientifique.

Dès lors que l'on a choisi de poser le problème en termes de morale, on doit admettre que, aussi longtemps que durera le système, les actions les plus généreuses du point de vue de l'intention formelle se révéleront dans la pratique ou bien parfaitement vaines ou bien, parce qu'elles tiennent leur sens du contexte, objectivement mauvaises. Et l'on s'exposera toujours à se voir accuser de profiter de l'injustice pour faire le bien. […] Derrière la dénonciation des compromissions de l'ethnologie se cache souvent la conviction qu'il n'est pas de science pure d'un objet impur, comme si la science et le savant « participaient » de leur objet. Mais faut-il rappeler la leçon que donnait Parménide à Socrate ? Il n'est pas, pour la science, de sujets nobles et de sujets indignes [7]. […] Ce que l'on peut exiger en toute rigueur de l'ethnologue, c'est qu'il s'efforce de restituer à d'autres hommes le sens de leurs comportements, dont le système colonial les a, entre autres choses, dépossédés. [8]

L'ethnologue (ou le sociologue) doit être, selon Pierre Bourdieu, une de ces « médiations » capables de faire accepter une « politique rationnelle » susceptible de prolonger l'activité révolutionnaire en une véritable éducation populaire [lire p. 29] : *la transposition des méthodes ethnographiques dans l'étude de la société française (et notamment des paysans béarnais et du système d'enseignement) transgresserait non seulement les frontières disciplinaires mais aussi les barrières mentales qu'une société dresse contre tout regard sur soi. Ainsi ces écrits sur l'Algérie ont-ils permis au savant bien plus qu'un « détour » ethnologique : une conversion du regard.*

---

7. Cette référence au dialogue Parménide-Socrate sera utilisée par Pierre Bourdieu en 1975 dans le texte qui ouvre le premier numéro de *Actes de la recherche en sciences sociales* [lire p. 123].
8. *Travail et travailleurs en Algérie*, « Avant-propos » (1963), *op. cit.*

Révolution dans la révolution

LES CAUSES ET LES RAISONS DE LA GUERRE, la forme particulière qu'elle a prise et les conséquences qu'elle a entraînées, forment une unité de signification qu'il importe de saisir dans l'unité d'une appréhension globale. Il suffit que chacun de ces trois aspects se trouve dissocié de la totalité dans laquelle il s'inscrit pour que toute compréhension en devienne impossible.

Nier que la guerre révolutionnaire ait trouvé son fondement dans une situation objective, c'est la nier dans sa nature propre et son existence même. Prétendre que la guerre est imposée au peuple algérien par une poignée de meneurs utilisant la contrainte et la ruse, c'est nier que la lutte puisse trouver ses forces vives et ses intentions dans un sentiment populaire profond, sentiment inspiré par une situation objective. Or, la guerre existe et persiste et peut persister. Elle n'existe et ne persiste qu'en fonction de la situation dans laquelle et de laquelle elle est née ; mais en même temps elle modifie cette situation par cela seul qu'elle existe et persiste. La société autochtone est bouleversée jusqu'en ses fondements du fait de la politique coloniale et du choc des civilisations. En outre, la société coloniale globale est déchirée par la tension tacite ou manifeste entre la société européenne dominante et la société algérienne dominée. L'évolution du système colonial fait que la distance (et la tension corrélative) qui sépare la société dominante et la société dominée ne cesse de croître et cela dans tous les domaines de l'existence, économique, social, et psychologique. L'équilibre quasi stationnaire dans lequel se trouve maintenue la société coloniale est la résultante de forces opposées toujours accrues, à savoir d'une part la force qui tend à un accroissement des inégalités et de la discrimination, celle-ci se trouvant « fondée objectivement », si l'on peut dire, dans la réalité sociale, du fait de la paupérisation et de la désagrégation de la culture algérienne originelle, et d'autre part la force que constitue la révolte et le ressentiment contre l'accroissement des inégalités et de la discrimination. Bref, emporté par sa logique interne, le système colonial tend à développer toutes les conséquences impliquées dans son fondement même et à révéler son vrai visage. Aussi l'agression ouverte et la répression par la force s'inscrivent-elles parfaitement dans la cohérence du système ; si la société coloniale est aussi peu intégrée que jamais, la guerre est intégrée dans le système colonial pour lequel elle constitue le moment de l'aveu de soi.

La guerre fait éclater en pleine lumière le fondement réel de l'ordre colonial, à savoir le rapport de force par lequel la caste dominante tient en tutelle la caste dominée. Aussi comprend-on que la paix puisse constituer la pire menace aux yeux de certains des membres de la caste dominante. Sans l'exercice de la force, rien ne ferait plus contrepoids à la force dirigée contre la racine même de cet ordre, à savoir la révolte contre la situation inférieure.

C'est que le système colonial, en tant que tel, ne saurait être détruit que par une mise en question radicale. […] « L'intention hostile » de cette guerre a quelque chose d'abstrait. Deux textes entre tant d'autres en fourniront exemple : « La révolution algérienne n'est pas une guerre sainte mais une entreprise de libération. Elle n'est pas œuvre de haine mais lutte contre un système d'oppression. » « La guerre d'Algérie n'est pas la guerre des Arabes contre les Européens ni celle des Musulmans contre les Chrétiens, elle n'est pas non plus la guerre du peuple algérien contre le peuple français. » On pourra ne voir dans ces phrases qu'artifice de propagande. Cependant elles paraissent exprimer un des caractères essentiels de la guerre, à savoir le fait qu'elle est moins dirigée (dans son intention hostile, il faut le répéter) contre des ennemis concrets que contre un système, le système colonial. La revendication de la dignité exprime dans un autre langage la même intention ; elle constitue l'exigence première d'hommes pour qui la réalité du système colonial et de la division en castes de la société coloniale ont été éprouvées concrètement à travers l'humiliation.

C'est pourquoi la révolution contre le système colonial et la division en castes ne peut être assimilée purement et simplement à une lutte de classes, inspirée par des revendications économiques, bien que les motivations de cette sorte ne soient pas absentes du fait que les différences de statut économique sont un des signes les plus manifestes de l'appartenance à chacune des deux castes. Elle n'est pas davantage assimilable à une guerre internationale ou à une guerre civile. Si la lutte contre le système de castes prend la forme d'une guerre de libération nationale, c'est peut-être que l'existence d'une *nation* autonome apparaît comme le seul moyen décisif de déterminer une mutation radicale de la situation qui soit capable d'entraîner l'écroulement définitif du système des castes.

Ainsi la guerre, par sa seule existence mais aussi par sa forme et sa durée, transforme la situation dans laquelle et de laquelle elle est née. Le champ social dans lequel s'accomplissent les comportements quotidiens se trouve radicalement modifié et du même coup l'attitude des individus placés dans cette situation à l'égard de la situation elle-même. Comment décrire et comprendre cette mutation brusque et globale, cette révolution dans la révolution ?

C'est que la guerre de libération constitue la première mise en question radicale du système colonial et, chose essentielle, la première mise en question qui ne soit pas, comme par le passé, *symbolique* et, d'une certaine façon, magique. L'attachement à certains détails vestimentaires (le voile ou la chéchia par exemple), à certains types de conduite, à certaines croyances, à certaines valeurs, pouvait être vécu comme manière d'exprimer, symboliquement, c'est-à-dire par des comportements implicitement investis de la fonction de *signes*, le refus d'adhérer à la civilisation occidentale, identifiée à l'ordre colonial, la volonté d'affirmer la différence radicale et irréductible, de nier la négation de soi, de défendre une personnalité assiégée. Dans la situation coloniale, tout renoncement à la civilisation originelle eût signifié, objectivement, le renoncement à soi et l'allégeance acceptée à l'autre civilisation, c'est-à-dire à l'ordre colonial. Et tel est bien le sens que les tenants de l'ordre colonial donnaient à ce qu'ils nommaient « les signes d'évolution ». Dans la situation coloniale, le refus ne pouvait s'exprimer que sur le mode symbolique. Aussi les Algériens se sentaient-ils sans cesse placés sous le regard des Européens et agissaient en conséquence, comme en témoignent ces formules coutumières, où s'exprime le souci de ne pas donner prise ou prétexte aux jugements péjoratifs des Européens : « Les Français vont vous voir », ou encore « Ne vous ridiculisez pas. » Par là se comprennent toutes les résistances consciemment ou inconsciemment accumulées jusqu'à ce jour comme à plaisir, tous les refus apparemment aberrants et absurdes.

Ainsi l'existence d'hommes qui disent non à l'ordre établi, l'existence d'une organisation rationnelle et durable capable d'affronter et d'ébranler l'ordre colonial, bref, l'existence d'une négation effective, installée au cœur même du système et reconnue, de gré ou de force, par ceux-là mêmes qui s'acharnaient à la nier, suffit à rendre vaines nombre de conduites par lesquelles la caste dominée exprimait son refus de la domination. La guerre, par elle seule, constitue un langage, elle prête au peuple une voix et une voix qui dit non. [...]

En raison de sa forme et de sa durée, la guerre a affecté tous les aspects de la réalité, aussi bien, par exemple, l'économie et la démographie que les structures sociales, les croyances et les pratiques religieuses ou le système de valeurs.

Le peuple algérien connaît aujourd'hui une véritable diaspora. Les déplacements de populations, contraints ou volontaires, ont pris des proportions gigantesques. Selon des estimations dignes de foi, le nombre des personnes déplacées se situerait aux environs de deux millions, c'est-à-dire qu'un Algérien sur quatre, approximativement, vit hors de sa résidence coutumière. De ces phénomènes de migration interne, les regroupements de population ne constituent qu'un aspect, mais sans aucun doute le plus important. La rupture avec un environnement familier et avec un univers social stable et coutumier dans lequel les conduites traditionnelles étaient vécues comme naturelles entraîne l'abandon de ces conduites coupées du sol originaire dans lequel elles prenaient racine. La transformation de l'espace de vie exige une transformation globale de la conduite. Mais le dépaysement est en général si total et si brutal que le désarroi, le dégoût et le désespoir sont infiniment plus fréquents que les conduites novatrices qui seraient nécessaires pour s'adapter à des conditions radicalement nouvelles. Par une ignorance délibérée ou inconsciente des réalités sociales et humaines, les autorités locales chargées d'organiser ces nouvelles collectivités imposent souvent, sans égard aux désirs et aux aspirations des regroupés, un ordre totalement étranger, ordre pour lequel ils ne sont pas faits et qui n'est pas fait pour eux. Dans ces immenses agglomérations, alignements de maisons ou de gourbis disposés selon une géométrie rigoureuse, des groupes d'origines diverses se trouvent rapprochés, ce qui tend à dissoudre les liens communautaires anciens sans que puissent naître, du fait de la situation d'assisté, des solidarités nouvelles fondées sur l'intérêt commun ou la participation à une œuvre commune. Ces hommes ne partagent, le plus souvent, que leurs misères et leur désenchantement. Éloignés de leur terre, les paysans condamnés à l'oisiveté s'efforcent de s'adapter tant bien que

mal ; aussi voit-on apparaître, comme dans les villes, une pro-
lifération de petits commerces sans clientèle. Nombre de villages de regroupement, parmi les plus « réussis », avec leurs
rues larges, leur fontaine, leur épicerie et leur café maure, ont
l'apparence désolée des cités mortes. Ceux qui les habitent,
lors même qu'ils jouissent d'un confort jusque-là inconnu (et
c'est le cas quelquefois), sont profondément mécontents.
Peut-être, essentiellement, parce que les structures les plus
fondamentales, telles que le rythme des journées ou l'organisation de l'espace, se trouvent brisées. Comment dire et surtout faire sentir, en l'espace de quelques lignes, les mille
aspects solidaires de ce drame de l'existence et de l'art d'exister mis en miettes ? La misère matérielle qui frappe souvent les
observateurs n'est rien auprès de la misère morale de ces
hommes arrachés à leur univers familier, à leur terre, à leurs
maisons, à leurs coutumes, à leurs croyances, à tout ce qui les
aidait à vivre et placés dans une situation telle qu'ils ne peuvent former seulement la pensée d'inventer un nouvel art de
vivre pour tâcher de s'adapter à un monde qui leur demeure
totalement étranger.

La migration interne prend aussi la forme de l'exode vers les
villes, qui apparaissent aux campagnards comme un refuge
contre la misère et la guerre. Les bidonvilles ne cessent de
croître. Les citadins d'ancienne date accueillent les parents de
la campagne. Ce qui est important, au point de vue sociologique, c'est le processus d'« urbanisation » dans lequel se
trouve entraînée toute l'Algérie rurale, ou mieux, si l'on permet le néologisme, de « bidonvillisation ». Regroupés, émi-
grés, réfugiés des villes, se trouvent jetés brutalement dans un
univers insolite, incapable de leur assurer un emploi et surtout
cet ensemble de sécurités qui pourrait donner à leur existence
stabilité et équilibre. À l'homme des communautés rurales,
fortement enserré dans les liens communautaires, étroitement
encadré par les anciens et soutenu par tout l'appareil des traditions, fait place l'homme grégaire, isolé et désarmé, arraché
aux unités organiques dans lesquelles et par lesquelles il existait, coupé de son groupe et de son terroir, placé souvent dans
une situation matérielle telle qu'il ne saurait se souvenir des
anciens idéaux d'honneur et de dignité.

Bref, la guerre et ses séquelles ne font que précipiter le mouvement de désagrégation culturelle que le contact des civilisations et la politique coloniale avaient déclenché. Plus, ce mouvement s'étend cette fois au domaine qui s'était trouvé

relativement épargné parce qu'il était demeuré à l'abri des entreprises de colonisation et que surtout dans les zones montagneuses, particulièrement touchées aujourd'hui par la guerre, les petites communautés rurales, repliées sur elles-mêmes dans la fidélité obstinée à leur passé et à leur tradition, avaient pu sauvegarder les traits essentiels d'une civilisation dont on ne pourra plus désormais parler qu'au passé.

Il n'est personne qui n'ait conscience qu'un abîme profond sépare la société algérienne de son passé et qu'un mouvement irréversible a été accompli. Ce qui compte, c'est moins la rupture que le sentiment de la rupture. Il s'ensuit une mise en suspens et en question des valeurs qui donnaient son sens à l'existence d'autrefois. L'expérience d'une vie toujours suspendue, toujours menacée, fait saisir comme vaines des traditions et des croyances qui étaient tenues pour sacrées. Les interdits les plus stricts sont enfreints. La situation révolutionnaire ébranle aussi les anciennes hiérarchies associées au système de valeurs périmé et leur substitue des hommes nouveaux dont l'autorité repose le plus souvent sur des fondements autres que la naissance, la richesse ou l'ascendant moral et religieux. Les anciennes valeurs d'honneur s'écroulent devant les cruautés de la guerre. L'image idéale de soi et les valeurs qui lui sont associées sont mises à l'épreuve la plus radicale.

Telle une machine infernale, la guerre fait table rase des réalités sociales ; elle broie, éparpille les communautés traditionnelles, village, clan ou famille. Des milliers d'hommes sont au maquis, dans les camps d'internement, dans les prisons ou bien réfugiés en Tunisie ou au Maroc ; d'autres sont partis pour les villes d'Algérie ou de France, laissant leur famille dans les centres de regroupement ou au village ; d'autres sont morts ou disparus. Des régions entières sont presque vides d'hommes. Dans les villages désertés, restera-t-il seulement le souvenir des anciennes traditions ? La transmission de la civilisation traditionnelle, que l'adhésion à des valeurs nouvelles tend à désacraliser aux yeux des jeunes, se trouve interrompue par la séparation. Les femmes et les vieillards sont restés au village avec les enfants. Les jeunes, jetés dans la vie urbaine, n'apprennent plus de leurs aînés les préceptes, les coutumes, les légendes ou les proverbes qui constituaient l'âme de la communauté. À l'enseignement des anciens a fait place l'éducation politique, conférée par ceux qui savent lire. Le maintien de la tradition supposait le contact continu des générations successives et le respect révérenciel à l'égard des anciens. La famille patriarcale, communauté primordiale qui, dans les campagnes beaucoup mieux que dans les villes, avait échappé à la désagrégation et qui demeurait la clé de voûte de tout l'édifice social, est dispersée et souvent déchirée par le conflit entre les générations, expression du conflit entre les valeurs anciennes et les valeurs nouvelles.

Les jeunes des grandes villes échappent aux contrôles traditionnels et à la pression de l'opinion publique, fondement essentiel de l'ordre des communautés villageoises. Il arrive en outre que l'absence du père ou du frère aîné les laisse à peu près entièrement livrés à eux-mêmes. Nombre de jeunes, surtout dans les villes, se trouvent aujourd'hui dans la situation de celui que les Kabyles appellent « le fils de la veuve », c'est-à-dire de l'homme sans passé, sans traditions, sans idéal de soi. L'autorité du père, quoique très vivante, est souvent altérée. Le chef de famille a cessé en tout cas d'être saisi comme le fondement de toutes les valeurs et l'ordonnateur de toutes choses. C'est que la guerre a renversé l'échelle des valeurs qui donnait aux anciens la préséance et l'autorité. Les valeurs révolutionnaires sont celles de la jeune génération. Formés dans la guerre, tournés vers l'avenir et ignorant tout d'un passé dans lequel les plus anciens, quoiqu'ils fassent, demeurent enracinés, les adolescents sont souvent animés – et la part qu'ils prennent dans la guerre révolutionnaire en témoigne – d'un radicalisme et d'un négativisme qui les séparent parfois de leurs aînés.

Pour exprimer l'état de choses actuel, les vieux Algériens disent souvent : « Nous sommes au xive siècle »... Le xive siècle est le siècle de la fin du monde, où tout ce qui était de règle devient l'exception, où tout ce qui était défendu se trouve permis, où, par exemple, les enfants ne respectent plus les parents, la femme va au marché, et ainsi de suite. La conscience populaire exprime ainsi son expérience d'un univers renversé où tout va à rebours ; elle voit dans le désordre et le chaos qui l'entourent le monde de la fin annonciateur de la fin du monde. Et nous assistons bien, en Algérie, à la fin du monde. Mais la fin de ce monde est vécue comme l'annonce d'un monde nouveau.

La société algérienne a subi depuis cent trente ans, et continue de subir aujourd'hui, un bouleversement aussi profond que possible. Il n'est pas de domaine qui ait été épargné. Les piliers de l'ordre traditionnel ont été ébranlés ou abattus par la situation coloniale et la guerre. La bourgeoisie urbaine a été désagrégée et dispersée ; les valeurs qu'elle incarnait et sauvegardait ont été emportées par l'irruption des idéologies nouvelles et par l'apparition de nouvelles hiérarchies souvent issues du peuple. Les grands féodaux, souvent compromis par le soutien qu'ils avaient accordé ou accordent à l'administration française, et associés de ce fait, aux yeux des masses, au système d'oppression, ont perdu, dans la plupart des cas, leur puissance matérielle et leur autorité spirituelle. La masse paysanne, qui opposait un traditionalisme et un conservatisme vivaces aux novations proposées par l'Occident, s'est trouvée entraînée dans le tourbillon de la violence qui abolit les vestiges mêmes du passé. Pour avoir été dissocié des pratiques et des croyances magico-mythiques qui l'enracinaient dans le terroir, pour avoir été utilisé un moment, plus ou moins délibérément, comme idéologie révolutionnaire capable de mobiliser les masses et de les engager dans la lutte, l'islam a progressivement changé de signification et de fonction. Bref, la guerre, en raison de sa nature, de sa forme particulière et de sa durée, s'est accompagnée d'une révolution radicale.

Une société aussi radicalement bouleversée imposera que l'on sache inventer des solutions révolutionnaires et mobiliser ces masses arrachées à leurs disciplines et à leur univers traditionnels, jetées dans un monde chaotique et désenchanté, en leur proposant un art de vivre nouveau, qui soit fondé non plus sur la soumission indiscutée aux règles coutumières et aux valeurs livrées par la tradition ancestrale, mais sur la participation active à une œuvre commune, à savoir, avant tout, l'édification d'un ordre social harmonieux.

De la guerre révolutionnaire à la révolution

L A FIN DE LA GUERRE DE LIBÉRATION NATIONALE place le peuple algérien en face de lui-même. Les questions que chacun se posait jusque-là sur le mode abstrait et quasi imaginaire (tant était pressante l'urgence des objectifs immédiats) s'imposent aujourd'hui dans un contexte nouveau. Comment substituer les objectifs d'une révolution aux objectifs de la guerre révolutionnaire qui étaient unanimement approuvés parce qu'ils étaient imposés par une situation objectivement et collectivement éprouvée ? Comment opérer la révision des fins qu'impose le surgissement d'une situation toute nouvelle ?

L'illusion la plus pernicieuse est sans doute ce que l'on peut appeler le mythe de la révolution révolutionnante, selon lequel la guerre aurait, comme par magie, transformé la société algérienne de fond en comble ; plus, aurait résolu tous les problèmes, y compris ceux qu'elle a suscités par son existence. Il n'est pas douteux que la guerre, en raison de sa forme, de sa durée et de la signification qu'elle a prise dans la conscience de tous les Algériens, a déterminé une véritable mutation culturelle. Il n'est pas douteux que nombre de résistances culturelles doivent disparaître avec l'abolition du système colonial et l'instauration d'un gouvernement des Algériens par les Algériens. En ce sens, tout est changé. Mais le vieil homme est-il mort pour autant ?

D'abord, à côté de ceux pour qui la révolution a été l'occasion d'opérer une véritable révolution vécue, il y a aussi tous ceux qui ont traversé la guerre sans comprendre, tous ceux qui, chassés de leur demeure, contraints d'abandonner leur train de vie coutumier pour le bidonville des cités voisines ou pour les centres de regroupement, n'ont fait que subir et pâtir.

Sans doute la guerre et la situation révolutionnaire ont-elles pu déterminer, dans une grande partie de la population, et particulièrement chez ceux qui savaient lire, un élargissement de la conscience politique et, plus profondément, une transforma-

Paru dans *L'Algérie de demain*,
François Perroux (dir.), PUF, Paris, 1962, p. 5-13.

tion réelle de la vision du monde. Comme le montrent les enquêtes qui ont été menées entre 1958 et 1961, la situation révolutionnaire et l'effort d'éducation politique ont favorisé l'uniformisation des opinions. Dans des domaines aussi différents que l'éducation des enfants ou l'avenir de l'Algérie, ouvriers ou commerçants, artisans ou fonctionnaires, citadins ou campagnards tendent à s'accorder sur l'essentiel. Mais en fait, l'unification du langage ne doit pas dissimuler la diversité des attitudes. Ce qui frappe au contraire, c'est la distance entre les opinions et les comportements, entre les jugements formulés sur le mode imaginaire, dans l'ordre du conformisme verbal, et les conduites concrètes. Ces divergences et ces contradictions inconscientes traduisent un désarroi profond en même temps qu'un effort informulé pour réinventer de nouveaux modèles de comportement. À propos du travail des femmes, par exemple, on voit le même individu justifier des modèles empruntés à l'Occident avec des arguments puisés dans la logique de sa tradition, tels que proverbes ou dictons, et justifier des préceptes traditionnels avec des raisons empruntées à la logique occidentale. Cette sorte de flottement entre deux cultures doit être le centre de toute réflexion sur les problèmes de l'éducation dans l'Algérie de demain. Il s'agit en effet d'aider tout un peuple à s'inventer un système de modèles de comportements, bref une civilisation à la fois originale et cohérente ; et, pour cela, il importe de découvrir des techniques pédagogiques nouvelles en même temps que de donner à l'enseignement un contenu nouveau.

L'uniformité relative des opinions témoigne de l'efficacité d'un effort d'éducation ou de propagande raisonnée mais aussi de ses limites. Ce n'est pas peu que d'imposer un langage commun. Mais il faut se garder d'ignorer que les comportements, les attitudes et les catégories de pensée se laissent plus difficilement modifier. En dépit de la force de conviction qu'elle peut détenir lorsqu'elle est conférée par des autorités reconnues, l'éducation qui se donne pour fin de transformer profondément les conduites afin de les adapter à une société nouvelle et à des objectifs nouveaux ne doit pas minimiser les obstacles qu'elle devra lever au prix d'une longue patience.

L'action des commissaires politiques, l'influence de la radio et de la presse ont diffusé un enseignement politique dont il ne faut pas sous-estimer l'importance. N'avons-nous pas pu, au cours de l'été 1960, dans un centre de regroupement de la presqu'île de Collo, discuter des mérites comparés des politiques de Nehru, Tito et Castro ? De façon générale, on est frappé par l'ampleur de la culture politique et la finesse des jugements ; le comportement des masses algériennes au lendemain du cessez-le-feu témoigne objectivement d'une profonde maturité politique. Néanmoins, étant donné l'atmosphère dans laquelle elle a été acquise, étant donné la façon selon laquelle elle a été véhiculée, il est naturel que cette formation reste souvent superficielle et ne s'accompagne pas d'une révolution véritable de la conduite.

Sans doute la guerre et les souffrances qu'elle a infligées constituent-elles, par elles seules, une éducation politique. À travers ses épreuves, le peuple algérien a pris conscience de sa vérité. Mais il faut se garder d'ignorer que la conscience politique affective est en avance sur la conscience politique rationnelle. Ceci est particulièrement vrai des femmes qui ont subi et vécu la guerre plus passivement et passionnellement qu'activement et rationnellement. Chez elles, la sensibilité politique est souvent sans commune mesure avec la conscience et la culture politiques. Il en est de même des jeunes qui ont grandi dans la guerre et, à des degrés différents, de beaucoup d'Algériens.

En particulier, c'est seulement au prix d'une altération de la réalité inspirée par le souci d'appliquer des schémas d'explication classiques que l'on peut voir dans la paysannerie la seule classe révolutionnaire. *Force de révolution*, la paysannerie n'est pas une force révolutionnaire au sens vrai. Sans doute les paysans algériens ont-ils pris une part capitale à la lutte, tant comme acteurs que comme victimes. Et ils le savent. Sans doute ont-ils tout à gagner et rien à perdre. Sans doute sont-ils les premières victimes du colonialisme. Sans doute ont-ils gagné une mémoire aiguë des expropriations et des spoliations dont ils ont été les victimes. « Vous voyez, là-bas, entre les deux arbres, c'était ma terre. Les Français l'ont prise après la révolte de 1875 et ils l'ont donnée à un tel, qui nous avait trahis. » Et ces vieux qui, dans un repli de leur burnous, portent agrafé l'acte d'application du sénatus-consulte qu'ils ne savent pas lire et qui les a dépouillés ! Sans doute, et c'est peut-être l'essentiel, le monde paysan a subi en Algérie des bouleversements exceptionnellement profonds, du fait des grandes lois foncières, des séquestres et, à une date plus récente, de la guerre et des regroupements. Il s'ensuit que les masses paysannes ne risquent pas de jouer le rôle de frein à la révolution, comme il est arrivé ailleurs.

Pour toutes ces raisons, les masses rurales constituent une force explosive, mais une force disponible pour les actions les plus contradictoires. Ne pouvant définir leurs propres fins qu'affectivement et négativement, elles attendent qu'on leur révèle leur destinée. Animées par une révolte profonde, habitées par des énergies moins rationnelles que passionnelles, elles peuvent fournir une proie rêvée aux démagogues ; elles peuvent aussi, à condition que l'on sache les encadrer et orienter la force qu'elles enferment, continuer à jouer dans la révolution le rôle d'aile marchante qu'elles ont tenu dans la guerre révolutionnaire.

La même chose est vraie du sous-prolétariat des villes, chômeurs, manœuvres, journaliers, marchands ambulants, petits employés, porteurs, commissionnaires, gardiens, revendeurs au détail d'un paquet de cigarettes ou d'un régime de bananes. L'accoutumance au non-emploi prolongé et au faire-semblant des métiers de misère, l'absence d'emploi régulier interdisent l'élaboration d'une organisation cohérente du présent et de l'avenir d'un système d'expectations en fonction duquel toute l'activité et toute l'existence puissent s'orienter. Faute de posséder sur le présent ce minimum de prise qui est la condition d'un effort délibéré et rationnel pour prendre prise sur le futur, tous ces hommes sont livrés au ressentiment incohérent plutôt qu'animés par une véritable conscience révolutionnaire ; l'absence de travail ou l'instabilité de l'emploi sont solidaires de l'absence de mise en perspective des aspirations et des opinions, de l'absence d'un système de projets et de prévisions rationnels dont la volonté révolutionnaire est un aspect. Enfermés dans une condition caractérisée par l'insécurité et l'incohérence, ils en ont le plus souvent une vision incertaine et incohérente. Ils subissent, éprouvent et ressentent la misère de leur condition plutôt qu'ils ne la conçoivent, ce qui supposerait un certain recul et aussi des instruments de pensée inséparables de l'éducation. Aussi est-il naturel que cette expérience vécue comme une épreuve s'exprime dans le langage de l'affectivité. Le type d'expression le plus fréquent est ce que l'on peut appeler la « quasi-systématisation affective », à savoir la vision du monde colonial comme dominé par une volonté toute-puissante et maligne. « Les Français, dit un chômeur de Saïda, ne veulent pas me donner du travail. Tous ces messieurs qui sont là près de moi ne travaillent pas. Ils ont tous des certificats, l'un fait maçon, l'autre chauffeur, tous ont un métier. Pourquoi ils n'ont pas le droit de travailler ? Il nous manque tout. Les Français ont tout ce qu'il leur faut pour bien vivre. Mais à nous, ils ne veulent rien donner, ni travail ni rien. » Et cet autre, limonadier à Alger : « On a l'impression de lutter contre la fatalité. Un ami me disait : "Partout où je frappe, je suis précédé de Dieu, un sac de ciment sur le dos et une truelle à la main ; j'ouvre une porte, il me cimente celle qui est devant." » L'expérience quotidienne est vécue comme le résultat d'une sorte de plan systématique conçu par une volonté maligne. Le système colonial est perçu comme un dieu méchant et caché, qui peut s'incarner, selon les occasions et les circonstances, dans « Les Européens », « Les Espagnols », « La France », « L'administration », « Le gouvernement », « Ils », « Eux », « Les Autres ». C'est le « On » qui veut ce dont on dit : « C'est voulu. »

Avec l'emploi permanent et le salaire régulier, avec l'apparition de perspectives réelles d'ascension sociale, une conscience temporelle, ouverte et rationnelle peut se former. Dès lors, on voit disparaître les contradictions entre les aspirations démesurées et les possibilités disponibles, entre les opinions proférées sur le mode imaginaire et les attitudes réelles. Les actions, les jugements et les aspirations s'ordonnent en fonction d'un plan de vie. C'est alors, et alors seulement, que l'attitude révolutionnaire prend la place de l'évasion dans le rêve, de la résignation fataliste ou du ressentiment rageur.

C'est pourquoi il faut révoquer en doute la thèse selon laquelle, dans les pays colonisés, le prolétariat ne serait pas une vraie force révolutionnaire, parce que, à la différence des masses paysannes, il a tout à perdre, au titre de rouage irremplaçable de la machine coloniale. Il est vrai que, dans un pays hanté par le chômage, les travailleurs qui sont assurés d'un emploi permanent et de revenus réguliers forment une catégorie privilégiée et cela à plusieurs titres. D'abord ils peuvent réaliser de manière relativement cohérente leurs aspirations à un mode d'existence moderne : la stabilité de l'emploi et le salaire assuré sont la condition de l'accession et de l'adaptation à l'habitat moderne, et, du même coup, à une existence pourvue d'un confort élémentaire. Ensuite, du fait que leur vie professionnelle les met en contact avec la société industrielle, ils ont pu adopter et intégrer des techniques, des modèles de comportement et des idéaux, bref, toute une attitude à l'égard du monde. Comme tous les aspects de cette vision du monde, qui a pour centre une certaine attitude à l'égard de l'avenir, forment une totalité cohérente, l'adoption d'une « conduite rationnelle de la vie » est inséparable de la formation d'une conscience révolutionnaire rationnelle.

En dépit du dualisme économique qui caractérise la société coloniale, une partie importante de la population algérienne, surtout urbaine, participe, à des degrés divers, aux avantages que procure le secteur moderne, scolarisation des enfants, emploi stable. Faut-il voir là un cadeau empoisonné du colonialisme ? Faut-il penser que l'attachement à ces « privilèges » (qui sont revendiqués comme des droits par référence aux Européens) et l'existence de besoins créés par l'effet de démonstration pourront constituer des obstacles réels à la réalisation d'une politique révolutionnaire ? Tout à l'opposé, seuls des individus pourvus d'un système cohérent d'aspirations et de revendications, capables de se situer dans la logique du calcul rationnel et de la prévision, pourront comprendre et accepter délibérément les sacrifices et les renoncements inévitables. Seuls des individus accoutumés à se soumettre à des exigences rationnelles sauront déjouer, s'il y a lieu, les faux-semblants de la démagogie et exiger des responsables de l'Algérie une politique rationnelle. La réussite d'une telle politique suppose en outre que, par un effort d'éducation, on travaille à apaiser ou à détourner l'impatience magique des sous-prolétaires des villes et des paysans déruralisés qui attendent de l'indépendance tout ce dont le système colonial les avait frustrés.

Dire que les paysans et le sous-prolétariat des villes sont animés d'un radicalisme du sentiment et qu'ils peuvent être entraînés dans les directions les plus opposées, cela ne signifie pas qu'ils pourront souscrire à n'importe quelle politique. On conçoit le danger qu'il y aurait à tomber dans un radicalisme opposé, à savoir une sorte d'hyper-rationalisation technocratique ignorante des réalités sociales. Il suit de là que le problème premier sera, quoi qu'on fasse, celui de l'encadrement des masses et, plus précisément, du dialogue entre les masses et les élites.

Une des contradictions de la situation tient au fait que la révolte des masses a pour fondement la destruction des structures de la société et de la culture traditionnelles. La politique coloniale et la politique de guerre qui n'a fait qu'achever, avec une sorte d'acharnement aveugle et méthodique, ce que la colonisation avait commencé, ont détruit ou altéré les bases économiques de l'ancienne société, les structures sociales, les systèmes de représentations et de valeurs. Une politique de rationalisation révolutionnaire ne peut que tendre à accentuer la mise en question de la culture traditionnelle ; en cela, l'héritage le plus catastrophique de la colonisation peut avoir une fonction positive du fait que, pour avoir été manipulées autant qu'il se pouvait, les masses offriront une résistance moindre aux efforts de reconstruction rationnelle d'un nouvel ordre social. Mais là encore, la réalité est à double face : s'il est vrai que les transformations que pourra demander une éducation visant à introduire de nouvelles techniques, de nouveaux modèles de comportement et de nouvelles valeurs seront de peu auprès des bouleversements entraînés par la politique coloniale et la guerre, s'il est vrai que l'Algérie est en un sens éminemment favorisée parce que la mise en question de l'ordre ancien y a été aussi profonde que possible, parce que les nouveaux modèles et les nouvelles valeurs qu'il s'agit d'introduire ne seront jamais totalement nouveaux pour ceux qui auront à les adopter, reste que la désagrégation et le désarroi peuvent fournir le terrain le plus favorable au développement d'idéologies passionnelles et, peut-être, rétrogrades. Bref, il appartiendra aux responsables et aux élites placés en face d'une réalité ambiguë de faire tourner à bien ce qui peut, également, tourner à mal.

Comment concerter le radicalisme du sentiment, né de l'expérience et de l'épreuve, avec le radicalisme révolutionnaire, né de la réflexion et de la considération systématique de la réalité ? Comment combler le décalage entre les aspirations marquées de l'ambiguïté et de l'incohérence du sentiment et la rationalisation révolutionnaire ? Comment établir le dialogue entre des masses inclinées aux identifications sommaires ou aux partis pris passionnels et un état-major qui reléguerait au second plan la dénonciation des séquelles du colonialisme et concentrerait ses critiques et ses actions sur les contradictions internes de la société algérienne ; qui ne pourrait évoquer les survivances de l'impérialisme et réveiller les ressentiments anciens sans s'exposer à déclencher des explosions incontrôlables ; qui se refuserait à détourner sur le colonialisme, bouc émissaire déjà sacrifié, la révolte des masses frustrées des miracles de l'indépendance ; qui choisirait l'analyse rigoureuse du donné et l'affrontement réaliste avec les réalités plutôt que l'évasion mystificatrice dans la mystique nationaliste ?

Le problème le plus urgent est celui des médiateurs. La réussite d'une politique rationnelle suppose qu'elle soit comprise et admise par le plus grand nombre. Lorsqu'on entend opérer des transformations profondes, on ne peut s'appuyer seulement sur la discipline élémentaire du temps de combat ; il faut convaincre et persuader, c'est-à-dire, dialoguer et enseigner. L'attitude de la masse à l'égard de l'élite est à la fois exigence extrême et remise de soi. « Tant que mon fils n'est pas aussi instruit que toi, disait récemment un ouvrier à un étudiant, ton instruction ne compte pas pour moi. » Et le peuple sera ce qu'on le provoquera à être, force de révolution perdue pour la révolution ou force révolutionnaire.

Retour sur
l'expérience algérienne

À LA DEMANDE DE TASSADIT YACINE, et à l'intention des jeunes chercheurs qui nous écoutent, je voudrais évoquer le contexte socio-historique dans lequel se sont développés mes travaux sur l'Algérie. La démarche qui consiste à étudier la problématique intellectuelle caractéristique d'une époque, afin de replacer ses propres travaux dans leur véritable contexte, est un moment très important dans la recherche de la *réflexivité*, une des conditions impératives de la pratique des sciences sociales. C'est aussi la condition d'une compréhension meilleure et plus juste des travaux des devanciers. Chacun des chercheurs, à chaque époque, prend pour point de départ ce qui a été le point d'arrivée de ses prédécesseurs sans toujours voir le chemin qu'ils ont dû parcourir.

À la fin des années 1950 et au début des années 1960, tout ce qui se rapportait à l'étude de l'Afrique du Nord était dominé par une tradition d'orientalisme. La science sociale était alors hiérarchisée, la sociologie proprement dite étant réservée à l'étude des peuples européens et américains, l'ethnologie aux peuples dits primitifs, et l'orientalisme aux peuples de langues et religions universelles non européens. Inutile de dire combien cette classification était arbitraire et absurde. Toujours est-il que, portant sur la société kabyle, mes travaux se trouvaient dans une position assez bizarre, en quelque sorte à cheval entre l'orientalisme et l'ethnologie...

Pour ce qui est de l'orientalisme, on considérait alors que la connaissance de la langue arabe était une condition nécessaire et suffisante pour connaître la société. La famille Marçais fournissait en Algérie l'exemple de ces chercheurs arabisants, sans formation spécifique, qui régnaient en maîtres sur la faculté d'Alger, distribuaient les sujets de recherche et représentaient ce qu'on a appelé l'ethnologie coloniale. La faculté d'Alger disposait d'une quasi-autonomie intellectuelle par rapport aux facultés métropolitaines, avec ses hiérarchies, ses modes de recrutement locaux, sa reproduction quasi indépendante. Il y

Intervention au colloque organisé par Tassadit Yacine à l'Institut du monde arabe le 21 mai 1997, parue sous le titre « Entre amis » dans *Awal*, n° 21, 2000, p. 5-10.

avait des linguistes arabisants ou berbérisants, qui faisaient un peu de sociologie, des administrateurs civils, des militaires, des géographes, des historiens, dont certains sauvaient un peu l'honneur de la science, comme Marcel Émerit. Ce dernier avait été pendu en effigie par les étudiants pieds-noirs parce qu'il avait établi que le taux de scolarisation était plus fort en Algérie avant 1830 qu'après, ce qui dérangeait beaucoup l'*establishment* universitaire colonial.

Il y avait des historiens indépendants, comme André Nouschi, qui m'a beaucoup aidé, ainsi qu'Émile Dermenghem, formidable introducteur aux secrets de la bibliographie. Mais l'essentiel est que, à quelques exceptions près, que je viens de nommer, non seulement pour les non-universitaires, Pères blancs qui faisaient au demeurant un travail linguistique et, indirectement, ethnographique, extrêmement utile (je pense au père Dallet, notamment), jésuites, administrateurs militaires ou civils, mais aussi pour les universitaires de la faculté d'Alger (Philippe Marçais, futur député OAS, Bousquet, auteur d'un « Que sais-je ? » sur les Berbères et admirateur de Pareto, Yacono, etc.), le lien avec la science centrale (autrefois très fort, avec les Doutté, Montagne, Maunier, etc., et, plus récemment, Thérèse Rivière et Germaine Tillion) était coupé. D'où l'importance d'une œuvre comme celle de Jacques Berque dont je découvrirai ensuite les limites mais qui a été un guide extraordinaire pour le jeune ethnologue-sociologue que j'étais. Je pense bien sûr à son grand livre, *Les Structures sociales du Haut-Atlas*, dont les notes étaient pleines d'indications extrêmement suggestives sur les sociétés nord-africaines, sur le rôle du droit coutumier, sur les rapports entre les traditions berbères et la tradition islamique, etc., mais aussi à un article des *Annales* intitulé « Cinquante ans de sociologie nord-africaine » qui, avec les conseils d'Émile Dermenghem, m'a permis de m'orienter dans l'immense bibliographie, très dispersée et très inégale, consacrée aux sociétés nord-africaines.

À l'époque, un certain nombre d'intellectuels algériens faisaient de l'ethnologie sous forme de romans qu'on a appelés ethnographiques. C'est d'ailleurs là un trait qu'on retrouve dans nombre de pays colonisés, ce passage de la littérature à l'ethnographie. On pense naturellement à Mouloud Feraoun, instituteur décrivant les coutumes et traditions des montagnes kabyles, qui a relu et a annoté mes premiers textes sur la Kabylie, Malek Ouary ou Mouloud Mammeri. Ce dernier –

je l'ai bien connu depuis – m'a beaucoup appris sur les *imusnawen* (pluriel de *amusnaw*), gardiens d'une sagesse et d'un art poétique incomparables.

Mon choix d'étudier la société algérienne est né d'une impulsion civique plus que politique. Je pense en effet que les Français à l'époque, qu'ils soient pour ou contre l'indépendance de l'Algérie, avaient pour point commun de très mal connaître ce pays, et ils avaient d'aussi mauvaises raisons d'être pour que d'être contre. Il était donc très important de fournir les éléments d'un jugement, d'une compréhension adéquate, non seulement aux Français de l'époque, mais aussi aux Algériens instruits qui, pour des raisons historiques, ignoraient souvent leur propre société. (Parmi les effets funestes de la colonisation, on peut citer la complicité de certains intellectuels français de gauche à l'égard des intellectuels algériens, complicité qui les incitait à fermer les yeux sur l'ignorance dans laquelle se trouvaient ces derniers vis-à-vis de leur propre société. Je pense en particulier à Sartre, à Fanon… Cette complicité a eu des effets très graves quand ces intellectuels sont arrivés au pouvoir après l'indépendance de leur pays, et ont manifesté leur incompétence.) J'ai donc présenté un premier bilan critique de tout ce que j'avais accumulé par mes lectures et mes observations dans l'ouvrage publié dans la collection « Que sais-je ? » intitulé *Sociologie de l'Algérie* [1], en me servant des instruments théoriques dont je pouvais disposer à l'époque, c'est-à-dire ceux que fournissait la tradition culturaliste, mais repensée de manière critique (avec par exemple la distinction entre situation coloniale comme rapport de domination et « acculturation »).

Je me suis engagé peu à peu dans un projet plus ambitieux d'ethnosociologie économique (je me suis toujours situé par-delà l'opposition entre sociologie et ethnologie). Pour comprendre la logique du passage de l'économie précapitaliste à l'économie capitaliste (qui, bien qu'il s'accomplisse en Algérie sous contrainte extérieure, était de nature à éclairer, selon moi, les origines du capitalisme et le débat entre Weber, Sombart, et quelques autres, qui me passionnait), il fallait rendre compte d'une part de la logique spécifique de l'économie précapitaliste (avec le problème du rapport au temps, au calcul, à la prévoyance, etc., le problème de l'honneur et du capital symbolique, le problème spécifique des échanges non marchands,

---

1. *Sociologie de l'Algérie*, « Que sais-je ? » PUF, Paris, [1958] 1970.

etc.), et d'autre part la logique des changements de l'économie et des attitudes économiques (ce sera *Travail et travailleurs en Algérie* et *Le Déracinement*), de l'économie domestique (avec une enquête que je n'ai jamais publiée et dont j'ai résumé quelques résultats dans *Algérie 60*) [2].

J'avais également en tête d'autres problèmes plus politiques. La question politique qui préoccupait les intellectuels révolutionnaires de l'époque était celle du choix entre la voie chinoise et la voie soviétique de développement. Autrement dit, il fallait répondre à la question de savoir qui de la paysannerie ou du prolétariat est la classe révolutionnaire. J'ai essayé de traduire ces questions presque métaphysiques en termes scientifiques. Pour cela, j'organisai mon enquête selon les canons de l'INSEE, avec échantillonnage, questionnaire statistique, destiné à mesurer la faculté de calculer, d'anticiper, d'épargner, de contrôler les naissances, etc. Ces paramètres étaient corrélés dans la même enquête avec la capacité d'entreprendre des projets révolutionnaires cohérents. C'est là que j'observai que le sous-prolétariat oscillait entre une grande volonté de changement et une résignation fataliste au monde tel qu'il est. Cette contradiction du sous-prolétariat me paraissait extrêmement importante car elle m'avait conduit à une vision plutôt réservée sur les rêves révolutionnaires des dirigeants de l'époque. Ce qui malheureusement s'est vérifié par la suite. L'Algérie telle que je la voyais – et qui était bien loin de l'image « révolutionnaire » qu'en donnaient la littérature militante et les ouvrages de combat – était faite d'une vaste paysannerie sous-prolétarisée, d'un sous-prolétariat immense et ambivalent, d'un prolétariat essentiellement installé en France, d'une petite bourgeoisie peu au fait des réalités profondes de la société et d'une intelligentsia dont la particularité était de mal connaître sa propre société et de ne rien comprendre aux choses ambiguës et complexes. Car les paysans algériens comme les paysans chinois étaient loin d'être tels que se les imaginaient les intellectuels de l'époque. Ils étaient révolutionnaires mais, en même temps, ils voulaient le maintien des structures traditionnelles car elles les prémunissaient contre l'inconnu. J'étais aussi très conscient des conflits potentiels qu'enfermait la division linguistique de l'Algérie, avec en particulier l'opposition entre les arabophones et les francophones qui, momentané-

---

2. *Algérie 60. Structures économiques et structures temporelles,* Minuit, Paris, 1977.

ment occultée par la logique unificatrice de la lutte anticolonialiste, ne pouvait manquer de se manifester.

Bien sûr, cela a donné à mon travail scientifique une tournure engagée politiquement, mais je ne renie pas du tout cette orientation. Une analyse apparemment abstraite peut être une contribution à la solution des problèmes politiques dans ce qu'ils ont de plus brûlant. Du fait que je me suis placé sur un terrain qui n'était pas vraiment occupé, ni par l'ethnologie ni par la sociologie (ce dont les ethnologues français se sont prévalu pour faire comme si je n'existais pas), j'ai pu entrer avec l'objet traditionnel de ces disciplines dans un rapport nouveau.

Mais la transformation du rapport à l'objet de l'ethnologie et de la sociologie qu'avait permis la lecture en partie double de la Kabylie et du Béarn a eu aussi des effets que je crois importants pour la connaissance du rapport de connaissance, pour la science de la science sociale qui sans doute est la condition majeure du progrès de cette science. Convaincu qu'il fallait s'éloigner pour se rapprocher, se mettre soi-même en jeu pour s'exclure, s'objectiver pour désubjectiviser la connaissance, j'ai pris délibérément pour objet premier de la connaissance anthropologique la connaissance anthropologique elle-même et la différence qui la sépare, inéluctablement, de la connaissance pratique. Ce qui m'a amené, paradoxalement, à « désexotiser » l'exotique, à retrouver dans nos pratiques communes, adéquatement analysées, l'équivalent des conduites les plus étranges, comme les conduites rituelles, à reconnaître dans ce qui est décrit bien souvent dans le langage théoriciste du modèle, la logique pratique de la stratégie, etc. Et je pourrais dire pour aller vite que, dès que nous abandonnons la vision intellectualiste qui nous met artificiellement à distance de la vérité scientifique de nos pratiques, nous sommes contraints de découvrir en nous-mêmes les principes de la « pensée sauvage » que nous imputons aux primitifs. Je pense par exemple aux principes cognitivo-pratiques de la vision masculine du monde. Parler des autres n'est possible et légitime qu'au prix d'une double historicisation, et de l'objet et du sujet de la connaissance. Ce qui signifie que le savant doit se mettre en jeu pour s'exclure du jeu, qu'il doit travailler à se connaître pour être en mesure de connaître l'autre et que tout progrès dans la connaissance de l'objet est un progrès dans la connaissance du sujet de connaissance, et réciproquement.

C'est dire que l'ethnosociologue est une sorte d'intellectuel organique de l'humanité qui, en tant qu'agent collectif, peut contribuer à dénaturaliser et à défataliser l'existence humaine en mettant sa compétence au service d'un universalisme enraciné dans la compréhension des particularismes. Je pense que les spécialistes des civilisations arabo-berbères ne sont pas les plus mal placés pour remplir cette mission d'*Aufklärung* en tant qu'ils sont affrontés à un objet qui est lui-même affronté, aujourd'hui, à la mise en question la plus radicale. Je citerai seulement Mahmoud Darwich, le grand poète palestinien, qui déclarait dans un langage qui aurait pu être celui de Kafka à propos des Juifs de son temps : « Je ne crois pas qu'il y ait au monde un seul peuple à qui on demande tous les jours de prouver son identité comme les Arabes. Personne ne dit aux Grecs : "Vous n'êtes pas Grecs", aux Français : "Vous n'êtes pas Français". [3] » Rien ne me paraît plus légitime (scientifiquement et politiquement) et aussi plus fructueux que de revenir à la particularité des Arabes ou, plus précisément, des Palestiniens, des Kabyles, ou des Kurdes non pour la fétichiser par une forme quelconque d'essentialisme, de racisme positif ou négatif, mais pour y trouver le principe d'une interrogation radicale, sur la particularité d'une condition qui pose dans sa forme la plus universelle la question de l'universalité humaine.

---

3. Mahmoud Darwich, *La Palestine comme métaphore*, Actes Sud, Arles, 1997.

Algérie 1958-1960

Photographies de Pierre Bourdieu

Sartrémoi. Émoi.
Et moi, et moi et moi

À propos de « l'intellectuel total »

ILS ME DEMANDENT DE JOUER À SARTRÉMOI. Émoi. Et moi, et moi et moi ! (*Cf.* le numéro d'hommage publié par *Libération* [1].)

Premier mouvement (habitus ?) : j'ai dit non. Avec une certaine mauvaise conscience, évidemment. Ils sont gentils, je les aime bien.

Infiniment proches, et infiniment éloignés. C'est Jeanson, alors dans la clandestinité, qui a pris mes premiers textes – des morceaux de *Travail et travailleurs en Algérie*, que j'étais en train d'écrire – pour les publier dans *Les Temps modernes*. (J'avais donné à *Esprit*, je ne sais vraiment pas pourquoi, un article plus politique intitulé « Révolution dans la révolution ».) Et Pouillon, que je voyais au laboratoire de Lévi-Strauss, avait pris un fragment de mon étude sur le célibat en Béarn pour le publier sous le titre, plus *Temps modernes*, de « Les relations entre les sexes dans la société paysanne ». Et il y a beaucoup plus que ça : des affinités, ou plutôt des refus partagés, qui nous ont inspiré parfois des projets communs.

Mais je ne sais pas trop quoi dire. Je n'ai jamais rencontré Sartre. Non que je n'en aie pas eu envie, lorsque j'étais étudiant. Mais de quel droit et pour lui dire quoi ? Je n'avais pas le beau culot de certains des leaders de 1968, qui avaient fait de la jeunesse un argument d'autorité. Et puis, à l'époque où j'aurais pu-dû le rencontrer, au moins dans ces manifs mille fois photographiées, avec Foucault tenant le haut-parleur, etc., je n'aurais pour rien au monde voulu en être (habitus ?).

Et puis, quoi ? Sartre, bourgeois, premier de la classe (ou, ce qui revient au même, normalien ultra-normal :

---

1. « Sartre, l'invention de l'intellectuel total », *Libération*, 31 mars 1983. Lire également « Comment libérer les intellectuels libres », *in Questions de sociologie* (Minuit, Paris, 1980) ; « Confessions impersonnelles », post-scriptum aux *Méditations pascaliennes*, Seuil, Paris, 1997, p. 44-53). [nde]

Paru sous le titre « À propos de Sartre... »
dans *French Cultural Studies*, 1993, n° IV, p. 209-211.

c'est lui qui écrit la « revue » de sa promotion), Français (des années 1950) et « philosophe » (au sens que l'on donne à ce mot dans les couloirs de l'École normale)… Tout pour (me) plaire !

Je ne veux pas refaire l'analyse sociologique du « projet » sartrien que j'avais écrite, à la mort de Sartre, pour le *Times Litterary Supplement*. Je pourrais, tout au plus, dire mes réactions d'humeur qui ne sont pas sans rapport, évidemment, avec ce que saisit l'analyse sociologique mais qui, à la façon de ce que l'on appelle d'ordinaire « antipathie intellectuelle », ne font que manifester une incompatibilité d'habitus. Je pense à un texte assez terrible où Canguilhem lie l'opposition entre deux philosophies, qui marquait son époque (c'est-à-dire, si je me souviens bien, entre une philosophie rationaliste, enracinée dans l'histoire des sciences et l'épistémologie, et une philosophie irrationaliste et, en tout cas très soucieuse d'affirmer ses distances à l'égard du scientisme et du positivisme), aux attitudes des uns (Cavaillès notamment [2]) et des autres sous l'occupation allemande. Réaction de mauvaise humeur, sans nul doute excessive, qui a beaucoup à voir avec les différences d'habitus.

Mais comment condamner une humeur ? Je serais, en tout cas, un des plus mal placés pour le faire. Après avoir partagé un moment – sur un mode ambigu et comme dédoublé – la vision du monde du « philosophe normalien français des années 1950 » que Sartre portait à son accomplissement – je pourrais dire à son paroxysme – et, en particulier, la morgue avec laquelle il considérait les sciences de l'homme – psychologie, psychanalyse, sans parler, mais justement il n'en parlait pas, de la sociologie –, je puis dire que je me suis construit, au sortir même de l'univers scolaire, et pour en sortir, contre tout ce que représentait pour moi l'entreprise sartrienne.

Aller voir de près les travailleurs d'Algérie, et les non-travailleurs, chômeurs, sous-prolétaires, paysans sans terre, etc., c'était rompre avec le discours à majuscule – qui refera surface, un peu plus tard, avec Althusser et ses normaliens – sur les Travailleurs, ou le Prolétariat et le Parti ;

2. Philosophe et mathématicien né en 1903, Jean Cavaillès fut arrêté en 1942 pour fait de résistance, puis fusillé. [nde]

et rompre aussi avec le rite intellectuel, politiquement nécessaire et parfois humainement admirable (je pense aux 121), de la pétition. Faire de la sociologie (même pas de l'anthropologie… ou de ces formes mixtes de philosophie et de « science » qui permettent d'avoir tous les profits) et de la sociologie « dure », fondée sur la statistique et la quantification, c'était refuser toutes les tentatives pour constituer les sciences de l'homme comme des sciences à part, pas comme les autres, et pour restaurer (il s'agit bien de restauration) le séparatisme méthodologique défendu par le mouvement des *Geisteswissenschaften* et la tradition « herméneutique » : je pense ici par exemple à Habermas et à Ricœur parlant de la psychanalyse et à tous ceux qui poursuivent inlassablement aujourd'hui, comme Sartre hier, la quête d'une compréhension idiosyncrasique de l'humain et s'arrogent ainsi en outre les profits assurés d'une connaissance réputée supérieure parce que propre à flatter le « point d'honneur spiritualiste » qui sommeille en tout intellectuel, le privilège de délimiter ou de fonder les tâches par eux imparties aux tâcherons de la science positive. Je pourrais continuer comme ça très longtemps. Ce que j'aime le moins en Sartre, c'est tout ce qui a fait de lui non seulement l'« intellectuel total », mais l'intellectuel idéal, la figure exemplaire de l'intellectuel, et en particulier sa contribution sans équivalent à l'idéologie de l'intellectuel libre, qui lui vaut la reconnaissance éternelle de tous les intellectuels.

Je ne me rangerai jamais, cependant, dans le camp de ceux qui, aujourd'hui, chantent la mort de Sartre et la fin des intellectuels ou qui, procédant de manière plus subtile, peut-être par souci de sauver la position créée par Sartre, avec l'obscur espoir de l'occuper, inventent un couple Sartre/Aron qui n'a jamais existé, pour donner la palme (de la raison et de la lucidité) à ce dernier. D'abord parce que, entre Sartre et Aron, les ressemblances sont, selon moi, beaucoup plus grandes que les différences. À commencer par ce qui me les rend l'un et l'autre, en dépit de tout, profondément sympathiques : je veux parler de ce que j'appellerai leur naïveté ou même leur innocence (si je ne puis pas témoigner pour ce qui est de Sartre, j'ai assez connu et – faut-il le dire ? – aimé Raymond Aron pour être en mesure d'attester que l'analyste désenchanté du monde contemporain cachait (mal) un homme sensible, voire sentimental, et un intellectuel croyant naïvement aux pouvoirs de l'intelligence).

Purs produits d'une institution scolaire triomphante, qui accordait à son « élite » une reconnaissance inconditionnelle, faisant par exemple d'un concours de recrutement scolaire (l'agrégation de philosophie) une instance de consécration intellectuelle (il faut voir comment Simone de Beauvoir parle de tout cela dans ses mémoires), ces sortes d'enfants prodiges se voyaient conférer, à vingt ans, les privilèges et les obligations du génie. Dans une France économiquement et politiquement diminuée, mais toujours aussi triomphante intellectuellement, ils pouvaient se consacrer en toute innocence à la mission que leur assignaient l'université et toute une tradition intellectuelle habitée par la certitude de son universalité : c'est-à-dire une sorte de magistère universel de l'intelligence. Armés de leur seule intelligence – ils ne s'encombraient guère de savoirs positifs –, ils pouvaient aussi bien s'affronter aux tâches intellectuelles les plus immenses, comme de fonder philosophiquement la science de la société ou de l'histoire, ou trancher péremptoirement sur la vérité ultime des régimes politiques ou sur l'avenir de l'humanité. Mais leur assurance sans limites avait pour contrepartie la reconnaissance sans concession des obligations attachées à leur dignité.

Il n'est personne qui ait cru plus que Sartre à la mission de l'intellectuel et qui ait fait plus que lui pour apporter à ce mythe intéressé la force de la croyance sociale. Ce mythe, et Sartre lui-même, qui, dans la splendide innocence de sa générosité, en est à la fois le producteur et le produit, le créateur et la créature, il faut le défendre à tout prix, envers et contre tous, et sans doute avant tout contre une interprétation sociologiste de la description sociologique du monde intellectuel : même s'il est encore beaucoup trop grand pour les plus grands des intellectuels, le mythe de l'intellectuel et de sa mission universelle est une de ces ruses de la raison historique qui font que les intellectuels les plus sensibles aux séductions et aux profits d'universalité peuvent avoir intérêt à contribuer, au nom de motivations qui peuvent n'avoir rien d'universel, au progrès de l'universel.

1964-1970

Ceux que l'école a libérés sont plus que tous les autres enclins à croire en l'école libératrice. Aliénés par leur libération, ils mettent leur foi en l'école libératrice au service de l'école conservatrice qui doit au mythe de l'école libératrice une part de son pouvoir de conservation.

Éducation & domination

> Instrument privilégié de la sociodicée bourgeoise qui confère aux privilégiés le privilège suprême de ne pas s'apparaître comme privilégiés, [l'École] parvient d'autant plus facilement à convaincre les déshérités qu'ils doivent leur destin scolaire à leur défaut de dons ou de mérites que, en matière de culture, la dépossession absolue exclue la conscience de la dépossession.
>
> *La Reproduction* (avec Jean-Claude Passeron), 1970

APRÈS AVOIR ÉTÉ MAÎTRE DE CONFÉRENCES *de sociologie à la faculté des lettres de Lille (1961-1964), Pierre Bourdieu revient à Paris comme directeur de recherche à l'École pratique des hautes études. Il assume le rôle de secrétaire général du Centre de sociologie européenne (CSE), lancé par Raymond Aron en 1960 grâce à une subvention de la fondation Ford. Tout au long de ces années, un groupe de chercheurs se constitue, parmi lesquels Luc Boltanski, François Bonvin, Robert Castel, Jean-Claude Chamboredon, Patrick Champagne, Yvette Delsaut, Claude Grignon, Gérard Lagneau, Madeleine Lemaire, Rémi Lenoir, Francine Muel-Dreyfus, Jean-Claude Passeron, Louis Pinto, Monique de Saint-Martin et Dominique Schnapper. Des études sont lancées sur le système d'enseignement, les intellectuels, les pratiques culturelles liées aux musées et la photographie ; plusieurs enquêtes et ouvrages collectifs sont alors publiés* [1].

L'année 1964 avait été celle de la création de la collection « Le sens commun » aux éditions de Minuit, réponse au besoin d'acquérir une structure de publication relativement autonome dont la politique éditoriale soit à la fois scientifiquement ambitieuse (les traductions d'ouvrages majeurs de la tradition critique française et étrangère viendront renforcer la série des grandes études auxquelles donnent le jour les membres de ce collectif sociologique) et soucieuse d'échapper au confinement érudit pour s'ouvrir à un

---

1. *Un art moyen* (avec Luc Boltanski, Robert Castel et Jean-Claude Chamboredon), Minuit, Paris, 1965 ; *L'Amour de l'art* (avec A. Darbel et Dominique Schnapper), Minuit, Paris, 1966 ; *Le Partage des bénéfices* (en collaboration avec des statisticiens et économistes de l'INSEE), Minuit, Paris, 1966 ; *Le Métier de sociologue* (avec Jean-Claude Chamboredon et Jean-Claude Passeron), Minuit, Paris, 1968.

lectorat plus vaste et marqué par certaines attentes politiques associées au « label Minuit ». C'est dans cette collection que Pierre Bourdieu publie la même année, avec Jean-Claude Passeron, Les Héritiers, *livre dans lequel Raymond Aron verra plus tard un des catalyseurs de Mai 68. Pendant les événements, ce dernier donne l'adresse du Centre de sociologie européenne comme point de ralliement du « Comité pour la défense et la rénovation de l'université française » ; un an plus tard, Bourdieu constitue une équipe de chercheurs avec ses programmes propres : le Centre de sociologie de l'éducation et de la culture (CSEC).*

Le Centre participe alors, à sa manière, aux événements de Mai 68. Une des interventions majeures est alors un « Appel à l'organisation d'états généraux de l'enseignement et de la recherche » [lire p. 63] ; *l'idée d'états généraux (reprise 30 ans plus tard en 1996 et 2000* [lire p. 341 & 441]*) renvoie à un mode de revendication collective qui ne se confonde pas avec une « discussion entre bénéficiaires du système » et ne redouble pas l'exclusion de ceux qui, éliminés du système, sont privés du moyen de le contester.*

Lancé pendant les événements de Mai 68, un tract d'appel à l'organisation d'états généraux inaugure une série de dossiers thématiques, rédigés collectivement par divers membres du CSE, sur les procédures de recrutement des enseignants, la maîtrise des effets de l'héritage de classe par le changement des contenus transmis, la critique du diplôme comme critère exclusif de compétence, la transformation ou la suppression de l'examen traditionnel, le contrôle continu, le recours à de nouvelles techniques pédagogiques, la transformation de la structure des carrières et de la répartition des pouvoirs dans l'enseignement supérieur, la suppression de l'agrégation, etc. [lire p. 63]

Dans les années qui suivent, Pierre Bourdieu ne cesse de revenir sur la crise de l'« ordre universitaire » qui a éclaté en 1968, et d'analyser ce qui en a fait les limites : la réforme des aspects les plus visiblement autoritaires du système scolaire n'a pas fait disparaître la structure autoritaire de la « relation pédagogique » et son pouvoir de légitimation des inégalités [2] ; *le spontanéisme de la prise de parole par les « leaders de Mai » ne doit pas occulter ce que les positions politiques défendues alors par des étudiants et des universitaires subalternes devaient à leurs intérêts objectifs dans le monde académique* [3]*.*

---

2. Lire *La Reproduction* (avec Jean-Claude Passeron), Minuit, Paris, 1970.
3. Lire *Homo academicus*, Minuit, Paris, 1984.

De même que les études réunies dans Rapport pédagogique et communication [4] *montrent « le rôle déterminant de l'héritage linguistique dans la réussite scolaire »,* Les Héritiers *part du lien statistique entre l'origine sociale et les taux de scolarisation pour montrer que le système d'enseignement favorise ceux qui sont, de par leur origine de classe, les mieux dotés en capital culturel. L'apparente neutralité de l'école lui permet de transformer des différences sociales en différences scolaires en faisant passer des propriétés acquises au sein du milieu familial pour des « dons naturels ». Dans une société où l'obtention de privilèges sociaux dépend de plus en plus étroitement de la possession de titres scolaires, cette idéologie du don, par laquelle ceux qui « héritent » deviennent ceux qui « méritent », remplit une fonction essentielle de légitimation de l'ordre social.*

Paru en 1970, La Reproduction *est vivement attaqué, notamment dans la revue* Esprit *par l'historien de l'enseignement Antoine Prost, qui y dénonce une « vision fataliste » de l'école et de la société. Dans les milieux de gauche, et en particulier au parti communiste, l'accueil n'est pas meilleur, comme l'explique Bourdieu dans un entretien ultérieur* [lire p. 73]. *C'est aussi dans ces années-là que sont initiées, dans le cadre du CSE puis du CSEC, les enquêtes sur les grandes écoles qui aboutiront, en 1989, à* La Noblesse d'État, *dont le prologue insiste sur le rôle politique de l'institution scolaire et donc de la sociologie de l'éducation :*

> La sociologie de l'éducation est un chapitre, et non des moindres, de la sociologie de la connaissance et aussi de la sociologie du pouvoir – sans parler de la sociologie des philosophies du pouvoir. Loin d'être cette sorte de science appliquée, donc inférieure, et bonne seulement pour les pédagogues que l'on avait coutume d'y voir, elle se situe au fondement d'une anthropologie générale du pouvoir et de la légitimité : elle conduit en effet au principe des « mécanismes » responsables de la reproduction des structures sociales et de la reproduction des structures mentales qui, parce qu'elles leur sont génétiquement et structuralement liées, favorisent la méconnaissance de la vérité de ces structures objectives et, par là, la reconnaissance de leur légitimité. Du fait que la structure de l'espace social tel qu'il s'observe dans les sociétés différenciées est

---

4. *Rapport pédagogique et communication* (avec Jean-Claude Passeron, Monique de Saint-Martin *et al.*), Mouton, Paris, 1965.

le produit de deux principes de différenciation fondamentaux, le capital économique et le capital culturel,
l'institution scolaire qui joue un rôle déterminant dans la
reproduction de la distribution du capital culturel, et, par
là, dans la reproduction de la structure de l'espace social,
est devenue un enjeu central des luttes pour le monopole
des positions dominantes. [5]

5. *La Noblesse d'État*, Minuit, Paris, 1989, p. 13.

L'idéologie jacobine

POURQUOI LE SYSTÈME D'ÉDUCATION est-il si rarement soumis à une critique radicale ? Je voudrais montrer que le radicalisme ou le terrorisme verbal dissimule le plus souvent une complicité souterraine avec la logique du système d'enseignement, les valeurs qui le soutiennent et les fonctions qu'il remplit objectivement. Ne s'accorde-t-on pas trop facilement pour dénoncer les insuffisances de ce système et celles-là seulement que le système d'enseignement doit aux conditions économiques et politiques de son fonctionnement ?

Dénoncer et combattre, au nom d'une surenchère d'exigences, toutes les tentatives pour transformer un système archaïque, cela est incontestablement utile, mais cela est aussi incontestablement rassurant. D'abord, on se donne les justifications du révolutionnarisme verbal en réaffirmant les exigences concernant les conditions du fonctionnement du système ; ensuite on se dispense ainsi d'examiner le fonctionnement proprement dit de ce système, d'en analyser la logique et d'en découvrir les fonctions réelles. C'est pourquoi j'ai la conviction que l'idéologie jacobine sur laquelle repose la critique traditionnelle du système d'enseignement, et aussi, il faut le dire, certaines critiques traditionnelles des réformes gouvernementales de ce système, justifient le système sous apparence de le contester en même temps qu'elles justifient dans leur conservatisme pédagogique nombre de ceux qui s'en réclament, même à l'intérieur de l'Université.

La plupart des critiques accordent en effet implicitement au système d'enseignement qu'il remplit les fonctions qu'il se propose idéalement de remplir, à savoir d'assurer à tous des chances égales d'accéder à l'enseignement supérieur et aux avantages sociaux procurés par l'enseignement. Par là, elles sont complices du système sous apparence de le dénoncer. On objectera que les programmes et les manifestes dénoncent à qui mieux mieux les inégalités devant l'enseignement supérieur ; de fait, il n'est pas de réunion pareille à celle-ci où l'on ne rappelle que les fils d'ouvriers constituent seulement 6 % des étudiants, mais quand on a dit cela on a tout dit et on se

Communication à la Semaine de la pensée marxiste, 9-15 mars 1966, parue dans *Démocratie et liberté*, Éditions sociales, 1966, p. 167-173.

dispense de réfléchir sur le sens de ces chiffres. On se dispense de se demander quelle est la fonction réelle d'un système d'enseignement qui fonctionne de manière à éliminer de l'école, tout au long du cursus scolaire, les enfants des classes populaires et, à moindre degré, des classes moyennes ; on se dispense de se demander quelles sont *les caractéristiques de son fonctionnement* qui rendent possible ce résultat objectif, à savoir l'élimination différentielle des enfants selon leur origine sociale. Il est vrai qu'une telle réflexion n'a rien de rassurant pour celui qui l'entreprend, surtout lorsque, étudiant ou professeur, il est lui-même un privilégié du système. L'idéologie jacobine vient donc à point nommé puisqu'elle permet de contester le système tout en lui accordant l'essentiel. En effet, la foi en l'école égalitaire et libératrice interdit de découvrir l'école comme conservatrice et réellement injuste bien que, et j'ajouterai parce que, formellement équitable.

On trouve une expression parfaite du mythe égalitaire dans la lettre du professeur de faculté que publiait *Le Monde* du 28 juillet 1964 et qui concernait les concours : « La suppression des concours et le remplacement par l'examen des titres favoriseraient les élèves médiocres issus de la bourgeoisie bien plus que les élèves d'origine modeste. Nos pères, bons connaisseurs des dangers de la parenté, des recommandations ou de la fortune, ont fait la révolution pour établir les concours qui assurent des places au seul mérite ; le concours ou l'examen sur copie corrigée dans l'anonymat est en matière de recrutement la pierre de touche de la démocratie. La vraie démocratie consiste à permettre à tous les jeunes gens de se présenter à tous les concours s'ils sont aptes à y être reçus, non de supprimer les concours pour permettre aux enfants médiocres de familles bien placées de se glisser là où ils serviraient insuffisamment la société et la nation. » Ce texte me paraît parfaitement révélateur de l'automystification que renferme l'idéologie jacobine. Il fait voir, en effet, comment la dénonciation d'un danger imaginaire, qui a pu être réel en un autre temps, permet de dissimuler un danger réel, le danger même qu'on croit dénoncer, à savoir que les concours favorisent aussi bien et même mieux, puisque les apparences de l'équité sont sauvegardées, les enfants des classes favorisées. En effet, il est vrai que les concours sont ouverts à tous, il est vrai aussi que, comme par hasard, les enfants y réussissent d'autant plus souvent qu'ils appartiennent à un milieu plus favorisé économiquement et culturellement. De la même façon, les musées sont ouverts à tous, ils sont même gratuits le dimanche, et pourtant, la proportion des ouvriers y est extrêmement faible, elle y est à peu près équivalente à la proportion des fils d'ouvriers inscrits dans l'enseignement supérieur. Autrement dit, les individus des classes défavorisées ont la possibilité formelle de visiter les musées ou de passer les plus hauts concours mais ils n'ont pas la possibilité réelle d'user de cette possibilité formelle. Sachant scientifiquement que le fait d'ouvrir à tous les concours ne menace en rien les privilèges, on peut conclure que la tradition jacobine se mystifie quand elle entend se persuader qu'en défendant les concours elle défend une conquête révolutionnaire. Comme la défense du concours, toutes les actions qui tendent à renforcer l'égalité formelle entre les élèves et les étudiants, l'égalité formelle des élèves et des étudiants devant le système de l'enseignement, sont *irréprochables*. Mais n'est-ce pas là leur vraie et leur seule fonction ? En effet, elles mettent ceux qui les entreprennent à l'abri du reproche et leur évitent d'examiner et de contester le fonctionnement même d'un système qui remplirait d'autant mieux sa fonction de conservation et de légitimation des inégalités que l'égalité formelle serait plus complètement réalisée.

Il faut donc poser les vraies questions que toutes ces idéologies éludent systématiquement. Quelle est la responsabilité de l'école ? – je dis bien de l'école en tant que système et non pas des agents concrets qui participent à son fonctionnement. Quelle est la responsabilité de l'école en sa forme historique française dans la perpétuation des inégalités sociales ? des inégalités devant l'école et des inégalités par l'école ? Dès que l'on pose réellement la question, la réponse scientifique ne fait aucun doute. Les valeurs que l'école véhicule, qu'elle exige des enseignants et des enseignés, les méthodes pédagogiques – ou, pour certains ordres d'enseignement, l'absence de méthode pédagogique – qui la caractérisent, les critères de recrutement et de jugement qu'elle emploie, les procédés d'orientation, de sélection qu'elle utilise, le contenu de la culture qu'elle transmet contribuent à favoriser les plus favorisés et à défavoriser les plus défavorisés. Par suite, l'équité formelle qui domine tout le système d'enseignement est injuste réellement et, dans toute société qui se réclame d'idéaux démocratiques, elle protège mieux les privilèges que la transmission ouverte et patente des privilèges. C'est ce qu'il faut rapidement démontrer. Premièrement, la neutralité de l'école est une fausse neutralité. En effet, pour qu'en soient favorisés les plus favorisés et défavorisés les plus défavorisés, il faut et il suffit que l'école ignore dans le contenu de l'enseignement transmis, dans les méthodes et les techniques de transmission et dans les critères de jugement les inégalités culturelles qui séparent les enfants des différentes classes sociales. Autrement dit, en traitant tous les enseignés, si inégaux soient-ils entre eux, comme égaux en droits et en devoirs, le système scolaire est conduit à donner en fait sa sanction aux inégalités initiales devant la culture. Toutes les recherches sociologiques montrent qu'il existe une relation étroite entre les aptitudes que mesure l'école et l'origine sociale. Autrement dit, que les enfants réussissent d'autant mieux à l'école qu'ils appartiennent à un milieu plus favorisé économiquement et surtout culturellement. Cela veut dire que la démocratie scolaire suppose la démocratie économique et sociale, mais cela veut dire aussi que la démocratie scolaire suppose une école réellement démocratique dans ses méthodes, ses valeurs et son esprit. Étant donné que les enfants reçoivent de leur milieu familial des héritages culturels tout à fait inégaux, les inégalités devant la culture se perpétueront tant que l'école ne donnera pas aux déshérités les moyens réels d'acquérir ce que les autres ont hérité. Le système scolaire en sa forme actuelle tend à accorder un privilège supplémentaire aux enfants des milieux les plus favorisés parce que les valeurs implicites qu'il suppose et qu'il véhicule, les traditions qu'il perpétue et même le contenu et la forme de la culture qu'il transmet et qu'il exige sont en affinité de style avec les valeurs et les traditions de la culture des classes favorisées. Ceci est vrai aussi au niveau du contenu de la culture. Ainsi, par exemple, l'enseignement littéraire suppose acquise toute une expérience faite de savoirs et de pré-savoirs qui ne peuvent appartenir qu'aux enfants des classes cultivées. On pourrait montrer de la même façon que la dévalorisation de la culture scientifique et technique est en affinité avec les valeurs des classes dominantes ; on pourrait montrer aussi que la langue dans laquelle s'effectue la transmission du savoir diffère profondément dans son vocabulaire et dans sa syntaxe de la langue qu'utilisent quotidiennement les enfants de classes moyennes et populaires. On pourrait montrer enfin que les valeurs implicitement engagées dans l'enseignement ne sont que celles de la classe cultivée. Je prendrai un seul exemple, la croyance, si fortement répandue chez les professeurs et chez les élèves, en l'existence de dons naturels. L'idéologie du don est à mes yeux la clé de voûte de tout ce système. En effet, elle permet de vivre et de traiter comme aptitudes naturelles et personnelles des aptitudes socialement acquises et, du même coup, elle dispense les enseignants de donner à ceux qui n'ont pas reçu ces aptitudes de leur milieu familial les moyens de les acquérir. Par un paradoxe assez surprenant, l'école dévalue comme scolaires les aptitudes qu'ont acquises à l'école, grâce à un effort scolaire, ceux qui ne les ont pas héritées de leur milieu. De même, l'école dans ses instances les plus hautes dévalue comme primaires certaines techniques et méthodes de transmission qui pourraient seules compenser le handicap des plus défavorisés et auxquelles l'enseignement primaire de la belle époque devait sa réussite en tant qu'instrument de promotion sociale. Outre qu'elle permet à l'élite cultivée de se sentir justifiée d'être ce qu'elle est, l'idéologie du don contribue à enfermer les membres des classes populaires dans le destin que la société leur assigne, en les portant à percevoir comme inaptitude naturelle ce qui n'est qu'un effet d'une condition inférieure.

Et il faut aller jusqu'au bout : les valeurs que les enseignants engagent dans leur enseignement sont-elles parfaitement neutres socialement ? Produits d'un système voué à transmettre une culture aristocratique dans son contenu et dans son esprit, ils sont enclins à en épouser les valeurs avec d'autant plus d'ardeur qu'ils y reconnaissent plus complètement leur culture et le symbole de leur réussite sociale. Et puis, il faut encore revenir aux statistiques de l'accès à l'enseignement supérieur que tout le monde profère et que personne ne réfléchit. Si l'on sait que les facultés et les grandes écoles où se recrutent les professeurs ont encore aujourd'hui un recrutement très aristocratique, d'autant plus aristocratique que l'on s'élève dans la hiérarchie scolaire, on peut conclure qu'il en est de même du corps professoral et cela d'autant plus que l'on va vers les ordres d'enseignement les plus élevés. Comment les professeurs n'engageraient-ils pas, même et surtout à leur insu, dans leur manière d'enseigner et dans leur façon de juger, les valeurs de leur milieu d'origine ? Sans doute serait-il abusif et sommaire de décrire les rapports entre les classes supérieures et les enseignants dans le langage du complot. En fait, il s'agit, et c'est peut-être le plus grave, d'une *complicité* qui s'ignore, et qui se dissimule souvent à elle-même sous les professions de foi généreuses, complicité fondée sur l'affinité de style de vie et de valeurs. C'est ainsi, on le voit, que le système scolaire peut servir la perpétuation des privilèges sans que les privilégiés aient à se servir de lui.

Deuxièmement, l'école consacre les inégalités, c'est-à-dire qu'elle les sanctionne et les légitime. Elle transforme des inégalités de fait en inégalités de mérite. Le fils de cadre supérieur qui succède à son père n'a aucune des apparences de l'héritier. Pourtant, il doit une part importante de son succès à l'École nationale d'administration ou à l'École polytechnique, aux aptitudes qu'il a acquises dans son milieu (à la différence de ceux qui ont été éliminés) et que l'école traite comme des dons naturels alors qu'il s'agit d'un héritage social.

Troisièmement, l'école a une fonction mystificatrice. D'une part, elle persuade ceux qui sont éliminés par l'école qu'ils doivent leur destinée sociale, très étroitement liée à leur destin scolaire, c'est-à-dire leur profession, leur revenu, leur rang social, à leur nature individuelle, à leur manque de dons, et elle contribue par là à les empêcher de découvrir que leur destin individuel est un cas particulier d'un destin collectif, celui qui pèse sur tous les membres de leur classe et que révèlent les statistiques d'accès à l'enseignement supérieur. On voit parfois que les succès d'exception des quelques individus qui échappent au destin collectif peuvent donner une apparence de légitimité à la sélection scolaire et contribuer par là à accréditer le mythe de l'école libératrice auprès de ceux-là mêmes qui ont subi l'élimination, en leur faisant croire que la réussite n'est affaire que de travail et de dons. On voit moins souvent que ceux que l'école a libérés sont plus que tous les autres enclins à croire en l'école libératrice, ce par quoi l'école conservatrice a encore raison d'eux. Aliénés par leur libération, ils doivent payer de la foi en l'école libératrice leur succès à l'école qui n'a pu que redoubler leur foi en l'école, responsable au moins pour une part de leur succès. Ils mettent leur foi en l'école libératrice au service de l'école conservatrice qui doit au mythe de l'école libératrice une part de son pouvoir de conservation.

Ainsi, le système scolaire contribue à légitimer les inégalités économiques et sociales en donnant à un ordre social fondé sur la transmission du capital économique et, toujours davantage, sur la transmission du capital culturel, les apparences d'un ordre fondé sur les mérites scolaires et les dons individuels. Sachant d'une part que, en des sociétés qui tendent toujours plus à se rationaliser formellement, les positions dans la hiérarchie économique et sociale sont, en quelque domaine ou secteur de l'activité que ce soit, de plus en plus liées aux diplômes obtenus – les voies parallèles telles que l'accession par le rang ou par les concours intérieurs étant de plus en plus fermées –, sachant d'autre part que la réussite scolaire dépend très étroitement de l'origine sociale, on voit par simple déduction que le système scolaire tend à perpétuer l'ordre social en sa forme actuelle. Quand on parle de l'école libératrice, il faudrait donc préciser si l'on parle de l'école telle qu'elle est ou telle qu'elle devrait être. Dans l'état actuel, l'école contribue très fortement à la rigidité de la structure sociale. Tout semble indiquer que les inégalités devant l'école, instrument privilégié de l'ascension sociale et du progrès culturel, sont plus marquées dans notre société que les inégalités économiques, et si la conscience de la dépossession culturelle est moins aiguë que la conscience de la dépossession économique, c'est que, en matière de culture, la conscience de la privation décroît à mesure que croît la privation ; c'est aussi que l'école contribue à persuader que la distribution des degrés de culture correspond à la distribution des degrés de mérite. C'est pourquoi une prise de conscience de la fonction réelle du système d'enseignement apparaît comme la condition de la transformation réelle de ce système, ne serait-ce que dans la mesure où les représentations mystifiées du système et de la fonction du système contribuent à assurer le remplissement de sa fonction. Il faut donc appréhender l'école comme école conservatrice pour se poser vraiment la question de savoir à quelle condition l'école peut être libératrice.

Mai 68 a pour moi deux visages. D'un côté, comme dans toutes les situations de crise où la censure sociale se relâche, le visage du ressentiment de bas clergé qui, dans l'Université, les journaux, à la radio, à la télévision, règle des comptes et laisse parler à voix haute la violence refoulée et les fantasmes sociaux. De l'autre, le visage de l'innocence sociale, de la jeunesse inspirée qui, entre autres choses par le refus de mettre des formes, met en question tout ce qui est admis comme allant de soi, produisant ainsi une extraordinaire expérimentation sociale dont la science sociale n'a pas fini d'analyser les résultats. Qu'est-il resté de ce grand ébranlement de l'ordre symbolique ? Dans le champ politique proprement dit, à peu près rien : la logique des appareils et des partis, que la critique libertaire n'avait pas épargnés, est mieux faite pour exprimer la rationalisation vertueuse des intérêts corporatifs que l'humeur anti-institutionnelle qui restera pour moi la vérité du rire de Mai.

Rubrique « Son opinion aujourd'hui », publiée notamment avec celles de Raymond Aron et de Jacques Attali dans *Lire*, mai 1983.

APPEL A L'ORGANISATION D'ETATS GENERAUX DE L'ENSEIGNEMENT ET DE LA RECHERCHE

Au moment où, par leur courage, les étudiants ont gagné une première bataille, un groupe d'enseignants et de chercheurs, réunis à Paris le 12 mai, a estimé utile d'appeler tous les groupes intéressés à une transformation démocratique de l'Université française, à définir les grandes lignes d'un programme et de soumettre, sans attendre, à la discussion de tous quelques données et quelques orientations. Il s'agit moins de réaffirmer des revendications qui s'affirment ou s'affirmeront en tout cas (droit des étudiants à participer à la gestion et au contrôle de l'enseignement, transformation de la nature du rapport pédagogique, droit à l'expression et à l'activité non universitaire dans les facultés, etc.) que d'énoncer <u>les lacunes</u> que tout programme défini dans l'institution par les bénéficiaires du système a la plus grande chance de présenter.

Il nous paraît que la participation des enseignants et des chercheurs à un mouvement qu'ils ont suivi plutôt que déclenché ne saura – sans risques – se fonder plus longtemps sur les bons sentiments, qu'il s'agisse de "l'affection" des "maîtres" pour leurs élèves ou de l'indignation légitime contre la répression policière. Il nous paraît en effet qu'une analyse objective du fonctionnement de l'Université et de ses fonctions, tant techniques que sociales, est seule capable de fonder <u>un programme de revendications assez explicites et cohérentes pour résister aux tentatives de récupération technocratique ou conservatrice</u> qui ne manqueront pas de se multiplier. Il nous paraît en conséquence nécessaire de rappeler deux faits fondamentaux que les conditions mêmes dans lesquelles le mouvement s'est déclenché risquent de faire oublier.

— Premièrement, les principales victimes du fonctionnement et de l'organisation actuels du système scolaire sont, par définition, à l'extérieur du système pour en avoir été <u>éliminés</u> ; par conséquent, les groupes dont la voix ne s'est pas fait entendre dans la discussion universitaire, discussion entre bénéficiaires du système, sont ceux mêmes qui auraient le plus directement intérêt à une transformation réelle du système, même si, en l'état actuel, leur exclusion du système les empêche de formuler leur revendication d'un système capable de les intégrer.

— Deuxièmement, toute mise en question de l'institution scolaire qui ne porte pas fondamentalement sur la fonction d'élimination des classes populaires, et par là sur la fonction de conservation sociale du système scolaire est nécessairement fictive. De plus, malgré leur radicalisme apparent, toutes les contestations partielles et superficielles ont pour effet de déplacer le point d'application de la critique et de contribuer de ce fait à la conservation de "l'ordre universitaire" comme mécanisme de perpétuation de "l'ordre social". C'est ainsi qu'il faut dénoncer les tentatives pour réduire la crise actuelle à un conflit de générations, comme si l'appartenance à une même classe d'âge ou, plus encore, à la condition étudiante pouvait effacer magiquement les différences entre les classes sociales.

Les premières propositions rassemblées ci-après ne prétendent pas constituer le programme complet d'une transformation de l'Université mais visent seulement à illustrer quelques directions privilégiées d'une politique universitaire. En effet, il importe de s'armer contre le danger d'une utilisation technocratique de la situation créée : si la crise de l'Université n'est qu'un "malaise" lié à l'anxiété des débouchés ou aux frustrations imposées par un rapport pédagogique conservateur, il est facile de présenter comme solution à tous les maux une planification technocratique du développement de l'enseignement en fonction des seuls besoins du marché du travail ou des concessions fictives sur la participation des étudiants à la vie universitaire. Les changements que le mouvement étudiant introduit de facto dans les facultés – et qui peuvent contribuer à la constitution d'une attitude critique propre à s'étendre au-delà du rapport pédagogique – n'ont chance de marquer durablement la vie universitaire et la vie sociale que si les rapports entre l'Université et la société subissent une transformation radicale. En déclarant l'université "ouverte aux travailleurs", même s'il ne s'agit là que d'un geste symbolique et illusoire, les étudiants ont montré au moins qu'ils étaient ouverts à un problème qui ne saurait être résolu que par une action sur les mécanismes qui interdisent l'accès de certaines classes à l'enseignement supérieur.

–I– S'agissant de promouvoir la démocratisation, c'est-à-dire de mettre en place une politique visant à neutraliser aussi complètement que possible l'effet des mécanismes sociaux qui assurent l'inégalité et la perpétuation de l'inégalité devant l'Ecole et la culture, il importe d'affirmer que :

1. la portée réelle d'une transformation du système scolaire se mesure au degré auquel sont transformées les <u>procédures de recrutement des enseignants et des enseignés</u>. Ceci implique que le problème de l'enseignement supérieur ne peut être séparé sans mystification des problèmes posés par l'organisation des autres ordres d'enseignement. En limitant la réflexion et l'action à l'enseignement supérieur où les jeux sont déjà faits, et depuis longtemps, on s'interdit toute transformation réelle de l'enseignement, y compris de l'enseignement supérieur ;

2. la portée réelle d'une transformation du système scolaire se mesure à son aptitude à <u>contrecarrer les mécanismes proprement scolaires d'élimination et de relégation</u> comme élimination différée : ainsi, la démocratisation de l'entrée dans le secondaire reste fictive du fait de l'inégalité des établissements et des sections qui accueillent inégalement les enfants des différentes classes sociales. Une politique technocratique d'orientation et, à plus forte raison, de sélection, ne ferait que perfectionner et cautionner le fonctionnement d'un système qui ménage à tous les niveaux (des CEG aux IUT) des nasses ou des voies de garage à l'usage des classes populaires ;

3. la portée réelle d'une transformation du système scolaire se mesure au degré auquel elle réussit à <u>minimiser les effets de l'héritage de classe</u> par une <u>redéfinition</u> des contenus transmis (c'est-à-dire des programmes), des techniques de transmission et des manières de contrôler l'effet de la transmission ;

4. la portée réelle d'une transformation des rapports entre le système scolaire et le système social se mesure au degré auquel on réussit à <u>déposséder les titres scolaires de leur fonction de critère exclusif de la compétence</u> en même temps qu'à assurer une utilisation professionnelle à la qualification : le diplôme constitue en effet aujourd'hui un des mécanismes principaux qui s'opposent à l'application du principe "à travail égal, salaire égal", en faisant apparaître comme inégaux des travaux ou des travailleurs séparés seulement par leurs titres scolaires. Ce phénomène qui s'observerait dans tous les secteurs d'activité est particulièrement visible dans l'enseigne-

ment qui, à tous les niveaux, se dote au moindre coût d'enseignants privés, par des différences subtiles entre les titres scolaires, des droits logiquement attachés à la fonction qu'ils accomplissent effectivement (par exemple, adjoints d'enseignement, certifiés, bi-admissibles dans les lycées ; ou, dans l'enseignement supérieur, chargés de cours, assistants, maîtres-assistants et chargés d'enseignement).

–II– S'agissant d'inscrire dans le système d'enseignement les exigences sociales de la démocratisation et les exigences scientifiques de l'enseignement et de la recherche, il faut s'attaquer en première urgence aux mécanismes qui commandent le fonctionnement de l'Université traditionnelle :

1. toute tentative pour modifier la pédagogie, les programmes, l'organisation du travail et les techniques de transmission qui ne s'accompagne pas d'une transformation (voire de la <u>suppression</u>, toutes les fois qu'il se peut) de <u>l'examen traditionnel</u> reste nécessairement fictive [1]. Toutes les fois que l'examen ne peut être remplacé par le contrôle continu (et il pourrait l'être la plupart du temps dans l'enseignement supérieur où les enseignants jugent leurs propres étudiants, si les moyens d'encadrement étaient suffisants), il doit faire l'objet d'un contrat clairement défini entre enseignants et enseignés : un cahier de charges étant établi par la discussion, les enseignants s'engageraient à ne demander que ce qu'ils ont enseigné et conformément à un modèle clairement défini ; ils s'autoriseraient alors légitimement à demander tout ce qu'ils ont enseigné, c'est-à-dire tout ce qui définit explicitement le niveau de compétence attesté par le titre ; le collectif des enseignants et des enseignés d'une discipline devrait, s'il était constitué comme une unité réelle d'enseignement et de recherche, déterminer les types d'épreuves rationnellement, c'est-à-dire par référence aux objectifs de la formation et aux différents publics ; les enseignants chargés du contrôle des résultats devraient être scientifiquement formés aux techniques (et pas seulement docimologiques) permettant de contrôler les connaissances acquises et le travail fourni par référence à des critères explicites. Toute cotation étant un jugement, il va de soi que l'examinateur doit être en mesure de la justifier s'il est appelé à le faire ;

1. Lire « L'examen d'une illusion » (avec Jean-Claude Passeron), *in Revue française de sociologie*, 1968, vol. IX, p. 227-253, repris dans *La Reproduction, op. cit.* [nde]

2. la profession d'enseignant (dans une maternelle ou dans une faculté) devrait être définie non plus selon les seuls critères traditionnels de la compétence mais par l'aptitude à transmettre à tous, par le recours à de nouvelles techniques pédagogiques, ce que quelques-uns seulement, c'est-à-dire les enfants des classes privilégiées, doivent à leur milieu familial [2] ;

3. la transformation du fonctionnement des établissements d'enseignement supérieur et en particulier de la structure des carrières et de la distribution du pouvoir à l'intérieur des unités d'enseignement et de recherche constitue le préalable à toute transformation réelle des mœurs pédagogiques et scientifiques : la répartition des attributions et des responsabilités pédagogiques et scientifiques devrait être exclusivement fonction de la compétence reconnue à chacun par la totalité des membres de chaque unité d'enseignement et de recherche (ce qui implique la prise en compte à part égale des aptitudes pédagogique et des travaux scientifiques et, par voie de conséquence, la suppression de la référence exclusive et automatique à la thèse et à tout autre titre (grande école ou agrégation) et même et surtout à l'ancienneté). A court terme, l'action devrait se porter en première urgence sur ces obstacles à toute redéfinition de la pédagogie et de la vie scientifique que sont l'agrégation et la thèse de doctorat comme production individuelle soumise à des critères archaïques. Bref, il s'agirait de rechercher tous les moyens de lever les obstacles à la réalisation du meilleur ajustement entre la compétence et la fonction en brisant les cloisonnements institutionnels qui s'opposent à la circulation des enseignants et des enseignés entre les divers ordres et les différents domaines de l'enseignement et de la recherche.

–III– L'élaboration technique du programme d'une transformation systématique de l'Université conformément à ces principes ne peut être le fait que de l'ensemble des parties prenantes, c'est-à-dire des représentants réellement représentatifs de tous les groupes qui participent au fonctionnement de tous les ordres d'enseignement, du primaire au supérieur et, plus particulièrement, des classes sociales exclues actuellement par le système d'enseignement ainsi que des organisations correspondantes.

---

2. Lire « Pour une pédagogie rationnelle » (1964), *Les Héritiers* (avec Jean-Claude Passeron), *op. cit.* [nde]

Les soussignés appellent toutes les parties prenantes défi-
nies ci-dessus à entreprendre, sans attendre, l'organisation
d'états généraux de l'enseignement et de la recherche et à les
préparer par des discussions entre enseignants et enseignés
ainsi que par l'établissement de cahiers de charges et de
doléances.

Adhésion, suggestions corrections et informations seront
reçues par R. Castel [...] Paris XIIe.

M. Astier Fac. des Sciences, M. Barbut EPHE, L. Bianco
EPHE, O. Benoît-Guilbot CNRS, L. Bernot EPHE, J. Bollack
Fac. de Lille, M. Bollack Fac. de Lille, J. E. Boltanski
Sorbonne, L. Boltanski EPHE, M. Bonamour Sorbonne,
P. Bosserdet CNRS, P. Bourdieu EPHE, J.-C. Bruyère Fac.
de Lille, C. Carcassonne EPHE, R. Castel Sorbonne,
J.-C. Chamboredon EPHE, I. Chiva EPHE, J-C. Combessie
Sorbonne, M. Conche Fac. de Lille, G. Condominas EPHE,
J. Cuisenier CNRS, Y. Delsaut CNRS, J. Derrida ENS Ulm,
J. Dumazedier CNRS, N. Dumont CNRS, J.-P. Faguer EPHE,
J.-C. Garcias Fac. de Lille, L. Goldmann EPHE, J. Goy
EPHE, A. Gramain ENS Ulm, C. Grignon INRA, C. Herzlich
CNRS, Dominique Julia Sorbonne, M. Jullien ORSTOM,
V. Karady CNRS, H. Le More HEC, J. Lallot ENS Ulm,
J. Lautman CNRS, M. Lemaire EPHE, J. Le Goff EPHE,
E. Le Roy-Ladurie EPHE, O. Lewandowski Sorbonne,
A. Maillet Fac. des Sciences, P. Maldidier EPHE, J. Mallet
CNRS, L. Marin Fac. de Nanterre, A. Matheron CNRS,
A. Miquel EPHE, R. Moulin EPHE, A. Nicolaï Fac. de Droit
de Lille, P. Nicolaï Fac. de Droit de Lille, J. Ozouf Fac. de
Tours, M. Ozouf Lycée Fénelon, J.-C. Passeron Faculté de
Nantes, J.-C. Perrot Sorbonne, M. Perrot Sorbonne, C. Pietri
Fac. de Lille, R. Pividal Sorbonne, J.-B. Pontalis CNRS,
F. Poitrey Centre d'enseignement correspondance, J.-Y. Prevot
EPHE, Claude Rabant Fac. de Clermont, Christiane Rabant
Fac. de Clermont, H. Regnier Fac. de Bordeaux, P. Ricoeur
Fac. de Nanterre, D. Roche ENS Saint-Cloud, M. Roncayolo
EPHE, M. de Saint-Martin EPHE, A. Salin CNRS,
M.H. Salin IPM, J. Singer CNRS, Tristani Sorbonne,
M. Verret Fac. de Nantes, J.-M. Vincent EPHE, E. Vill
Sorbonne, S. Viarre Fac. des Lettres de Lille, N. Wachtel
EPHE, Woronoff ENS Ulm.

Dossier n° 1 du
Centre de sociologie européenne
6 rue de Tournon, Paris VIᵉ

MED 39-00

QUELQUES INDICATIONS POUR UNE POLITIQUE DE DÉMOCRATISATION

Tout projet d'inspiration technocratique se caractérise par le fait qu'il tend à laisser jouer les mécanismes sociaux d'élimination des classes défavorisées : il n'y a pas de choix technique qui soit socialement neutre et, dans le domaine de l'éducation et de la culture, le laisser faire est une façon irréprochable en apparence de favoriser les plus favorisés.

Toute transformation démocratique suppose donc que soient mis en place, dès la maternelle, des mécanismes institutionnalisés d'action capables de contrecarrer les mécanismes sociaux : la connaissance de ces automatismes permet d'en définir les principes :

1 — L'inégalité entre les enfants des différents milieux tenant fondamentalement aux différences qui séparent la langue populaire et la langue savante, dont les langues parlées dans les différents milieux sont inégalement éloignées, l'enseignement doit faire une place très importante, dès l'école maternelle, a des exercices de verbalisation. A travers l'apprentissage d'une langue complexe, c'est en effet une aptitude générale à manipuler des structures logiques complexes qui peut être développée.

2 — L'inégalité entre les enfants des différent milieux tenant aussi aux différences de pratique culturelle entre les différents milieux, tous les moyens doivent être employés, dès la maternelle, pour donner à tous les enfants les expériences (ou un substitut de ces expériences) que les enfants des classes favorisées doivent à leur famille. Cela suppose que les moyens institutionnels et matériels soient donnés aux enseignants (et, en particulier, dans le secondaire, aux professeurs d'histoire, de lettres et d'enseignements artistiques) de donner à tous les

enfants – le contact avec les œuvres culturelles et avec les autres aspects de la société moderne (visites organisées de musées, de monuments, voyages géographiques et historiques ; fréquentation organisée du théâtre ; projection de diapositives ; audition de disques, etc.).

3 — L'entrée en sixième étant une des occasions principales de l'élimination des classes défavorisées, un effort systématique doit être fait pour contrecarrer l'effet des mécanismes déterminant cette élimination (cf. Dossier n° 32 : l'engrenage).

— action d'information sur les établissements (et en particulier les hiérarchies de qualité des établissements avec les conséquences scolaires qu'elles impliquent) et sur les sections (même remarque) : cette action doit s'exercer en priorité sur les instituteurs qui ont actuellement la responsabilité de fait de l'orientation des classes populaires et aussi, bien sûr, sur les familles.

— octroi beaucoup plus large de bourses d'enseignement secondaire aux familles défavorisées.

4 — L'inégalité entre les établissements d'enseignement secondaire étant un des facteurs fondamentaux de l'inégalité d'accès à l'enseignement supérieur, un effort systématique doit être entrepris pour réduire les différences de qualité entre ces établissements.

Il s'agit de tendre à doter tout établissement d'un taux semblable d'enseignants des différentes qualités (par des politiques de primes ou par tout autre procédé), d'équipements culturels semblables, etc. Il s'agit en outre de mettre en place tous les mécanismes institutionnels capables de contrecarrer les obstacles que les habitudes et le manque de moyens économiques opposent à l'accès des enfants des classes populaires aux établissements de qualité.

5 — L'internat ayant dans l'état actuel une action déformatrice plus que formatrice, une politique de transformation de l'internat doit être entreprise : il s'agit de créer un corps d'adjoints d'enseignement, correctement rémunérés, assurés d'une carrière véritable, dotés d'une formation spécifique, qui feraient des études du soir non des garderies, mais des séances de travail dirigé (le taux d'encadrement devant être inférieur à 1/20).

6 — <u>Des enseignements complémentaires de rattrapage et de compensation</u> doivent être créés, tant dans le cour de l'année scolaire que pendant les vacances, et des facilités particulières doivent être données aux enfants des classes défavorisées pour qu'ils puissent en bénéficier : ces enseignements (ou travaux dirigés) devraient aider les enfants à compenser leurs faiblesses particulières dans telle ou telle matière en même temps qu'assurer la préparation collective des passages à d'autres ordres d'enseignement.

7 — Une refonte complète des enseignements secondaires doit être entreprise qui tende <u>à donner une place prépondérante à l'enseignement de la langue maternelle</u> (conçue dans un esprit opposé à la tradition humaniste) comme instrument d'expression et aussi instrument logique et à l'enseignement de la logique et des mathématiques. L'instauration d'un tronc commun jusqu'à la classe de seconde doit tendre à repousser aussi loin que possible le choix entre "lettres" et "sciences" et permettre en tout cas l'acquisition de la double culture.

8 — L'enseignement traditionnel des humanités doit céder la place à un <u>véritable enseignement de culture</u> qui donne à tous une connaissance historique et ethnologique des cultures hébraïque, grecque et romaine (cf. sur ce point Dossier n° 5).

Toutes les pratiques pédagogiques archaïques doivent être supprimées : comme le mythe de la vertu formatrice du latin et du grec, il faut dénoncer le mythe de la vertu formatrice de l'analyse grammaticale, mal adaptée à la logique de la langue française. Une réforme de l'orthographe tendrait à réduire le désavantage des plus défavorisés (les enquêtes montrant que, chez des élèves de l'enseignement secondaire, l'orthographe est d'autant mieux maîtrisée que l'on s'élève dans la hiérarchie sociale). Une réflexion systématique sur la langue académique et sur tous les enseignements dits de "culture" devrait être entreprise (humanités, littérature française, philosophie, etc.).

[…*lacune*…]

3. en assurant, dans les facultés mêmes, une préparation intensive à cet examen sous forme de cours du soir.

L'enseignement destiné à préparer à cet examen (dont les programmes devraient être redéfinis en fonction des exigences de l'enseignement) pourrait devenir peu à peu, par une action d'information méthodique, un véritable enseignement populaire du soir.

15 — <u>Tout doit être mis en œuvre pour combler le fossé entre les institutions marginales d'éducation permanente ou de diffusion culturelle</u> (maisons de la culture, animation culturelle, etc.) <u>et l'institution scolaire</u>. L'idéologie anti-scolaire de la plupart des responsables de ces organisations ne peut être combattue que si le recrutement se trouve profondément changé et si les enseignants sont étroitement associés à ces entreprises, à tous les niveaux (cf. Dossier n° 36).

16 — L'octroi aux étudiants d'un présalaire sans pondération d'aucune sorte serait une mesure démagogique s'il ne s'insérait pas dans une <u>politique systématique et diversifiée d'aide à l'éducation</u> (cf. allocations familiales).

Les documents utilisés pour la rédaction de ce texte peuvent être consultés au Centre de sociologie européenne, où pourront être adressées toutes les informations complémentaires.

Retour sur la réception des *Héritiers* et de *La Reproduction*

RÉTROSPECTIVEMENT, il m'apparaît que *Les Héritiers*, le premier livre où étaient exposés les résultats des travaux sur l'éducation, a été une sorte de coup de tonnerre dans le ciel politique. Le livre a eu beaucoup de succès. Il a été lu par toute une génération et il a fait l'effet d'une révélation alors qu'il ne disait rien de très extraordinaire : les faits étaient assez bien connus de la communauté scientifique. On disposait depuis longtemps d'enquêtes sur l'élimination différentielle des enfants selon leur milieu d'origine [1]. Je crois que ce qui a frappé, c'est que ce livre, à la différence des travaux anglo-saxons, a tiré les conséquences, ou plutôt a dégagé les mécanismes qui sont au fondement des observations empiriques. On ne s'est pas contenté de dire que le système scolaire élimine les enfants des classes défavorisées, on a essayé d'expliquer pourquoi il en était ainsi et, en particulier, quelle était la responsabilité – ou plutôt la contribution, car le mot « responsabilité » est déjà normatif –, quelle était la contribution que le système scolaire, donc les enseignants, apportaient à la reproduction des divisions sociales.

Spontanément, les lecteurs des travaux de sociologie ont tendance à lire dans une perspective normative. Deuxième principe d'erreur, ils y investissent leurs intérêts et, contrairement à ce qu'on croyait, les gens ont beaucoup d'intérêts investis dans le système d'éducation, notamment les professeurs. Et, paradoxalement, ceux qui ont sans doute les intérêts les plus importants sont ceux que j'appelle les miraculés, c'est-

---

1. Toute une série d'études sur les flux scolaires avait été lancée par plusieurs États au cours des années 1950-1960 : les rapports Early Living, Crowther, Newson Robbins ou Plowden en Angleterre, le rapport Coleman aux États-Unis. En France, diverses enquêtes de l'Institut national des études démographiques, notamment sur l'orientation des élèves à l'école primaire, avaient été pilotées par Alain Girard. [nde]

Extraits d'un entretien réalisé à Tokyo en octobre 1989 par T. Horio, H. Kato et J.-F. Sabouret, paru dans *Sekaï*, mai 1990, p. 114-134.

à-dire ceux qui sont arrivés par le système scolaire, les parvenus de la culture, les fils d'instituteurs par exemple. J'avais dit à peu près ça à la Semaine de la pensée marxiste, semaine de discussions intellectuelles que le parti communiste, encore assez puissant à l'époque, organisait chaque année : j'avais à ma droite Juquin, fils de cheminot, et Cognot, tous deux agrégés de l'université, parvenus de la culture, qui m'avaient invité mais en mourant de peur de ce que j'allais dire. Et, évidemment, je ne les avais pas ratés parce que j'ai toujours pour principe de dire ce qu'il y a de plus difficile à avaler pour le public auquel je parle – ce qui est l'inverse de la démagogie. Au lieu de faire de grands discours, j'avais dit que « ceux que l'école a libérés mettent leur foi dans l'école libératrice au service de l'école conservatrice » [lire p. 49]... Je n'avais pas été très applaudi (il y avait 3 ou 4 000 personnes). On avait trouvé que je n'avais pas été très éloquent, à la différence de Juquin, qui avait fait un grand discours comme on fait d'ordinaire en pareille situation, c'est-à-dire tout le contraire de l'analyse.

Cette histoire n'est pas anecdotique. Elle fait comprendre une des réactions les plus violentes à ce que j'avais fait et qui est venue de la base du parti communiste, c'est-à-dire des miraculés de l'école, qui avaient deux raisons de m'en vouloir : ils m'en voulaient premièrement de dire leur inconscient, ce qu'ils avaient refoulé ; et ils m'en voulaient aussi et surtout, en tant qu'intellectuels, en tant qu'analystes, en tant que responsables politiques, de dire ce qu'ils auraient dû dire. C'est là qu'on arrive à Langevin-Wallon [2]. C'était l'alpha et l'oméga, la Bible. Et on n'en bougeait plus.

Si je me permets de raconter ces choses qui peuvent apparaître comme de l'histoire ancienne, c'est [...] parce que je voudrais transmettre une certaine manière de percevoir la discussion politique à propos de l'éducation ou de tout autre chose – en France ou au Japon. Devant des gens qui prennent une position, gauchiste ou conservatrice, en matière d'éducation, il faut se demander quels intérêts ils ont dans le système scolaire, à quel degré leur capital est lié au passage par l'institution scolaire, etc. Je pense que, dans le monde intellectuel au

---

2. Mise en place à la Libération, cette commission de réflexion sur les problèmes de l'enseignement fut présidée par Paul Langevin puis par Henri Wallon, professeurs au Collège de France. Composée en partie, mais pas seulement, de communistes, elle a prôné une organisation scolaire selon le « principe de justice » et la méritocratie. [nde]

sens large, le rapport au système scolaire est un des grands principes explicatifs des pratiques et des opinions.

Je reviens à l'analyse. À l'époque, dans le corps professoral, le fond idéologique était celui de l'école libératrice : un journal portait ce nom, le Syndicat national des instituteurs en était imbibé. Un homme comme Pierre Vilar, qui est un très grand historien marxiste, m'a reproché publiquement d'avoir écrit ce que j'avais écrit dans *Les Héritiers*. Pour les gens que j'appelle les miraculés, la mise en évidence des déterminants sociaux de la réussite scolaire a quelque chose de scandaleux. Entre autres raisons parce que ça leur enlève tout leur mérite. Une bonne partie de ces gens-là sont devenus ultra-conservateurs pendant et depuis le mouvement étudiant. Ils sont passés de la gauche classique, du parti communiste notamment, à la droite classique et parfois à la droite extrême. Le mouvement étudiant a exercé sur eux un véritable traumatisme ; il a détruit leur idée d'eux-mêmes. Face à eux, les mouvements étudiants développaient l'idée que les étudiants étaient une classe, et ils décrivaient les rapports étudiants-professeurs comme lutte des classes. Les professeurs issus des classes populaires ou moyennes, tous des bons élèves parvenus par leur « mérite », se trouvaient doublés à gauche par des étudiants qui leur apparaissaient comme des ratés d'origine bourgeoise. Les étudiants avaient eux aussi une représentation mystifiée de leur condition. Ils ne voulaient pas voir les différences qui les séparaient. Par exemple, le syndicat étudiant avait fait une enquête dans laquelle la variable « profession des parents » n'était pas prise en compte. Le grand problème c'était « l'indépendance économique » des étudiants et on analysait les réponses en fonction de la résidence (chez les parents ou ailleurs). Là encore, le sociologue bousculait beaucoup d'idées reçues. Il démontrait qu'il y a des différences sociales entre les étudiants et faisait voler en éclat l'idée d'une « classe étudiante ».

Après, il y a eu *La Reproduction*. Et là, le mot reproduction a exercé un effet catastrophique. À la fois il a beaucoup contribué, surtout aux États-Unis, à faire le succès de ce qu'ils appellent le « paradigme » selon lequel le système scolaire contribue à reproduire la structure sociale, mais en même temps il a bloqué la lecture. L'histoire de la littérature montre très bien que ce qui est commun à la vie intellectuelle d'une époque, bien souvent, c'est, non pas le contenu des livres, mais les titres. Par exemple, dans les années 1880, tout était saturnien : poèmes, poètes, etc. Avec la reproduction, ce fut pareil.

Le mot a circulé, mais les gens n'ont pas lu le livre et ils ont dit – les sociologues les premiers : « Bourdieu dit que le système scolaire reproduit les classes. » Et comme ils lisent normativement, ils ont sous-entendu : « Il dit que c'est bien, donc il est conservateur. » (Je pense que Touraine a lu *La Reproduction* de cette manière et qu'encore aujourd'hui il me prête une vision mécaniste, pessimiste, ignorante de l'effervescence du monde social.) Ce fut la même chose pour Antoine Prost. D'autres ont fait la lecture inverse : « Bourdieu dit que l'école reproduit et c'est mal. » Dans ce cas, deux choses ont joué : le titre, mais aussi l'exergue. Je m'étais amusé à mettre en exergue un poème de Robert Desnos, *Le Pélican de Jonathan* (le pélican de Jonathan pond un œuf, d'où sort un autre pélican et ça peut continuer longtemps si on ne fait pas d'omelette avant). Alors on a dit : « Bourdieu dit qu'il faut faire la révolution. »

Tout un ensemble de gens ont été contrariés par l'existence de ce livre. Évidemment, les plus contrariés, c'était les collègues, surtout lorsqu'ils se disaient de gauche, les gens qui étaient censés faire la sociologie de l'éducation, et qui étaient membres du parti communiste ou proche de lui, comme M. Snyders, pour ne pas le nommer, ou Mme Isambert, ou un catholique progressiste comme M. Prost, qui avait commencé à faire de l'histoire de l'éducation parce qu'il avait lu *Les Héritiers* – ce qui ne l'avait pas empêché d'être injuste, au contraire. Ils ont fait « un cordon sanitaire ». Et ils ont tiré dessus, à tort et à travers en disant n'importe quoi.

L'article de Prost est intéressant à ce titre, parce qu'à la fois il me reproche de désespérer l'instituteur républicain et qu'il se réclame d'Illitch. Il recourt à une stratégie qui est très souvent employée en politique pour se débarrasser d'un message de gauche qui soulève vraiment des difficultés, des problèmes, qui dérange : on radicalise une position jusqu'au point où elle devient absurde – l'école conserve, il faut la supprimer. C'est une idée idiote, irréaliste, irréalisable. Ce n'est même pas de l'utopisme, c'est une forme de nihilisme stupide. Prost savait sans doute, au fond de lui-même, que *La Reproduction* est un livre progressiste – et qu'il le dérangeait pour cette raison même. Alors il neutralisait le malaise que provoquait en lui ce livre en allant apparemment au-delà, alors qu'il restait en deçà… C'est une chose bien connue, l'ultra-gauchisme est souvent une forme de conservatisme. En même temps, les attaques se multipliaient en provenance du parti communiste, dans ses revues. Je ne les lis pas, mais certains de mes élèves qui faisaient des travaux sur l'histoire du parti communiste m'ont dit que je suis l'intellectuel français le plus attaqué par le parti communiste, ce qui, à première vue, peut paraître étonnant.

C'est ce que j'appelle « le cordon sanitaire ». Tout ce travail pour annuler les effets du message. C'est une chose qu'on connaît très bien, la sociologie du prophétisme l'enseigne. Je ne dis pas que le message de *La Reproduction* soit à proprement parler prophétique mais, à la façon de la prophétie, il propose une vérité qui bouleverse les structures mentales, qui change la vision du monde. Auparavant, le système scolaire apparaissait comme un endroit où l'on allait pour apprendre des choses universelles, progressistes, etc. Vient un message qui bouleverse les idées reçues en montrant que le système d'enseignement exerce des effets conservateurs. Ce message, il faut le neutraliser. Le phénomène a été étudié dans diverses sociétés : arrive la caste des prêtres et dit qu'il ne s'est rien passé.

Vingt ans après, tout le monde est d'accord pour reconnaître comme évident que le système scolaire reproduit. On entend ça à la télévision mais le système de défense (au sens où l'entend Freud) est toujours en place. Parmi les systèmes de défense récents, il y a celui qui consiste à dire que « c'est comme ça, on n'y peut rien ». Le constat est aujourd'hui massif. Tout le monde s'accorde sur le fait qu'en France le système scolaire reproduit. Mais on fait comme si c'était un fait de la nature. Vous n'allez pas changer la loi de la pesanteur ! Le paradoxe c'est que maintenant je dois rappeler que la loi de la pesanteur, c'est ce qui a permis de voler – c'est ce que j'ai toujours dit, dès *Les Héritiers*, notamment avec la conclusion sur la « pédagogie rationnelle » qui avait été considérée comme « réformiste » par certains. C'est parce qu'on connaît les lois de la reproduction qu'on peut avoir une toute petite chance de minimiser l'action reproductrice de l'institution scolaire.

1971-1980

Quand les positions sociales s'identifient à des "noms", la critique scientifique doit parfois prendre la forme d'une critique ad hominem. *La science sociale ne désigne "des personnes que pour autant qu'elles sont la personnification" de positions : elle ne vise pas à imposer une nouvelle forme de terrorisme mais à rendre difficiles toutes les formes de terrorisme.*

Les Temps Modernes

Directeur JEAN-PAUL SARTRE

29ᵉ année   Janvier 1973   nº 318

JEAN-PAUL SARTRE. — Elections, piège à cons

●

JEAN MOREAU. — Petite histoire du P. « C. » F.

MARC KRAVETZ. — Le P.S. ou l'art de ne pas
être ce qu'on fait

ANDRE GORZ. — Quelle gauche ? Quel programme ?

DANIEL VERRES. — Une droite à refaire

ANDRE GRANOU. — Institutions, appareils d'Etat et
société civile dans la bataille électorale

DOCUMENTS

XXX. — Pour un dossier noir du P.C.G.T.

« L'OUTIL »
« SOLIDARITE OUVRIERE »
« INTERIMAIRES EN LUTTE » . — Les tâches immédiates
« LA CAUSE DU PEUPLE »

●

DANIEL VERRES. — Interviews (presque) imaginaires des
principaux leaders de la majorité et de l'opposition.

●

PIERRE BOURDIEU. — L'opinion publique n'existe pas.

FRANÇOIS GEORGE. — Le Marxisme de l'Extérieur.

RÉDACTION, ADMINISTRATION, 26, RUE DE CONDÉ, PARIS - 6ᵉ

Contre la science de la dépossession politique

La prise de parole est toujours une prise de la parole des autres, ou plutôt de leur silence.

Homo academicus, 1984

EN JANVIER 1971 À ARRAS, *Pierre Bourdieu donne une confé-rence intitulée « L'opinion publique n'existe pas », qui sera reprise dans* Les Temps modernes *deux ans plus tard* [1]. *Ce texte est fondateur à plusieurs égards : la critique qu'il effectue des sondages d'opinion et de leur usage s'adresse à la fois aux cher-cheurs qui les réalisent et aux politiques qui en font un argu-ment d'autorité* [2]. *La prise en compte des non-réponses dans les sondages pose le problème des compétences nécessaires pour parler de politique et de la dépossession subie par ceux qui s'en remettent à des délégués mandatés pour représenter leur parole politique* [lire p. 87 & 99]. *Cette critique surprend dans un premier temps les poli-tologues, qui en acceptent d'abord le principe sur une base mé-thodologique, avant de réagir, comme l'exprimera l'un d'eux dix ans plus tard, sur des bases politiques : « Dans le procès fait aux sondages au nom de la démocratie, je me situe résolument du côté de la défense. Cela tient sans aucun doute pour beaucoup à ma conception de la démocratie, qui est incurablement libérale. […] C'est une conception qui repose dans ma foi du suffrage universel. […] Les principales critiques formulées à l'égard du sondage d'opinion pourraient également être utilisées contre le suffrage universel. […] Dans les deux cas, on se méfie des "majo-rités silencieuses" au nom des minorités qui savent seules "ce que parler veut dire". [3] »*

En outre, la critique des usages politologiques de « l'opinion publique » constitue, selon Pierre Bourdieu, <u>une défense de l'au-tonomie de la sociologie</u> au moment même où les chercheurs se

---

1. « L'opinion publique n'existe pas », *in Les Temps modernes*, janvier 1973, n° 318, repris *in Questions de sociologie*, Minuit, Paris, 1980.
2. Ces critiques sont reprises sous divers angles *in La Distinction* (Minuit, Paris, 1979) et *Langage et pouvoir symbolique*, Seuil, Paris, 2001.
3. Alain Lancelot, *Opinion publique*, Sofres, Paris, 1982 ; pour plus de détails sur cette polémique, lire « Le sondage : une science sans savants », *in Choses dites,* Minuit, Paris, 1987, p. 217-224.

trouvent subordonnés aux demandes politiques et administratives, de plus en plus dominés par un pôle de recherche appliquée dont le principal représentant, dans les années 1970, est Jean Stoetzel, alors en position dominante : professeur à Paris I (où il enseigne la psychologie sociale), il dirige le Centre d'études sociologiques et l'Institut français d'opinion publique (IFOP) – qui a développé la technique des sondages, importée des États-Unis ; il contrôle l'accès au Centre national de la recherche scientifique (CNRS) ainsi que La Revue française de sociologie, *l'une des quatre grandes revues qui balisent alors les sciences sociales* [4].

Quant aux fondements politiques de la critique, Pierre Bourdieu en formule les termes dans une conférence prononcée devant l'Association française des sciences politiques en novembre 1973, où il reprend une distinction opérée par Durkheim entre un suffrage résultant d'une simple addition de voix individuelles et celui qui exprime « quelque chose de collectif ». Il s'agit de faire comprendre que « le principe essentiel et le mieux caché de la dépossession réside dans l'agrégation des opinions ». C'est en fait la relation entre l'opinion et le mode d'existence du groupe social qui doit retenir l'attention – ce qui explique l'importance des nouvelles formes de manifestations politiques (sit-ins, boycotts, etc.) dans lesquelles les groupes mobilisés résistent à la dépossession de leur parole. C'est pour de telles raisons qu'une alliance entre chercheurs et militants semble, dès cette période, nécessaire à Pierre Bourdieu : en dévoilant les ressorts cachés de la domination, l'analyse scientifique est susceptible de devenir un instrument d'émancipation au service du mouvement social.

La philosophie libérale identifie l'action politique à une action solitaire, voire silencieuse et secrète, dont le paradigme est le vote, « achat » d'un parti dans le secret de l'isoloir. Ce faisant, elle réduit le groupe à la série, l'opinion mobilisée d'un collectif organisé ou solidaire à une agrégation statistique d'opinions individuelles exprimées. On pense à l'utopie de Milton Friedman qui, pour saisir le point de vue des familles à propos de l'école, propose de distribuer des bons permettant d'acheter des services éducatifs fournis par des entreprises concurrentes. [...] L'action politique se trouve réduite à une forme d'action

---

4. Lire *Science de la science et réflexivité*, Raisons d'agir, 2001 ; également Johan Heilbron, « Pionnier par défaut ?... », *Revue française de sociologie*, 1991, XXXII-3, p. 365-380 ; Loïc Blondiaux, « Comment rompre avec Durkheim... », *Revue française de sociologie*, 1991, XXXII-3, p. 411-442.

économique. La logique du marché, ou du vote, c'est-à-dire l'agrégation de stratégies individuelles, s'impose toutes les fois que les groupes sont réduits à l'état d'agrégats ou, si l'on préfère, démobilisés. Lorsqu'en effet un groupe est réduit à l'impuissance (ou à des stratégies individuelles de subversion, sabotage, coulage, freinage, protestation isolée, absentéisme, etc.) parce qu'il n'a pas de puissance sur lui-même, le problème qui est commun à tous ses membres reste à l'état de malaise, et ne peut être constitué comme problème politique. [...] La question politique est de savoir comment dominer les instruments qu'il a fallu mettre en œuvre pour dominer l'anarchie des stratégies individuelles et produire une action concertée. Comment le groupe peut-il maîtriser l'opinion exprimée par le porte-parole, qui parle au nom du groupe et en sa faveur, mais aussi à sa place ? [...] Le mode de production atomistique et agrégatif cher à la vision libérale est favorable aux dominants qui ont intérêt au laisser-faire et peuvent se contenter de stratégies individuelles (de reproduction) parce que l'ordre social, la structure, joue en leur faveur. Au contraire, pour les dominés, les stratégies individuelles, rouspétance, freinage, etc., et toutes les formes de la lutte des classes quotidiennes sont peu efficaces. Ils ne peuvent avoir de stratégies efficaces que collectives, et qui supposent donc des stratégies de construction de l'opinion collective et de son expression. [5]

La légitimité intellectuelle que donnent les sondages, « cette science sans savants », aux mécanismes de domination constitue pour Pierre Bourdieu le fondement de sa critique des « doxosophes », ces professionnels de la fabrication de l'opinion qui produisent une idéologie conforme aux intérêts des dominants [lire p. 84]. *La critique politique doit donc s'accompagner, selon lui, d'une sociologie des intellectuels utilisée comme une arme symbolique contre les justifications pseudo-savantes de l'ordre social* [lire p. 91]. *Une entreprise qui n'est pas sans engendrer des résistances, comme en témoigne la constance des arguments avancés (notamment sur le thème du déterminisme) dans la polémique qui oppose le sociologue à certains intellectuels marxistes* (La Nouvelle Critique) *et chrétiens de gauche* (Esprit) [lire p. 109].

---

5. « Formes d'action politique et mode d'existence des groupes » (1973), *in Propos sur le champ politique, op. cit.*

Les doxosophes

> Je dis qu'opiner (*doxazein*) c'est discourir
> (*legein*), et l'opinion (*doxa*) un discours discouru
> (*logon eirèmenon*).
>
> PLATON, *Théétète*, 190 a

Toute la « science politique » n'a jamais consisté qu'en
un certain art de renvoyer à la classe dirigeante et à
son personnel politique sa science spontanée de la
politique, parée des dehors de la science. Les références aux auteurs canoniques, Montesquieu, Pareto
ou Tocqueville, l'usage quasi juridique de l'histoire la
plus immédiate, celle qu'enseigne la lecture la moins
extraquotidienne des quotidiens et qui ne sert qu'à
penser l'événement dans la logique du précédent, la
neutralité ostentatoire du ton, du style et des propos,
la simili-technicité du vocabulaire sont autant de
signes destinés à porter la politique à l'ordre des objets
de conversation décents et à suggérer le détachement
à la fois universitaire et mondain du commentateur
éclairé ou à manifester, dans une sorte de *parade de
l'objectivité*, l'effort de l'observateur impartial pour se
tenir à égale distance de tous les extrêmes et de tous
les extrémismes, aussi indécents qu'insensés.

La « science politique » telle qu'elle est enseignée et
s'enseigne à l'Institut d'études politiques n'aurait pas
dû survivre à l'apparition des techniques modernes de
l'enquête sociologique. Mais c'est compter sans la

Paru dans *Minuit*, n° 1, 1972, p. 26-45 ;
extrait de la fin du texte.

subordination à la commande qui, combinée avec la soumission positiviste au donné tel qu'il se donne, devait exclure toutes les questions et toutes les mises en question contraires à la bienséance politique, réduisant à un pur enregistrement anticipé de votes, d'intentions de votes ou d'explications de votes une science de l'opinion publique ainsi parfaitement conforme à l'opinion publique de la science.

La « science-politisation » est une des techniques les plus efficaces de dépolitisation. [...] La « science-politisation » est une des armes du combat entre les forces de dépolitisation et les forces de politisation, forces de subversion de l'ordre ordinaire et de l'adhésion à cet ordre : qu'il s'agisse de l'adhésion inconsciente d'elle-même qui définit la *doxa* ou de l'adhésion élective, qui caractérise l'*orthodoxie*, opinion ou croyance droite et, si l'on veut, de droite.

L'opinion publique

CE QUE L'ON COMMENCE À NOMMER « opinion publique » dans la France du xviiie siècle est l'expression publique des opinions personnelles d'une fraction limitée mais importante de la population qui, forte de son capital économique et surtout culturel, prétend à l'exercice du pouvoir et entend peser sur les autorités politiques par des libelles et surtout par une presse dite « d'opinion ». Au cours du xixe siècle, la vision démocratique qui fait de la « volonté populaire » la source unique de la légitimité politique transmue les opinions publiquement affichées des « élites sociales » en opinions du peuple ; le système politique représentatif conduit les membres de « l'élite sociale », constitués en représentants élus, à se considérer comme les porte-parole naturels du « peuple » et à voir dans les opinions qu'ils défendent moins l'expression étroite et limitée des intérêts d'une classe ou d'un groupe particulier que la révélation universelle de l'intérêt général et du bien commun.

Mais ce n'est que très récemment, en liaison avec l'apparition des nouvelles techniques qui ont été inventées par les sciences sociales, sondages, questionnaires fermés, traitement automatique et rapide des réponses par ordinateur, que la notion d'opinion publique a trouvé en quelque sorte sa pleine réalisation bien que l'existence de son référent objectif soit toujours aussi incertaine. Cette technologie a, si l'on peut dire, tout ce qu'il faut pour donner à la notion d'opinion publique un fondement à la fois « démocratique », puisque tout le monde est interrogé, directement ou non, et « scientifique », puisque les opinions de chacun sont méthodiquement recueillies et comptabilisées. D'abord utilisée en politique, dans le domaine électoral, en vue de saisir les intentions de vote des électeurs à la veille d'un scrutin, elle a pu fournir des données à la fois spectaculaires dans leur pouvoir prédictif et scientifiquement peu discutables, leur précision et leur fiabilité étant vérifiées par l'élection elle-même. Ces sondages pré-électoraux appré-

Cosigné avec Patrick Champagne, paru dans *50 idées qui ébranlèrent le monde*, Youri Afanassiev & Marc Ferro (dir.), Payot / Progress, Paris, 1989, p. 204-206.

hendent, en fait, moins des « opinions » au sens propre que des intentions de comportement et cela dans un domaine, celui de la politique, où la situation d'enquête reproduit de manière assez exacte la situation créée par la consultation électorale. Il en va tout autrement lorsque, à la demande des autorités politiques et, plus récemment, des grands organes de presse, les instituts de sondage réalisent des enquêtes visant à déterminer ce qu'est l'« opinion publique » entendue comme opinion majoritaire sur des problèmes extrêmement variés et parfois très complexes – comme les questions de politique internationale ou de politique économique – sur lesquelles la plupart des personnes interrogées n'ont pas de jugement constitué et ne se posaient même pas les questions avant qu'on ne les leur pose. Bien que fortement minorées, notamment en raison de la technique des questions pré-codées et fermées, les non-réponses explicitement déclarées et leur distribution non-aléatoire par sexe, niveau d'instruction et catégorie sociale suffisent à rappeler que la probabilité d'avoir une opinion est très inégalement répartie. Faute de prendre au sérieux cette donnée de fait, les instituts de sondage, loin de se borner à recueillir des opinions préexistantes, *produisent*, en plus d'un cas, de toutes pièces une « opinion publique » qui est en réalité un pur *artefact* obtenu par l'enregistrement et l'agrégation statistique des réactions d'approbation et de refus à des opinions déjà formulées, souvent en des termes incertains ou ambigus, que leurs enquêtes soumettent à des échantillons représentatifs de la population en âge de voter. La *publication* de ces résultats par les « journaux d'opinion » qui, très souvent, en ont commandé la production, est ainsi, en beaucoup de cas, un « coup » politique paré de toutes les apparences de la légitimité de la science et de la démocratie, par lequel un groupe de pression public ou privé, doté des moyens économiques d'assurer les coûts d'une enquête par sondage, peut donner à son opinion particulière les apparences de l'universalité qui sont associées à l'idée d'« opinion publique ».

La pratique des sondages d'opinion, en se diffusant, a profondément modifié le fonctionnement du jeu politique : les hommes politiques doivent maintenant compter avec cette nouvelle instance, largement contrôlée par les politologues, qui est censée dire – mieux que les « représentants du peuple » – « ce que veut et pense le peuple ». Les instituts de sondage interviennent désormais à tous les niveaux de la vie politique : ils effectuent des sondages confidentiels pour les formations politiques afin de déterminer, dans une logique qui est celle du marketing, les thèmes de campagne électorale qui seront censés être les plus « porteurs », voire les candidats les plus faciles à « promouvoir », ils sont aussi au cœur de la plupart des émissions que les grands médias consacrent à la politique et tendent à transformer les téléspectateurs en juges-arbitres des « prestations » des hommes politiques ; la presse nationale commande en permanence des sondages sur les questions politiques à l'ordre du jour pour en publier les résultats. À mesure que se multiplient les dispositifs d'apparence scientifique qui prétendent mesurer l'influence que peut excercer sur l'« opinion publique » la politique de communication des principaux leaders politiques, on voit se redéfinir ce qu'on appelle « politique ». L'action politique apparaît de plus en plus comme l'art d'utiliser un ensemble de techniques élaborées par les spécialistes de la « communication politique » pour « faire bouger l'opinion publique », c'est-à-dire les distributions plus ou moins artefactuelles qui sont produites par les instituts de sondages à partir des réponses individuelles et privées « recueillies » en situation artificielle auprès d'une population qui demeure en grande majorité peu informée des subtilités du jeu politique. Ainsi, dans tous les cas, une enquête d'opinion produit les même effets, qui est de faire apparaître comme résolu, par la vertu combinée de l'imposition de problématique et de l'agrégation de réponses isolées, un des problèmes majeurs de toute action politique, à savoir de *constituer* comme telle et l'opinion individuelle et ce qui peut être présenté notamment au travers de la délégation comme une opinion collective.

Les intellectuels dans les luttes sociales

MICHEL SIMON : Je crois que cette discussion est d'abord pour nous l'occasion de marquer l'importance que revêtent les recherches de Pierre Bourdieu. Leur premier résultat – pour parler de la partie la plus connue du bilan de ce travail – est d'avoir aidé, non seulement à mesurer mieux encore l'exclusion des masses populaires de l'accès aux biens de culture, mais à mieux connaître les procédures souvent très subtiles de cette exclusion. C'est un nouveau pas, très important, dans la critique des illusions de l'égalitarisme formel.

De ce point de vue, l'étude de l'institution scolaire revêt une importance d'autant plus grande que, compte tenu de l'évolution de la division du travail social (salarisation et déclin des couches petites propriétaires), l'école occupe, dans la reproduction des structures de classe, une place stratégiquement bien plus déterminante encore que dans un passé relativement récent. Montrer, dans la genèse des inégalités, le rôle propre des facteurs culturels et de leur intériorisation par les enfants et les familles des classes populaires sur le mode culpabilisant du destin, de l'incapacité, etc. a constitué une innovation très féconde, qui ne conduit nullement à nier, comme Bourdieu l'a récemment souligné, le poids des facteurs économiques. Je songe en particulier à son article sur « Avenir de classe et causalité du probable », publié dans la *Revue française de sociologie* en 1974.

Le second point est corollaire du premier et nous touche de plein fouet en tant qu'intellectuels (et qu'enseignants) : c'est le rôle souvent inconscient des divers corps de spécialistes de la production et de la transmission des biens de culture dans ces processus d'exclusion : ici encore, le cas de l'école n'est pas exclusif, mais typique. D'où découle un troisième problème :

Entretien paru sous le titre « Les intellectuels dans le champ de la lutte des classes », dans *La Nouvelle Critique*, 1975, n° 87, p. 20-26. « Interrogation des modes de cheminement qui sont ceux du sociologue aujourd'hui, cet entretien entre Pierre Bourdieu, Antoine Casanova et Michel Simon n'est pas seulement une "confrontation", il est, pour chacun des interlocuteurs, l'occasion d'affirmer, mais plus encore d'affiner ses positions sur une question aujourd'hui essentielle : l'alliance intellectuels-classe ouvrière. »

celui de la position des intellectuels dans le champ de la lutte des classes, et celui de leur alliance avec la classe ouvrière. Je ne m'étendrai pas ici sur l'analyse qui, à nos yeux, fonde la nécessité et la possibilité de cette alliance : ce serait reprendre tout ce que nous pensons avoir établi relativement aux rapports de classe dans les conditions du capitalisme monopoliste d'État. Il reste qu'une analyse fine et sans complaisance s'impose.

Sans le relais d'une sociologie des différents secteurs de l'intelligentsia des effets produits sur les savoirs eux-mêmes, leur distribution, etc. par la position et les conditions des différents agents, l'établissement de cette alliance dans la clarté est extrêmement difficile. Or, c'est essentiel pour des communistes qui se doivent, pour paraphraser Lénine, d'envisager toutes questions du point de vue des masses opprimées. C'est dire le caractère tout à fait irremplaçable du travail, des procédures, des modes d'interrogation et de cheminement qui sont ceux du sociologue, surtout dans un domaine où analyse signifie aussi auto-analyse.

Pierre Bourdieu : J'ai voulu rendre plus complètement explicites des mécanismes subtils qui sont désignés depuis très longtemps dans leurs principes. Par exemple, on peut dire qu'il y a un effet de domination qui s'exerce par l'intermédiaire de la culture, mais, aussi longtemps qu'on n'a pas analysé ces mécanismes et la part que prennent à leur efficacité les agents apparemment les plus désintéressés, on s'expose toujours à des retours en force de l'efficacité de ces mécanismes. Les « corps », qu'il s'agisse du corps des prêtres ou du corps des professeurs, ont, en tant que tels, des intérêts. Et ce qui m'intéresse actuellement le plus, c'est une élaboration de cette notion d'intérêt.

En fait, je pense que la plupart des malentendus dans la représentation que les intellectuels ont et donnent d'eux-mêmes reposent sur le fait qu'on vit sur une définition pauvre, c'est-à-dire économiste, de l'intérêt. La plupart des choses que l'on appelle « désintéressées » – on dira d'un mathématicien qu'il poursuit des recherches désintéressées – sont réellement intéressées, mais au nom d'une autre définition de l'intérêt. J'ai essayé de saisir la logique propre des corps, de voir comment ils engendrent des enjeux et des intérêts qui sont évidemment d'autant plus irréductibles à des intérêts – pour parler grossièrement – matériels que l'on va vers des sphères plus autonomes, où les stratégies dites « désintéressées » peuvent être les plus intéressantes, où on ne peut satisfaire son intérêt qu'à condition d'être désintéressé (c'est par exemple l'art pur, l'art pour l'art). J'ai voulu analyser ces processus par lesquels s'engendrent des intérêts spécifiques qui sont au fond souvent les formes censurées et euphémisées de l'intérêt au sens premier du terme, de l'intérêt économique par exemple.

Pour rendre compte réellement de processus qui sont connus dans leur configuration générale, il faut aller jusqu'à des analyses quasiment idiographiques de la logique spécifique de chaque champ : par exemple, dans le système universitaire, on ne peut pas travailler à l'échelle des facultés des lettres, il faut descendre à l'échelle de la discipline, en caractériser la position dans la structure des disciplines, etc. C'est à condition de ressaisir ces logiques dans toute leur subtilité qu'on peut voir l'infinie complexité des médiations par lesquelles s'accomplissent ces mécanismes, qu'on croit avoir saisis une fois qu'on les a désignés dans leur globalité.

Michel Simon : Il faut dire, de façon générale, que la mise en évidence de l'inaperçu a souvent une portée fondamentale. Reprenons le cas de l'institution scolaire. Elle est à la fois filtre hautement ségrégatif et instance d'imposition des normes de la classe dominante (même si elle n'est pas que cela ni totalement cela). Et elle l'est à la fois par les contenus explicités et par les procédures implicites qui vont de l'occupation de l'espace à l'emploi du temps et à l'individualisation des performances, et qui sont d'autant plus inaperçus par les agents qu'eux-mêmes ont été formés dans des conditions analogues. Quand il s'agit des contenus colonialistes de tels livres d'histoire, ça se voit, mais il y a tous les autres aspects.

Ce qui fait que l'étude de l'institution scolaire a peut-être été pour toi une étape, et qu'au fond c'est le problème de ce que signifie la domination de la classe dominante et de ses moyens de domination qui est l'objet propre de ton investigation, comme d'ailleurs des réflexions de beaucoup d'entre nous.

Pierre Bourdieu : Oui. Une des choses qui m'intéressent en ce moment, c'est la relation souvent cachée entre les systèmes de classement, qu'ils soient scolaires ou non scolaires – toutes les formes de taxinomies à usage social, celles qui servent à classer les objets d'art, celles qui servent à classer les élèves dans les écoles, comme le classement par discipline, par exemple – et la structure des classes sociales ; autrement dit, je m'intéresse aux rapports entre classes et classement, le système d'enseignement fonctionnant comme système de classement et fonctionnant aussi comme système de production de classements qui sont toujours en dernière analyse des systèmes de classements sociaux, référables aux classes sociales, mais d'une façon plus ou moins dissimulée.

Par exemple, j'ai découvert un document assez étonnant : les fiches qu'un professeur d'une classe préparatoire à une grande école tient concernant ses élèves et sur lesquelles il porte à la fois les notes de ses élèves, les appréciations et l'origine sociale des élèves. Par un procédé graphique simple, j'ai mis en évidence la relation qui s'établit entre la classe sociale d'origine, le système de classement, c'est-à-dire les adjectifs employés pour désigner la performance de l'élève considéré et la note. On a là une sorte de « machine idéologique ». On a une machine idéologique au sens propre, avec à l'entrée des gens qui sont marqués par leur origine sociale (bien qu'ils soient sursélectionnés) ; un professeur qui a été lui-même classé selon un système de classement qu'il va appliquer, de façon d'autant plus insidieuse qu'il ne l'a jamais thématisé comme tel (nous avons tous corrigé des copies : on met « lourd », « pâteux », « maladroit », « vulgaire », etc. quand on ne sait pas trop quoi dire). Ce professeur a à sa disposition cette grille apparemment neutre, si bien que quand il dit « subtil », il ne pense vraiment pas juger une grande bourgeoise ; quand il dit « servile », il ne pense pas du tout qu'il vise une fille de femme de ménage.

Autrement dit, le système de classement euphémistique a pour fonction d'établir la connexion entre la classe et la note, mais en la niant ou, mieux, en la déniant – comme dit la psychanalyse. On voit comment on peut, de parfaite bonne foi, continuer à être un parfait opérateur de l'idéologie que l'on condamne verbalement, parce que cette idéologie se présente non pas sous forme de discours, qu'il faut approuver ou désapprouver, mais sous forme de mécanismes complètement inconscients. Ainsi, ces classements intériorisés sous une forme euphémistique font que des professeurs peuvent parler un langage de classe sans penser à mal.

Au fond, je n'ai fait que prendre au sérieux l'idée durkheimienne marxisée que les classes logiques sont des classes sociales : tout le système des adjectifs employés pour juger une œuvre d'art, un essai littéraire, une personne, etc. est connoté socialement. J'ai donc essayé de faire une critique « sociologique » du jugement de goût. La plupart des jugements que nous portons utilisent ce système de classement qui est marqué socialement à des degrés d'euphémisation plus ou moins élevés (plus on va vers les champs spécialisés, vers la philosophie par exemple, plus le degré d'euphémisation est grand). Grâce à l'effet d'occultation par le système (on insère les mots interdits dans un réseau de relations tel qu'on ne les voit plus), le langage des corps relativement autonomes comme la philosophie, comme la religion, etc. peut parler de la façon la plus décente des choses les plus indécentes, sans que personne ne pense à mal.

Alors que la mythologie est un produit collectif de tout le groupe, du même ordre que la langue (quoique, même dans les sociétés les plus primitives, il y ait toujours un début de division du travail religieux), l'idéologie est le produit d'un champ de producteurs spécialisés. Pour comprendre une production idéologique, il ne suffit pas de mettre le produit en relation avec une demande sociale ; il faut le mettre en relation aussi avec les conditions sociales dans lesquelles les producteurs ont élaboré ce produit. Ce qui amène à introduire dans l'explication des propriétés de cette production les intérêts spécifiques des producteurs (comme le fait explicitement Weber, qui m'a beaucoup aidé en cela, dans le cas de la religion). Je pense que l'analyse des idéologies suppose l'analyse des intérêts que les producteurs ont à la production. Et c'est pourquoi je me suis intéressé à la fois au champ religieux, au champ artistique et au champ intellectuel, en essayant de retrouver, à travers les homologies de structure, des propriétés qu'on ne voit pas quand on travaille directement sur le champ intellectuel pour la raison qu'on en fait partie, qu'un certain nombre d'objectivations des intérêts ne sont pas toujours faciles à opérer. [...]

MICHEL SIMON : [Sur le problème] de la situation de classe des intellectuels, l'étude empirique est irremplaçable. Certes, en ce qui nous concerne, nous situons cette étude à l'intérieur d'une théorie globale (elle-même empiriquement fondée) de la formation sociale capitaliste à son étape actuelle. Mais, précisément, c'est ici qu'il faut serrer les choses de près et que, ce faisant, nous retrouvons des interrogations qui sont à la source de ta propre recherche, en particulier sur les fonctions actuelles du haut enseignement, du système des grandes écoles. [...] Une fraction des diplômés des grandes écoles transite vers la classe véritablement dominante, à savoir l'oligarchie financière, et s'y intègre : il y a là des phénomènes de renouvellement (de lutte au couteau, plutôt), voire de capillarité, que nous connaissons encore mal. Mais cela n'atténue pas le fait qu'à l'autre pôle, l'antagonisme s'affirme entre la vraie classe dirigeante et sa « suite » de commis instruits d'un côté et, de l'autre, l'immense majorité des intellectuels, y compris des diplômés des grandes écoles. […]

Pierre Bourdieu : Des luttes internes à un champ relativement autonome (Église, École, etc.) peuvent, à la faveur de l'homologie, prendre l'allure de luttes externes ; la stratégie élémentaire, décrite depuis toujours, consistant à universaliser les intérêts particuliers : les dominés dans ce champ (le bas clergé, par exemple), en jouant de l'homologie, ont intérêt à affirmer leur unité d'intérêts avec ceux qui occupent la position dominée dans le champ ultime qui est le champ de la lutte des classes. De même, les dominants du champ universitaire, par exemple, peuvent compter sur l'appui inconditionnel des membres des fractions dirigeantes de la classe dominante, dans la défense du latin et du grec, ou de l'orthographe.

C'est sur la base de ces homologies, qui engendrent toujours de terribles malentendus, que se font des foules d'alliances confuses. Je pense que l'alliance entre les intellectuels et le prolétariat risque toujours de devoir une partie de ses propriétés à ce mécanisme. La sociologie des intellectuels est sûrement le point le plus faible de toute la sociologie, et pour cause : en ce cas, les intellectuels sont juge et partie. […]

Antoine Casanova : Une dernière question : celle du rapport entre le travail scientifique le plus rigoureux possible et les luttes politiques et sociales. Rapport qui s'exerce dans les deux sens. L'approche scientifique exclut à la fois le faux neutralisme et l'obéissance bornée à la commande politique immédiate, quelle qu'elle soit.

Pierre Bourdieu : Oui, je voudrais distinguer fortement entre la critique « décisoire », volontariste, et cette espèce de critique qui est impliqué dans la logique même de la recherche parce qu'elle est la condition de la construction de l'objet, parce que la recherche oblige à mettre cul par-dessus tête les évidences reçues. Le positivisme est une théorie politique dans la mesure où il enregistre le donné tel qu'il se donne.

De même, il y a actuellement un courant qui fait grand bruit aux États-Unis, en sociologie, l'« ethnométhodologie », qui se donne pour objectif, entre autres choses, de décrire l'expérience naïve du monde social, l'expérience du monde social comme allant de soi. Cela peut être très intéressant, à condition qu'on sache ce qu'on fait et qu'on ne donne pas la science de l'expérience vécue du monde social pour la science du monde social. La critique fait partie de la pratique scientifique. Les objets préconstruits, c'est-à-dire les choses qui se proposent toutes préparées à la science, les « cas sociaux » (la délinquance, la criminalité, les prisons, etc.) sont souvent de mauvais objets sociologiques si on les prend tels quels. C'est dans la mesure où elle est scientifique, c'est-à-dire dans la mesure où elle dévoile du caché (« Il n'y a de science que du caché », disait Bachelard), que la sociologie a un effet critique.

Donner la parole
aux gens sans parole

— *En France aujourd'hui, le message politique passe peu ou mal ?*

— Paradoxalement, on retrouve sur le terrain de la politique, de la chose publique, une division analogue à celle qui s'observe en matière d'art ou de littérature ; seulement, mieux cachée. On accepte sans y penser – en politique comme ailleurs – la division entre les compétents et les incompétents, les profanes et les professionnels, hommes politiques, bien sûr, journalistes, et, plus largement, intellectuels, qui ont un monopole de fait sur la production du discours politique, des problèmes politiques. Je pense qu'il faut poser et reposer sans cesse le problème de la légitimité de la délégation et de la dépossession qu'elle suppose et qu'elle entraîne.

— *Donc le langage politique est élitiste, c'est un langage d'initiés ?*

— Comme il y a un univers de l'art, il y a un univers de la politique, qui a sa logique et son histoire propres, c'est-à-dire relativement autonome, et, du même coup, ses problèmes propres, son langage propre et ses intérêts spécifiques. C'est ce que j'appelle un champ, c'est-à-dire une sorte d'espace de jeu. Pour entrer dans ce jeu, il faut en connaître les règles, il faut disposer d'un certain langage, d'une certaine culture. Et, surtout, il faut se sentir en droit de jouer. Or, ce sentiment d'avoir droit à la parole est, en fait, très inégalement réparti. Comme le montre l'analyse des non-réponses aux questions posées par les sondages (ou encore la composition sociale des appareils des partis), il est plus fréquent chez les hommes que chez les femmes, chez les plus instruits que chez les moins instruits, chez les citadins que chez les ruraux, etc.

— *Ce que vous dites des hommes politiques n'est-il pas valable aussi pour les intellectuels, ou certaines catégories d'intellectuels, par exemple, dans le moment présent, pour ceux que l'on appelle les « nouveaux philosophes » ?*

Entretien avec Pierre Viansson-Ponté paru sous les titres de « Le droit à la parole » et « La culture pour qui et pourquoi ? » dans *Le Monde* des 11 et 12 octobre 1977.

— Les intellectuels participent tous du monopole de la parole. Mais il arrive qu'ils en usent – c'est le cas des sociologues qui font leur métier – pour essayer – je dis bien « essayer » – de donner la parole aux gens sans parole. Ce qui leur vaut alors d'être un peu suspects de vulgarité aux yeux des autres intellectuels.

Pour ce qui est des « nouveaux philosophes », je pense qu'ils ont trouvé une manière au goût du jour de sauver la figure de l'intellectuel à l'ancienne. En effet, les intellectuels sont, aujourd'hui, placés devant un défi sans doute sans précédent : la fraction dirigeante invoque, pour se légitimer, sa compétence, parfois sa science ; elle se pique même d'« intelligence ». Les mandarins ne sont pas – ou pas seulement – à l'Université : le technocrate, comme le mandarin chinois, doit son autorité aux concours et à la compétence qu'ils sont censés garantir. De là son côté triomphant et un peu puéril à la fois : sourd et aveugle, il gouverne, l'œil fixé sur les manuels d'économie qu'il a parfois lui-même écrits. Toute sa philosophie politique est contenue dans sa représentation de l'information économique : l'information que les profanes doivent posséder pour comprendre, donc accepter, les décisions économiques des professionnels. Tels sont les adversaires à qui les intellectuels à l'ancienne, et d'abord les philosophes, doivent disputer le monopole de la production de la représentation du monde social.

— *En somme, à l'intellectuel qui était celui qui savait, qui avait la culture, qui détenait les clés de la connaissance ou ce qui était présumé tel, est en train de se substituer un intellectuel praticien, plus proche de la vie, et qui développe, par voie de conséquence, une sorte de nouvelle philosophie dominante ?*

— Oui, les intellectuels ancienne manière doivent aussi compter avec cette nouvelle espèce d'intellectuels que sont les experts, intellectuels de service, maîtres à agir plutôt que maîtres à penser, qui prétendent détenir la « science politique », la science de la politique. À la place de l'opposition tranchée entre l'« artiste » (ou l'« intellectuel ») et le « bourgeois », on a aujourd'hui un continuum qui va des PDG – dont la statistique montre qu'ils sont de plus en plus souvent et de plus en plus diplômés – et des hauts fonctionnaires à l'« intellectuel » dit libre, en passant par les experts, les chercheurs du secteur public ou privé, qui dépendent, dans leur existence matérielle, des contrats publics ou privés. C'est ainsi que les intellectuels purs, comme on dit, se trouvent renvoyés à la grande prophétie morale telle qu'elle s'accomplit à l'âge des mass media. C'est-à-dire qu'ils donnent une représentation parfois dérisoire et toujours un peu exaspérante de la grande figure morale de l'intellectuel.

— *Mandarin ou prophète, il n'y a pas d'autres choses ? On fait souvent aux sociologues une réputation de pessimisme. Pensez-vous qu'ils n'aient rien d'autre à faire que d'annoncer ce qui est ?*

— Il me serait facile de répondre que la connaissance des régularités sociologiques (ce que les hommes politiques de droite se sont empressés d'appeler les « pesanteurs sociologiques » pour justifier leur inaction ou leur impuissance) est la condition de la réussite de toute action visant à les transformer. Connaître la probabilité d'un phénomène, c'est augmenter les chances de réussite d'une action visant à l'empêcher de se réaliser.

Mais ce n'est pas assez. Beaucoup de « mécanismes » sociaux doivent une part importante de leur efficacité au fait qu'ils sont méconnus. C'est le cas, par exemple, des « mécanismes » qui tendent à éliminer de l'école les enfants issus des familles les plus démunies économiquement et culturellement : or on observe que les familles croient d'autant plus (à quelques nuances près) que le don et le mérite personnels sont seuls responsables du succès scolaire – et non pas le milieu –, qu'elles sont plus démunies culturellement, donc plus directement victimes des effets du milieu.

On voit immédiatement que la science qui dévoile, qui démasque, pourrait exercer, par soi, un effet important. À condition, bien sûr, que ses effets soient connus de ceux qui ont le plus intérêt à les connaître. Mais ce que l'on appelle mon pessimisme – et qui n'est que le sens des réalités – revient en force : la diffusion des acquis de la science obéit à la loi de toute transmission culturelle, et la connaissance des effets de la dépossession culturelle est d'autant plus improbable que l'on est plus dépossédé culturellement.

— *Cette reconnaissance des lois n'a-t-elle pas des effets politiques ?*

— Si, bien sûr. Les hiérarchies économiques et sociales doivent une grande part de leur légitimité, c'est-à-dire de la reconnaissance qui leur est consciemment et surtout inconsciemment accordée, au fait qu'elles paraissent fondées sur les seules inégalités scolaires, c'est-à-dire sur des inégalités de dons et de mérites.

— Autrement dit, il y a une efficacité proprement politique du discours qui dévoile ?

— Je pense que, pour un ensemble de raisons historiques, nous avons tendance à sous-estimer l'efficacité de cette dimension de tout pouvoir qu'est le pouvoir symbolique. L'économisme hante tous les cerveaux politiques conduisant à une forme de fatalisme ; conduisant à déposséder les groupes de l'ambition légitime de se maîtriser eux-mêmes en tant que groupes. Je pense que la politique serait tout autre chose et l'action politique tout autrement efficace si chacun était convaincu qu'il lui appartient de prendre en main ses affaires politiques, que personne n'est plus compétent que lui-même, s'agissant de gérer ses propres intérêts. Il faudrait pour cela que la concurrence dont le champ politique est le lieu contraigne les hommes politiques à autoriser et à favoriser des formes d'organisation et d'expression (comités d'entreprise, assemblées de quartier, assemblées communales et non conseils municipaux) qui permettent aux citoyens, à tous les citoyens, de contribuer réellement à la production du discours et de l'action politiques.

On devrait tout faire pour permettre à tous de sentir que les affaires politiques sont leur affaire, de s'y reconnaître, comme on dit, d'y retrouver leurs problèmes, tous leurs problèmes : pas seulement le pouvoir sur les entreprises, mais aussi les relations sociales dans l'entreprise ; pas seulement les autoroutes, mais aussi les injures entre les chauffeurs, etc. Ainsi par exemple, quand on parle de lutte des classes, on ne pense *jamais* à la lutte des classes quotidienne, au mépris, à l'arrogance, à l'ostentation écrasante (à propos des enfants et de leurs succès, ou des vacances et de l'automobile), à l'indifférence blessante, à l'injure, etc. : la misère sociale et le ressentiment – la plus triste des passions sociales – naissent de ces luttes quotidiennes dont l'enjeu est la dignité, l'estime de soi. Changer la vie, ce devrait être aussi tous ces petits riens dont la vie des gens est faite et qui sont abandonnés à l'initiative privée et au prêchi-prêcha des moralistes.

— On vous devine presque déchiré : d'un côté vous dénoncez l'économisme, d'un autre côté vous savez bien que les réalités économiques commandent la vie des gens.

— Évidemment, l'économisme a au moins pour vertu de mettre en garde contre la « monnaie de singe », contre ceux qui paient de mots. Il y a, bien sûr, un usage conservateur des stratégies symboliques. Payer en monnaie de singe, les gouvernements – et en particulier le nôtre – savent très bien le faire. Mais on peut concevoir un usage démystificateur, libérateur, du pouvoir symbolique. Il y a tout un aspect de la réalité sociale que l'économisme et la conviction que les seules mesures sérieuses sont celles qui touchent aux réalités économiques font oublier. Tout mon travail me porte à croire que nous sous-estimons le pouvoir, proprement politique, de changer la vie sociale en changeant la représentation du monde social ; en mettant un peu d'imagination au pouvoir.

— En d'autres termes, en faisant une science du capital culturel et symbolique, vous voulez donner les moyens de combattre l'économisme et les usages abusifs du symbolique.

— Oui. L'économisme conduit à des révolutions partielles, ou ratées. Le stalinisme, qui se profile encore à l'horizon de tant de discours sur le monde social, est aussi une espèce d'utopisme scientiste, fondé sur une foi pathologique dans les pouvoirs de la science sociale ou, plus exactement, d'une science sociale encore commençante et déjà réduite a sa plus simple expression, à l'état de slogans et de mots d'ordre. Une des leçons de la science sociale, ce sont les limites de toute action orientée par la seule théorie sociale. Le scientisme enferme toujours la virtualité d'un terrorisme. En progressant, la science sociale a appris ses limites.

— Vous estimez donc qu'il y a divorce complet entre les partis, tous les partis, et les masses actuellement ?

— On pourrait dire, simplement, c'est-à-dire en simplifiant beaucoup, que dans l'état présent de la division du travail politique, les plus démunis économiquement et culturellement ne peuvent que s'en remettre aux partis pour la formulation de leurs demandes ; ce qui signifie que les partis ont tendance à faire à la fois l'offre et la demande.

— Pour conclure sur le plan politique et avant d'en venir aux problèmes de la culture, pensez-vous que l'évolution ira plutôt dans le sens d'une simplification du discours, d'une meilleure communication, ou que le malentendu, les difficultés que vous relevez, risquent d'aller en s'aggravant ?

— Je ne vois malheureusement pas beaucoup d'indices d'un changement du style de la vie politique. Tout système de langage fonctionne à la fois comme moyen d'expression et comme moyen de censure. Paradoxalement, un langage est ce qui permet de dire ce que l'on a à dire, mais aussi ce qui empêche de dire et de penser tout un ensemble de choses que d'autres styles permettraient de dire. Par exemple, le débat télévisé, qui pourrait être un instrument de démocratie – on en appelle directement « au peuple », on étale ce que l'on pourrait ou voudrait tenir caché –, peut être constamment censuré par le fait qu'un certain type de liberté linguistique ou vestimentaire n'y est pas admis. Il y a un style collet monté qui fait que certaines personnes ne peuvent pas parler ou qu'on ne peut pas parler pour certaines personnes. J'ai lu dans un journal du matin très bien « élevé » : « Marchais sera excellent lorsqu'il ne fera plus de fautes de français. » Mettre l'imagination au pouvoir, c'est peut-être aussi mettre un bonnet rouge au dictionnaire.

— C'est ce que vous avez appelé le « fétichisme de la langue » ?

— On connaît le langage d'appareil et d'apparat, langage mécanique et stéréotypé, qui est une forme de censure parce qu'il déréalise ce qu'il exprime. Le franc-parler, comme dit si bien le français, devrait être réintroduit en politique.

— La philosophie politique des hommes politiques se trahit dans leur langage ?

— Oui. Elle est présente dans leur rapport au langage, dans leur hypercorrection ou leur pompe verbale ; elle est aussi présente dans leurs mots, et à travers eux dans leur cerveau. En politique comme ailleurs, il n'y a pas de mots innocents. À force de parler de « sommet » ou de réunion « au plus haut niveau », on finit par croire et par faire croire qu'il n'y a de politique et de solution politique et d'accord politique qu'en ces hauts lieux que fréquentent les seuls esprits souverains.

Qu'adviendrait-il si les « sommets » lançaient la consigne de chercher et de trouver un « bon accord » à la base ?

Le fait que cette idée apparaisse immédiatement comme une utopie est par soi intéressant. Changer la vie, c'est aussi, un tout petit peu, changer la manière de parler et de penser la vie. Je crois en effet que les classes sociales, que les hiérarchies sociales, existent toujours deux fois, dans la réalité et dans les cerveaux. Et il est probable que si elles cessaient d'exister dans la réalité, elles risqueraient toujours de revenir à l'existence, parce que les gens les projetteraient sur la réalité, dans la réalité, aussi longtemps qu'elles hanteraient leur cerveau. [...]

Sans jamais autoriser le sociologisme, qui décrit ce qui est comme inévitable ou nécessaire – au double sens –, la connaissance sociologique n'engage pas à l'utopisme.

Ce que l'observation statistique enregistre est la résultante d'une foule de stratégies individuelles qui, même si elles ne se vivent pas comme telles, sont toutes des stratégies de placement, choix de l'établissement, choix de la section, choix de bonnes vacances linguistiques, etc. Tous ces choix individuels, une fois agrégés et cumulés, finissent par s'exprimer dans des régularités statistiques attachées à chaque classe sociale.

— En fait, on considère souvent les sociologues comme des chefs d'orchestre clandestins de la réalité sociale, comme des maîtres d'œuvre un peu démoniaques qui favorisent ou qui empêchent l'évolution.

— C'est surestimer terriblement le pouvoir des sociologues. Mais cette image a un fondement sociologique. En effet, la représentation légitime du monde social est un enjeu de luttes, et tenter d'imposer une vision du monde social c'est affirmer une prétention à exercer une forme de pouvoir sur ce monde. En ce sens, la sociologie pourrait être une manière de conduire la politique par d'autres moyens. Ce pouvoir, celui des intellectuels et des responsables de partis par exemple, est particulièrement visible dans les situations confuses, indécidables, comme les situations de crise (celles qui, l'histoire des religions le montre, appellent le discours prophétique) : dans ce cas, la prévision est une *self-fullfilling prophecy* [prophétie auto-réalisatrice], un discours sur l'avenir qui contribue à faire advenir ce qu'il annonce. Les prévisions sont toujours des instruments de pouvoir : prévoir l'avenir des autres, c'est se donner un pouvoir sur eux. Il suffit de penser à l'effet qu'a exercé sur le destin des paysans le discours des planificateurs qui prophétisait leur disparition, c'est-à-dire prédisait et préconisait à la fois leur devenir probable : convaincre un groupe de son déclin, c'est contribuer à accélérer ce déclin. Celui qui dit ce qui va être contribue à faire être ce qu'il dit. La politique parle presque toujours un langage approximatif, un langage qui contribue à faire ce qu'il dit, à faire exister ce qu'il énonce. Par suite, lors même qu'il parle ou s'efforce de parler un langage « constatif », lors même qu'il ne fait qu'énoncer ce qui est, le sociologue peut paraître contribuer à faire être ce qui est, en déguisant en constat ce qui est en fait une volonté ou un souhait.

— *Par exemple, quand vous parlez de culture, on est tenté de vous demander de proposer une nouvelle définition de la culture.*

— Tout ce que je puis dire, c'est ce que fait la culture ou ce qu'on fait de la culture. La culture est, à tous les moments, l'enjeu d'une lutte. Ce qui se comprend, parce que, à travers l'idée de culture ou d'excellence humaine (l'homme cultivé, c'est, dans toutes les sociétés, l'homme accompli), ce qui est en cause et en jeu, c'est la dignité humaine. Cela signifie que, dans une société divisée en classes, les gens dépourvus de culture sont et se sentent atteints dans leur dignité, dans leur humanité, dans leur être. Ceux qui possèdent ou croient posséder la culture (la croyance en ces affaires est l'essentiel) oublient presque toujours toutes les souffrances, toutes les humiliations qui s'accomplissent au nom de la culture. La culture est hiérarchisée et elle hiérarchise : comme un mobilier ou un vêtement, qui indique immédiatement en quel point de la hiérarchie sociale ou culturelle se situe son propriétaire. Ce n'est pas seulement sur le terrain de la politique que la culture et le respect qu'elle inspire réduisent au silence ceux qui en sont dépourvus. Mais, pour faire voir complètement l'enjeu des luttes à propos de la culture, il faudrait rappeler toutes les illusions qui résultent du fait que la culture s'incorpore, qu'elle fait corps avec son porteur, apparaissant ainsi comme la plus naturelle et la plus personnelle des propriétés, donc la plus légitime.

— *Ceci, comme vous l'avez montré, est tout particulièrement vrai en matière de langage.*

— Bien sûr. De là le silence de ceux qui n'ont de choix qu'entre le langage emprunté ou le franc-parler et l'assurance de ceux qui peuvent toujours compter sur ce que l'on appelle leur « aisance » ou leur « distinction naturelle ».

— Nous sommes presque arrivés à notre point de départ qui était le discours politique. La clé de la politique, c'est d'abord une question de langage.

— Oui. Je crois que, quand on parle de linguistique, on devrait toujours penser qu'il s'agit aussi de politique, et que, quand on parle de politique, on devrait toujours penser qu'il s'agit aussi de langage. La compétence politique, si tant est qu'il en existe une définition universelle, consiste sans doute dans la capacité de parler en termes universels de problèmes particuliers, de vivre un débauchage, un licenciement, une injustice, un accident du travail non pas comme un accident individuel, comme une aventure personnelle, mais comme une aventure collective, commune à une classe. Cette universalisation n'est possible que par le langage, par l'accès à un discours général sur le monde social. C'est pourquoi la politique a partie liée avec le langage. Et si l'on veut, là encore, introduire un peu d'utopie pour atténuer la tristesse du discours sociologique, on peut, sans trop de naïveté, se convaincre qu'il n'est pas inutile de se battre à propos des mots, à propos de l'honnêteté et de la rigueur des mots, pour le franc-parler et le parler-franc. Plus, il vaut la peine de se battre pour faire connaître le droit universel à la parole, à une parole capable d'assurer le retour du refoulé social. Le militant n'est pas seulement (voilà un bel exemple de langage politique, c'est-à-dire performatif), je veux dire, le militant ne devrait pas seulement être quelqu'un qui colle des affiches ou qui exécute des mots d'ordre, mais quelqu'un qui a son mot à dire et qui dit son mot, qui s'exprime et qui demande à être exprimé, qui contrôle ce qu'on dit, ce qu'on fait et ce qu'on lui fait dire.

La revue *Esprit*
& la sociologie de Pierre Bourdieu

Revue en position intermédiaire entre culture et politique, mensuel spécialisé dans les « débats de société », *Esprit* publie dans les années 1960 une des premières interventions de Pierre Bourdieu [lire p. 21].

Traitée ensuite en objet d'analyse sociologique, cette revue se voit attribuer dans les *Actes de la recherche en sciences sociales* un rôle central dans la production de l'idéologie dominante [lire p. 130-149].

C'est la revue *Esprit* qui publie également certains des articles les plus virulents à l'égard du sociologue, notamment à la sortie de *La Reproduction* en 1970 [lire p. 52] puis de *La Distinction* en 1979, article auquel Pierre Bourdieu répond dans le texte ci-contre : réaction à la critique d'un philosophe, Philippe Raynaud, exemple d'argumentation polémique avancée notamment à propos des oppositions académiques telles que liberté et déterminisme.

Enfin, la revue *Esprit* fut de ceux qui ont réagi le plus vivement aux prises de position du sociologue à la suite des grèves de décembre 1995 puis de la parution de la collection Raisons d'agir [lire p. 329].

Heureux les pauvres en *Esprit*

VOILÀ QU'*Esprit* me fait, une fois de plus, la *leçon*. Car c'est bien d'une leçon qu'il s'agit, une leçon de morale, bien sûr, mais aussi une de ces terribles leçons d'agrégation ou de terminale où, prêchant des *convertis*, on est sûr de s'attirer l'approbation en vouant aux Enfers, par quelques anathèmes théoriques, les sciences humaines et leur prétention à « réduire » l'irréductible, à expliquer l'inexplicable, le « sujet », la « personne ». Principe de la leçon : l'esprit de sérieux, indice majeur de l'adhésion à la chose enseignée, doit être d'autant plus grand et d'autant plus affiché que le sérieux et l'information sont plus incertains. Avec un peu de culot et beaucoup de conviction, on peut même faire passer de simples *erreurs de fait*. Comme celle-ci : « On sait que – à l'exception des communistes, qui ont pu facilement replacer les analyses de *La Reproduction* dans leur eschatologie [...] – *La Reproduction* a surtout contribué au découragement des enseignants. Il est probable, du reste, que la lecture la plus intelligente serait une lecture *conservatrice*. [1] » La vérité est que, en réponse aux protestations qu'avaient suscitées chez leurs lecteurs un article où les petits maîtres à penser du PC désignaient *La Reproduction* comme « une traduction petite-bourgeoise du marxisme [2] », *La Nouvelle Critique* écrivait – ça ne s'invente pas : « *En conformité d'ailleurs avec le Synode des Évêques* [...], ces idéologues [les auteurs de *La Reproduction*] poussent, par leurs analyses, les enseignants, les parents, les élèves vers des mirages apocalyptiques, des conduites de repliement et de fuite, le désespoir qui *démobilise*. [...] Simplement, dans la perspective théorique et pratique qui est la nôtre, nous étions conduits à souligner, dans leurs thèses les

---

1. *Esprit* ne manque pas *d'esprit de suite* : Antoine Prost, cité par notre auteur (Philippe Raynaud, « Le sociologue contre le droit », *Esprit*, n° 3, mars 1980), invoquait déjà le même argument dans un article où il opposait le spontanéisme *inspiré* d'Illitch au fatalisme de *La Reproduction* (Antoine Prost, « Une sociologie stérile : *La Reproduction* », *op. cit.*).
2. A. Guedj et F. Hincker, « Le malaise des enseignants. Faut-il brûler l'école ? », *La Nouvelle Critique*, janvier 1972, p. 18.

Paru sous le titre « Où sont les terroristes ? »
dans *Esprit*, novembre-décembre 1980, n° 11/12, p. 253-258.

plus récentes, ce qui renforçait le courant nihiliste et *démobilisateur*. » Et plus loin, mais il faudrait tout citer : « Comme chez Hobbes (ou Pascal !), les institutions sont fondées sur la force, toute autorité est usurpation. Comment ne pas voir […] les conséquences logiques, à la fois erronées et *démobilisatrices*, de cette problématique : il serait contraire à l'intérêt des classes dominées de se fixer pour objectif la "scolarité obligatoire" (p. 57), la "démocratisation de l'enseignement" (p. 59), la défense de la laïcité (p. 62), etc. [3] » Il faudrait analyser la logique de cette *rhétorique du soupçon*, qui est commune aux deux textes : le « d'ailleurs » de « en conformité d'ailleurs avec le Synode des Évêques » ; le mot « idéologues » ; le « il serait contraire », conditionnel distanciant et insinuant. Il faudrait aussi examiner les procédés par lesquels la critique d'institution (ou d'appareil), critique intellectuelle accomplie en position de force politique et de faiblesse intellectuelle, s'apparente à la logique du *procès* : je pense par exemple aux anathèmes (*idéologues*) ou à l'amalgame (la référence à *Hobbes* et à *Pascal*) et surtout au « résumé caricatural » (les institutions sont fondées sur…) et à la *falsification* pure et simple, qui frôle la calomnie ou la délation policière tout en se masquant sous les apparences du sérieux (avec la référence aux pages) : *La Reproduction*, entendez-moi bien Camarades (il s'agit évidemment des camarades intellectuels), n'est pas ce que vous pourriez croire, vous qui, grâce au travail acharné des sociologues communistes, en étiez restés au plan Langevin-Wallon [lire p. 74]. Elle combat les fondements mêmes du programme du Parti en matière d'éducation : la laïcité (*cf.* le Synode des Évêques), la démocratisation et la conquête des conquêtes, la scolarité obligatoire. Il faut le faire !

Gaudium et spes [4] ! Communistes et chrétiens se rencontrent dans la condamnation du fatalisme sociologiste qui donne « l'idéologie bourgeoise gagnante à tout coup et sur toute la ligne » [5]. Mais les responsables des Semaines de la pensée marxiste et du Centre catholique des intellectuels français ne doivent pas se réjouir trop vite : pour *La Nouvelle Critique*, le pessimisme démobilisateur désigne le pisse-copie de l'Épiscopat ; pour *Esprit*, il trahit le survivant du *stalinisme*. Renvoyer l'indésirable du côté de ce que l'on déteste est, après tout, de

---

3. « L'École : un débat », *La Nouvelle Critique*, avril 1972, p. 78. (Je dois ces références à Jeannine Verdès-Leroux, que je remercie.)
4. Joie et espérance. [nde]
5. *Ibid.*

bonne guerre (quoiqu'il y ait quelque chose de vaguement stalinien dans l'amalgame associé à l'ostracisme). Mais il faudrait se demander ce que les ennemis trahissent en s'accordant pour renvoyer à l'ennemi l'ennemi que leur renvoie l'ennemi. S'ils sont bien d'accord pour mettre hors jeu cet ennemi de l'ennemi qui n'est pas pour autant un ami, cet indésirable absolu, c'est qu'ils ont en commun, par-delà les conflits à propos des enjeux, les intérêts qu'ils ont dans le jeu lui-même, dans l'existence même du jeu et qui leur imposent, par-delà les « divergences politiques », la même *horreur sacrée* de tout ce qui menace le jeu lui-même, et les enjeux vitaux qui lui sont associés.

Celui-ci défend les intérêts de l'intellectuel d'appareil qui, au prix d'un double jeu permanent, met son autorité statutaire d'intellectuel patenté au service d'un appareil politique dont il essaie de tirer une autorité (intellectuelle ?) auprès des intellectuels : on aura remarqué, dans le texte cité ci-dessus, que la référence, cultivée, à Hobbes et, perfide, à Pascal, servait à autoriser une défense de l'institution – scolaire – et de l'autorité – professorale – menacées par l'objectivation sociologique. Celui-là défend l'institution philosophique, ou la philosophie d'institution (et ses auteurs canoniques, qui sont tout le capital spécifique du professeur de philosophie), c'est-à-dire l'autorité d'institution dont s'autorisent tous ceux qui participent de l'institution. Et d'abord, bien sûr, dans la défense de l'institution. Il faut en effet avoir pour soi toute l'institution – je veux dire l'*establishment*, l'ordre intellectuel établi et les bien-pensants [6] –, tous les défenseurs *admirables* [7] de toutes les

---

6. Parler, contre l'évidence des faits, de « l'accueil très généralement favorable que la critique a réservé à » *La Distinction*, alors que la quasi-totalité des articles consacrés à cet ouvrage était défavorable, voire franchement hostile ou injurieux (je pense par exemple à l'article du *Nouvel Observateur* qui parlait de « jdanovisme *new look* »), et conclure que « *La Distinction* est un livre d'intellectuels pour intellectuels », « un livre satisfaisant pour l'intelligentsia », c'est se donner à bon compte des allures de franc-tireur, d'intellectuel libre et *courageux*, qui prend le *risque* de résister aux courants et au conformisme (l'intellectuel de droite a toujours joué ce jeu-là). Mais, professoralement prudent, notre héros de la lutte contre « le stalinisme intellectuel » (il écrit exactement : « Ce qui n'est peut-être qu'un avatar du stalinisme intellectuel ») s'entoure de toutes les garanties (Hegel, Marx, le Collège de philosophie, etc.) et de tous les garants (je relève, au hasard des références, Boudon, Lefort, Castoriadis, Besançon et autres Prost). Qu'il aille rassuré, il mène le Bon Combat.
7. Je cite : « Rappelons ici les *admirables* réponses de... » (Philippe Raynaud, « Le sociologue contre le droit », *op. cit.*, p. 92, note 21).

bonnes causes, la personne, la création, l'art, la culture ou l'intelligence, c'est-à-dire toutes les « personnes » qui aiment à se penser comme intelligentes, créatrices et cultivées, à commencer, bien sûr, par les intellectuels et les artistes, qui sont tout cela par définition, pour condamner une longue analyse de la *Critique du jugement* sans rien invoquer d'autre que la complicité anticipée de tous les croyants, c'est-à-dire de tous les lecteurs attitrés de cet ouvrage [8]. Le discours magistral, on le sait, s'énonce sur le ton de l'évidence.

Peut-être commence-t-on à comprendre que ce que je crois être un combat contre le terrorisme intellectuel puisse être vécu comme terroriste par des gens qui participent aussi naïvement du terrorisme intellectuel.

L'esprit de sérieux, voire le respect affiché de l'« Autre », qui sied si bien à *Esprit,* sont aussi là pour masquer des *erreurs de lecture* dont il n'est même pas sûr qu'elles soient délibérées. Je pense à l'idée, mainte fois démentie explicitement, que j'aie quelque chose à voir avec l'équation Marx + Bachelard [9], c'est-à-dire avec une combinaison déjà réalisée dans l'univers de la philosophie [10]. Il ne s'agirait jamais que d'une bévue après tout fort banale, et inévitable, puisqu'elle résulte de la nécessité de réduire l'inconnu au connu (c'est-à-dire dans l'état actuel de la formation et de l'information des « philosophes », à bien peu de choses…), si l'on ne retrouvait l'intention de cataloguer par l'imposition de stigmates infamants (l'autre disait : Hobbes + Pascal) et de contaminer l'amalgame (avec la « théorie de

---

8. « On ne lit pas *sans quelque surprise* les pages que Pierre Bourdieu consacre à la *Critique de la faculté* de juger » (*ibid.*, p. 83). Quant à moi, je dois le dire, cette divine surprise ne me surprend pas.

9. « Si l'on devait définir la situation initiale de Pierre Bourdieu dans la pensée française, on pourrait dire qu'il a tenté une synthèse originale de la sociologie, du marxisme entendu comme critique de la domination et théorie des idéologies, et de l'épistémologie bachelardienne telle que l'a comprise la génération philolosophique des années 1955-1965 » (*ibid.*). Vision typiquement professorale de la recherche comme recherche de l'originalité.

10. On aurait pu s'attendre à ce que tant de sérieux étalé conduise au moins à lire et à discuter la tentative que j'ai faite pour essayer de situer ma recherche, *à des fins pédagogiques*, dans l'espace théorique (« Sur le pouvoir symbolique », *Annales*, mai-juin 1977, n° 3, p. 405-411). On y trouvera, ainsi qu'en maint autre endroit, une critique de ce que j'appelle « le fonctionnalisme du pire » (lire notamment *Le Sens pratique*, Minuit, Paris, 1980 ; et « Le mort saisit le vif, les relations entre l'histoire réifiée et l'histoire incorporée », *Actes de la recherche en sciences sociales*, avril-juin 1980, n° 32/33, p. 3-14), cela même que mes non-lecteurs s'obstinent à me prêter.

l'idéologie d'Althussser » qui, dans mon esprit au moins, est aux antipodes de ce que j'essaie de *faire*). Comment ne pas s'étonner de découvrir ainsi, chez un dénonciateur aussi véhément (et courageux…) du « stalinisme intellectuel », une des stratégies les plus caractéristiques de l'*apparatchik* intellectuel, la stratégie du *soupçon idéologique* [11] ?

Mais, dira-t-on, n'est-on pas fondé à s'indigner et à s'insurger avec la dernière violence contre l'intention ou la prétention de décrire la lutte des classements et la fonction impartie dans cette lutte à la culture et à ceux qui s'en réclament ? Quoi de plus odieux, de plus typiquement « staliniste » en effet, que l'intention même de cataloguer les catalogueurs, de classer les classeurs, de catégoriser les producteurs de tous les catégorèmes catégoriques que véhiculent journaux, hebdomadaires et ouvrages intellectuels [12] ?

Convaincu que notre professionnel de la lecture n'a pas lu mon livre (je veux dire, le livre que j'ai écrit, et dont il ne dit rien), je n'aurais pas l'idée, typiquement terroriste, de lui reprocher s'il n'avait pas eu l'idée, très répandue chez les pourfendeurs de terroristes, d'en parler sans l'avoir lu, et avec toutes les apparences du sérieux. Pourtant, au risque de paraître terroriste, voire staliniste, je crois pouvoir expliquer pourquoi *il ne pouvait pas* le lire : mis en question, comme tant d'autres, dans sa « personne » d'homme cultivé, il ne pouvait, *sans déroger*, s'attacher ou s'attaquer ni aux faits empiriques – qu'il écarte d'emblée au nom de l'indépendance postulée du schème théorique par rapport aux données – ni à la construction théorique elle-même ou, plus exactement, à l'ordre des raisons, qui donne leur cohérence aux faits, ce qui aurait consisté à accorder à un ouvrage de « sciences humaines » un traitement réservé aux ouvrages de philosophie. Ayant ainsi purement et simplement disqualifié l'ouvrage analysé en le dépouillant de tout ce qui en fait la forme et la substance, on peut le traiter comme une sorte d'essai politique

---

11. Sur cette stratégie, lire par exemple « La lecture de Marx, ou Quelques remarques critiques à propos de "Quelques remarques critiques à propos de *Lire le Capital*" », *Actes de la recherche en sciences sociales*, novembre 1975, n° 5/6, p. 65-79 ; spéc. p. 75, l'équation « Structuralisme = Hegel + Feuerbach ».

12. Rien au contraire de plus normal, de plus banal, de plus convenable en un mot, rien qui mérite moins la légitime indignation antistaliniste que cette phrase que tout le monde a pu lire récemment, signée par un arbitre des élégances intellectuelles, dans un hebdomadaire (très) parisien [Pierre Nora] : « De toute façon, la philosophie française n'existe pas. »

(un « concentré d'idéologie "compagnon de route" ») tout juste séparé du dernier pamphlet à la mode par le talent. Se situant franchement sur le terrain de la politique, où tous les coups (et toutes les ignorances) sont permis par définition, on peut pourfendre les moulins à vent, c'est-à-dire un « concentré » de toutes les idées reçues, cent fois démenties, voire réfutées, qui traînent partout à propos de mon travail : c'est « statique », c'est « pessimiste », c'est « staliniste », « le sociologue se prend pour Dieu le Père » (il a la « certitude d'avoir d'avance réfuté toutes les objections possibles »), etc. Au point qu'on finira bien par se demander ce que peut bien avoir ce livre détestable pour faire dire tant de bêtises à tant de gens au demeurant si intelligents.

On ne réfute pas un *système de défense* (au sens de Freud), surtout collectif. On peut seulement tenter d'en analyser le fonctionnement, sans espoir de convaincre ou de convertir. Pour cela, je retiendrai un seul point, qui est au cœur du débat, et où se voit particulièrement bien l'aveuglement auquel conduit la logique du préjugé défavorable lorsqu'elle se combine, comme s'est souvent le cas, avec l'ignorance la plus complète de la logique réelle des opérations de la recherche [13] : je veux parler du fait que le discours scientifique, énoncé purement constatif de ce qui est, est lu ici – mais c'est une erreur très commune – comme s'il s'agissait d'un de ces discours de l'existence ordinaire qui ne parlent jamais du monde social que sur le mode normatif ou, mieux, *perfomatif*, masquant le souhait ou le vœu pieux sous les dehors du constat. Là où je croyais m'être contenté de constater que les hommes (et surtout les femmes) des classes les plus démunies économiquement et culturellement s'en remettent de leurs choix politiques au parti de leur choix et notamment au parti communiste, et que, en d'autres termes, le despotisme des appareils et des *apparatchiks*, loin d'être une futilité historique, repose, au moins pour une bonne part, sur la démission du « peuple » dont ils se réclament, j'aurais en fait condamné les dominés à s'en remettre sans réserve à leur porte-parole, faisant de l'ignorance « la plus haute qualité du peuple » et prêchant la soumission inconditionnelle du prolétariat, et des intellectuels, au parti communiste. Tout cela bien sûr, sous les

---

13. Ainsi, une connaissance élémentaire du mode de pensée statistique permettrait de faire l'économie de bien des dissertations sur le sociologue et la liberté.

dehors hypocritement terroristes de la science. « Quoi d'étonnant à ce que la voie de l'émancipation soit, pour les dominés, dans une aliénation totale et sans réserves de leur identité au parti ? On voit ainsi que, par d'autres chemins, l'œuvre de Pierre Bourdieu s'intègre dans un courant permanent de la culture française que, en son temps, Jean-Paul Sartre avait à merveille illustré dans *Les Communistes et la Paix*. Comme Sartre en son temps, Bourdieu ne semble voir d'alternative au néant politique du prolétariat réel que sa soumission sans réserves au parti, dans un retournement "dialectique" dont le théoricien a seul l'intelligence. […] Il n'y a plus chez Bourdieu de problème pédagogique puisque c'est l'ignorance qui devient la plus haute qualité du peuple. Peut-être aussi comprendra-t-on mieux ainsi l'insistance de Bourdieu sur la dépossession culturelle des dominés, la continuité avec laquelle, faisant fi des formes symboliques, ou "savantes", que produisaient naguère encore les cultures populaires, il présente leur état présent de déclin dans la vie sociale comme le signe de ce que les dominés – pôle de vulgarité – incarnent, contre les raffinements de la culture distinguée, un état de nature : dans un tel cadre, il n'est pas jusqu'à la vulgarité de Georges Marchais qui n'ait sa raison d'être. [14] » Il en fait trop, comme dit le « peuple ». Et il aurait dû s'épargner la dernière phrase, qui, dans le langage de la rhétorique « savante », s'appelle une *chute*. Est-il besoin de dire que je n'ai jamais songé à *célébrer* les manières populaires (même s'il m'est arrivé de les *défendre* contre le racisme de classe qui perce à chaque mot du texte ci-dessus) et que j'ai essayé seulement d'en faire comprendre la *logique* (comme je l'ai fait pour les manières bourgeoises) ?

Devrais-je encourir les foudres du terrorisme antiterroriste, on ne m'empêchera pas de penser et de dire que ceux qui sont accoutumés de parler le langage de la norme – et nul ne contestera qu'*Esprit* est le lieu de l'impeccabilité subjective qui est le principe de toute imposition de normes – n'étaient pas les plus mal placés pour professer triomphalement cette bévue et en tirer occasion de se poser en gardiens de la pureté éthique. Mais une erreur aussi grosse n'aurait sans doute pas été possible si l'on n'avait pas été aussi pressé de se débarrasser de la critique de la tyrannie qui s'exerce par la culture et en son nom, et jusque sur le terrain de la politique, et dont participent tous les « hommes cultivés » : il fallait à toute force (se)

---

14. Philippe Raynaud, « Le sociologue contre le droit », *op. cit.*, p. 92.

convaincre que cette énonciation (qui est *eo ipso* une dénonciation) de la tyrannie s'anéantissait dans une exhortation à s'anéantir dans la soumission à la tyrannie du parti, selon une logique typiquement religieuse qui a souvent conduit les intellectuels au parti.

Et régler du même coup quelques comptes sur le terrain de la politique la plus étroitement politique. On ne lit pas sans quelque surprise, comme aime à dire notre auteur, une phrase dont on regrette seulement qu'elle ne surgisse que tout à la fin, après tant de haute philosophie : « *Comment se fait-il par exemple* que, lors d'un récent colloque de l'ISER (organisme proche du PS), on ait vu la plupart des responsables socialistes présents *communier* [c'est moi qui souligne…] dans l'admiration pour un tel concentré d'idéologie "compagnon de route" ? » C'était donc ça ! Ouvrez les yeux, Socialistes chrétiens et Chrétiens socialistes : Bourdieu est aux marxistes vulgaires ce que Chevènement, variante distinguée du communisme vulgaire, est à Marchais [15] ! Mais s'il s'agissait depuis le début des rapports entre Rocard, Mitterrand et Chevènement, il fallait le dire. Et faire l'économie d'une leçon (un peu accablante) sur Leibniz, Hegel, Marx et quelques autres autorités autorisées, qui n'avaient vraiment rien à faire dans cette galère.

---

15. « Bref, ce livre, construit tout entier sur l'opposition de la "distinction" et de la vulgarité, trouve peut-être son équilibre – et les raisons de son succès – dans le fait qu'il représente aujourd'hui *la forme distinguée du marxisme vulgaire* » (*ibid.*, p. 93).

Idéologie dominante
& autonomie scientifique

Naissance des *Actes de la recherche en sciences sociales*

> S'il y a une vérité, c'est que la vérité est un enjeu de luttes.
>
> « Une classe objet », 1977

ALORS QUE LES ANNÉES 1970 *voient s'épanouir le gauchisme à la française, les cadres de la haute administration poursuivent leur travail de « modernisation » du capitalisme national. Ces transformations induisent un accroissement de l'emprise des pouvoirs politiques sur le monde intellectuel : entre les intellectuels dénués de pouvoir temporel et les hommes de pouvoir dont l'autorité s'appuie de plus en plus sur des compétences spécifiques se développait, depuis les années 1950, une population de « chercheurs administratifs » et d'« administrateurs scientifiques » appartenant à des institutions de recherche répondant aux commandes de l'administration [1].*

La revue Actes de la recherche en sciences sociales, *dont le premier numéro paraît en 1975, veut contribuer à renforcer l'autonomie de la sociologie en le dotant d'un moyen de diffusion indépendant, soumis aux seules exigences des procédures de vérification et de critique scientifique. Marquée par la volonté de rompre avec le formalisme académique et la standardisation normalisante de la recherche, la politique éditoriale fait se juxtaposer articles « achevés », notes, mémoires intermédiaires, documents statistiques, photographies, fac-similés et bandes dessinées* [lire p. 126]. *Cette politique scientifique en sociologie ne veut pas seulement « déconstruire » les textes « sacrés » du monde savant mais aussi « détruire les faux-semblants et les faux-fuyants forgés par une vision religieuse de l'homme dont les religions révélées n'ont pas le monopole » ; opérant un « renversement de la hiérarchie des objets de recherche consacrés » par une science aussi peu indépendante des demandes politiques que la sociologie, où la censure*

---

1. Lire « La production de l'idéologie dominante » (avec Luc Boltanski), *Actes de la recherche en sciences sociales*, 1976, n° 2/3, p. 5-6. D'autres articles sont consacrés à cette transformation, notamment celui de Michael Pollak, « La planification des sciences sociales », *ibid.*, p. 105-121.

scientifique n'est bien souvent qu'une censure politique masquée,
Actes de la recherche *veut bouleverser l'opposition entre « le sacerdoce de la grande orthodoxie académique » et « l'hérésie distinguée des francs-tireurs à blanc »* [2]. *La variété des méthodes employées renvoie alors à une variété de thèmes jusqu'à présent peu considérés comme dignes d'étude : la haute couture, l'automobile, la bande dessinée, l'enseignement technique, l'armée, les travailleurs sociaux, la rhétorique marxiste, etc.*

Un texte résume et condense le projet des Actes *à son origine, « La production de l'idéologie dominante », qui s'ouvre par une « Encyclopédie des idées reçues et des lieux communs en usage dans les lieux neutres », établie sur la base d'un corpus de textes canoniques de la philosophie sociale dominante (livres, interviews, articles d'hommes et d'intellectuels de pouvoir) :*

En premier lieu, les écrits des précurseurs, souvent des professionnels de la profession culturelle, qui fournissent aux « membres actifs » de la classe dominante les thèmes fondamentaux qu'ils ne cesseront de reproduire en y accrochant leurs préoccupations spécifiques ; en second lieu, les produits (c'est-à-dire rapports de commissions) d'un travail collectif d'élaboration tendant à effacer les différences individuelles au profit des lieux communs qui font l'unanimité de la fraction dominante de la classe dominante ; enfin, les productions des simples reproducteurs, exposition scolaire de savoirs directement acquis dans les écoles du pouvoir ou dans les commissions du plan. [3]

Au-delà de l'apparente diversité de leurs prises de position, les « producteurs de l'idéologie dominante » constituent un groupe relativement homogène, puisque la plupart d'entre eux ont participé, d'une manière ou d'une autre, à l'élaboration du plan, aux enseignements de l'Institut d'études politiques et de l'ENA, et qu'ils ont été formés dans les mêmes grandes écoles (Polytechnique, IEP, ENA, etc.).

La sélection des thèmes formulés de la façon la plus concise et la moins euphémisée possible permet de faire apparaître les « lieux communs » d'une idéologie qui peut laisser implicites ses présupposés sous le couvert des « normes de bienséance » d'un langage de pouvoir investi dans les « lieux neutres » ; des lieux qui se situent

---

2. « Méthode scientifique et hiérarchie sociale des objets », *Actes de la recherche en sciences sociales*, 1975, n° 1, p. 4.
3. « La production de l'idéologie dominante » (1976), *op. cit.*, p. 10-11.

à l'intersection du champ intellectuel et du champ du pouvoir, c'est-à-dire au lieu où la parole devient pouvoir, dans ces commissions où le dirigeant éclairé rencontre l'intellectuel éclairant, [...] et dans les Instituts de sciences politiques où la nouvelle *koinè* idéologique, scolairement neutralisée et routinisée, est imposée et inculquée, donc convertie en schèmes de pensée et d'action politique. [4]

Ces intellectuels d'appareil, tout comme les doxosophes, mettent en danger l'autonomie du savoir scientifique en tirant de l'univers politique une légitimité intellectuelle que le monde savant ne leur reconnaîtrait pas, et en important des logiques et des fins politiques dans le domaine de la recherche. Si des institutions comme la Commission du Plan développent une idéologie technocratique de la concertation, la production de l'idéologie dominante a une histoire, qui remonte aux années 1930 et à la convergence entre un pôle économico-administratif (représenté notamment par les polytechniciens de X Crise) et un pôle intellectuel rassemblant les « non-conformistes » des années 1930, qui comprend aussi bien la « jeune droite », Ordre nouveau et Action française, que l'École des cadres d'Uriage ou les militants du groupe Esprit [5].

La mise en œuvre pratique de ces schèmes de pensée et d'action trouve dans l'Institut d'études politiques ses conditions d'exercice les plus achevées : le cumul des fonctions de son corps enseignant et la surreprésentation des « hommes d'action » (hauts fonctionnaires et décideurs économiques) par rapport aux universitaires expriment l'ambiguïté d'une institution à l'intersection des sphères politiques et intellectuelles.

---

4. *Idid.*, p. 5.
5. Formés pendant la crise des années 1930, ces groupes de réflexion développaient un « humanisme économique » anti-parlementariste qui ne se voulait « ni de droite ni de gauche » et associait le rejet du capitalisme et du collectivisme dans une condamnation du pouvoir de l'argent et du pouvoir des masses. Ils pronaient un « projet de civilisation » fondé sur un ascétisme de l'engagement et un respect de l'ordre hiérarchique basé sur les compétences.

On trouvera ici, côte à côte, des textes qui diffèrent très profondément dans leur style et dans leur fonction : textes "achevés" bien sûr, tels que les appellent les revues académiques, mais aussi notes brèves, comptes-rendus d'exposés oraux, textes de travail, tels que projets et mémoires intermédiaires de recherche, où se voient mieux les intentions théoriques, les procédures empiriques de vérification et les données sur lesquelles s'appuie l'analyse. La volonté de donner accès à l'atelier lui-même, qui connaît d'autres règles que celles de la méthode, et de livrer les archives d'un travail en train de se faire implique l'abandon des formalismes les plus évidemment rituels : alignement à droite de la typographie, rhétorique du discours suivi, articles et numéros de longueur uniforme, et, plus généralement, tout ce qui conduit à la standardisation et à la "normalisation" des produits de la recherche. Ne reconnaître aucun autre impératif que ceux qu'imposent la rigueur de la démonstration, et, secondairement, la recherche de sa lisibilité, c'est s'affranchir des censures, des artifices et des perversions qu'engendre le souci de se conformer aux convenances et au bon ton du champ universitaire : rhétorique de la prudence ou de la fausse prévision, appareil et apparat des discours de célébration qui ne sont jamais qu'auto-célébration, gaspillage ostentatoire des signes d'appartenance aux groupes les plus sélectifs et les plus sélects de l'univers intellectuel.

En renonçant à mettre des formes et parfois à mettre en forme, on rend aussi possible la recherche d'un mode d'expression réellement adapté aux exigences d'une science qui, prenant pour objet les formes et les formalismes sociaux, doit reproduire dans l'exposition de ses résultats l'opération de désacralisation qui a permis de les atteindre. On rencontre ici ce qui fait sans doute la spécificité de

Déclaration d'intention du numéro 1, janvier 1975, *Actes de la recherche en sciences sociales.*

la science sociale : conquis contre les mécanismes sociaux de dissimulation, ses acquis ne peuvent informer une pratique individuelle ou collective que si leur diffusion parvient à échapper au moins partiellement aux lois qui régissent la circulation de tout discours sur le monde social. Transmettre, en ce cas, c'est livrer, toutes les fois que c'est possible, les moyens de refaire, pratiquement et non verbalement, les opérations qui ont rendu possible la conquête de la vérité des pratiques. Devant fournir des instruments de perception et des faits qui ne peuvent être appréhendés qu'au moyen de ces instruments, la science sociale doit non seulement démontrer mais aussi montrer, présenter des enregistrements de l'existence quotidienne, photographies, transcriptions de discours, fac-similés de documents, statistiques, etc., et faire voir, parfois par un simple effet graphique, ce qui s'y cache. On ne donne réellement accès à la connaissance d'objets qui sont le plus souvent investis de toutes les valeurs du sacré qu'à condition de livrer les armes du sacrilège : sauf à croire en la force intrinsèque de l'idée vraie, on ne peut rompre le charme de la croyance qu'en opposant la violence symbolique à la violence symbolique et en mettant, quand il le faut, les armes de la polémique au service des vérités conquises par la polémique de la raison scientifique.

Le discours de la science ne peut paraître désenchanteur qu'à ceux qui ont une vision enchantée du monde social. Il se tient aussi éloigné de l'utopisme, qui prend ses désirs pour la réalité, que du sociologisme, qui se complaît dans l'évocation rabat-joie de lois fétichistes. La science sociale se contente de détruire les faux-semblants et les faux-fuyants forgés par une vision religieuse de l'homme dont les religions révélées n'ont pas le monopole.

ACTES
de la recherche en sciences sociales

● HAUTE COUTURE ET HAUTE CULTURE:
MARCHÉ DE LA MODE ET MARCHÉ DE LA PEINTURE ● LE
PROCESSUS DE CANONISATION: COMMENT LA BANDE DESSINÉE
DEVIENT UN ART ● L'ÉCOLE OBLIGATOIRE ET L'INVENTION DE
L'ENFANCE ANORMALE ● L'ENSEIGNEMENT AGRICOLE ET
LA DOMINATION SYMBOLIQUE DE LA PAYSANNERIE ●

janvier 1975 n°1

54, Boulevard Raspail PARIS

ACTES
DE LA RECHERCHE
en sciences sociale

54 boulevard raspail paris—directeur pierre bourdieu

73

penser la politique

Actes
DE LA RECHERCHE EN SCIENCES SOCIALES

Directeur :
Pierre Bourdieu

LES RUSES
DE LA RAISON
IMPÉRIALISTE

121-122
Mars 1998

Liber

Méthode scientifique
& hiérarchie sociale des objets

L ORSQUE PARMÉNIDE DEMANDE À SOCRATE, pour l'embarrasser, s'il admet qu'il y a des « formes » de choses « qui pourraient sembler plutôt ridicules, un cheveu, de la boue, de la crasse, ou tout autre objet sans importance ni valeur », Socrate avoue qu'il ne peut se résoudre à le faire, de peur de tomber dans un « abîme de niaiserie ». C'est, lui dit Parménide, qu'il est jeune et nouveau en philosophie, et qu'il se soucie encore de l'opinion des hommes ; la philosophie s'emparera un jour de lui et lui fera voir la vanité de ces dédains auxquels la logique n'a point de part (*Parménide*, 130 d).

La philosophie des professeurs de philosophie n'a guère retenu la leçon de Parménide, et il est peu de traditions où soit plus marquée la distinction entre les objets nobles et les objets ignobles ou entre les manières ignobles et les manières nobles – c'est-à-dire hautement « théoriques », donc déréalisées, neutralisées, euphémisées – de les traiter. Mais les disciplines scientifiques elles-mêmes n'ignorent pas les effets de ces dispositions hiérarchiques qui détournent des genres, des objets, des méthodes ou des théories les moins prestigieux à un moment donné du temps : et l'on a pu montrer que certaines révolutions scientifiques étaient le produit de l'importation dans des domaines socialement dévalorisés des dispositions qui ont cours dans les domaines les plus consacrés [1].

La hiérarchie des objets légitimes, légitimables ou indignes est une des médiations à travers lesquelles s'impose la *censure* spécifique d'un champ déterminé qui, dans le cas d'un champ dont l'indépendance à l'égard des demandes de la classe dominante est mal affirmée, peut être elle-même le masque d'une censure purement politique. La définition dominante des choses bonnes à dire et des sujets dignes d'intérêt est un des

---

1. J. Ben David et R. Collins, « Social Factors In the Origins of a New Science : The Case of Psychology », *American Sociological Review*, août 1966, 31 (4), p. 451-465.

Paru dans *Actes de la recherche en sciences sociales*, 1975, n° 1, p. 4-6.

mécanismes idéologiques qui font que des choses tout aussi bonnes à dire ne sont pas dites et que des sujets non moins dignes d'intérêt n'intéressent personne ou ne peuvent être traités que de façon honteuse ou vicieuse. C'est elle qui fait que l'on a écrit 1 472 livres sur Alexandre le Grand, dont deux seulement seraient nécessaires, si l'on en croit l'auteur du 1 173ᵉ qui [2], malgré sa fureur iconoclaste, est mal placé pour se demander si un livre sur Alexandre est ou non nécessaire et si la redondance qui s'observe dans les domaines les plus consacrés n'est pas la rançon du silence qui entoure d'autres objets [3]. La hiérarchie des domaines et des objets oriente les *investissements intellectuels* par la médiation de la structure des chances (moyennes) de profit matériel et symbolique qu'elle contribue à définir : le chercheur participe toujours de l'importance et de la valeur qui est communément attribuée à son objet et il y a très peu de chances qu'il ne prenne pas en compte, consciemment ou inconsciemment, dans le placement de ses intérêts intellectuels, le fait que les travaux les plus importants (scientifiquement) sur les objets les plus « insignifiants » ont peu de chances d'avoir, aux yeux de tous ceux qui ont intériorisé le système de classement en vigueur, autant de valeur que les travaux les plus insignifiants (scientifiquement) sur les objets les plus « importants », qui sont aussi bien souvent les plus insignifiants, c'est-à-dire les plus anodins [4]. C'est pourquoi ceux qui abordent les objets dévalorisés par leur « futilité » ou leur « indignité », comme le journalisme, la mode ou la bande dessinée, attendent souvent d'un autre champ, celui-là même qu'ils étudient, les gratifications que le champ scientifique leur refuse d'avance, ce qui ne contribue pas à les incliner à une approche scientifique.

---

2. R. L. Fox, *Alexander the Great*, London, Allen Lane, 1973.

3. Il est à peine besoin de dire que cette accumulation est hautement fonctionnelle – du point de vue du fonctionnement et de la perpétuation du système évidemment – puisqu'elle constitue par soi un véritable rempart contre la critique externe, qui doit, pour s'exercer, compter sur l'alliance objective – très improbable – d'un spécialiste.

4. Le langage scientifique met les mots du langage ordinaire entre guillemets, pour marquer une *rupture* avec l'usage commun qui peut être celle de la distance objectivante (des objets « insignifiants » ou « importants » sont des objets socialement reconnus comme importants ou insignifiants à un moment donné du temps) ou celle de la *redéfinition* tacite ou explicite que détermine l'insertion dans un système de concepts de mots ordinaires ainsi constitués comme « entièrement relatifs à la science théorique » (lire Gaston Bachelard, *Le Matérialisme rationnel*, PUF, Paris, 1953, p. 216).

Il faudrait analyser la forme que prend la division, admise comme allant de soi, en domaines nobles ou vulgaires, sérieux ou futiles, intéressants ou triviaux, dans différents champs à différents moments. On y découvrirait sans doute que le champ des objets de recherche possibles tend toujours à s'organiser selon deux dimensions indépendantes, c'est-à-dire selon le degré de légitimité et selon le degré de prestige à l'intérieur des limites de la définition légitime. L'opposition entre le prestigieux et l'obscur qui peut concerner des domaines, des genres, des objets, des manières (plus ou moins « théoriques » ou « empiriques » selon les taxinomies régnantes), est le produit de l'application des critères dominants qui détermine des degrés d'excellence à l'intérieur de l'univers des pratiques légitimes ; l'opposition entre les objets (ou les domaines, etc.) orthodoxes et les objets prétendant à la consécration qui peuvent être dits d'avant-garde ou hérétiques, selon que l'on se situe du côté des défenseurs de la hiérarchie établie ou du côté de ceux qui essaient d'imposer une nouvelle définition des objets légitimes, manifeste la polarisation qui s'établit en tout champ entre des institutions ou des agents occupant des positions opposées dans la structure de la distribution du capital spécifique. C'est dire, évidemment, que les termes de ces oppositions sont relatifs à la *structure* du champ considéré, même si le fonctionnement de chaque champ tend à faire qu'ils ne puissent être aperçus comme tels et qu'ils apparaissent à tous ceux qui ont intériorisé des systèmes de classement reproduisant les structures objectives du champ comme intrinsèquement, substantiellement, réellement importants, intéressants, vulgaires, chics, obscurs ou prestigieux. Il suffira, pour baliser cet espace, d'en marquer quelques points par des exemples empruntés aux sciences sociales : d'un côté, la grande synthèse théorique, sans autre point d'appui dans la réalité que la référence sacralisante aux textes canoniques ou, dans le meilleur des cas, aux objets les plus importants et les plus nobles du monde sublunaire, c'est-à-dire de préférence « planétaires » et constitués par une tradition ancienne ; de l'autre, la monographie de village, doublement infime, et par l'objet – minuscule et socialement inférieur – et par la méthode, vulgairement empirique ; et, à l'opposé de l'un et de l'autre, l'analyse sémiologique du roman-photo, des hebdomadaires illustrés, des bandes dessinées ou de la mode, application d'une méthode juste assez hérétique pour s'attirer les prestiges de l'avant-gardisme à des objets condamnés par les gardiens de l'orthodoxie mais prédisposés par l'attention qu'ils reçoivent aux frontières du champ intellectuel et du champ artistique – que fascinent toutes les formes de kitsch – à faire l'enjeu de stratégies de réhabilitation d'autant plus rentables qu'elles sont plus risquées [5]. Ainsi, le conflit rituel entre la grande orthodoxie du sacerdoce académique et l'hérésie distinguée des francs-tireurs à blanc fait partie des mécanismes qui contribuent à maintenir la hiérarchie des objets et, du même coup, la hiérarchie des groupes qui en tirent leurs profits matériels et symboliques.

L'expérience montre que les objets que la représentation dominante traite comme inférieurs ou mineurs attirent souvent ceux qui sont les moins préparés à les traiter. La reconnaissance de l'indignité domine encore ceux qui s'aventurent sur le terrain interdit lorsqu'ils se croient tenus d'afficher une indignation de voyeur puritain qui doit condamner pour pouvoir consommer ou un souci de réhabilitation qui suppose la soumission intime à la hiérarchie des légitimités ou encore une combinaison habile de distance et de participation, de dédain et de valorisation qui permet de jouer avec le feu, à la façon de l'aristocrate qui s'encanaille. La science de l'objet a pour condition absolue, ici comme ailleurs, la science des différentes formes du rapport naïf à l'objet (dont celui que le chercheur peut entretenir avec lui dans la pratique ordinaire), c'est-à-dire ici la science de la position de l'objet étudié dans la hiérarchie objective des degrés de légitimité qui commande toutes les formes d'expérience naïve. La seule manière d'échapper à la relation naïve d'absolutisation ou de contre-absolutisation consiste en effet à appréhender comme telle la structure objective qui commande ces dispositions. La science ne prend pas parti dans la lutte pour le maintien ou la subversion du système de classement dominant, elle le prend pour objet. Elle ne dit pas que la hiérarchie dominante qui traite la peinture conceptuelle comme un art et la bande dessinée comme un mode d'expression inférieur est nécessaire (sinon

---

5. De même que la hiérarchie des domaines entretient une relation étroite (mais complexe – parce que médiatisée par la réussite scolaire) avec l'origine sociale, il est probable que l'orientation vers l'un ou l'autre point de l'espace des objets de recherche exprime la position dans le champ et la trajectoire qui y conduit (lire « La défense du corps », P. Bourdieu, L. Boltanski et P. Maldidier, *Information sur les sciences sociales*, 1971, n° 10-4).

sociologiquement) ; elle ne dit pas davantage qu'elle est arbitraire, comme ceux qui s'arment du relativisme pour la renverser ou la modifier et qui, au terme, ne feront qu'ajouter un degré, le dernier, à l'échelle des pratiques culturelles considérées comme légitimes. Bref, elle n'oppose pas un jugement de valeur à un jugement de valeur mais elle *prend acte* du fait que la référence à une hiérarchie des valeurs est objectivement inscrite dans les pratiques et en particulier dans la lutte dont cette hiérarchie est l'enjeu et qui s'exprime dans des jugements de valeur antagonistes.

Des champs situés en un rang inférieur dans la hiérarchie des légitimités offrent à la polémique de la raison scientifique une occasion privilégiée de s'exercer, en toute liberté, et d'atteindre *par procuration*, sur la base de l'homologie qui s'établit entre des champs de légitimité inégale, les mécanismes sociaux fétichisés qui fonctionnent aussi sous les censures et les masques d'autorité dans l'univers protégé de la haute légitimité. Ainsi, l'allure de parodie que revêtent tous les actes du culte de célébration lorsque, abandonnant leurs objets attitrés, philosophes présocratiques ou poésie mallarméenne, ils s'adressent à un objet aussi mal placé dans la hiérarchie en vigueur que la bande dessinée, trahit la vérité de toutes les accumulations lettrées. Et le même effet de désacralisation que la science doit produire pour se constituer et reproduire pour se communiquer est plus facilement obtenu dès que l'on s'oblige à penser l'univers trop prestigieux et trop familier de la peinture ou de la littérature à travers une analyse de l'alchimie symbolique par laquelle l'univers de la haute couture produit la foi dans la valeur irremplaçable de ses produits.

Illustration issue de « La lecture de Marx, ou Quelques remarques critiques à propos de "Quelques remarques critiques à propos de *Lire le Capital*" », *Actes de la recherche en sciences sociales*, novembre 1975, n° 5/6, p. 65-79.

Les travaux présentés ici ont en commun de passer la critique normalement impartie à la science sociale. Crime de lèse-majesté, ils prennent pour objet la philosophie, <u>discipline dominante</u> qui, par tradition, assigne aux sciences leurs limites, les classe et les ordonne, et sous ses airs de liberté contribue à sa façon à mettre de l'ordre, et pas seulement dans la science. Il a fallu s'y résoudre : la philosophie, qui exerçait son empire de haut et de loin, doit aujourd'hui, pour survivre, proclamer sa propre mort et, en se diluant, dans la science sociale, tenter de la dissoudre.

Dans un univers où les positions sociales s'identifient souvent à des "noms", la critique scientifique doit parfois prendre la forme d'une critique <u>ad hominem</u>. Comme l'enseignait Marx, la science sociale ne désigne "des personnes que pour autant qu'elles sont la personnification" de positions ou de dispositions génériques – dont peut participer celui qui les décrit. Elle ne vise pas à imposer une nouvelle forme de terrorisme mais à rendre difficiles toutes les formes de terrorisme.

Déclaration d'intention du numéro 5/6, novembre 1975, *Actes de la recherche en sciences sociales*.

la production
de l'idéologie dominante

médaille dessinée
par Teilhard de Chardin

Paru dans *Actes de la recherche en sciences sociales*, 1976, n° 2/3, p. 3-73

ENCYCLOPEDIE

DES
IDEES RECUES
ET DES LIEUX COMMUNS

EN USAGE DANS LES LIEUX NEUTRES

"Il faut connaître tous les bouquins à la mode, tous les sujets à la mode sur la société bloquée, toutes les sociétés bloquées, post-industrielles, pré-industrielles, débloquées, de consommation, de loisir."

ETUDIANTE de L'IEP

* **Amérique**   « Les USA constituent [...] un modèle sociolo-gique de dix à quinze ans en avance sur nous et de trente à quarante ans sur les pays de l'Est. »

M. PONIATOWSKI, Cart. sur t., 100.

2 « Économiquement, un Américain vaut trois Français. »

L. Armand, 76.

3 « Les Américains qui nous précèdent dans l'évolution actuelle. » 1985, 93. V. aussi p. 13, 19, 34, 45, 51, 52, 55, 57, 62, 67, 68, 81, 87, 89, 104, 111, 114, 121, 132

v. EVOLUTION, FUTUR

[...]

* **Arrière-garde**   « Les uns, saisis d'angoisse, ont des réactions de défense et de refus aveugle et combattent désespérément à l'arrière-garde. D'autres, au contraire, tombent dans l'excès inverse et exigent l'adoption immédiate de mesures radicales allant au-devant, et plus souvent encore à côté de l'avenir qui nous attend. Ainsi les "passionaria" du MLF ou les nihilistes et les gauchistes professionnels de la destruction. »

M. PONIATOWSKI, Con. ch., 84.

v. passéistes.

[...]

BLOQUÉ (ant. débloqué, ouvert).

« Que la société française soit une "société bloquée", tout le monde désormais l'admet, même si ce n'est que du bout des lèvres. »

M. CROZIER, 7.

« Verrou débloqué » :

« Nous avions conscience que chaque producteur pourrait produire beaucoup plus qu'il ne produisait, s'il s'y prenait bien, si certaines difficultés étaient levées, si certains verrous étaient débloqués. C'est peut-être là l'idée centrale de la planification française. »

J. FOURASTIÉ, Plan. éco., 13.

« Au cœur de la synthèse républicaine se trouvait une société particulièrement compliquée que l'on pourrait appeler la société bloquée. [...] La société française du début des années 1960 est un mélange de traits anciens et nouveaux. Les changements qui s'y déroulent sont les plus étendus depuis la Révolution française ; la société est débloquée. »

S. HOFFMANN, Rech. France, 17, 78.

* **Bonheur** « La montée culturelle de notre société va prendre le relais de la croissance économique. Est-ce dire qu'à ces conditions le bonheur sera mieux assuré ? Encore faudrait-il le définir et la philosophie s'y épuise. »

V. GISCARD D'ESTAING, Human. la croiss.

[...]

* **Centralisation** (ant. décentralisation)

1. Ex. « L'étouffante centralisation napoléonienne. »

M. CROZIER, 145.

2. « Il faut essayer de naturaliser le citoyen en recherchant le moyen de faire remonter les aspirations individuelles au niveau des grandes décisions. Déconcentration, décentralisation de l'administration et des entreprises, régionalisme économique tâtonnent dans la bonne direction. »

V. GISCARD D'ESTAING, Human. la croiss.

v. BLOQUE, cloisonnement.

[...]

CLASSES (sans) « Il est frappant de voir la société s'orienter vers une structure sans classe. »

M. PONIATOWSKI, C.E., 209.

« En plus, l'égalisation des conditions de vie tend à s'établir notamment par l'habillement et l'habitat. Les cloisonnements entre les classes sont de ce fait en voie de se dissoudre. »

L. ARMAND, 144.

[...]

COMMUNISME « Le socialisme, dans l'acception habituelle du terme – mieux vaudrait dire collectivisme ou communisme – est négation du temps, aspiration à l'immuable, nostalgie de ces sociétés primitives qui se perpétuaient pareilles à elles-mêmes à travers les millénaires et où le lent progrès des idées et des formes faisait songer à l'immobilise des dieux. »

C. HARMEL, Libér., 10.

v.1. BLOQUE, IDEOLOGIES, passéistes.
v.2. syndicalisme.

* **Complexité** « Le gouvernement d'un pays a revêtu en trente ans une complexité qui n'existait pas auparavant. Son efficacité exige la connaissance technique de problèmes, de rouages, de méthodes des services administratifs, que ménage seul un long apprentissage. »

M. PONIATOWSKI, Cond., ch., 10.

v. CHEFS, ELITES, INTELLIGENCE.

* **Concurrence** « La concurrence internationale doit entraîner une concentration industrielle croissante. »

Copie ENA, 1966.

v. Amérique, EVOLUTION, CROISSANCE.

[...]

DON « Il naît des hommes, il naît des femmes, il naît des filles uniques et des familles de dix enfants, il naît des enfants doués pour l'étude et d'autres très doués pour les travaux manuels. »

V. GISCARD D'ESTAING, Econ. et soc. hum., 427.

« Une société scientifique est construite sur l'enseignement : les inégalités natives des aptitudes scolaires sont en passe d'engendrer des inégalités sociales aussi fortes que les inégalités héréditaires des patrimoines fonciers. »

J. FOURASTIE, Monde, 245.

v. cerveau, EXCLUS, génétique, handicap, INTELLIGENCE.

[...]

L'intelligence est la vertu principale du chef (ou guide) moderne. Adaptation créatrice au changement, elle permet d'affronter avec efficacité, dynamisme, ouverture et réalisme les problèmes de complexité et de dimension toujours croissantes que pose le monde moderne.

Elle est l'encéphale d'un corps social qui aura de plus en plus besoin d'encéphale dans un monde ou le supplément de cerveau a remplacé le supplément d'âme. Scientifique, elle se légitime scientifiquement : elle parle le langage imposant de l'entropie, de l'information, de l'informatique, de l'ordinateur et de la programmation linéaire ; ses métaphores préférées sont empruntées à la biologie ou à la physique. Son eugénisme invoque volontiers la génétique. Son réalisme s'instruit des leçons de l'histoire des régimes, de l'économie keynésienne et de l'éthologie à la Lorenz.

La nouvelle élite possède l'autorité la plus naturelle : celle de la connaissance, qui ne se transmet pas héréditairement. Sa légitimité n'a pas à se légitimer : elle repose sur l'inégalité des dons dans l'égalité des chances qui distingue les plus aptes et les moins aptes, les exclus, les laissés-pour-compte, les handicapés (du cerveau), ceux qui ne pourront pas suivre la cadence.

L'intelligence permet de prévoir et de prévenir la révolte des exclus dont Mai 1968 est l'exemple le plus fameux. Elle impose une politique d'assistance et de rééducation qui seule peut arracher les exclus à l'angoisse ou à la révolte en leur faisant trouver le bonheur dans l'acceptation de l'inéluctable. Elle distingue les nouveaux guides, tournés vers l'avenir et capables d'affronter le choc du futur parce qu'ils ont compris les leçons du passé, de tous les passéistes de droite et de gauche qui refusent le monde moderne et ne reconnaissent pas le caractère inéluctable de l'évolution.

(néo) LIBERALISME « La forme la plus savante de la pensée économique moderne est la pensée libérale. [...] Elle comporte des idées très originales telles la théorie de la croissance continue ou la théorie de la recherche de l'équilibre à un certain niveau économique. C'est donc une théorie très avancée et nouvelle. D'où, à mon avis, la nécessité de lui donner un nom moderne : néolibéralisme. »

V. GISCARD D'ESTAING, Quel aven. pour l'Eur.

v. CHANGEMENT, CROISSANCE, dépassement.

[...]

* Retard « En retard sur les Etats-Unis et la Russie, nous ne pourrons que constater l'accroissement de ce retard quels que soient les progrès que nous réalisons, car nous allons moins vite. Pour changer de vitesse, il faut changer de dimension. »

L. ARMAND, 78.

v. concurrence, CROISSANCE.

[...]

* Terroir (péj.)

« L'attachement au terroir est un sentiment respectable, mais il freine considérablement les changements de domicile. »

1985, 37.

« Les zones désertiques ne devront pas être des terroirs vieillis où déclinent lentement des activités ancestrales et des populations aigries condamnées à une assistance permanente toujours insuffisante. »

1985, 74.

v. AGRICULTEURS, déserts, EXCLUS, laissés-pour-compte.

[...]

* Traditionnel « Ce problème devient particulièrement urgent pour nous, Français, dans la mesure où notre style d'action et notre mode d'organisation semblent désormais de moins en moins efficaces dans le monde moderne. Quoi que nous pensions, nous ressentons tous un certain épuisement de notre style traditionnel. »

M. CROZIER, 128.

v. MUTATIONS.

[...]

URSS « La société la plus bloquée qui soit. »

M. PONIATOWSKI, C. E., 20.

La science royale
& le fatalisme du probable

Un passé condamné

Le discours dominant sur le monde social doit sa cohérence pratique au fait qu'il est produit à partir d'un petit nombre de schèmes générateurs qui se laissent eux-mêmes ramener à l'opposition entre le passé (dépassé) et l'avenir ou, en termes plus vagues et apparemment plus conceptuels, entre le traditionnel et le moderne [1]. Comme celles du mythe, les oppositions fondamentales de ce système pratique, fermé/ouvert, bloqué/débloqué, petit/grand, clos/ouvert, local/universel, etc., sont à la fois des relations formelles, qui peuvent fonctionner dans les contextes les plus différents, à propos des objets les plus divers, et des contrastes vécus, des expériences antagonistes telles que l'opposition entre le petit village et la grande ville, entre l'épicerie et le drugstore, le marché et le supermarché, entre l'avant-guerre et l'après-guerre, entre la France et l'Amérique, etc. Quel que soit le terrain auquel il s'applique, le schème produit deux termes opposés et hiérarchisés, et du même coup la relation qui les unit, c'est-à-dire le processus d'*évolution* (ou d'involution) conduisant de l'un à l'autre (soit par exemple le petit, le grand et la croissance).

Chacune des oppositions fondamentales évoque, plus ou moins directement, toutes les autres. C'est ainsi par exemple que de l'opposition entre le « passé » et l'« avenir », on peut passer à l'opposition entre le « petit » et le « grand », au double sens de « planétaire » et de « complexe », ou encore à l'opposition entre le « local », c'est-à-dire le « provincial » ou le « national » (et le nationaliste), et le cosmopolite, qui, prise sous un autre rapport, s'identifie à l'opposition entre l'« immobile » et le « mobile ». Sous un autre rapport encore, l'opposition cardinale évoque l'opposition entre les droits acquis, l'héritage, les « privilèges », et le « dynamisme » ou la « mobilité », la « mutation » et le « changement ». Par une inversion

---

1. Comme on le voit dans les usages qu'en font la conversation quotidienne ou la lutte politique, cette opposition qui, selon l'humeur idéologique, peut soutenir indifféremment la déploration du perdu ou l'exaltation du progrès, produit des problématiques intrinsèquement vicieuses.

Nous cherchons à soulever le couvercle
qui pèse sur la tête des plus pauvres.

J.-J. Servan-Schreiber

systématique de la table des valeurs du traditionalisme primaire, le passé n'est jamais évoqué positivement ; il n'apparaît que comme « frein » qu'il faut « débloquer », « facteur de retard » qu'il faut neutraliser. Les tenants par excellence de ce passé « dépassé », qu'il faut abolir, sont les « agriculteurs » (et à un moindre degré les « artisans »), dont l'attachement au « terroir » constitue un obstacle à la « mobilité » exigée par le progrès technologique. Par l'intermédiaire de l'opposition entre le « clos » et l'« ouvert », entre l'« esprit de clocher » et l'esprit cosmopolite, on peut retrouver l'opposition entre le « bloqué » et le « débloqué », le « cloisonnement » et le « décloisonnement », bref toutes les antithèses impliquées dans l'opposition entre la France et l'« Amérique ». [...] Dans la mesure ou l'on identifie les freins et les résistances à la défense (poujadiste) des « droits acquis » et des « privilèges », on peut donner a la « fonction d'élimination » que doit remplir la planification une allure résolument progressiste.

Mais l'effet le plus directement politique de l'opposition cardinale se révèle lorsque, appliquant à l'opposition entre la droite et la gauche le nouveau système de classification, on tient que cette opposition fondamentale de l'espace politique est « dépassée », et du même coup la politique elle-même. Du point de vue d'une taxinomie qui range indifféremment dans le camp des « passéistes » les paysans et les syndicalistes, la bureaucratie d'État et les bureaucraties de partis, le « poujadisme » et le « communisme », il n'est pas de témoignage plus décisif d'une « mentalité passéiste » (en particulier chez les « clercs ») que le fait de refuser de renvoyer au passé le plus radicalement dépassé l'opposition entre la droite et la gauche et tout ce qui peut ressembler à quelque chose comme les classes et la lutte des classes. C'est au nom de ce postulat, tout à fait implicite, qu'un institut de sondage d'opinion peut, en toute inconscience et sans intention d'imposer sa problématique, poser une question comme celle-ci : « Pendant longtemps on a distingué en France deux grandes tendances, la gauche et la droite. Estimez-vous qu'à l'heure actuelle cette distinction a encore un sens ou qu'elle est dépassée ? » (SOFRES, février 1970). La seule proposition explicite (« On a distingué deux grandes tendances ») dissimule une série de propositions implicites : 1° on distingue aujourd'hui deux grandes tendances – puisque seule se pose la question de leur sens ; 2° cette distinction avait un sens autrefois – proposition impliquée dans *encore* et *dépassé* ; 3° cette distinction est déjà dépassée ou en voie de dépassement – puisqu'on se demande si elle a encore un sens. Par le seul fait de construire la question selon l'opposition *avant c'était vrai / et maintenant est-ce vrai* ? et d'introduire ainsi l'idée d'évolution et avec elle l'idée que l'opposition entre la droite et la gauche est dépassable, on produit une fausse alternative qui s'établit entre : 1° *a encore un sens* (pour certains), c'est-à-dire n'est pas encore dépassée mais le sera avec le temps (donc est déjà passée pour ceux qui savent qu'elle le sera de toute façon), et 2° *est déjà dépassée*. Ainsi, la question ostentatoirement objective (*cf.* la symétrie finale) masque une thèse politique (la distinction est dépassable) qui enferme elle-même une mise en demeure politique subtilement mondaine : est-ce que vous êtes assez dépassé (*i.e.* à droite ou à gauche) pour ne pas savoir que l'opposition entre la droite et la gauche est dépassée ?

On voit tout ce qui se trouve impliqué dans le seul fait de traiter les termes opposés comme moments d'une évolution nécessaire. Le « marxisme est un « archaïsme », tout comme, symétriquement, le « fascisme » et le « parlementarisme ». Le rapport du « clos » et de l'« ouvert », de la « stagnation » et de la « croissance », du « petit » et du « grand », de l'« immobile » et du « mobile », du national et du multinational, de la France et des États-Unis, est celui du passé dépassé et de l'avenir inévitable, donc souhaitable. Ce qui, dans le présent, est « isolé », « fermé », « hermétique », « sclérosé », « rigide », « bloqué », est d'avance condamné ou, plus exactement, se condamne et mérite d'être condamné : le « conservatisme » des « élites traditionnelles » (« maire, curé, châtelain »), la « tendance au césarisme », le « poujadisme », les « petites entreprises », la « résistance à la compétition institutionnelle, créatrice de risques, destructrice de monopoles », le « malthusianisme », les « privilèges », la « résistance au changement », « l'attachement aux droits acquis et aux statuts », l'« obscurantisme », le « parlementarisme inadapté et périmé », le « marxisme » et ses « politiciens passéistes ». La transformation escomptée à la rigueur d'une sélection darwinienne : la « peur de l'avenir » qui domine les « passéistes », c'est-à-dire les « citoyens les plus faibles », ceux qui, comme les « paysans », « s'inquiètent », n'osent pas affronter le « choc du futur », recherchent la « sécurité » (sociale), les protections et ne peuvent « assumer leur temps » est bien fondée : l'avenir est au progrès technique », à l'« ouverture », à la « mobilité », à la « compétence », à la « concurrence », à la « communication ».

L'efficacité proprement symbolique du discours dominant tient pour une part au fait que la logique molle et l'ajustement partiel et biaisé au réel qui le caractérisent lui confèrent le pouvoir de s'imposer à tous ceux qui ne disposent pas d'un système de classement concurrent et même, en plus d'un cas, à ceux qui, capables de lui opposer un corps de doctrine constitué, mettent en œuvre sans le savoir les schèmes qui sont à son principe. On n'aurait pas de peine à trouver des applications manifestes des schèmes dominants au-delà des limites que les divisions politiques leur assignent et la polémique politique fait ses délices de ces décalages entre les expressions de l'habitus et les manifestations conscientes et contrôlées de la compétence proprement politique. S'il en est ainsi, c'est que les carrières institutionnelles que dressent les unités politiques constituées, groupes conscients d'eux-mêmes, définis par les *frontières* qu'ils se donnent, c'est-à-dire par une délimitation stricte de l'appartenance et de l'exclusion, introduisent des discontinuités dans la continuité des habitus : des esprits semblablement structurés peuvent ainsi se trouver rejetés de part et d'autre de ces barrières. En tant que système d'écarts distinctifs, le classement politique tend à engendrer du discontinu à partir du continu (à la façon de la langue qui produit des phonèmes distinctifs à partir d'un continuum sonore) et à maximiser les écarts et les distances en contraignant à chaque moment les groupements politiques à utiliser tout l'espace politique qu'il définit. Les opinions et les pratiques engendrées par l'habitus (par exemple sur les terrains qui ne sont pas politiquement constitués) peuvent ainsi entrer en contradiction avec celles qu'implique une position déterminée dans l'espace politique et que la compétence politique peut permettre, simultanément, de produire.

Une rhétorique politique

L'histoire des régimes, des institutions, des événements ou des idées fonctionne non comme *culture historique*, simple accumulation de biens symboliques qui est à elle-même sa fin, mais comme méthode de perception et d'action politiques, ensemble de schèmes opératoires qui permettent d'engendrer, en dehors de toute référence aux situations originaires, des discours ou des actions chargés de toute une expérience historique. C'est ainsi qu'un schème purement rhétorique comme celui qui consiste, selon l'enseignement explicite de « Sciences-Po », à opposer deux positions extrêmes (dirigisme et libéralisme, parlementarisme et fascisme, etc.) pour les dépasser en « élevant le débat », fonctionne comme une matrice de discours et d'actions universellement conformes (c'est-à-dire conformes aux intérêts bien compris de la classe) parce qu'il reproduit la double exclusion de l'arrière-garde conservatrice et de l'avant-garde progressiste qui définit synchroniquement le conservatisme éclairé : les positions qu'il n'engendre que pour les écarter (et imposer ainsi une troisième voie), représentent le passé historique de la classe dominante, les voies qu'elle a déjà explorées et ses échecs passés, soit essentiellement le parlementarisme radical-socialiste qui aboutit au Front populaire et le vichysme qui aboutit à l'effondrement de 1945 et au « danger communiste ». La rhétorique enferme une politique parce qu'elle enferme une histoire. [...]

La fin des idéologies & la fin de l'histoire

Mais la plus importante des leçons de l'histoire est la découverte que l'on ne peut plus rien attendre de l'histoire, que l'univers des régimes politiques (modes de domination) possibles est fini. Dans les discours de conversion et de reconversion destinés aux fractions attardées de la classe, le schème triadique s'applique aux grandes impasses du passé – « tentations » historiques de la classe dominante, parlementarisme ou pétainisme, libéralisme ou dirigisme, qui divisent encore la classe dominante comme elles l'ont divisée dans le passé –, pour imposer la nécessité d'ouvrir une troisième voie. Au premier rang des impasses du passé, le parlementarisme, qui appelle les extrémismes, et le fascisme, tentation permanente de la fraction réactionnaire de la classe dominante, dans lequel une fraction des intellectuels avait pu reconnaître, au moins un moment, son rêve d'une dictature de la compétence. L'histoire a converti en dilemmes désespérés les alternatives les plus radicales du passé [2]. Fascisme et communisme sont mortellement réconciliés dans le stalinisme. Si les voies les plus

---

2. Le nouveau discours dominant rapproche des gens qui ont en commun d'être revenus de tout : du fascisme quand il reviennent de la droite ; du communisme quand ils reviennent de la gauche.

opposées convergent, le temps de la politique est fini. La théorie de la convergence (des régimes capitalistes et communistes) enseigne qu'il n'y a plus de place dans l'histoire pour le rêve de cette rupture radicale avec les tendances immanentes que l'on appelle révolution. À l'Est rien de nouveau. L'histoire a épuisé l'univers des solutions politiques possibles. Dans cet espace politique fini, avec ses voies, toutes déjà explorées, qui ne mènent nulle part, comme le fascisme, continuation désormais impossible de la démocratie libérale par d'autres moyens, ou qui, comme le communisme, ne mènent au mieux qu'au même point, c'est-à-dire à la croissance, et à un prix incomparablement plus élevé (au moins pour les anciens dominants), c'en est fini des « idéologies » et, en dehors du réformisme éclairé, il ne reste plus que les utopies.

Pour produire l'effet de fermeture absolue de l'univers des possibles qui condamne Billancourt aux espérances raisonnables offertes par les nouveaux dominants, il suffit d'opérer l'identification des extrêmes qui transforme les alternatives en dilemmes. Le libéralisme est le centre d'une ligne dont les extrêmes se touchent : « totalitarisme fasciste » et « totalitarisme communiste » se confondent, cernant de tous côtés l'espace libéral. Parce qu'ils peuvent être aussi bien opposés que confondus dans le même refus, les deux « autoritarismes », « fasciste » ou « soviétique », peuvent soit fonctionner comme les pôles opposés d'un espace politique dont le libéralisme est le centre, le point d'équilibre, le « point de plus grande tension », soit, réunis, constituer l'un des deux extrêmes d'une nouvelle triade : c'est ainsi que l'« économie concertée » (ou « encadrée ») ou la « planification indicative » s'opposent d'un côté à la « planification autoritaire » (« fasciste » ou « soviétique ») et de l'autre côté à l'« anarchie libérale » ; de même, le « parlementarisme rationalisé » s'oppose d'un côté au « césarisme » (« fasciste » ou « soviétique ») et de l'autre au « parlementarisme inefficace » de la Ve République. Une fois écartées toutes les alternatives dépassées, il ne reste que l'évidence du choix forcé, celui de la croissance et de la planification libérale [3].

---

3. La fermeture du champ des possibles et l'optimisme « réaliste » qu'engendre, inévitablement, la théorie de la convergence quand elle est associée à la mystique de la croissance, interdit de concevoir les revendications révolutionnaires autrement que sur le modèle de la jacquerie : volonté désespérée de nivellement et d'égalisation dans la misère inspirée par le ressentiment (lire, par exemple, P. Massé, « L'univers d'Edmond Maillecottin », *Le Monde*, 3 juillet 1968).

LA CULTURE DU RICHE

La politique est aussi le principe de constitution de la "culture générale" et, notamment, de la culture littéraire exigée à l'exposé oral du concours d'entrée à l'ENA : les taxinomies politiques en vigueur à Sciences-Po fournissent les principes de sélection des auteurs retenus et les principes de classification qui leur sont appliqués. Ainsi, par exemple, le cours de préparation à l'ENA du Centre de formation professionnelle et de perfectionnement (d'où provient la liste ci-dessous) distingue parmi les écrivains du 20e siècle les "traditionalistes" ("Saint-Exupéry, G. Bernanos, H. de Montherlant"), les "néo-monarchistes" et les "néo-fascistes" ("C. Maurras, M. Barrès, R. Brasillach") et les "écrivains engagés" à la "recherche d'un nouvel humanisme" (S. Weil, "E. Mounier : le personnalisme et la révolution du 20e siècle", "l'humanisme héroïque de Camus et Malraux", etc.). Mais cette culture disparate, qui n'hésite pas à faire référence à Sartre, à Marcuse ou à Marx, n'est pas seulement un instrument d'intériorisation des valeurs "viriles" – celles du "chef" – dont l'ENA entretient le culte : le "grand lyrisme physique du sport" ("Montherlant"), le "goût du peuple" et de la "fraternité" ("Péguy"), le "stoïcisme" ("Saint Exupéry"), la recherche de la "fusion de ces deux passions profondes [...] le règne humain et Dieu" ("Teilhard de Chardin"). Elle a aussi pour fonction de fournir aux futurs hauts fonctionnaires auxquels elle est inculquée, les armes nécessaires pour attaquer l'adversaire sur son propre terrain, celui de la "pensée de gauche" "résolument hostile au capitalisme", voire, de la culture marxiste (comme Chirac, rappelant à Marchais, lors d'un "Face à face", les "principes fondamentaux du léninisme").

La science royale

Le fatalisme qu'enferme l'idéologie de la fin des idéologies et l'exclusion corrélative de tous les possibles latéraux sont la condition cachée d'un usage scientiste de la prévision statistique et de l'analyse économique. L'univers du pensable étant défini, la science économique (et, surtout depuis Mai 68, chez les technocrates du bonheur, la science sociale) *est* la politique dans la mesure où, sous apparence d'énoncer l'être, elle annonce ce qui doit être. Conçu et appliqué par des gens qui, ayant exclu tout changement radical d'axiomatique, sont convertis à l'idée qu'en matière de politique, comme en d'autres temps en matière de morale, « il suffit de bien juger pour bien faire », que leur science est politique et leur politique scientifique, le plan est proprement une politique, mais, si l'on peut dire, dépolitisée, neutralisée, promue à l'état de technique. Par suite, il représente la forme par excellence du langage performatif. S'il existe une science politique ou, ce qui revient au même, une politique scientifique, le seul avenir est l'avenir de la science, qui appartient aux plus compétents, justifiés dans leur monopole de la politique par leur monopole de la science. Le modèle économétrique, projection reproductrice, est ce qui permet de dégager du passé un avenir nécessaire lorsqu'on suppose constants les paramètres dont dépend la reproduction de l'ordre établi, c'est-à-dire l'ensemble des relations d'ordre qui constituent la structure sociale. De là le sociologisme absolu du discours prospectif : toute utopie se trouvant exclue par définition, il reste seulement le choix du nécessaire, qui s'impose par sa seule évidence à des dirigeants assez compétents et lucides pour accéder à une vision totale, par-delà les intérêts privés et les vues partielles où s'enferme le commun. La politique est la science royale dont parlait *Le Politique* : il lui appartient d'imposer l'évidence de ses choix à ceux qui, faute d'être capables d'en reconnaître la nécessité, en subissent seulement les effets, prouvant les contraintes « inévitables » qu'ils impliquent soit dans l'« apathie politique », faussement déplorée, soit dans la révolte, réellement déplorable. C'est pourquoi le conservatisme éclairé se conçoit comme inséparable d'une immense entreprise d'éducation, sorte d'*Aufklärung* économico-politique d'où sortira l'homme nouveau capable de choisir librement le souverain bien que ses souverains ont choisi pour lui. [...]

Ni science ni phantasme, le discours dominant est une politique, c'est-à-dire un discours puissant, non pas vrai, mais capable de se rendre vrai – ce qui est une façon comme une autre de se vérifier – en faisant advenir ce qu'il annonce, en partie par le fait même de l'annoncer. L'efficacité du plan n'est pas celle du droit, bien que sa vraie nature se rappelle dans le fait que des oppositions d'apparence formelle, comme le clos et l'ouvert, le local et le cosmopolite, recouvrent en réalité des politiques, c'est-à-dire des mesures législatives et administratives (surtout fiscales), comme la suppression des barrières douanières et des protections assurant la survie des catégories qu'il s'agit de liquider. À la façon de la règle selon Weber, le plan n'agit que si l'intérêt à lui obéir l'emporte sur l'intérêt à lui désobéir. Il doit son efficacité au fait qu'il est le discours dans et par lequel la nouvelle classe dominante s'annonce à elle-même son intérêt, cet intérêt bien compris qui est la seule loi d'une politique rationnelle [4].

Le discours dominant sur le monde social n'a pas pour fonction seulement de légitimer la domination mais aussi d'orienter l'action destinée à la perpétuer, de donner un moral et une morale, une direction et des directives à ceux qui dirigent et qui le font passer à l'acte. C'est pourquoi il ne peut avoir quelque efficacité et s'imposer comme une politique réaliste, c'est-à-dire comme un projet d'action doté de chances raisonnables de succès que dans la mesure où il propose une *vision* à la fois *biaisée*, parce que partielle et intéressée, et *réaliste*, c'est-à-dire capable d'imposer sa propre nécessité à tous ceux qui se placent au point de vue d'où elle est prise, mais à ceux-là seulement, à la façon d'une vue perspective. C'est ainsi par exemple que les structures fondamentales de cette vision, telles les oppositions cardinales entre le clos et l'ouvert, entre le local et le multinational, désignent de manière très réaliste le centre du conflit qui oppose l'avant-garde « technocratique » aux groupes sociaux *à base locale* : en finir avec le parlementarisme des notables locaux que l'attention exclusive aux intérêts

---

4. Tel est le fondement, qui n'a rien de mystérieux, du pouvolr que le nouveau discours dominant accorde à l'information et qu'énonce très bien Fourastié, avec son innocence coutumière : « Convaincre des gens de faire quelque chose, mais les convaincre par l'exposé de la situation, par la *prise de conscience du réel*, nullement par des règlements. Il ne s'agit pas d'obliger les personnes à agir, mais de les informer de certaines réalités et de les amener à *constater qu'il est de leur intérêt, qu'il est de leur nature*, d'agir dans certaines directions et selon telles méthodes. » (J. Fourastié, *Planification économique en France, op. cit.*, p. 32 et 40)

corporatifs et/ou locaux condamne à la cécité aux problèmes nationaux (c'est-à-dire multinationaux), c'est en finir aussi avec les groupes, paysans, artisans, petits commerçants, dont ils défendent les intérêts et au nom desquels ils s'opposent aux directives nationales (c'est-à-dire multinationales) ; c'est opérer l'unification du marché économique et symbolique en faisant disparaître les marchés locaux, dotés d'une logique relativement autonome. [...]

Le pouvoir proprement politique ne réside ni dans la simple adaptation aux tendances structurales ni dans l'imposition arbitraire de mesures directement intéressées mais dans une exploitation rationnelle des tendances structurales (mises au jour par la statistique) visant à renforcer par une intervention expresse la probabilité de celui des avenirs possibles qui est le plus conforme aux intérêts des dominants. C'est ici que l'information – que chante l'idéologie du « chef » moderne – joue un rôle déterminant en permettant d'anticiper les avenirs probables, d'en mesurer la « prétention à exister », comme disait Leibniz, et d'évaluer avec précision les chances de réussite et les coûts de l'action destinée à faire advenir l'un d'entre eux.

Une des fonctions des lieux neutres est de favoriser ce que l'on appelle communément les échanges de vues, c'est-à-dire l'information réciproque que la vision que se font de l'avenir les agents qui ont à la fois le plus d'information sur l'avenir et le plus de pouvoir sur l'avenir. La science des tendances ne serait rien sans la prescience de la représentation que se font des tendances ceux qui ont pouvoir de les infléchir, c'est-à-dire sans la prescience mutuelle des intentions qu'assurent à la fois l'orchestration des habitus et la concertation favorisée par les rencontres organisées ou informelles : le banquier qui institue une nouvelle forme de crédit ne réussit aussi parfaitement que parce qu'à sa connaissance des tendances (cet outil nommé « les besoins de la clientèle ») il ajoute l'information sur la politique qui, fondée elle aussi sur la connaissance des tendances, contribue à déterminer les tendances avec lesquelles il doit compter (ou, si l'on préfère, à produire les « besoins » de crédit qu'il exploite). On peut en dire autant dans l'autre sens et une politique économique ne peut réussir que sur la base d'une telle connaissance double : les commissions du plan ou les comités de sages (à quoi il faudrait ajouter les conseils d'administration ou les clubs chics) ne sont pas seulement une occasion d'accumuler de l'information sur les nouvelles tendances mais aussi de confronter les différentes représentations des tendances et des actions propres à les modifier. On ne saurait surestimer le rôle que joue, dans cette circulation circulaire d'information, l'homogénéité des habitus associée à une commune origine scolaire (et, par implication, sociale) : produits des mêmes conditions et des mêmes conditionnements, dotés des mêmes schèmes de pensée, de perception et d'appréciation, les dirigeants de la banque (qui sont en quasi-totalité issus de l'Inspection des finances), des entreprises nationalisées et de nombre d'entreprises privées, pensent et veulent ce que pensent et veulent les responsables des décisions politiques qui, directement ou indirectement, produisent les conditions de réussite de leurs décisions, et réciproquement.

Le principe d'efficacité de l'action des dominants réside dans leur capacité de prévoir et d'exploiter les tendances pour satisfaire leurs intérêts. On pourrait ainsi montrer que nombre des « innovations » les plus rentables (par exemple dans le domaine de la banque) ont consisté à tirer les profits économiques et sociaux du *pari* consistant à produire les institutions adaptées à cet avenir déjà présent qu'est la société américaine tenue pour une forme *avancée* (au double sens d'anticipation et d'idéal) de la société française : trouver dans les statistiques de l'économie américaine une image anticipée de l'économie française et dans les institutions économiques des États-Unis les orientations et les instruments d'une politique adaptée (de l'État, de la banque, de l'industrie, etc.), c'est accepter, au moins implicitement, le projet politique qui consiste à faire de l'un des avenirs possibles un destin nécessaire en agissant comme si cet avenir était le seul possible et en usant de l'efficacité symbolique de la prophétie pour le faire advenir plus vite et plus complètement.

Le fatalisme du probable qui est au principe des usages idéologiques de la statistique a pour effet de faire oublier que la connaissance du plus probable est aussi ce qui rend possible, en fonction d'une autre intention politique, la réalisation du moins probable : la science des tendances inhérentes à la structure est la condition de la réussite des actions politiques qui doivent jouer avec la structure pour faire advenir des possibles moins probables. La plupart des hommes politiques ont été les agents de lois sociales qu'ils ne connaissaient pas : instruments de la structure appelés par la structure, ils n'auraient sans doute pas agi autrement s'ils avaient connu les lois de la structure, parce qu'ils ne voulaient rien d'autre que ce qui se trouvait impliqué dans la structure. Une politique visant à transformer les structures et à neutraliser l'efficacité des lois tendancielles devrait se servir de la connaissance du probable pour renforcer les chances du possible : la connaissance des lois tendancielles du monde social est la condition de toute action réaliste – c'est-à-dire non utopiste – visant à contrarier l'accomplissement de ces lois ; si la science du probable existe, les chances du possible s'en trouvent accrues (ce qui suffit à condamner le fidéisme antiscientifique, expression commune de la culpabilité confuse de l'intellectuel). Toute politique ignorante du probable qu'elle veut contrarier s'expose à collaborer malgré elle à son avènement ; tandis que la science qui dévoile le probable a au moins pour vertu de dévoiler la fonction du laisser-faire.

L'idéologie réalisée

Instruments de connaissance du monde social qui sont en tant que tels des instruments de pouvoir, ces théories politiques à l'état pratique font pléonasme avec l'action politique qu'elles commandent et expriment. Si elles peuvent prendre les apparences du discours scientifique, c'est qu'elles s'imposent comme des descriptions prescriptives à tous ceux qui acceptent consciemment ou inconsciemment l'axiomatique censurée sur laquelle elles s'édifient (c'est-à-dire tout ce qui est impliqué dans la volonté de perpétuer la domination) et à ceux-là seulement, mais qui se trouvent être aussi en mesure de les faire passer à l'acte et de leur assurer ainsi une forme de vérification, en excluant de fait les autres possibles. Par là elles s'apparentent aux systèmes mythico-rituels qui doivent leur évidence absolue, pour qui en accepte pratiquement l'axiomatique, au fait qu'ils structurent la vision du monde social selon les structures mêmes de ce monde (en sorte qu'il est indifférent de savoir s'ils contribuent à les produire ou s'ils en sont seulement le reflet). Ces théories politiques a l'état pratique, instruments de conservation rationnelle des structures qui sont eux-mêmes le produit des structures à conserver, doivent leur systématicité pratique et leur ajustement pratique au réel au fait que les schèmes dont elles sont le produit sont eux-mêmes le produit historique des structures sociales qu'ils tendent à reproduire et se situent dans les limites de l'univers fini des solutions politiques acceptables et praticables pour la classe dominante dans un état déterminé du rapport de forces entre les classes.

Il ne suffit pas de parler d'« idéologie dominante » pour échapper à l'idéalisme : l'idéologie se fait chose pour faire des choses ; et l'analyse doit suivre les métamorphoses qui transforment le discours dominant en mécanisme agissant. Le discours dominant n'est que l'accompagnement d'une politique, prophétie qui contribue à sa propre réalisation parce que ceux qui la produisent ont intérêt à sa vérité et qu'ils ont les moyens de la rendre vraie. Les représentations dominantes s'objectivent continûment dans les choses et le monde social enferme de toutes parts, sous forme d'institutions, d'objets et de mécanismes (sans parler des habitus des agents), de l'idéologie réalisée. Chacun des choix nouveaux que la politique dominante parvient à imposer contribue à restreindre l'univers des possibles, ou, plus exactement, à accroître le poids des contraintes avec lesquelles devra compter une politique orientée vers les possibles à chaque moment écartés. C'est dire que toute action politique doit s'affronter à la structure du monde social en tant qu'elle est elle-même, au moins partiellement, le produit d'actions politiques antérieures : l'héritage historique est aussi un capital. La trace objectivée des actions politiques antérieures place l'intention révolutionnaire devant la nécessité de choisir entre la destruction, la disqualification et la reconversion d'une grande partie du capital accumulé et un simple changement des méthodes de gestion de ce capital et des fonctions qui lui sont assignées. Les « réalistes » dont le bon sens désenchanteur trouve son expression formelle dans la théorie économique des externalités ou dans la théorie organiciste des systèmes ont toujours pour eux la raison sociale et parfois aussi la science sociale lorsque, jouant implicitement sur le double sens du mot « loi », elle réduit le possible au probable (sociologisme). L'objectivation progressive des représentations et des actions politiques orientées vers la reproduction de l'ordre établi est l'analogue d'un processus de *vieillissement* et, indissociablement, de désenchantement qui tend à renforcer l'antagonisme entre les deux modalités politiques de l'appréhension du réel, l'utopisme et le sociologisme (comme forme du réalisme), en réduisant continûment la part d'utopisme qu'autorise le réalisme ou, mieux, l'utopisme réaliste.

> Certains croient que le luxe est le contraire de la
> pauvreté. Non. C'est le contraire de la vulgarité.
>
> Coco Chanel

Le discours scientifique sur l'art et sur les usages
sociaux de l'œuvre d'art est voué à paraître à la
fois vulgaire et terroriste : vulgaire, parce qu'il
transgresse la limite sacrée qui distingue le
règne pur de l'art et de la culture du domaine
inférieur de la politique, distinction qui est au
principe même des effets de domination symbolique exercés par la culture ou en son nom ; terroriste, parce qu'il prétend réduire à des classes
"uniformes" tout ce qui est "éclaté" et "libéré",
"multiple" et "différent", et enfermer l'expérience
par excellence du "jeu" et de la "jouissance" dans
les propositions terre à terre d'un "savoir" "positif", donc "positiviste", "totalisant", donc "totali-
taire", comme aiment à dire ceux que ce savoir
dérange dans leurs croisières de luxe sur un
bateau nommé désir.

Ce discours, qui se donne simplement pour objet
de porter au jour certains des schèmes de pensée
les plus communs, ne révèle rien, à vrai dire, qui
ne soit déjà connu de tous, mais toujours d'une
manière partielle, partiale, intéressée et polémique, dans les éclairs du mépris ou de la haine
de classe, sur qui se referment aussitôt les
ténèbres de l'inconscience ordinaire. "Conforama
est le Guy Lux du meuble" [1] : le préjugé de
classe est au principe de la lucidité intéressée de

Déclaration d'intention du numéro 5, octobre 1976,
Actes de la recherche en sciences sociales

toutes les propositions de même farine qu'engendre la lutte des classes quotidienne. Seul le travail nécessaire pour construire en tant que tel le champ de luttes à l'intérieur duquel se définissent les points de vue partiels et les stratégies antagonistes permet d'accéder à une connaissance qui se distingue de la clairvoyance aveugle des participants sans s'identifier au regard souverain de l'observateur impartial [2]. L'objectivation n'est complète que si elle objective le lieu de l'objectivation, ce point de vue non vu, ce point aveugle de toutes les théories, le champ intellectuel et ses conflits d'intérêts, où s'engendre parfois, par un accident nécessaire, l'intérêt pour la vérité ; et aussi les contributions subtiles qu'il apporte au maintien de l'ordre symbolique, jusque par l'intention de subversion, toute symbolique, que lui assigne le plus souvent la division du travail de domination [3].

[1] M. Righini, "L'entrée dans les meubles", Le Nouvel Observateur, 17 mai 1976.

[2] C'est pourquoi on a omis d'illustrer par des extraits d'entretiens ou des documents certaines des manifestations du goût petit-bourgeois ou populaire, craignant qu'aux yeux de certains la simple objectivation ne devienne ce qu'elle est souvent, la mise au pilori d'un goût qui ne peut être que "mauvais", étant donné la position de ceux qui l'ont.

[3] N'est-il pas significatif que les intellectuels et les artistes, "personnes" qui entendent être traitées en tant que "personnalités", et qui opposent une résistance forcenée à toute interrogation sur la genèse de leur capital culturel et à toute objectivation de leurs bénéfices matériels ou symboliques, s'arrogent un droit universel d'objectivation et n'acceptent la statistique que lorsqu'elle s'applique aux "masses" ? (On chercherait en vain un autre fondement à la distinction rituelle entre une sociologie de la réception des œuvres culturelles, admissible, et une sociologie de la "création", profanatrice et vulgaire.)

ACTES DE LA RECHERCHE
en sciences sociales

54 boulevard raspail paris—directeur pierre bourdieu

34 septembre 1980—25f

et si on parlait de l'afghanistan?

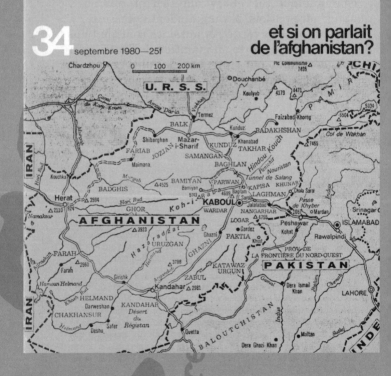

Et si on parlait de l'Afghanistan au lieu de dire ce qu'il faut penser de l'Afghanistan en fonction de ce qu'en disent ceux qui n'en pensent que ce qu'il faut en dire ?

Entre le discours de l'intellectuel de service qui met sa compétence présumée au service d'une « ligne », qui, connaissant le résultat, maquille les données jusqu'à ce que l'addition tombe juste (chose d'autant plus facile que la réalité considérée est plus complexe, plus ambiguë, plus rebelle aux modèles familiers), et le silence du spécialiste qui ne parle que pour ses pairs et qui trouve dans les limites imposées par les règles de la bienséance académique une raison ou une excuse pour s'abstenir, il y a place pour une forme d'analyse qui s'efforce de parler de l'objet et qui, sans outrepasser les limites, très réelles, de la connaissance, tente de fournir au moins les éléments d'une vision critique.

C'est ce que nous avons voulu tenter de démontrer en interrogeant Pierre et Micheline Centlivres, ethnologues suisses de l'université de Neuchâtel, qui ont passé de nombreuses années à Kaboul et dans le nord afghan et qui sont auteurs d'ouvrages importants sur les structures économiques et sociales, sur les relations interethniques, sur l'art populaire et sur la condition féminine en Afghanistan.

Présentation d'un entretien avec Pierre et Micheline Centlivres, *Actes de la recherche en sciences sociales*, septembre 1980, n° 34, p. 3.
Pierre et Micheline Centlivres sont respectivement auteurs de *Un bazar d'Asie centrale. Forme et organisation du bazar de Tâshqurghân. Afghanistan* (Wiesbaden, 1972) et *Popular art in Afghanistan* (Graz, 1976).

1970-1980 : engagements politiques & retournements idéologiques

Tandis que les mobilisations ouvrières quittent le devant d'une scène politique occupée par l'engagement des intellectuels dans les luttes sociales et politiques, Michel Foucault crée, en février 1971, le Groupe d'information sur les prisons (GIP), lieu de réflexion sur « l'oppression politique » qui s'exerce à travers les différentes institutions carcérales. Une enquête entreprise sur les conditions de vie des détenus prend pour cible le fonctionnement de l'institution pénitentiaire ; des manifestations sont organisées, souvent marquées par des accrochages virulents comme lorsqu'éclatent des mutineries dans les prisons françaises fin 1971.

Ces activités, qui modifient les formes traditionnelles de protestation et d'action syndicales et partisanes, s'inscrivent dans le « gauchisme contre-culturel [1] », marqué par la formation de multiples collectifs dans différents secteurs de l'espace social : Mouvement de libération des femmes (MLF), Front homosexuel d'action révolutionnaire (FHAR), Front de libération des jeunes et mouvements indépendantistes trouvent dans les thèmes de la marginalité, de la dissidence et de l'illégalisme des mots d'ordre fédérateurs de leur humeur contestataire et anti-institutionnelle.

Selon Michel Foucault, le modèle sartrien de l'intellectuel universel (qui se voulait présent sur tous les fronts de la pensée) était alors en voie d'être supplanté par la figure du « savant expert », qui prend la parole au nom d'une vérité locale. Cet « intellectuel spécifique » appelle à instaurer un nouveau lien entre la théorie et la pratique afin d'établir des croisements de savoirs faisant de l'école et de l'université des échangeurs entre magistrats, médecins et travailleurs sociaux. Les auteurs les plus en vue de l'université expérimentale de Vincennes, Gilles Deleuze, Félix Guattari et Jean-François Lyotard incarnent ce style avant-gardiste et contribuent pour une large part à la production des thématiques antirépressives [2]. L'année 1973 voit la création du quotidien *Libération*, dont

---

1. Lire Gérard Mauger, « Gauchisme, contre-culture et néo-libéralisme. Pour une histoire de la génération 68 », *in L'Identité politique*, CURAPP, PUF, Paris, 1994, p. 206-226.
2. Pour une analyse de cette conjoncture idéologique et des thèmes « antirépressifs », lire Louis Pinto, *Les Philosophes entre le lycée et l'avant-garde. Les métamorphoses de la philosophie aujourd'hui*, L'Harmattan, Paris, 1987, p. 109-119 ; pour une histoire de l'université de

Jean-Paul Sartre est le premier directeur et qui se donne pour objectif de « donner la parole au peuple ». La vie politique reste toutefois monopolisée par le programme commun de la gauche et la perspective d'une victoire électorale. Puis le poids de la crise et du chômage recentrent la contestation sociale autour d'objectifs classiques : les salaires et l'emploi.

Parallèlement, ces années voient s'opérer un retournement majeur de la conjoncture idéologique : les difficultés économiques des pays de l'Est, la répression en Tchécoslovaquie et en Pologne, l'accueil de *L'Archipel du Goulag* de Soljenitsyne participent au recul relatif du marxisme dans les références de la gauche intellectuelle et politique qui accédera au pouvoir en mai 1981 ; la révélation des crimes commis au Cambodge sous le régime de Pol Pot et en Chine lors de la révolution culturelle contribuent à déconsidérer les engagements maoïstes et tiers-mondistes.

Aux emportements révolutionnaires succèdent ainsi les (re)conversions et les reniements illustrés par les trajectoires des « nouveaux philosophes » : proches du *Nouvel Observateur*, un groupe de jeunes auteurs, parmi lesquels André Glucksmann et Bernard-Henri Lévy, passe en quelques années d'un gauchisme politique plus ou moins affirmé aux interpellations dramatiques sur la nature du totalitarisme. L'écho que rencontre aussitôt ce renversement dans les médias contribue au discrédit qui pèse désormais sur la contestation sociale et politique – une tendance qui ira en s'accentuant au fil des désillusions politiques engendrées à partir de 1981 par les gouvernements de gauche.

Dans ce contexte, et au-delà des divergences théoriques ou politiques qui séparent Michel Foucault et Pierre Bourdieu, leur engagement aux côtés de la CFDT témoigne d'une volonté de mettre leur notoriété scientifique au service de causes progressistes, s'appuyant sur le sentiment d'un bouleversement politique provoqué par l'arrivée de la gauche au pouvoir en mai 1981. L'accueil favorable des premières mesures des gouvernants, qui s'inscrivent selon Michel Foucault « dans une logique de gauche », n'implique toutefois pas un soutien inconditionnel : la mobilisation pour la Pologne en décembre 1981 constituera l'exemple le plus frappant de ce mode de « coopération rétive ».

Vincennes, lire Charles Soulié, « Le destin d'une institution d'avant-garde : histoire du département de philosophie de Paris VIII », in *Histoire de l'éducation*, janvier 1988, n° 77, p. 47-69.

1981-1986

Le pouvoir de penser et de changer la société ne se délègue pas, et surtout pas à un État qui se donne le droit de faire le bonheur des citoyens sans eux. Ce pouvoir de transformation, plus ou moins révolutionnaire, ne se délègue pas à des hommes d'appareil de tous temps préparés à devenir des hommes d'appareil d'État.

ACTES DE LA RECHERCHE

en sciences sociales

54 boulevard raspail paris — directeur pierre bourdieu

61 mars 1986

science
actuali

dialogue ent
georges dum
michel fo

Profanes & professionnels de la politique

AU SEUIL DES ANNÉES 1980, *les textes publiés par Pierre Bourdieu sur le champ politique analysent la séparation entre les professionnels et les profanes de la politique, qui renforce les logiques d'appareil. Le soutien apporté par Pierre Bourdieu au « vote clown », la candidature du comique Coluche aux élections présidentielles de 1981, participe de la critique de cette clôture du monde politique sur lui-même.*

> Le silence sur les conditions qui placent les citoyens, et d'autant plus brutalement qu'ils sont plus démunis économiquement et culturellement, devant l'alternative de la démission dans l'abstention ou de la dépossession par la délégation est à la « science politique » ce qu'est à la science économique le silence sur les conditions économiques et culturelles de la conduite économique « rationnelle ». Sous peine de *naturaliser* les mécanismes sociaux qui produisent et reproduisent la coupure entre les « agents politiquement actifs » et les « agents politiquement passifs » [1] et de constituer en lois éternelles des régularités historiques valides dans les limites d'un état déterminé de la structure de la distribution du capital, et en particulier du capital culturel, toute analyse de la lutte politique doit placer à son fondement les déterminants économiques et sociaux de la division du travail politique. [2]

C'est toutefois un événement international qui va révéler avec le plus d'acuité les conséquences de cette clôture politique. En Pologne, la nuit du 12 au 13 décembre 1981, les troupes du général Jaruzelski, soutenu par l'URSS, interviennent contre le syndicat Solidarnosc, dont de nombreux leaders sont arrêtés. Répondant à la question d'un journaliste qui lui demandait si le gouvernement français avait l'intention d'agir, le ministre des Relations extérieures Claude Cheysson affirme : « Absolument pas. Bien entendu, nous n'allons rien faire. Nous nous tenons

---

1. Max Weber, *Wirtschaft und Gesellschaft*, II, Kiepenheuer und Witsch, Berlin et Cologne, 1956, p. 1067.
2. « La représentation politique. Éléments pour une théorie du champ politique », *Actes de la recherche en sciences sociales*, 1981, n° 36/37, p. 3-24.

informés de la situation. [3] » *Face à l'absence de réaction du gou-
vernement français devant la proclamation de l'état de siège,
Pierre Bourdieu – qui vient d'accéder à la chaire de sociologie du
Collège de France – propose à d'autres personnalités, dont Michel
Foucault, la signature d'un appel pour faire pression sur le gou-
vernement socialiste.*

*Il s'agit d'affirmer la nécessaire autonomie des intellectuels face
au pouvoir politique, fût-il socialiste et désireux d'incarner,
comme l'avait médiatiquement prophétisé le ministre de la
Culture Jack Lang, « le passage de l'ombre à la lumière ». La
vivacité de la réaction de Jack Lang témoigne du fait qu'un appel
de personnalités de gauche critiquant l'action du gouvernement
constitue à ses yeux une hérésie : « Quels clowns, quelle malhon-
nêteté », déclare-t-il dans* Les Nouvelles Littéraires *avant de
dénoncer, dans* Le Matin*, « l'inconséquence typiquement structuraliste » de ce groupe d'intellectuels* [4]. *Jack Lang organise ensuite
une manifestation de soutien au peuple polonais à l'Opéra de
Paris, le 22 décembre, et coordonne la signature d'une contre-péti-
tion, parue dans* Le Monde *le 23 décembre, qui dénonce la
répression tout en appuyant l'action du gouvernement français.*

*Le premier appel que signe Pierre Bourdieu, puis l'entretien
qu'il accorde le lendemain (paru dans* Libération*) à l'occasion
d'un deuxième appel commun de la CFDT et d'intellectuels sont
reproduits ci-après* [lire p. 164-169] *; revenant en 1985 sur cette intervention, il en rappelle le contexte, ce qui lui permet d'analyser
ses motivations et de faire le point sur les rapports entretenus par
les intellectuels avec le PC, le PS et les syndicats* [lire p. 171]*.*

*Cet engagement sur la Pologne va également de pair, à cette
époque où le sociologue publie* Ce que parler veut dire [5]*, avec
une réflexion sur le fondement de l'autorité des « porte-parole »
et des délégués : pour « dévoiler les ressorts du pouvoir », il faut,
selon Pierre Bourdieu, remonter à la « magie des mots » qui, loin
d'être de simples instruments de communication, possèdent une
efficacité symbolique de constitution de la réalité sociale* [lire
p. 173] [6]*. Un travail que la philosophie devrait également partici-*

---

3. Cité par Jean-François Sirinelli, *Intellectuels et passions françaises. Manifestes et pétitions au XXᵉ siècle*, Fayard, Paris, 1990, p. 298.
4. Cité par Didier Éribon, *in Michel Foucault*, Flammarion, Paris, 1991,
p. 318-318.
5. *Ce que parler veut dire*, Fayard, Paris, 1982.
6. Lire également la critique de la rhétorique althussérienne (1975), *in*
« La lecture de Marx : quelques remarques critiques… », *op. cit.*

per à clarifier, ainsi que le sociologue l'explique dans un cahier « Livres » de Libération *en annonçant la parution d'un essai de philosophie analytique :*

> M'autorisant de la conception que la philosophie analytique a de la philosophie, je voudrais évoquer seulement la portée subversive, et pas seulement sur le plan théorique, que pourrait avoir une application au monde social de l'analyse thérapeutique du langage. [...] Qu'est-ce que l'université, l'Église ou l'État ? Qu'est-ce que d'exister pour une de ces entités abstraites ? Peut-on dire qu'une Église ou un État existe au même titre qu'une pierre, un animal ou une idée ? L'inclinaison à la réification des concepts et la propension à la généralisation abusive sont inscrites dans les mots avec lesquels nous parlons du monde social. D'autant plus fortement qu'il y a toutes sortes de gens qui ont un intérêt vital à glisser un énoncé existentiel – la Nation existe, la France existe, etc. – sous un énoncé prédicatif – la Nation est unanime, l'Opinion est indignée.
>
> On comprend toutes les vertus qu'enferme cette manière de philosopher : en se proposant de rendre un peu de raison au langage [...] par un travail de critique qui vise à se débarrasser des concepts dans l'acte même par lequel on rend raison, elle apporte une contribution importante, à condition d'être généralisée à tous les domaines de l'existence, à la critique de la pensée magique, théologique, fétichiste, qui hante encore tant le monde social. [7]

---

7. « Zaslawski contre la magie des mots. Sur *Analyse de l'être. Essai de philosophie analytique* de Denis Zaslawski, Minuit, Paris, 1982 », *Libération*, 7 décembre 1982.

Avis à la population

COLUCHE CANDIDAT

J'appelle les fainéants, les cras-
seux, les drogués, les alcooliques,
les pédés, les femmes, les para-
sites, les jeunes, les vieux, les
artistes, les taulards, les gouines,
les apprentis, les Noirs, les pié-
tons, les Arabes, les Français, les
chevelus, les fous, les travestis, les
anciens communistes, les abstentionnistes convaincus, tous ceux
qui ne comptent pas pour les
hommes politiques à voter pour
moi, à s'inscrire dans leur mairie
et à colporter la nouvelle.

**TOUS ENSEMBLE POUR LEUR
FOUTRE AU CUL AVEC COLUCHE**

**LE SEUL CANDIDAT QUI N'A
PAS DE RAISON DE MENTIR**

(Annonce de la candidature de Michel Colucci,
dit Coluche, aux élections présidentielles de 1981.)

La politique leur appartient

[Sur] l'usage que certains hommes politiques font de l'accusation d'irresponsabilité lancée contre les profanes qui veulent se mêler de la politique : supportant mal l'intrusion des profanes dans le cercle sacré des politiques, il les rappellent à l'ordre comme les clercs rappelaient les laïcs à leur illégitimité. Par exemple, au moment de la Réforme, un des problèmes venait de ce que les femmes voulaient dire la messe ou donner l'extrême-onction. Les clercs défendaient ce que Max Weber appelle leur « monopole de la manipulation légitime des biens de salut » et dénonçaient l'exercice illégal de la religion. Quand on dit à un simple citoyen qu'il est irresponsable politiquement, on l'accuse d'exercice illégal de la politique. Une des vertus de ces irresponsables – dont je suis – est de faire apparaître un présupposé tacite de l'ordre politique, à savoir que les profanes en sont exclus. La candidature de Coluche fut l'un de ces actes irresponsables. Je rappelle que Coluche n'était pas vraiment candidat mais se disait candidat à la candidature pour rappeler que n'importe qui pouvait être candidat. Tout le champ médiatico-politique s'était mobilisé, par-delà toutes les différences, pour condamner cette barbarie radicale qui consistait à mettre en question le présupposé fondamental, à savoir que seuls les politiques peuvent parler politique. Seuls les politiques ont compétence (c'est un mot très important, à la fois technique et juridique) pour parler de politique. Il leur appartient de parler de politique. La politique leur appartient. Voilà une proposition tacite qui est inscrite dans l'existence du champ politique.

Extrait d'une conférence du 11 février 1999 parue sous le titre « Le champ politique » dans *Propos sur le champ politique*, Presses universitaires de Lyon, 2000, p. 55-56.

Libération, mardi 15 décembre 1981

Les rendez-vous manqués : après 1936 et 1956, 1981 ?

Plusieurs intellectuels, à la suite des propos de Claude Cheysson, expriment leur indignation

Il ne faut pas que le gouvernement français, comme Moscou et Washington, fasse croire que l'instauration d'une dictature militaire en Pologne est une affaire intérieure qui laissera aux Polonais la faculté de décider eux-mêmes de leur destin. C'est une affirmation immorale et mensongère. La Pologne vient de se réveiller sous la loi martiale, avec des milliers d'internés, les syndicats interdits, les chars dans la rue et la peine de mort promise à toute désobéissance.

C'est assurément une situation que le peuple polonais n'a pas voulue ! Il est mensonger de présenter l'armée polonaise et le parti auquel elle est liée si étroitement comme l'instrument de la souveraineté nationale.

Le parti communiste polonais qui contrôle l'armée a toujours été l'instrument de la sujétion de la Pologne à l'Union soviétique. Après tout, l'armée chilienne est aussi une armée nationale.

En affirmant contre toute vérité et toute morale que la situation en Pologne ne regarde que les Polonais, les dirigeants socialistes français n'accordent-ils pas plus d'importance à leurs alliances intérieures qu'à l'assistance qui est due à toute nation en danger ?

La bonne entente avec le parti communiste français est-elle donc pour eux plus importante que l'écrasement d'un mouvement ouvrier sous la botte militaire ? En 1936, un gouvernement socialiste s'est trouvé confronté à un putsh militaire en Espagne, en 1956, un gouvernement socialiste s'est trouvé confronté à la répression en Hongrie. En 1981, le gouvernement socialiste est confronté au coup de Varsovie. Nous ne voulons pas que son attitude aujourd'hui soit celle de ses prédécesseurs. Nous lui rappelons qu'il a promis de faire valoir contre la Realpolitik les obligations de la morale internationale.

PREMIERS SIGNATAIRES
Pierre **BOURDIEU**, professeur au Collège de France ; Patrice **CHEREAU**, metteur en scène ; Marguerite **DURAS**, écrivain ; Costas **GAVRAS**, réalisateur ; Bernard **KOUCHNER**, Médecins du monde ; Michel **FOUCAULT**, professeur au Collège de France ; Claude **MAURIAC**, écrivain ; Yves **MONTAND**, acteur ; Claude **SAUTET**, réalisateur ; Jorge **SEMPRUN**, écrivain ; Simone **SIGNORET**, actrice.

Retrouver la tradition libertaire de la gauche

— *Avec dix autres intellectuels (rejoints par des centaines d'autres signataires), vous avez pris l'initiative, dès lundi dernier, de lancer un appel en faveur de la Pologne qui critiquait durement le gouvernement français. Ces critiques ont semblé d'autant plus vives qu'elles s'adressaient à un gouvernement socialiste.*

— Devant des événements comme ceux de Varsovie, il n'y a pas à tergiverser, il faut parler, il faudrait pouvoir agir. Mais comment ? La seule action possible pour un citoyen français ordinaire passe par le gouvernement français. En ce sens, dans notre texte, il était question de la Pologne et seulement de la Pologne. Il nous a paru particulièrement intolérable qu'un gouvernement socialiste, qui prétend, à juste titre, donner une dimension morale à son action, n'exprime pas au moins une condamnation symbolique claire et immédiate du coup de force. On fait comme si il n'y avait pas d'autre choix que la guerre ou rien. C'est commode quand on ne veut rien faire ou se justifier de ne rien faire. Il y a en fait, si l'on veut bien chercher, tout un arsenal d'armes économiques ou symboliques. Et le gouvernement a commencé à en trouver quelques-unes sous la pression de l'opinion, qui doit encore peser sur lui pour qu'il les mette réellement en œuvre.

Mais je reviens à ce point : qu'y a-t-il d'anormal dans le fait de s'adresser au gouvernement ? S'agissant d'une affaire de politique étrangère, il est le seul à pouvoir parler et agir efficacement en notre nom. Nous lui avons délégué nos pouvoirs en la matière. Nous avons des droits sur lui. En tant qu'intellectuels, nous avons le privilège de pouvoir exercer ce droit de tout citoyen avec une certaine efficacité. (Encore que la publication de notre appel ait rencontré certains obstacles…) Il aurait peut-être fallu attendre que le président de la République vienne nous expliquer, un mois après, dans une causerie au coin du feu, ce qu'il pense de la Pologne et ce qu'il a pu en dire dans le secret des rencontres « au sommet » ! Vingt ans de Ve République ont fait dépérir les réflexes démocra-

Entretien avec René Pierre et Didier Éribon
paru dans *Libération*, 23 décembre 1981, p. 8-9.

tiques élémentaires. Un gouvernement peut et doit être rappelé à l'ordre.

— *Il y a eu votre réaction « éthique » à la répression en Pologne, mais l'initiative de certains des premiers signataires de ce texte de proposer un appel commun à la CFDT va plus loin. Dans quelle mesure la crise polonaise justifie-t-elle, selon vous, la déclaration d'une espèce d'état d'urgence pour le mouvement intellectuel ?*

— Le régime dans lequel nous sommes est tel que les gouvernants concentrent tous les pouvoirs. Et cela me paraît être une situation malsaine. En tout cas, surtout lorsque les détenteurs du pouvoir se sentent investis, portés, justifiés par des forces populaires, dont on ne voit pas comment elles peuvent s'exprimer. Le seul contre-pouvoir efficace que je vois, c'est la critique intellectuelle et l'action des syndicats. Je crois que les intellectuels sont en droit, comme tous les citoyens, d'exercer une vigilance critique – ce qui ne veut pas dire négative – de tous les instants. Il n'y a pas si longtemps, on déplorait le silence des intellectuels. Lorsqu'ils parlent, on crie au scandale. Ce qui veut dire, en bonne logique, qu'on n'accorde pas d'autre droits aux intellectuels, et, par extension, à tous les citoyens, que de parler en faveur du gouvernement. Sur ce point, notre appel a fonctionné comme un révélateur. (Sartre aurait dit : « Comme un piège à cons. ») Il a suscité des propos stupides ou ridicules, tantôt indécents – je pense aux attaques contre Yves Montand ou contre les « intellectuels de gauche » –, tantôt inquiétants – je pense aux accents, dignes de Kanapa [1], qu'a su trouver notre ministre de la Culture pour opposer la « loyauté parfaite » des ministres communistes à l'inconséquence typiquement « structuraliste » des intellectuels.

Maintenant, pourquoi une liaison avec la CFDT ? Il y a des raisons évidentes : cette organisation a eu immédiatement, avant toute autre instance, la réaction qui aurait dû être celle de toutes les organisations syndicales devant l'écrasement militaire d'un mouvement syndical. Cette action normale ne paraît exceptionnelle que du fait de la démission anormale des organes d'expression du mouvement ouvrier. Ce n'est pas nous qui avons choisi d'avoir pour interlocuteur unique la CFDT.

1. Journaliste à *L'Humanité*, Jean Kanapa incarnait le sectarisme stalinien. « Il faut appeler un chat un chat, et un Kanapa un Kanapa », aurait dit Jean-Paul Sartre. [nde]

— Mais pourquoi cette liaison entre les intellectuels et les syndicats vous a-t-elle paru nécessaire ?

— D'abord pour sa valeur symbolique, dans la mesure où elle évoquait ce qui a été une des originalités du mouvement Solidarité. Et pouvait constituer par là même une contribution à la défense de Solidarité. Mais il y avait aussi une certaine convergence dans l'analyse de la situation polonaise. Solidarité est un grand mouvement ouvrier non militarisé qui est écrasé par la force militaire ; et aussi un mouvement dressé contre le socialisme d'État. Le pouvoir de penser la société, de changer la société, ne se délègue pas, et surtout pas à un État qui se donne le droit de faire le bonheur des citoyens sans eux, voire malgré eux. Ce pouvoir de transformation, plus ou moins révolutionnaire, ne se délègue pas à des hommes d'appareil de tous temps préparés à devenir des hommes d'appareil d'État. C'est ce que le mouvement polonais a rappelé : la faillite d'un système où le mouvement est censé venir d'en haut.

— Est-ce que cela signifie que vous pensez qu'une alliance permanente doit s'établir entre les intellectuels et la CFDT ?

— Sur ce point, c'est à chacun d'en décider. Pour ma part, je pense que l'appel que nous lançons en commun est un événement ponctuel et qu'il y aurait lieu, si pareille initiative devait se renouveler, de rediscuter au coup par coup. Ceci dit, il me semble que, dans l'état actuel, la CFDT a, les uns diront « exprimé », les autres « récupéré », tout le courant anti-institutionnel qui est une des composantes importantes de la gauche en France. Il y a eu Mai 68 et la critique du système d'enseignement ; il y a eu l'écologie et la mise en question de tout un mode de vie ; il y a eu le mouvement féministe ; il y a eu, et ce n'est pas le moins important, la critique des appareils, du centralisme, la critique des rapports hiérarchiques et des relations d'autorité dans l'entreprise, l'école, la famille, etc. Tout ça, du fait de la position qu'elle occupe dans le champ de concurrence entre les centrales syndicales, et spécialement par rapport à la CGT, du fait aussi des caractéristiques particulières de ses militants, qui sont spécialement sensibles au symbolique et aux formes symboliques de domination, la CFDT l'a mieux compris et exprimé. Mais là, il faudrait une très longue analyse.

La rencontre entre les intellectuels et la CFDT s'explique aussi peut-être par là : les uns et les autres sont sensibles au fait que les courants anticonstitutionnels se sentent mal ou peu exprimés depuis le 10 mai. On nous ressort des programmes et des promesses, comme si tout ce qui n'est pas passé à la moulinette des appareils, des congrès, des programmes et des plates-formes n'existait pas. On oublie que, pour des raisons sociologiques que je ne puis développer ici, la société française a été le lieu, depuis vingt ans, d'une prodigieuse invention politique et qu'il y a des lieux, dans le monde intellectuel et ailleurs, où ce travail continue. Bref, on ne peut pas dire que l'imagination soit au pouvoir.

— Les intellectuels peuvent-ils constituer une expression sociale et politique qui leur soit propre ? Et le lien avec le mouvement social n'est-il pas très problématique ?

— Il est difficile en effet de donner une véritable efficacité à la critique intellectuelle. Il s'agit de donner une force sociale à la critique intellectuelle et une force intellectuelle à la critique sociale ; en excluant au départ la posture du « compagnon de route » qui avale toutes les couleuvres au nom de la discipline et le rêve léniniste de l'intellectuel disciplinant un appareil ouvrier. Il est certain que la situation d'intellectuel libre – ou, si l'on veut, « irresponsable » – est la condition d'une analyse politique libre, et en particulier d'une analyse libre du monde politique. J'entends pour ma part défendre sans complexes cette position contre tous les « responsables » qui font passer les intérêts des organisations avant l'intérêt pour la vérité, contre tous ceux qui parlent avec un PC sur la langue. De façon plus générale, le principal obstacle à l'instauration de nouveaux rapports entre les intellectuels et le mouvement ouvrier naît de la convergence de l'ouvriérisme de certains cadres d'origine ouvrière dans les organisations de gauche et de l'anti-intellectualisme de certains intellectuels qui se servent des appareils de gauche pour renforcer leur position d'intellectuels. Là encore, il faudrait développer et préciser longuement l'analyse.

Pour revenir à l'action en faveur de la Pologne, je pense que la conjonction entre les intellectuels et un grand mouvement syndical est sans doute la meilleure manière de donner à cette action toute son efficacité et de faire peser la pression sur le gouvernement. Les intellectuels n'ont inventé aucun moyen d'action nouveau depuis Zola ; ils souffrent de l'inefficacité de la pétition et du vedettariat auquel elle les condamne.

J'ajoute que la logique de la pétition – qui suppose toujours une initiative, donc un lieu initial – tend à diviser le milieu qui, par la logique même de son fonctionnement, est voué à la concurrence personnelle. C'est pourquoi j'ai depuis longtemps formulé l'utopie de constituer un groupe d'intellectuels dont la signature resterait collective, dont les textes seraient écrits par le plus compétent d'entre eux sur le sujet considéré et seraient lus par un acteur. En ce sens, l'émission Montand-Foucault à Europe 1, qui a suscité une telle émotion chez nos dirigeants – et aussi, et c'est le plus important, dans le public –, me paraît exemplaire.

— *Votre action actuelle est-elle une machine de guerre contre le parti communiste français ?*

— Je répondrai au moins que le PCF, qui se dit soucieux de la paix intérieure en Pologne (et au sein du gouvernement français), a sans doute sous-estimé le pouvoir qu'il détient, en tant que fille aînée de l'Église (communiste), d'agir pour la paix intérieure de la Pologne. Il suffit de voir l'écho qu'ont eu les déclarations remarquables de Berlinguer pour mesurer la gravité de la complicité du PC français.

Si la Pologne n'est pas le Chili, c'est que A n'est pas égal à A : le principe d'identité s'effondre et avec lui l'identité des intellectuels.

Les intellectuels & les pouvoirs

Retour sur notre soutien à Solidarnosc

LORSQUE J'AI APPELÉ MICHEL FOUCAULT, le lundi 14 décembre 1981, pour lui proposer que nous écrivions ensemble un appel sur la Pologne et que nous prenions contact avec la CFDT, j'avais à l'esprit, évidemment, l'idée d'établir une liaison analogue à celle qui s'était instaurée en Pologne entre les intellectuels et les ouvriers de Solidarnosc.

Or, si cette liaison a existé, et avec un très grand effet symbolique, elle n'a pas été, dans son devenir ultérieur à l'événement, tout ce que j'avais espéré. C'est pourquoi il me semble que je dois à la vérité, et à la mémoire de Michel Foucault, qui ne trichait pas avec elle, de dire ce que j'attendais, avec l'espoir que cela pourra servir, comme on dit, pour une autre fois…

Dans mon esprit, ce qui était en jeu dans cette entreprise, c'était la volonté de rompre avec le vieux modèle suiviste de l'intellectuel de parti à l'occasion d'une action de solidarité internationale avec un mouvement lui-même caractérisé par le fait que les intellectuels n'y étaient pas réduits au rôle de compagnons de route qu'ils se laissent d'ordinaire assigner. L'affirmation de l'existence des intellectuels en tant que groupe, ni plus ni moins justifié d'exister que d'autres mais capable d'imposer ses vues en usant de ses armes propres, me paraissait particulièrement nécessaire à un moment où s'imposait en France un ordre politique qui, par tradition, se couvrait de justifications intellectuelles. N'est-il pas significatif que l'on n'ait jamais autant parlé du silence des intellectuels qu'au moment où, à propos de la Pologne, les intellectuels ont pris réellement la parole, suscitant la fureur des intellectuels organiques ?

Les intellectuels *et* la CFDT. Les intellectuels *de* la CFDT [1]. Tout l'enjeu est dans cette différence. Pour qu'il y ait liaison,

---

1. La distinction vaut pour tout autre sigle *a fortiori*.

Paru dans *Michel Foucault, une histoire de la vérité*, Syros, Paris, 1985, p. 93-94.

il faut être deux. Les intellectuels n'ont pas à se justifier d'exister aux yeux de leurs partenaires en leur offrant des services, s'agirait-il des plus nobles, au moins à leurs yeux, comme les services théoriques. Ils ont à être ce qu'ils sont, à produire et à imposer leur vision du monde social, qui n'est pas nécessairement meilleure ou pire que les autres, et donner à leurs idées toute la force dont ils sont capables. Ils ne sont pas les porte-parole de l'universel, moins encore une « classe universelle », mais il se trouve que, pour des raisons historiques, ils ont souvent *intérêt à l'universel.*

Je ne développerai pas ici les raisons qui me font penser qu'il est urgent, aujourd'hui, de créer une internationale des artistes et des savants capable de proposer ou d'imposer des réflexions et des recommandations aux pouvoirs politiques et économiques. Je dirai seulement – et je crois que Michel Foucault en eût été d'accord – que c'est dans l'autonomie la plus entière à l'égard de tous les pouvoirs que réside le seul fondement possible d'un pouvoir proprement intellectuel, intellectuellement légitime.

Dévoiler les ressorts du pouvoir

— *Ce qui m'a frappé dans votre livre* Ce que parler veut dire, *c'est qu'en fait il est traversé d'un bout à l'autre par la question du pouvoir et de la domination.*

— Le discours, quel qu'il soit, est le produit de la rencontre entre un *habitus linguistique*, c'est-à-dire une compétence insé-parablement technique et sociale (à la fois la capacité de parler et la capacité de parler d'une certaine manière, socialement marquée), et un *marché*, c'est-à-dire un système de formation des prix qui vont contribuer à orienter par avance la produc-tion linguistique. Cela vaut au niveau de la dyade élémentaire, avec les dialogues de l'existence ordinaire, mais aussi, de manière plus évidente, à l'occasion de l'affrontement à un *public*, avec le discours soutenu des occasions officielles ou avec l'écriture philosophique, comme j'ai essayé de le montrer à propos de Heidegger. Or, tous ces rapports de communication sont aussi, sauf convention spéciale, des rapports de pouvoir, et le marché linguistique a aussi ses monopoles, qu'il s'agisse des langues sacrales ou réservées à une caste, ou des langues secrètes, en passant par les langues savantes.

— *Plus profondément, on a l'impression que dans ce livre se des-sine en filigrane une théorie générale du pouvoir et même du politique, par le biais notamment de la notion de « pouvoir sym-bolique ».*

— Le pouvoir symbolique est un pouvoir (économique, poli-tique, culturel ou autre) qui est en mesure de se faire recon-naître, d'obtenir la reconnaissance ; c'est-à-dire de se faire méconnaître dans sa vérité de pouvoir, de violence arbitraire. L'efficacité propre de ce pouvoir s'exerce non dans l'ordre de la force physique mais dans l'ordre du sens et de la connaissance. Par exemple, le noble, le latin le dit, est un *nobilis*, un homme « connu », « reconnu ». Cela dit, dès que l'on échappe au phy-sicalisme des rapports de force pour réintroduire les rapports

Entretien avec Didier Éribon paru dans *Libération*, 19 octobre 1982.

symboliques de connaissance, la logique des alternatives obligées fait que l'on a toutes les chances de tomber dans la tradition de la philosophie du sujet, de la conscience, et de penser ces actes de reconnaissance comme des actes libres de soumission et de complicité. Or, sens et connaissance n'impliquent nullement conscience ; et il faut chercher dans une direction tout à fait opposée, celle qu'indiquaient le dernier Heidegger et Merleau-Ponty : les agents sociaux, et les dominés eux-mêmes, sont unis au monde social (même le plus répugnant et le plus révoltant) par un rapport de complicité subie qui fait que certains aspects de ce monde sont toujours au-delà ou en deçà de la mise en question critique. C'est par l'intermédiaire de cette relation obscure d'adhésion quasi corporelle que s'exercent les effets du pouvoir symbolique. La soumission politique est inscrite dans les postures, dans les plis du corps et les automatismes du cerveau. Le vocabulaire de la domination est plein de métaphores corporelles : « faire des courbettes », « se mettre à plat ventre », « se montrer souple », « plier », « se coucher », etc. Et sexuelles aussi, bien sûr. Les mots ne disent si bien la gymnastique politique de la domination ou de la soumission que parce qu'ils sont, avec le corps, le support des montages profondément enfouis dans lesquels un ordre social s'inscrit durablement.

— *Vous considérez donc que le langage devrait être au centre de toute analyse de la politique ?*

— Là encore, il faut se garder des alternatives ordinaires. Ou bien on parle du langage comme s'il n'avait d'autre fonction que de communiquer ; ou bien on se met à chercher dans les mots le principe du pouvoir qui s'exerce, en certains cas, à travers eux (je pense par exemple, aux ordres ou aux mots d'ordre). En fait, les mots exercent un pouvoir typiquement magique : ils font voir, ils font croire, ils font agir. Mais, comme dans le cas de la magie, il faut se demander où réside le principe de cette action, ou, plus exactement, quelles sont les conditions sociales qui rendent possible l'efficacité magique des mots. Le pouvoir des mots ne s'exerce que sur ceux qui ont été disposés à les entendre et à les écouter, bref, à les croire. En béarnais, obéir se dit *crede*, qui veut dire aussi croire. C'est toute la prime éducation, au sens le plus large, qui dépose en chacun les ressorts que les mots (une bulle du pape, un mot d'ordre de parti, un propos de psychanalyste, une expertise de psychologue dans un jugement de divorce, etc.) pourront, un jour ou l'autre, déclencher. Le principe du pouvoir des mots réside dans la complicité qui s'établit, au travers des mots, entre un corps social incarné dans un corps biologique, celui du porte-parole autorisé, et des corps biologiques socialement façonnés à reconnaître ses ordres, mais aussi ses exhortations, ses insinuations ou ses injonctions, et qui sont les « sujets-parlés », les fidèles, les croyants.

— *Il y a pourtant des effets et une efficacité propres du langage ?*

— Il est en effet étonnant que ceux qui n'ont cessé de parler de la langue et de la parole, ou même de la « force illocutionnaire » de la parole, n'aient jamais posé la question du porte-parole. Si le travail politique est, pour l'essentiel, un travail sur les mots, c'est que les mots contribuent à faire le monde social. Il suffit de penser aux innombrables circonlocutions, périphrases ou euphémismes qui ont été inventés, tout au long de la guerre d'Algérie, dans le souci d'éviter d'accorder la reconnaissance qui est impliquée dans le fait d'appeler les choses par leur nom au lieu de les dénier par l'euphémisme. En politique, rien n'est plus réaliste que les querelles de mots. Mettre un mot pour un autre, c'est changer la vision du monde social et, par là, contribuer à le transformer. Parler de classe ouvrière, faire parler la classe ouvrière (en parlant pour elle), la représenter, c'est faire exister autrement, pour lui-même et pour les autres, le groupe que les euphémismes de l'inconscient ordinaire annulent symboliquement (les « humbles », les « gens simples », « l'homme de la rue », « le Français moyen », ou, chez certains sociologues, « les catégories modestes »). Le paradoxe du marxisme est qu'il n'a pas englobé dans sa théorie des classes l'effet de théorie qu'a produit la théorie marxiste des classes, et qui a contribué à faire qu'il peut exister aujourd'hui quelque chose comme des classes.

S'agissant du monde social, la théorie néokantienne qui confère au langage et, plus généralement, aux représentations une efficacité proprement symbolique de construction de la réalité est parfaitement fondée. Les groupes (en particulier les classes sociales) sont toujours, pour une part, des artefacts : ils sont le produit de la logique de la représentation qui permet à un individu biologique, ou un petit nombre d'individus biologiques, secrétaire général ou comité central, pape et évêques, etc., de parler au nom de tout le groupe, de faire parler et marcher le groupe « comme un seul homme », de faire croire – et d'abord au groupe qu'ils représentent – que le groupe existe. Groupe fait homme, le porte-parole incarne une personne fictive, cette sorte de corps mystique qu'est un groupe ; il arrache les membres du groupe à l'état de simple agrégat d'individus séparés, leur permettant d'agir et de parler d'une seule voix à travers lui. En contrepartie, il reçoit le droit d'agir et de parler au nom du groupe, de se prendre pour le groupe qu'il incarne (la France, le peuple, etc.), de s'identifier à la fonction à laquelle il se donne corps et âme, donnant ainsi un corps biologique à un corps constitué. La logique de la politique est celle de la magie ou, si l'on préfère, du fétichisme.

— *Vous considérez votre travail comme une mise en question radicale de la politique ?*

— La sociologie s'apparente à la comédie, qui dévoile les ressorts de l'autorité. Par le déguisement (Toinette médecin), la parodie (le latin foireux de Diafoirus) ou la charge, Molière démasque la machinerie cachée qui permet de produire les effets symboliques d'imposition ou d'intimidation, les trucs et les truquages qui font les puissants et les importants de tous les temps, l'hermine, la toge, les bonnets carrés, le latin, les titres scolaires, tout ce que Pascal, le premier, a analysé.

Après tout, qu'est-ce qu'un pape, un président ou un secrétaire général, sinon quelqu'un qui se prend pour un pape ou un secrétaire général, ou plus exactement pour l'Église, l'État, le parti ou la nation ? La seule chose qui le distingue du personnage de comédie ou du mégalomane, c'est qu'on le prend généralement au sérieux et qu'on lui reconnaît le droit à cette sorte d'« imposture légitime », comme dit Austin. Croyez-moi, le monde vu comme ça, c'est-à-dire comme il est, est assez comique. Mais on a souvent dit que le comique côtoie le tragique. C'est un peu comme du Pascal mis en scène par Molière.

TOUT RACISME EST UN ESSENTIALISME

*Alors que les démonstrations de racisme et de xénophobie
abondent, il est une discrimination qui n'a pas son nom et qui
pourtant sévit : le racisme pour appartenance à une classe sociale.*

Je voudrais dire d'abord qu'il faut avoir à l'esprit qu'il n'y a
pas un racisme, mais des **racismes** : il y autant de racismes
qu'il y a de groupes qui ont besoin de se justifier d'exister
comme ils existent, ce qui constitue la fonction invariante
des racismes.

Il me semble très important de porter l'analyse sur les
formes du racisme qui sont sans doute les plus subtiles, les
plus méconnaissables, donc les plus rarement dénoncées,
peut-être parce que les dénonciateurs ordinaires du racisme
possèdent certaines des propriétés qui inclinent à cette
forme de racisme. Je pense au racisme de l'intelligence.

Le racisme de l'intelligence est un racisme de classe dominante qui se distingue par une foule de propriétés de ce que
l'on désigne habituellement comme racisme, c'est-à-dire le
racisme petit-bourgeois qui est l'objectif central de la plupart des critiques classiques du racisme, à commencer par les
plus vigoureux, comme celle de Sartre.

Ce racisme est propre à une classe dominante dont la reproduction dépend, pour une part, de la transmission du capital culturel, capital hérité qui a pour propriété d'être un
capital incorporé, donc apparemment naturel, inné. Le
racisme de l'intelligence est ce par quoi les dominants visent
à produire une « théodicée de leur propre privilège »,
comme dit Weber, c'est-à-dire une justification de l'ordre
social qu'ils dominent. Il est ce qui fait que les dominants se
sentent d'une **essence supérieure**.

Tout racisme est un essentialisme et le racisme de l'intelligence est la forme de sociodicée caractéristique d'une classe
dominante dont le pouvoir repose en partie sur la possession
de titres qui, comme les titres scolaires, sont censés être des
garanties d'intelligence et qui ont pris la place, dans beaucoup de sociétés, et pour l'accès même aux positions de pouvoir économique, des titres anciens comme les titres de propriété et les titres de noblesse.

Paru sous le titre « Classe contre classe » dans *Différences* (n° 24-25,
juillet 1983, p. 44), avec les points de vue de Clara Cardiani (journaliste), Françoise Mallet-Joris (écrivaine) et l'abbé Pierre Pihan (MRAP).

SUR MICHEL FOUCAULT
L'engagement d'un « intellectuel spécifique »

LORS DE LA MORT DE ROLAND BARTHES, Michel Foucault disait : « J'ai perdu un ami, un collègue. » Je peux dire aujourd'hui comme lui. C'est la seule chose qui m'autorise à parler de lui, et de son œuvre.

Je voudrais essayer de dire ce qui était sans doute le moins apparent : la constante et la cohérence, la rigueur théorique et pratique. Constance d'un projet intellectuel, constance d'une manière de vivre la vie intellectuelle. Avec, au commencement, une volonté de rompre (qui explique et excuse certains de ses apophtegmes célèbres sur la mort de l'homme) : rompre avec l'ambition totalisante de ce qu'il appelait l'« intellectuel universel », souvent identifié au projet philosophique ; mais en échappant à l'alternative du rien sur le tout et du tout sur le rien.

Pour inventer ce qu'il appelait « l'intellectuel spécifique », il fallait, en effet, abdiquer « le droit de parler en tant que maître de vérité et de justice », le statut de « conscience morale et politique », de porte-parole et de mandataire. Et, de fait, il n'a pas cessé d'affirmer qu'en matière de pensée il n'est pas de délégation. Sans pour autant succomber au culte, illusoire, de la pensée en première personne.

Il savait mieux que quiconque que les jeux de vérité sont des jeux de pouvoir et que le pouvoir et le privilège sont au principe même des efforts pour découvrir la vérité des pouvoirs et des privilèges.

À la pensée de l'absolutisme de l'intellectuel universel, Michel Foucault voulait substituer les travaux spécifiés, puisant aux sources mêmes – et on lui doit d'avoir exhumé des régions entières de la documentation historique ignorées des historiens –, mais cela sans abdiquer les plus grandes ambitions de la pensée. De même, s'il entendait refuser les grands airs de la grande conscience morale – cible favorite de son rire –, il s'est toujours attaché à refuser

Paru sous le titre « Le plaisir de savoir » dans *Le Monde*, du 27 juin 1984, ce texte fut écrit en hommage au « philosophe et professeur au Collège de France Michel Foucault, mort le lundi 25 juin à Paris à l'âge de cinquante-sept ans. »

la division, si commune et si commode, des investissements intellectuels et des engagements politiques.

Les actes politiques, qu'il accomplissait avec passion et rigueur, parfois avec une sorte de fureur rationnelle, ne devaient rien au sentiment de détenir les vérités et les valeurs ultimes, qui fait les pharisiens de la politique, et d'ailleurs. La vision critique, chez lui, s'appliquait d'abord à sa propre pratique, et il était à ce titre le plus pur représentant de cette nouvelle espèce d'intellectuels qui n'a pas besoin de se mystifier sur les mobiles et les motifs des actes intellectuels ni de s'abuser sur leur efficacité pour les accomplir, en pleine connaissance de cause.

Rien n'est plus dangereux que de réduire une philosophie, surtout aussi subtile, complexe, perverse, à une formule de manuel. Je dirai toutefois que l'œuvre de Foucault est une longue exploration de la transgression du franchissement de la limite sociale, qui tient inséparablement à la connaissance et au pouvoir. De là sans doute son intérêt, dès l'origine, avec son *Histoire de la folie à l'âge classique*, pour la genèse sociale de la coupure, matérialisée dans l'asile, entre le normal et le pathologique.

Cette étude d'une des frontières sociales les plus décisives, qui fondent l'état de raison, est en même temps une transgression de la frontière qui délimite l'impensé de Marx (c'est souvent que Foucault, qui aimait à dire que la meilleure manière de penser un penseur du passé consiste à s'en servir, voire pour le dépasser, fait ainsi d'une pierre deux coups). Alors qu'il serait facile de repérer mainte affirmation typiquement marxiste dans l'*Histoire de la folie* ou dans *La Naissance de la clinique*, Foucault observe que l'internement psychiatrique, la normalisation psychologique des individus et les institutions pénales n'ont sans doute qu'une importance limitée pour qui ne considère que leur fonction économique. Ce qui n'empêche qu'elles jouent un rôle essentiel dans la machinerie du pouvoir.

De là naîtront les analyses de *Surveiller et punir* sur l'omniprésence du pouvoir : les rapports de force sont aussi dans les rapports de reproduction, dans les familles, les petits groupes, les relations sexuelles, les institutions. Et surtout peut-être dans les cerveaux. On revient ainsi à la transgression proprement philosophique comme effort pour penser l'impensé, l'impensable, le tabou, c'est-à-dire ce qui limite la pensée et qui en interdit l'au-delà.

Explorer l'impensé, c'est d'abord faire l'histoire des catégories de pensée, et de la connaissance qu'elles permettent et de celle qu'elles interdisent du même coup. Cette intention critique, au sens de Kant, se réalise dans une histoire sociale qui n'a pas grand-chose à voir avec l'histoire ordinaire des historiens – mais qui ne pensera à ces exceptions exemplaires que sont les travaux de Dumézil, un des modèles de Foucault, ou du Duby des *Trois Ordres* ? Évidente dans *Les Mots et les choses*, cette intention est à l'œuvre dans *La Naissance de la clinique*, histoire sociale de la vision clinique, du savoir-voir médical, et dans l'*Histoire de la sexualité*. Proche ici de Bachelard et de Canguilhem, une de ses fidélités les plus absolues, et aussi du Cassirer de *Structure et fonction* ou d'*Individu et cosmos*, qui s'attachent à la vérité à l'état naissant, c'est-à-dire à l'erreur féconde, il transgresse la limite de leur impensé en travaillant à faire une histoire matérialiste des structures idéelles.

Mais surtout, c'est en poussant à sa limite l'intérêt pour l'erreur en étudiant par priorité les sciences où la frontière entre l'erreur et la vérité est la plus fragile, celles qui sont les plus contaminées par l'idéologie, comme la médecine clinique ou la psychopathologie, que Foucault entend dévoiler l'impensé de la science, l'inconscient des sciences de la pensée.

Comme l'histoire de la connaissance renvoie sans cesse à l'erreur et à l'échec – par exemple dans *L'Histoire de la clinique*, l'erreur dans les observations corporelles menées en l'absence d'une véritable analyse tissulaire –, l'herméneutique du sujet que propose l'histoire de la sexualité est une histoire de l'erreur et de la violence, qui n'est jamais aussi visible, paradoxalement, que dans les disciplines – à tous les sens du terme – que l'entendement éclairé du réformisme libéral a inventées pour contrôler le comportement humain, psychologie, clinique, sciences de la vie.

La discipline, réunion du savoir et du pouvoir, se réalise d'abord dans un langage. Et la transgression, ici, doit trouver ses armes hors de la tradition, hors de l'univers des maîtres canoniques, du côté des hérétiques, Nietzsche, bien sûr, mais aussi Sade, Artaud, Bataille, Roussel, Blanchot et Deleuze. La philologie, chez Nietzsche, conduisait à la sociologie. La critique sociale de la raison conduit à une critique sociale du langage, limite majeure de la pensée humaine. Le tabou verbal, bien sûr, mais surtout peut-être la transgression imposée de l'interdit, le devoir de liberté, l'aveu extorqué rappellent que le pouvoir est dans le savoir, mais que le savoir est dans le pouvoir ; la connaissance, y compris la connaissance de soi, est exposée aux effets de pouvoir. La morale est hantée par la politique.

J'aurais voulu dire mieux cette pensée acharnée à conquérir la maîtrise de soi, c'est-à-dire la maîtrise de son histoire, histoire des catégories de pensée, histoire du vouloir et des désirs. Et aussi ce souci de rigueur, ce refus de l'opportunisme, dans la connaissance comme dans la pratique, dans les techniques de vie comme dans les choix politiques qui font de Foucault une figure irremplaçable.

1984-1990

De quelqu'un qui ment effrontément, les Kabyles disent : "Il m'a mis l'Est en Ouest." Les apparatchiks de gauche nous ont mis la gauche à droite.

Pierre Bourdieu

HOMO ACADEMICVS

m les Editions de Minuit

le sens commun

PIERRE BOURDIEU

LA NOBLESSE D'ÉTAT

GRANDES ECOLES ET ESPRIT DE CORPS

LES EDITIONS DE MINUIT

Éducation & politique de l'éducation

D'un rapport d'État à l'autre

É LU AU COLLÈGE DE FRANCE EN 1982, *Pierre Bourdieu pour-suit sa sociologie des intellectuels avec* Homo academicus, *qui propose une explication des déterminants à l'engagement po-litique des chercheurs pris dans le jeu académique. Contre le double écueil constitué par la contestation des hiérarchies uni-versitaires au nom de la « démocratisation », et la défense de ces hiérarchies au nom de la qualité de l'enseignement, « couple de forces incitant au statu quo en ce qui concerne l'essentiel », le so-ciologue affirme la nécessité de revoir la place du travail scienti-fique dans l'Université, ce que les réformes de l'époque ne permettent pas d'envisager* [lire p. 189].

Rédigé dans le cadre collectif du Collège de France et à la demande du président François Mitterrand, le rapport intitulé « Propositions pour un enseignement de l'avenir » constitue pour Pierre Bourdieu l'occasion de mettre en œuvre un engagement lié à sa position « d'hérétique consacré » [lire p. 199].

De ces « propositions », les milieux pédagogiques semblent avoir surtout retenu la critique de « l'indifférence aux différences » ; pourtant, les rapporteurs ne relient pas tant la diversification des formes d'excellence à l'abolition de toute sélection qu'à l'atténua-tion des verdicts scolaires qui pèsent sur les élèves comme autant de prophéties auto-confirmatrices. Comme l'explique Pierre Bourdieu dans les colonnes de La Quinzaine littéraire [lire p. 203], *ce rapport veut remettre en question la « hiérarchie des principes de hiérarchisation » et prôner la valorisation des expérimenta-tions scientifiques et artistiques, le développement des dispositions critiques, l'instauration d'un « minimum commun », la révision périodique des savoirs enseignés, le droit à l'éducation à tout âge, ainsi que l'usage des techniques modernes de diffusion et l'ouver-ture à des intervenants extérieurs. Enfin, pour dépasser l'antino-mie de l'étatisme et du libéralisme, le rapport propose de favoriser l'autonomie des établissements, par la multiplication des sources de financement, dans le but de substituer à la concurrence larvée et inégalitaire un esprit d'émulation ouverte et contrôlée grâce à une redéfinition du rôle de l'État.*

Si Pierre Bourdieu se montre ensuite très critique envers l'usage qui est fait de ce rapport (un « supplément d'âme dans la "Lettre du président de la République aux Français" » lors de la campagne électorale de 1988), il n'en acceptera pas moins de présider, en 1989, une commission sur les contenus de l'enseignement mise en place par Lionel Jospin, ministre de l'Éducation nationale du gouvernement de Michel Rocard **1** *lors de la seconde présidence de François Mitterrand. Ces sept « Principes pour une réflexion sur les contenus d'enseignement », communément appelés « Rapport Bourdieu-Gros », se proposent de restructurer les divisions du savoir et les conditions de leur transmission* [lire p. 217].*

Comment « la sociologie la plus critique, [c'est-à-dire] celle qui suppose et implique la plus radicale autocritique **2** *» peut-elle s'accommoder d'une action réformatrice ? Les travaux de Pierre Bourdieu et de ses collaborateurs n'ont-ils pas montré que l'école (et notamment l'action pédagogique) imposait un « arbitraire culturel » favorable aux classes dominantes ? Loin de prétendre tout bouleverser, le rapport a pour principal objectif d'interroger la part d'inégalités que le système d'enseignement peut corriger, laissant de côté ce à quoi le système d'enseignement ne paraît pas en mesure de répondre.*

Le rapport du Collège de France ne prononce pas le mot de reproduction, ni le mot de démocratisation. Il n'est jamais dit que le système scolaire va égaliser les chances, que le système scolaire va donner la culture à tous. Jamais… et c'est très important. Car le système scolaire est ainsi organisé qu'il ne peut pratiquement pas démocratiser et que tout ce qu'il peut faire de mieux, c'est de ne pas renforcer l'inégalité, de ne pas redoubler par son efficacité spécifique, essentiellement symbolique, les différences préalables entre les enfants qui lui sont confiés. Il y a toute une série de propositions qui vont en ce sens : la plus importante, de ce point de vue, consiste à mettre en garde contre l'effet de destin par lequel l'institution

---

1. Michel Rocard incarnait, depuis les années 1970, un socialisme « moderniste » et « réaliste » se voulant inspiré de Pierre Mendès France mais assez vite inspirateur du courant néolibéral au sein de la gauche française. Évincé par deux fois, en 1981 et 1988, de la candidature aux élections présidentielles au profit de François Mitterrand, Michel Rocard dut finalement à son poids politique une nomination comme Premier ministre du second septennat socialiste.

2. « Sur l'objectivation participante. Réponse à quelques objections », *Actes de la recherche en sciences sociales*, n° 23, septembre 1978, p. 68.

scolaire transforme les inégalités sociales préalables en inégalité naturelle. Si j'étais ministre, c'est la première recommandation que je ferais aux professeurs : ne portez jamais de jugement de valeur sur vos élèves, vous n'avez pas le droit d'employer le mot « idiot », vous n'avez pas le droit d'employer le mot « stupide », vous n'avez pas le droit de mettre dans une marge « ce raisonnement est imbécile », vous n'avez pas le droit de mettre « nul », etc. Autrement dit, vous devez exclure tous les jugements de valeur qui touchent à la personne. Vous pouvez dire « Ce devoir c'est pas bien » ou « Cette solution est fausse », mais vous ne pouvez pas dire « Tu es nul en mathématiques » ou « Tu n'es pas doué pour les mathématiques ». Les professeurs de mathématiques devraient savoir et comprendre qu'ils ont un pouvoir diabolique de nomination qui s'exerce sur l'identité même des adolescents, sur leur image de soi, et qu'ils peuvent infliger des traumatismes terribles, d'autant que leurs verdicts sont souvent relayés et renforcés par les parents affolés et angoissés. En définitive, je pense que ce qu'il y a de plus progressiste dans ce rapport, c'est ce qu'il ne dit pas, c'est le fait qu'il ne promet pas de choses impossibles, il ne demande pas au système scolaire des choses qu'il ne peut pas faire. [3]

Sa participation à de tels rapports officiels n'empêche toutefois pas Pierre Bourdieu de rester attentif aux mouvements sociaux qui agitent le système d'enseignement et la société française. Les années 1980 voient en effet l'émergence de formes de protestation atypiques : coordinations des infirmières en 1986 ou grève des instituteurs contre la redistribution des pouvoirs dans l'école primaire en 1987. Ainsi, lors des mobilisations étudiantes contre le projet Devaquet [4], Pierre Bourdieu donne une interview qui lui fournit l'occasion de critiquer la politique des gouvernements de droite comme de gauche et l'absence de projet politique pour une école livrée à l'idéologie libérale de la compétition [lire p. 211]. Cette attention aux contestations se retrouve dans une lettre aux lycéens des Mureaux [lire p. 227], qui l'avaient contacté lors des mobilisations lycéennes de septembre-novembre 1990, au cours

---

3. Entretien réalisé à Tokyo en octobre 1989, *op. cit.*
4. Du nom d'un ministre délégué à la Recherche et à l'Enseignement supérieur (gouvernement Chirac) qui proposa une réforme de l'université comprenant en particulier l'élévation des droits d'inscription. Cette mesure impopulaire déclencha un mouvement de protestation étudiante assez important pour provoquer le retrait du projet de loi.

desquelles les récupérations médiatiques et politiques de certains incidents avaient permis la stigmatisation de « casseurs » promptement assimilés aux « jeunes issus de l'immigration ».

Ces perspectives sur la politique – expertise d'État et mouvements sociaux – traversent l'analyse de la structure et du fonctionnement du « champ du pouvoir » exposée en 1989 dans La Noblesse d'État, *aboutissement de recherches enclenchées à la fin des années 1960 sur les grandes écoles : les luttes entre les dominants pour la conservation ou la transformation des institutions scolaires chargées de la « reproduction du champ du pouvoir » expriment en fait une lutte pour la maîtrise de l'État ; mais elles font « entrer dans le champ du pouvoir un peu de cet universel – raison, désintéressement, civisme, etc. – qui, issu des luttes antérieures, est toujours une arme symboliquement efficace dans les luttes du moment* [5] *». Toutefois, cette « avancée vers l'universel » ne comble pas l'écart entre, d'une part, la bureaucratie d'État (dont la légitimité réside dans la possession de titres scolaires) et les professionnels de la politique (qui gouvernent « l'œil fixé sur les sondages d'opinion »), et, d'autre part, ceux qui « protestent en dehors des cadres institués » – auxquels seront plus tard consacrés les entretiens et les analyses de* La Misère du monde, *qui se propose d'impulser « une autre façon de faire de la politique »* [6].

5. *La Noblesse d'État, op. cit.,* p. 558.
6. *La Misère du monde,* Seuil, Paris, 1993. Ouvrage collectif : Alain Accardo, Gabrielle Balazs, Stéphane Beaud, François Bonvin, Emmanuel Bourdieu, Philippe Bourgois, Sylvain Broccolichi, Patrick Champagne, Rosine Christin, Jean-Pierre Faguer, Sandrine Garcia, Rémy Lenoir, Frédérique Matonti, Francine Muel-Dreyfus, Michel Pialoux, Louis Pinto, Denis Podalydès, Abdelmayek Sayad, Charles Soulié, Bernard Urlacher, Loïc Wacquant, Anne-Marie Waser.

Université : les rois sont nus

— *Pierre Bourdieu aujourd'hui dans* Le Nouvel Observateur, *voilà qui va surprendre. On dit que vous n'aimez guère les journaux et les journalistes ?*

— On dit tellement de choses… En fait, j'analyse les effets que produit dans l'univers intellectuel l'introduction de critères extérieurs, imposés par les journalistes, comme le fait de « bien passer » à la télé. Ou l'appartenance au cercle des « amis ». Il me paraît en effet indispensable de connaître les mécanismes par lesquels les intellectuels sont manipulés et dépossédés du pouvoir d'évaluer leur propre production.

Je pourrais montrer comment et en quoi l'affaissement de la frontière entre les intellectuels et les journalistes et la confusion qui en résulte nuisent aux deux parties, aux intellectuels mais aussi et tout autant aux journalistes. Je crois qu'il faut défendre tout ce qui peut contribuer à accroître l'autonomie du monde intellectuel. Pour un ensemble de raisons que j'explique dans *Homo academicus*, cette autonomie est de plus en plus menacée par les pouvoirs politiques et journalistiques. Ce qui a pour conséquence, en plus d'un cas, que les intellectuels n'ont pas d'autre solution que de se retirer du jeu.

On l'a vu dans le débat sur le « silence des intellectuels » que la propension des gens à entrer dans ce débat était sans doute d'autant plus grande qu'ils avaient plus besoin de la consécration journalistique et qu'ils étaient moins capables de tenir le rôle qui est selon moi celui de l'intellectuel. Et dont une des dimensions fondamentales est l'irrévérence à l'égard de tous les pouvoirs.

— *Par-delà vos analyses de l'Université, vous voulez donc proposer une analyse du journalisme aujourd'hui ?*

— Je pense que, dans l'univers politique, les journaux contribuent à définir ce qui est pensable politiquement et même à déterminer qui sont les acteurs légitimes du jeu politique, entre autres, par l'invitation à des émissions comme « Le club de la presse ». De même, dans l'univers intellectuel, ils prétendent

Entretien avec Didier Éribon paru dans *Le Nouvel Observateur*, 2-8 novembre 1984, p. 86-90.

définir les vrais acteurs et leur rang. Pensez à tous les effets de palmarès exercés par les émissions de télévision et de radio, les bilans de l'année ou de la décennie littéraire, etc. Il est de plus en plus fréquent qu'ils prétendent aussi imposer des questions et des enjeux par des enquêtes et des interviews, autant de formes de *commandes* sans autre forme de contrepartie qu'une forme de publicité. Dans les deux cas, ils ont un effet extrêmement conservateur.

Les « Clubs de la presse » et autres « Heures de vérité » ne donnent jamais la parole qu'à des porte-parole autorisés, Marchais et Lustiger, Chirac et Ceyrac, etc. Et de la même manière, les verdicts ordinaires ou extraordinaires des pages culturelles des journaux et hebdomadaires consacrent des gens déjà consacrés. Ou des gens qui doivent leur consécration au pouvoir de consacrer qu'ils détiennent en tant que journalistes ou journalistes-universitaires. Permettez-moi de ne pas citer d'exemples. Cette situation menace toute espèce de recherche véritable, artistique aussi bien que scientifique, par exemple en détournant même les universitaires les plus insensibles aux séductions du succès immédiat des longues patiences et de la longue obscurité que supposent les grandes œuvres.

— *Pourquoi alors accepter de donner une interview ? Pourquoi aller sur le terrain de l'adversaire ?*

— Pour y défendre les valeurs de l'autonomie et les critères propres aux régions les plus autonomes de l'univers savant auprès de gens qui sont plutôt mal informés que mal intentionnés.

— *Vous parlez d'autonomie et vous présentez votre travail comme scientifique. Mais il déclenche des fureurs et des passions qui n'ont pas grand-chose à voir avec la science.*

— Toute science suscite des résistances. Surtout dans sa phase commençante. Vous vous souvenez que Freud évoquait les grands coups portés par la science au narcissisme anthropocentrique : Copernic, Darwin et la psychanalyse elle-même. Faire la sociologie des intellectuels, c'est, je crois, porter une nouvelle atteinte, peut-être plus impardonnable, au narcissisme collectif des intellectuels. Si tous ces gens, moi le premier, ont choisi de faire ce qu'ils font, c'est toujours un peu pour pouvoir se penser comme des « sujets », sujets purs, « sans attaches ni racines », comme disait Mannheim.

Sartre a incarné cet idéal de l'intellectuel intelligent, maître et possesseur de tous les principes de sa propre intelligibilité. Or, la sociologie des intellectuels rappelle que nous avons tous des attaches et des racines, des passions et des intérêts, des positions et donc des points de vue... et de bévue. Ce rappel de la libido spécifique qui se trouve au principe des actions intellectuelles semble avoir quelque chose d'insupportable pour beaucoup d'intellectuels...

— *On va encore dire que le sociologue entend se placer au-dessus de tout le monde. Que vous vous prenez pour Bourdieu-le-Père.*

— Il est certain que le projet sociologique lui-même, et notamment ce qu'on appelle la « sociologie de la connaissance », n'est jamais pur de l'ambition de se poser en sujet absolu, capable de prendre les autres pour objet et de connaître mieux qu'eux la vérité de ce qu'ils sont et de ce qu'ils font. L'essentiel de mon travail dans *Homo academicus* a consisté justement à essayer de découvrir, pour le détruire, tout ce que mon analyse pouvait devoir à cette sorte de biais professionnel.

— *Rappeler que les intellectuels ont des passions et des intérêts et qu'ils sont situés socialement, d'autres l'avaient fait avant vous...*

— Il y a manière et manière de le faire. La réduction des raisons de l'adversaire à des causes, c'est-à-dire le plus souvent à des intérêts plus ou moins bas, est le pain quotidien de la vie intellectuelle. Ça va de pair avec le catalogage permanent, le jdanovisme ordinaire que pratiquent si volontiers les dénonciateurs attitrés du jdanovisme, tous ceux qui proclament sans cesse qu'un tel est « stalinien », qu'il est « le dernier marxiste », ou bien que c'est un « mandarin », etc.

Ce qui sépare mon travail de ces comportements, c'est que je décris l'ensemble du jeu dans lequel s'engendrent à la fois les intérêts spécifiques des intellectuels – tout à fait irréductibles à l'intérêt de classe que dénonçait la grosse artillerie marxiste dont les boulets sont gros mais passent toujours au-dessus des têtes – et les lucidités partielles sur les intérêts des autres. Qu'il me suffise de citer comme exemple de ce couple parfait de perspectives aveugles sur le point de vue à partir duquel elles s'énoncent : Raymond Aron, dans *L'Opium des intellectuels*, sur les intellectuels de gauche, et Simone de Beauvoir, dans *La Pensée de droite aujourd'hui*, sur les intellectuels de droite.

Mon livre montre que l'espace de jeu et les positions histo-riquement constituées à l'intérieur de cet espace commandent les prises de positions intellectuelles et politiques. On pourra crier au sociologisme, mais cette relation (statistique, bien sûr) entre les positions et les prises de position est un fait. Je dois même avouer que je ne cesse pas d'être surpris et parfois cho-qué par la naïveté un peu indécente avec laquelle les spécia-listes de la réflexion que sont les intellectuels livrent leurs pul-sion sociales. Je ne peux m'empêcher d'y voir comme une faute professionnelle.

— *En donnant à votre livre le titre d'*Homo academicus, *vous vouliez apposer une étiquette sur ceux qui en général les pro-duisent ?*

— Oui, tout à fait. Vous avez peut-être lu cette nouvelle de David Garnett, « A Man in the Zoo », qui raconte l'histoire d'un jeune homme qui se brouille avec sa petite amie au cours d'une visite dans une zoo. Désespéré, il écrit au directeur, dans une sorte d'acte suicidaire, pour lui proposer un mammifère qui manque à la collection : lui-même. On le met dans une cage à côté du chimpanzé, avec une étiquette qui dit, je cite de mémoire : « *Homo sapiens*. Ce spécimen a été offert par John Cromantie, Esquire. Les visiteurs sont priés de ne pas irriter l'homme par des remarques personnelles. »

Au fond, c'est un peu ce que j'ai fait et c'est un peu ce que j'aurais envie d'écrire sur l'étiquette. Grâce à moi, avec moi, l'Homo classificateur est tombé dans ses propres classements. Je trouve ça plutôt comique. Je crois que mon livre devrait faire beaucoup rire. Aussi.

— *C'est un peu du latin moliéresque ?*

— Oui, parce que je voulais également souligner dans le titre cette sorte d'éternité de la vie académique, où l'on retrouve de nombreux invariants transhistoriques, comme la condamna-tion en Sorbonne des écrits des hérétiques…

— *Dans votre leçon inaugurale au Collège de France, vous disiez vouloir faire « une sociologie des catégories de l'entendement pro-fessoral ». Ce livre est la réalisation de ce programme ?*

— Tout à fait. Sauf que, pour des raisons déontologiques, je me suis interdit de pousser trop loin la mise en évidence des relations entre les positions occupées dans l'espace universi-

taire et le contenu ou la forme des œuvres. J'aurais pu multiplier les analyses du type de celles que j'ai faites à propos du
débat Barthes-Picard [1] à propos des conflits entre la vieille et
la nouvelle histoire, ou de la querelle des nouveaux philosophes… Mais je crois qu'il y a tous les éléments et les instruments pour que les intéressés, comme on dit, puissent faire
eux-mêmes les analyses.

— *Parce que vous pensez qu'ils y ont intérêt ?*

— De mon point de vue, qui est celui du profit proprement
scientifique, je suis sûr que oui. Je dirai même que l'on peut
tirer un grand profit éthique d'une telle socioanalyse : on peut
y trouver un moyen d'assumer son destin social, ce qui ne veut
pas dire l'accepter avec résignation. Mais je ne crois pas qu'ils
seront très nombreux à saisir cette chance… Je pense au
contraire qu'ils s'emploieront plutôt à produire des instruments de défense individuels ou collectifs.

— *Pour le coup, on va vous taxer de terrorisme.*

— Je le sais. Mais je maintiens que, si on peut le supporter, le
traitement sociologique a beaucoup de vertus scientifiques et
aussi politiques : on sait mieux ce que l'on fait et ce que l'on
dit. Et l'on se met à l'abri des aveux autodestructifs. Je pense
à ce philosophe qui écrivait récemment à propos d'un livre sur
l'enseignement : « Ce livre est important pour les philosophes,
non parce qu'il leur donne une image gratifiante de leur discipline mais, de manière plus essentielle, en raison du caractère
décisif qu'il reconnaît à l'enseignement de la philosophie en
France. » Les intéressés pourraient au moins trouver dans mon
travail des moyens pour se mettre à l'abri de propos si cruel-
lement révélateurs des pulsions sociales qui, comme celui-ci,
disent dans la seconde partie de la phrase ce qu'ils ont dénié
dans la première.

— *Pourquoi vous en prenez-vous toujours aux philosophes ?*

— Je vise en eux les défenseurs les plus roués du narcissisme
intellectuel. Ces gens qui parlent sans cesse de doute radical,
d'activité critique, de déconstruction omettent toujours,
comme le remarquait déjà Wittgenstein, de mettre en doute la

---

1. En 1965, une vive polémique opposa Raymond Picard, professeur à la
Sorbonne, représentant attitré de l'érudition littéraire classique, et Roland
Barthes, tenant de la « nouvelle critique » inspirée des sciences sociales
sous le nom de sémiologie. [nde]

croyance qui les porte à accepter ce parti pris du doute, cette sorte de point d'honneur professionnel du philosophe, ce préjugé de l'absence de préjugé, par où s'affirme la distinction à l'égard du sens commun, de l'opinion, du positivisme pédestre des savants…

Je pense à tous ces préjugés professionnels qui ne sont jamais mis en question, ou seulement par exception, par exemple la supériorité intrinsèque du langage philosophique sur le langage ordinaire. Si j'ose cet exemple, c'est que je puis m'autoriser de l'autorité d'un philosophe patenté, John Austin, qui fournit bien des éléments pour une analyse sociologique de ce qu'il appelle la vision professorale du monde (*scholastic view*). Bref, la critique sociologique ne fait que radicaliser la critique philosophique des préjugés en proposant les moyens de saisir aussi les présupposés inscrits dans l'institution philosophique. Donc de réaliser plus complètement nombre d'ambitions traditionnelles de la philosophie.

— *Finalement, si on résume tout ce que vous venez de dire, votre livre peut apparaître comme une autobiographie déguisée.*

— Ce serait plutôt une anti-autobiographie, dans la mesure où une autobiographie est souvent une manière de se construire un mausolée qui est aussi souvent un cénotaphe. Mais, en un sens, vous avez raison. Mon livre est aussi une entreprise de connaissance de soi. Je voudrais dire une chose assez banale, mais mal connue : la vérité la plus intime de ce que nous sommes, l'impensé et l'impensable, est inscrite dans l'objectivité des positions que nous avons occupées, dans le présent et le passé, et dans toute l'histoire de ces positions.

La vérité du professeur de la Sorbonne réside pour une part dans l'histoire de la Sorbonne au cours de laquelle s'est constituée la situation présente de la Sorbonne dans l'espace des positions universitaires. Il en va de même pour le professeur de l'École des hautes études ou du Collège de France. Sartre cherchait la vérité de Flaubert, de l'écrivain Flaubert, et par là de Sartre lui-même, dans une sorte de généalogie sociale, dans les origines familiales ou du moins dans les expériences imaginaires. Je crois que la vérité de Flaubert, ou de Sartre, ou de n'importe quel intellectuel, est au moins autant dans ce que j'appelle le champ intellectuel, c'est-à-dire dans l'ensemble des relations de concurrence voire de conflit qui l'unissent et l'opposent à la fois aux autres universitaires et aux autres intellectuels. Je sais, par exemple, que pour comprendre ce que fait Barthes (ou Picard), ce qu'il écrit sur la critique (ou la critique qu'il écrit), il faut savoir ce qu'est la position historiquement constituée à partir de laquelle il écrit : École des hautes études ou Sorbonne, sciences sociales ou humanités, Saussure parcouru ou Lanson travesti, etc.

— *À vous entendre, et surtout à vous lire, on a l'impression que vous n'avez d'intérêt que théorique. Rien sur la politique, pas de programme, pas de projet, pas de conseil... Visiblement, vous ne briguez pas le poste de ministre de l'Éducation.*

— À une boutade, je répondrai par une boutade : croyez-vous qu'un ministre de l'Éducation soit indispensable ? Et ne croyez-vous pas qu'en ce qui concerne l'enseignement supérieur et la recherche, au moins, le *laissez-faire*, c'est-à-dire l'autonomie ou l'autogestion, comme on voudra, serait la meilleure des politiques possibles ? Mais pour que ce soit plus qu'une boutade, il me faudrait argumenter longuement.

— *Oui, dans la mesure où vos travaux, surtout* Les Héritiers *et* La Reproduction, *ont souvent été utilisés pour justifier ou condamner telle ou telle politique, il me semble que vous ne pouvez rester silencieux.*

— C'est un vrai problème, que nous évoquions au début de cet entretien. Que voulez-vous que je fasse ? Une « tribune libre » dans *Le Monde* ? Une conférence de presse ? Une pétition ? Les hommes politiques n'aiment les savants que morts. On s'est servi de mes travaux pour justifier des mesures qui n'avaient aucun rapport avec eux et, en tous cas, comme s'ils avaient été produits par un auteur du passé à qui il n'était pas question de demander son avis. Le problème est qu'il n'y a pas en France de statut pour le discours compétent sur le monde social. Nous avons envisagé avec Michel Foucault de préparer un livre blanc, associant plusieurs spécialistes dans une critique rigoureuse d'un certain nombre de mesures politiques, en matière de culture et d'éducation notamment...

En tous cas, je pense que la communauté scientifique, à travers le Collège de France, s'exprimera bientôt sur l'avenir de la science et de son enseignement. Pour une fois, un corps constitué de savants reconnus a reçu mandat du pouvoir politique pour s'occuper de ses propres affaires. Ce qui n'a rien de trivial et constitue un fait politique de première grandeur.

— On vous a souvent reproché votre pessimisme et votre fata-
lisme. Pensez-vous vraiment qu'aucune politique n'est possible
pour venir au secours de la recherche et de l'enseignement ?

— Il est vrai que l'analyse n'incite pas à l'optimisme. Surtout
lorsqu'elle fait apparaître ces sortes de couples infernaux d'adversaires complices, qui vouent le système d'enseignement et
ceux qui le gouvernent à un perpétuel mouvement de balan-
çoire entre ce qu'on appelle la droite et la gauche, et qui sont
en fait deux formes de conservation des avantages acquis, deux
formes de défense individuelle ou collective contre les sanctions du marché pédagogique et scientifique.

La contestation des hiérarchies universitaires (qui se masque
sous les dehors de la démocratisation) et la défense de ces
hiérarchies (qui se réclame de la qualité de l'enseignement)
forment un couple de forces aboutissant au *statu quo* en ce qui
concerne l'essentiel, c'est-à-dire la production et la transmission du savoir. Il faudrait pouvoir mettre en marche un processus conduisant à une distribution des profits matériels et
symboliques un peu moins indépendante qu'elle ne l'est
aujourd'hui des contributions pédagogiques et scientifiques
des différents acteurs. Cela me paraît à la fois nécessaire et très
difficile à concevoir. C'est d'ailleurs un problème très général
dont l'Université présente la forme limite.

— Mais vous ne proposez pas de solution.

— Non. Mais une chose est sûre : ce n'est pas par le seul effet
de réformes entreprises sans enquêtes ni analyses, comme
toutes celles qui se sont succédé depuis vingt ans, et fondées
sur une ignorance à peu près totale des vrais enjeux et des vrais
mécanismes, que l'on parviendra à arrêter l'escarpolette, hier
la démagogie superficiellement égalitariste, aujourd'hui le
culte de l'effort et les bravos de la Société des agrégés.

De façon plus générale, on n'agit pas sur des univers aussi
finement différenciés par des réformes formalistes et universalistes, incapables de traiter méthodiquement la singularité de
cas toujours particuliers et inspirées le plus souvent par des
représentations – plates-formes, programmes ou rapports de
commissions – qui informent plus sur les intérêts spécifiques
de leur auteurs que sur la réalité du système d'enseignement.

— Si je comprends bien, vous ne proposez pas des mesures poli-
tiques mais vous critiquez la politique tout court.

— Ce qui est en jeu, et que la discussion ordinaire sur la politique n'atteint jamais, c'est l'idée même de ce que peut être et faire l'action politique – ce que l'on appelait autrefois le « gouvernement ». Les hommes politiques devraient méditer sur la distinction stoïcienne entre ce qui dépend de nous et ce qui ne dépend pas de nous. Le grand principe d'erreur consiste, on le sait, dans l'ignorance de sa limite.

Tout ce que peut faire la politique, c'est contrôler doucement et insensiblement des champs de forces, chose évidemment contradictoire avec les pulsions vers le spectaculaire et l'exhibitionnisme de la réforme. C'est puiser dans le champ de forces et dans les luttes dont il est le lieu les forces capables de modifier le champ de forces dans la direction souhaitée. On est plus près de Fourier et de l'art d'utiliser les passions que de Marx. Il faudrait savoir mener une politique des petits coups de pouce bien placés, qui pourraient enclencher des engrenages aujourd'hui bloqués par un système où se distribuent de manière aléatoire les sanctions et les profits.

De toute façon, on ne pourra pas rester indéfiniment dans la situation actuelle, car il me semble avoir compris que lorsque des rats sont soumis à un traitement assez semblable à celui qui est fait aujourd'hui aux professeurs et aux chercheurs, distribuant au hasard les décharges électriques et les grains de blé, ils deviennent fous.

— *Vous semblez avoir une conception bien pragmatique de la politique. Vous pensez qu'il faut se défaire des visions globales du monde et des grandes idéologies ?*

— Pas du tout, il ne s'agit pas d'annoncer une fois de plus la fin des idéologies. Mais ce qu'on appelle l'expérience de gauche a fait comprendre très largement, et c'est un acquis positif, que les oppositions principales entre la droite et la gauche n'étaient pas là où la gauche les situait. Ce qui est aujourd'hui devenu évident se trouvait masqué aux yeux des hommes politiques eux-mêmes par la logique de la concurrence entre les partis, et au sein du même parti entre les courants et les tendances.

Le désarroi qui en résulte peut favoriser un indifférentisme politique tout à fait dangereux, mais il peut également être l'occasion d'une recherche libre des principes véritables de clivage, à condition que le vide ainsi créé ne soit pas comblé par des gadgets idéologiques comme l'informatique, qui est censée régler tous les problèmes depuis la solitude individuelle jusqu'au commerce extérieur. À condition aussi que la découverte des contraintes économiques et de la faible marge de liberté qu'elles laissent au choix politique ne vienne pas renforcer les tendances à l'économisme.

Le technicisme – chez Lénine c'était l'électricité, maintenant c'est l'électronique – se combine le plus souvent avec l'économisme pour suppléer à l'absence d'une véritable invention politique, fondée sur une connaissance approfondie du monde social. Les hommes politiques ont appris un peu d'économie, mais ils sont toujours à peu près aussi nuls en sociologie.

— *Mais de qui faut-il attendre cette invention ?*

— Pas des hommes politiques seulement, bien sûr. Ce qui leur appartient c'est, je le répète, de connaître les limites de l'action politique. Ce qui supposerait déjà une véritable conversion personnelle de leur part et une redéfinition complète de l'image sociale du rôle. Il faudrait qu'ils cessent de penser dans la logique de la règle et du règlement *omnibus*, bon pour tous et pour toujours, pour pratiquer une sorte de casuistique rationnelle, combinant l'attention au cas singulier avec une connaissance des lois générales du fonctionnement des multiples univers concernés et des forces et des intérêts les plus particuliers des gens dont dépend la réussite de l'entreprise. Sans cela, la meilleure intention du monde risque d'obtenir des effets strictement opposés aux buts poursuivis. Tout cela supposerait beaucoup d'intelligence, de modestie, de connaissance des réalités, d'attention aux petites choses et aux « petites gens »… Une vraie révolution, quoi !

— *Vous voulez dire une révolution mentale ? La chose la plus rare chez ceux qui révolutionnent…*

— Oui, parce qu'il y a plus d'invention politique dans une institution comme « SOS Grands-mères » que dans deux ans de travail d'une commission du Plan ou dans vingt rapports de Monsieur X ou Monsieur Y, sans parler des congrès d'apparatchiks. Cette invention politique quotidienne, il faut la guetter, l'encourager, l'assister, l'orchestrer, la généraliser avec les dispositions non de l'ingénieur social mais du jardinier.

PROPOSITIONS POUR L'ENSEIGNEMENT DE L'AVENIR

ÉLABORÉES À LA DEMANDE DE
MONSIEUR LE PRÉSIDENT DE LA RÉPUBLIQUE
PAR LES PROFESSEURS DU COLLÈGE DE FRANCE

PARIS
1985

Le 13 février 1984, François Mitterrand demandait aux professeurs du Collège de France de « réfléchir à ce que pourraient être selon eux les principes fondamentaux de l'enseignement de l'avenir, intégrant la culture littéraire et artistique la plus universelle avec les savoirs et les méthodes des sciences les plus récentes. Sans entrer, précisait-il, dans le détail des programmes ». De ce rapport, le président de la République dit au Collège qu'il en retenait trois principes : l'unité dans le pluralisme, l'ouverture dans et par l'autonomie, la révision périodique des savoirs enseignés. Et qu'il en tirait trois propositions : la création d'une université ouverte, « utilisant les techniques de l'enseignement à distance et contribuant largement à la formation permanente des adultes », la mise en chantier du projet d'une « chaîne de télévision éducative et culturelle », l'idée d'une évaluation permanente des établissements d'enseignement.

Rapport commandé aux professeurs du Collège de France
pour une réforme de l'enseignement.

TABLE DES MATIÈRES

EXPOSÉ DES MOTIFS

PRINCIPES

1. *L'unité de la science et la pluralité des cultures*.
Un enseignement harmonieux doit pouvoir concilier l'universalisme inhérent à la pensée scientifique et le relativisme qu'enseignent les sciences humaines, attentives à la pluralité des modes de vie, des sagesses et des sensibilités culturelles.

2. *La diversification des formes d'excellence*.
L'enseignement devrait tout mettre en œuvre pour combattre la vision moniste de « l'intelligence » qui porte à hiérarchiser les formes d'accomplissement par rapport à l'une d'entre elles, et devrait multiplier les formes d'excellence culturelle socialement reconnues.

3. *La multiplication des chances*.
Il importerait d'atténuer autant que possible les conséquences du verdict scolaire, et d'empêcher que les réussites n'aient un effet de consécration ou les échecs un effet de condamnation à vie en multipliant les filières et les passages entre les filières et en affaiblissant toutes les coupures irréversibles.

4. *L'unité dans et par le pluralisme*.
L'enseignement devrait dépasser l'opposition entre le libéralisme et l'étatisme en créant les conditions d'une émulation réelle entre des institutions autonomes et diversifiées, tout en protégeant les individus et les institutions les plus défavorisés contre la ségrégation scolaire pouvant résulter d'une concurrence sauvage.

5. *La révision périodique des savoirs enseignés*.
Le contenu de l'enseignement devrait être soumis à une révision périodique visant à moderniser les savoirs ensei-

gnés en élaguant les connaissances périmées ou secondaires et en introduisant le plus rapidement possible, mais sans céder au modernisme à tout prix, les acquis nouveaux.

6. *L'unification des savoirs transmis.*

Tous les établissements scolaires devraient proposer un ensemble de connaissances considérées comme nécessaires à chaque niveau, dont le principe unificateur pourrait être l'unité historique.

7. *Une éducation ininterrompue et alternée.*

L'éducation devrait se poursuivre tout au long de la vie et tout devrait être fait pour réduire la coupure entre la fin de l'enseignement et l'entrée dans la vie active.

8. *L'usage des techniques modernes de d'éducation.*

L'action d'incitation, d'orientation et d'assistance de l'État devrait s'exercer par un usage intensif et méthodique des techniques modernes de diffusion de la culture, et notamment de la télévision et de la télématique, qui permettraient d'offrir à tous et partout un enseignement exemplaire.

9. *L'ouverture dans et par l'autonomie.*

Les établissements scolaires devraient associer des personnes extérieures à leurs délibérations et à leurs activités, coordonner leur action avec celle des autres institutions de diffusion culturelle et devenir le foyer d'une nouvelle vie associative, lieu de l'exercice pratique d'une véritable instruction civique ; parallèlement, il faudrait renforcer l'autonomie du corps enseignant en revalorisant la fonction professorale et en renforçant la compétence des maîtres.

DE L'APPLICATION DES PRINCIPES

VINGT ANS AVANT LE RAPPORT
DU COLLÈGE DE FRANCE

« Il ne suffit pas de se donner pour fin la démocratisation réelle de l'enseignement. En l'absence d'une pédagogie rationnelle mettant tout en œuvre pour neutraliser méthodiquement et continûment, de l'école maternelle à l'université, l'action des facteurs sociaux d'inégalité culturelle, la volonté politique de donner à tous des chances égales devant l'enseignement ne peut venir à bout des inégalités réelles, lors même qu'elle s'arme de tous les moyens institutionnels et économiques ; et, réciproquement, une pédagogie réellement rationnelle, c'est-à-dire fondée sur une sociologie des inégalités culturelles, contribuerait sans doute à réduire les inégalités devant l'école et la culture, mais elle ne pourrait entrer réellement dans les faits que si se trouvaient données toutes les conditions d'une démocratisation réelle du recrutement des maîtres et des élèves, à commencer par l'instauration d'une pédagogie rationnelle. »

Les Héritiers, septembre 1964, p. 114-115.

Le rapport du Collège de France Pierre Bourdieu s'explique

— *Dans la* Leçon sur la leçon, *votre leçon inaugurale au Collège de France, vous disiez :* « *Le plus grand service que l'on puisse rendre à la sociologie, c'est peut-être de ne rien lui demander.* » *Or trois ans après, vous voilà rédigeant un rapport à la demande du président de la République...*

— Vous savez, il n'y a jamais de réponse à une demande qui n'implique une redéfinition de la demande... il n'est pas sûr que ce rapport réponde à la question que posaient les demandeurs... Cela dit, le fait de demander à une institution comme le Collège de répondre à une question concernant le fonctionnement du système scolaire est en soi un acte politique très important. Au Collège, et non à Monsieur X ou Y. Il y a là une sorte de conquête irréversible, dans le sens de la reconnaissance de cette autonomie du champ intellectuel qui n'a cessé de croître de Voltaire à Sartre, en passant par Zola, Gide, etc.

De plus, même si j'ai eu un certain rôle dans sa rédaction, ce texte n'est pas mon texte. Il exprime une collectivité, et une collectivité autorisée, par sa position dans l'univers spécifique et par la demande qui lui est faite et qui reconnaît cette position. Je pense que c'est une des conditions de son efficacité. C'est un texte normatif qui dit : « Il faut. » Dans mes livres, je n'ai jamais écrit « Il faut. » On peut, en s'appuyant sur les philosophes anglo-saxons du langage, dire que seuls les groupes peuvent dire « Il faut », c'est-à-dire universaliser un discours singulier. Donc ce rapport dit : « Il faut. » Mais d'autre part, il rappelle qu'aucun groupe n'a vraiment le droit de dire « Il faut. » Ce qui est rare, et qui fait peut-être que ce « Il faut » est plus fort qu'un « Il faut » ordinaire...

— *Je redéfinis ma demande : n'est-ce pas aussi que l'auteur de* La Reproduction *a (je cite toujours la* Leçon) « *rencontré, réalisé dans son objet [sa propre] science sociale du passé* » *et, souvent à rebours de ce qu'il était en droit d'espérer ? L'*« *effet libérateur de la connaissance* » *et du constat ayant souvent fait place de façon*

Entretien avec Jean-Pierre Salgas paru
dans *La Quinzaine littéraire*, août 1985, n° 445, p. 8-10.

perverse à un effet normatif ? Je songe à tous les réformateurs qui se sont « inspirés » de vos travaux…

— C'est une question centrale à laquelle je commence à peine à savoir répondre. Elle porte sur le statut même du discours sociologique. Combien de fois ai-je rappelé qu'il n'y a pas de force intrinsèque de l'idée vraie ?… Les usages du discours sociologique sont justiciables d'une analyse sociologique : la sociologie donne aussi dans une certaine mesure la compréhension de sa propre réception. D'un discours complexe, les gens vont retenir les aspects conformes à leurs intérêts, et il est certain que certains professeurs s'en sont servi à des moments de crise pour abdiquer dans leur travail pédagogique. L'analyse scientifique peut être aliénante, elle peut être libératrice : la connaissance permet aussi d'agir en connaissance de cause sur les mécanismes analysés. Elle libère de l'utopisme, mais elle n'impose pas le sociologisme. Je sais que cette réponse n'est pas suffisante. Le fait de l'enregistrement implique une ratification. Enregistrer un mariage, c'est transformer une liaison en mariage. Je crois que, dans sa réception sociale, l'écriture sociologique fonctionne parfois, dans l'esprit des lecteurs, comme l'acte d'enregistrement qui consacre la chose enregistrée.

— Parmi tous ces réformateurs, certains avaient-ils fait appel à vous ?

— Très peu. Cela dit, il y a eu des usages proprement idéologiques de mes analyses. Les stratégies sociales ne sont jamais complètement inconscientes : beaucoup de ceux qui m'invoquaient savaient que j'aurais dit le contraire…

Ce qui distingue ce rapport c'est qu'il ne fait pas croire qu'on peut faire ce qui, de toute façon, ne peut pas être fait. L'action est limitée à l'espace dans lequel elle s'exerce. Par exemple, on ne dit pas que le système scolaire peut résoudre le problème de la « démocratisation ». Le mot n'est jamais prononcé. Ceux qui veulent faire croire qu'ils démocratisent, alors qu'ils n'ont pas les moyens de le faire, veulent en réalité dire autre chose : la « démocratisation » est un slogan ambigu qui permet de faire passer les intérêts de certaines catégories d'enseignants à l'égalisation des carrières au sein du système d'enseignement pour superposables aux intérêts des dominés dans le monde social.

Mais ensuite, on ne dit pas qu'on ne peut rien faire. Dans *La Reproduction*, nous ne disions pas que l'école produisait ou reproduisait les inégalités. Nous disions qu'elle « contribuait » à les reproduire, *pour une part*. C'est cette part qu'il est peut-être possible de contrôler.

— *Vous faites allusion aux points II et III du rapport...*

— Oui, je crois que les deux principales contributions du système scolaire à la reproduction sont l'effet de verdict, effet de destin qui enferme les justiciables dans une essence, une nature (« Vous êtes cela et pas autre chose »), et l'effet de hiérarchisation, qui consiste à faire admettre qu'il y a une hiérarchie linéaire de toutes les compétences, que toutes ne sont que les formes dégradées de la compétence parfaite – celle du cacique à l'ENA ou de Polytechnique. Tout le monde est ainsi le raté de quelqu'un...

Pour faire comprendre l'effet de verdict, j'invoque toujours l'analogie avec *Le Procès* de Kafka. On peut le lire comme une métaphore du système scolaire. C'est un univers dans lequel on entre pour savoir qui on est, et avec une attente d'autant plus anxieuse qu'on y est moins attendu. Il vous le dira, de façon insidieuse ou brutale : « Tu n'es qu'un... » – suivi généralement d'une insulte qui, dans ce cas-là, est sanctionnée par une institution indiscutable, reconnue de tous.

On imagine les effets que ces verdicts exercent sur les enfants, verdicts sans appel et le plus souvent renforcés par les parents (dans des formes différentes selon les classes). Ces traumatismes de l'identité sont sans doute un des grands facteurs pathogènes de notre société, quoiqu'ils soient voués à passer inaperçus, surtout aux yeux des enseignants. On peut en effet se demander si l'un des charmes de ce métier dévalué ne réside pas dans la possibilité qu'il offre de dispenser des verdicts, c'est-à-dire d'être Dieu-le-Père, fût-ce pour trente personnes.

— *Je suis frappé que le nom de la philosophie ne soit pas, sauf erreur, prononcé dans les* Propositions *pour l'enseignement de l'avenir. Dans le premier chapitre, vous attribuez aux sciences de la nature et aux sciences de l'homme les « dispositions critiques » qui leur sont ordinairement attachées –, alors qu'à l'inverse l'histoire se voit consacrer un chapitre entier (VI). Je les associe à dessein parce que l'une et l'autre ont été des enjeux de luttes très puissants ces dernières années. Ne faut-il pas d'autre part mettre cet « oubli » en rapport avec le fait qu'à son niveau le plus conceptuel le débat en cours sur l'école peut se penser comme un conflit entre l'habitus selon Bourdieu et le* cogito *cartésien, ou kantien, indépendant de toute détermination sociale, remis en avant par vos adversaires ?*

— Cet oubli est délibéré. Où sont les vertus critiques de la philosophie ? Cette image de la philosophie comme critique est souvent démentie dans les faits. Il suffit de penser au kantisme comme théorie officielle de la IIIe République ou, plus récemment, à l'accueil fait en France à la pensée de Heidegger ou, plus près encore, à des choses comme le Collège de philosophie, qui ont été créées à la faveur du changement politique... C'est un argument de fait qui vaut ce qu'il vaut, mais après tout, il fut un temps où l'on jugeait les amis de la sagesse sur leur sagesse. Alors pourquoi donner à l'histoire une place fondamentale ? Il ne s'agit pas forcément de l'histoire telle que la définissent les historiens. Il s'agit de l'histoire comme instrument de généalogie réelle des concepts, des modes de pensée, des structures mentales, et là, tout est à faire. Réintroduire le point de vue historique, ce serait dédogmatiser l'enseignement qui donne les résultats sans les problèmes, la solution qui a triomphé sans rappeler l'alternative, cela qu'il s'agisse de mathématiques, de physique ou d'art... Ce serait aussi donner à chacun les moyens de se réapproprier les structures de sa propre pensée.

C'est un point où se rejoignent les impératifs scientifiques et les impératifs politiques, parce que dédogmatiser, ce sera aussi défataliser : les verdicts doivent souvent leur brutalité dogmatique au fait qu'ils sont prononcés au nom de savoirs et de structures mentales rigides, parce que canonisés par l'apprentissage et l'agrégation.

L'histoire ainsi pensée pourrait réaliser une des ambitions proclamées de la philosophie : la mise en question radicale. D'ailleurs, il y a des philosophes à label « philosophique » qui font déjà ce type de travail... Il est clair qu'il n'y a pas d'enseignement qui n'implique quelque chose comme une philosophie. Dans ce cas, elle est dans ce rôle nouveau imparti à l'histoire des sciences, des idées, etc.

— *En ouverture du rapport, vous le présentez comme « un ensemble cohérent de principes directeurs ». Vous insistez d'autre part sur « les intérêts différents voire antagonistes » que sert l'institution scolaire. Et j'avoue qu'à côté de certaines grandes lignes — l'histoire en est une — le lecteur a souvent l'impression que la jux-*

taposition tient lieu de cohérence. Comme si on recommandait de
faire un peu chaque chose et un peu son contraire...

— Cela, c'est votre vision pessimiste... Le texte dit qu'actuellement on se bat sur des faux problèmes : élite/masse,
public/privé, culture nationale intégratrice/culture universelle
ouverte, lettres/sciences, etc. La fonction des débats sur les
faux problèmes, ou sur les problèmes pratiquement insolubles,
est souvent de détourner des vrais problèmes. Il est clair que
l'on peut parvenir à l'immobilité, à la conservation, par le
conflit, ou par le consensus sur les terrains de conflit, et de
non-conflit.

Le rapport déplace, détruit ces problèmes fictifs. Je prends
un exemple : les examens exercent un effet de verdict. On peut
raisonner dans la logique du tout ou rien, qui est une bonne
façon de justifier le *statu quo*. On dira qu'il faut les supprimer.
Mais on peut aussi se dire que, dans l'état actuel des dispositions humaines, il faut un mobile, des mécanismes propres à
déterminer la propension à investir. La compétition en est un.
Mais on peut travailler à affaiblir les effets de verdict de la compétition : en multipliant les terrains de compétition, de sorte
que celui qui échoue au saut en hauteur puisse exceller au
poids ; ou – et ce n'est pas exclusif –, en remplaçant la compétition individuelle par la compétition collective... Voilà le
fonctionnement des *Propositions*. Cela ne consiste pas à faire
un peu des deux. Cela consiste à faire le plus de l'un dans les
limites de l'autre. Par exemple, le plus possible de concurrence
dans les limites de la protection des intérêts des plus démunis,
ce qui oblige, en passant, à réinventer le rôle de l'État. On fait
comme si à l'alternative du libéralisme et de l'étatisme il fallait
répondre en termes de tout ou rien et une fois pour toutes. En
fait, l'introduction d'un peu plus de concurrence peut être,
dans une situation donnée, un moyen – sans doute le seul – de
neutraliser réellement les effets indésirables de l'étatisme. Mais
l'intervention de l'État est nécessaire pour neutraliser les effets
insupportables de la concurrence sauvage qui, entre paren-
thèses, est déjà instaurée, mais dans la dissimulation.

Autre paradoxe, seule une instance centrale peut combattre
efficacement la centralisation. Ce qui pose un autre problème :
comment, dans un système où tout est décidé par des gens qui,
pour la plupart, sont nés dans un rayon d'un kilomètre autour
du septième arrondissement parisien, trouver la force sociale
qui puisse servir une action centrale de décentralisation ?

— « Faire le plus de l'un dans les limites de l'autre », dites-vous. Une question liée : comment faut-il entendre la notion que vous introduisez au chapitre IV de « minimum culturel commun [...], noyau de savoirs et de savoir-faire fondamentaux et obligatoires que tous les citoyens doivent posséder » ? On ne sait jamais s'il s'agit en fait d'un maximum non directement lié au destin social de l'intéressé ou d'une sorte de petit bagage préprofessionnel, comme le concevait l'ancien ministre Haby par exemple, pour une école directement ordonnée à la production...

— Il n'y a pas d'équivoque là-dessus. Je vous dirai même que le choix de l'expression a été réfléchi. Ce qu'il faut savoir, c'est que ceux qui sont dépourvus de ce minimum ne savent pas qu'ils peuvent et doivent le revendiquer comme ils le savent lorsqu'il s'agit du salaire minimum. L'aliénation culturelle tend à exclure la conscience de l'aliénation. Plus on est privé, moins on est conscient de sa privation, ce qui n'est pas le cas dans le domaine économique. Dans ces conditions, instaurer l'idée d'un minimum, non seulement ce n'est pas enfermer le peuple dans les savoirs élémentaires, rudimentaires, etc., mais c'est lui dire qu'il doit exiger le minimum qui permet de continuer à apprendre. C'est-à-dire le maximum.

Prenons l'exemple de l'informatique : elle peut être un minimum, quelque chose qu'on apprend pour être un bon technicien. Elle peut être l'occasion d'acquérir des mécanismes minimum de pensée très complexes. La difficulté est qu'il faut définir toute cette culture fondamentale – et non élémentaire – et les techniques pédagogiques capables de la transmettre le plus tôt possible.

— Vous prenez l'exemple de l'informatique de façon plus générale, celui des sciences et des techniques, où il est facile de distinguer le noyau « dur » de l'usage social qui en est fait. Mais qu'en est-il de la culture littéraire classique ? À lire La Reproduction *ou* La Distinction, *on peut avoir le sentiment qu'elles se résument à leur usage social. Proust – et je prends à dessein cet exemple d'un romancier qui, par ailleurs, semble fonctionner un peu comme votre « idéal du moi » sociologique – a-t-il sa place dans le minimum culturel commun ?*

— On retombe sur l'effet de ratification. C'est un fait que les biens culturels sont soumis à des usages sociaux de distinction qui n'ont rien à voir avec leur valeur intrinsèque. Suis-je pour ou contre Proust ? La question n'a pas de sens. Comment ne pas souhaiter que l'on puisse produire à l'infini des gens capables de faire ce qu'a fait Proust ou, du moins, de lire ce qu'il a écrit ? Ceux qui m'attaquent sur ce point, ou qui prennent contre moi la « défense » de la philosophie sont des gens dont le point d'honneur intellectuel est plus lié à l'usage social des choses intellectuelles qu'à ces choses elles-mêmes. Je crois qu'un des obstacles les plus profonds à la diffusion de la sociologie de la culture, qui est inévitablement une sociologie des intellectuels, est la résistance des intellectuels, qui varie évidemment selon la position qu'ils occupent dans la hiérarchie intellectuelle. Les plus prompts à défendre la philosophie contre moi, qui ne l'attaque pas, sont ceux qui ont la plus besoin de se faire connaître et reconnaître comme « philosophes » au sens social du terme.

— Vous pouvez donc – non en tant que sociologue mais en tant qu'auteur du rapport du Collège de France – vous retrouver sur la défense de certains contenus avec ceux-là mêmes qui, à la théorie de l'habitus, opposent le face à face du sujet pensant et des savoirs. Je songe à Milner.

— Les *Propositions* du Collège de France ne parlent de hiérarchies (et c'est une mystification que d'en nier l'existence) que pour dire qu'il faut les multiplier, ce qui est la seule manière d'affaiblir les effets liés au monopole. L'« égalisation » ne doit pas être cherchée dans le « nivellement » (dont la critique de droite a bien vu qu'il avait pour principe le ressentiment) mais dans la multiplication, donc la diversification, des terrains où peuvent s'affirmer les différences et dans l'affaiblissement des hiérarchies entre les principes de hiérarchisation.

J'ai parlé de ressentiment. Cela pose une autre question : que doit être un groupe social pour pouvoir dire ce qui est dit dans ce rapport ? Il faut qu'il soit constitué de gens qui ont suffisamment de labels et de garanties pour être libres à l'égard des labels et des garanties. Comme je l'ai établi dans *Homo academicus*, les gens défendent toujours la dernière différence, ce qui fait leur *valeur*. Les professeurs de lettres de CET [collège d'enseignement technique] défendent le latin parce qu'ils n'ont que cette différence, les agrégés qui n'ont rien au-delà de l'agrégation défendent mordicus l'agrégation dont les Prix Nobel peuvent se moquer !

— Y a-t-il un point, une ultime différence, Prix Nobel ou Collège de France, où s'annulerait l'intérêt particulier ? Autrement dit, les auteurs des Propositions *ne sont-ils pas pris dans l'institution telle que vous la décrivez, empêtrés dans ses antagonismes ? D'autre part, quelles sont les premières réactions que ce rapport suscite chez ceux qu'il concerne directement ?*

— Les professeurs du Collège de France ont des intérêts, évidemment, mais qui ne les portent pas à penser le système d'enseignement dans la logique de la défense du corps. Parce qu'ils doivent moins que d'autres leur autorité à leur position et surtout parce qu'ils ne sont pas du côté du contrôle de la reproduction du corps. Quant aux réactions, ce qui paraît intéressant, c'est que, sauf exception très rares, l'injure, la polémique en sont exclues. Les gens se sentent tenus de poser les problèmes autrement, et surtout de prendre en compte la position dans l'institution scolaire à partir de laquelle ils parlent. Il arrive que, dans les débats, ils rient eux-mêmes de leurs objections… C'est un effet pédagogique considérable.

— Qui ne semble pas avoir atteint le gouvernement. Jean-Pierre Chevènement est loin de parler le langage du Collège de France…

— Vous remarquerez que la conclusion du rapport énonce tous les obstacles à l'application des *Propositions*. Mon point d'honneur de sociologue était en jeu… Il est certain que, pour le moment, le gouvernement ne s'est pas vraiment saisi de ce qui, étant donné l'autorité symbolique du Collège, aurait pu être un instrument considérable de transformation. Cela dit, je crois que ce texte sera une espèce de butoir, de référence obligée, qui pourra faire obstacle aux régressions ou aux abus de pouvoir.

Le refus d'être
de la chair à patrons

— *L'actuel mouvement des étudiants et lycéens a surpris leurs aînés...*

— Dans les années 1960, un certain nombre de gens, des sociologues en France et aux États-Unis, annonçaient la « fin des idéologies ». Quelques années après, en 1968, c'était une des plus extraordinaires explosions d'« idéologie » que le monde ait connues. En 1986, les mêmes, ou leurs descendants, constataient la fin des « idées de 68 » : « La grande lessive... » Et voilà que surgissent des mouvements vifs, intelligents, drôles et profondément sérieux, qui bousculent l'idéologie de la fin des idéologies. Ceux qui appellent de leurs vœux « la fin des idéologies », c'est-à-dire, en gros, le retour au « réalisme », aux réalités de l'entreprise, de la productivité, de la balance du commerce extérieur, des « impératifs » de la politique internationale de la France (je pense aux ventes d'armes ou au *Rainbow Warrior*), et la répudiation des espérances illusoires, égalité, fraternité, solidarité, parlent comme les pères bourgeois parlaient à leurs fils, bref, comme des vieux. La fin des idéologies, c'est le vieillissement à l'échelle collective, la résignation à l'ordre des choses, cette « sagesse » qui consiste à faire de nécessité vertu.

La gauche au pouvoir : quel coup de vieux ! La gauche anti-institutionnelle, libertaire, étant (ou s'étant) exclue du pouvoir, les apparatchiks se sont mis à prêcher, et souvent par l'exemple, la modernisation idéologique, c'est-à-dire le renoncement aux « illusions » qui les avaient portés au pouvoir. Tout ce que la droite s'acharnait à répéter, sans parvenir à se faire croire, cette gauche l'a dit et redit : on n'a pas cru davantage ce qu'elle disait. Mais on a cessé de croire en elle...

— *Les étudiants et les lycéens aujourd'hui, se disent apolitiques...*

— Effectivement, et en un sens, ils ont raison. D'abord parce que, à la différence de leurs aînés de 1968, ils ne s'embarrassent pas de grands modèles politiques : le déclin du PC, le passage

Entretien avec Antoine de Gaudemar paru
sous le titre « À quand un lycée Bernard Tapie ? »
dans *Libération*, 4 décembre 1986.

des socialistes au pouvoir ont changé bien des choses. Et puis, ils ont fait leur apprentissage politique moins souvent dans les cellules du PC ou dans les groupuscules trotskistes qu'en observant autour d'eux le chômage des diplômés et la déva-luation des titres scolaires et aussi en écoutant Coluche ou Bedos qui leur offrent, dans le langage de la parabole, l'équi-valent des analyses les plus subtiles du racisme, du syndica-lisme, du monde politique, etc. Ils ont aussi beaucoup appris de la gauche. De quelqu'un qui ment effrontément, les Kabyles disent : « Il m'a mis l'Est en Ouest. » Les apparatchiks de gauche nous ont mis la gauche à droite. Les étudiants et les lycéens pourraient être déboussolés, et, en un sens, ils le sont, comme tout le monde. Qu'est-ce qui sépare Devaquet de Chevènement ? les enseignants revanchards qui entourent le premier des normaliens attachés à restaurer les hiérarchies de leur jeunesse qui conseillaient le second ?

Les renoncements ou les reniements des uns ont fait croire aux autres que, cette fois, c'en était bien fini des aspirations sinon à l'égalité, du moins à la solidarité ou mieux à la géné-rosité. Les gouvernants d'aujourd'hui ont cru qu'ils pourraient mener jusqu'au bout ce que leurs prédécesseurs avaient si bien commencé. Parce que les hommes politiques de gauche avaient exalté l'entreprise (et l'armée), la droite a cru que c'était arrivé, qu'elle pouvait y aller. Sans voir que ladite gauche n'exprimait plus les aspirations progressistes, surtout des plus jeunes, qui n'ont pas oublié les promesses trahies.

— *Autrement dit, la droite revenue au pouvoir s'est sentie auto-risée à aller jusqu'au bout de sa logique par les tentatives de la gauche...*

— La politique en matière d'éducation est comme un test projectif dans lequel un groupe dirigeant projette ses aspira-tions concernant l'avenir de la société. Or qu'est-ce que nous avons vu se dessiner ? On n'a vu apparaître ni Marx ni Jésus, comme disait l'autre, ni Baudelaire ni Manet, ni même Pasteur ou Marie Curie, mais Berlusconi et Bernard Tapie [1]. À quand un lycée Bernard Tapie ? – au lieu de Claude Bernard

---

1. Homme d'affaires qui incarna « l'esprit d'entreprise » valorisé dans les années 1980 – le président socialiste François Mitterrand en fera même un ministre de la Ville –, Bernard Tapie est connu à l'époque pour ses in-vestissements industriels et sportifs largement relayés sur le plan média-tique, d'autant plus qu'il anime lui-même des émissions télévisées sur ce thème. [nde]

ou Marie Curie. L'exaltation de l'entreprise qui gagne – pensez à toutes les émissions de télé et de radio sur ce thème – a conduit à faire du patron d'avant-garde, parfois du patron de combat, l'idéal humain proposé à la jeunesse.

— C'est ce système de valeurs que récusent étudiants et lycéens ?

— Proposer en idéal l'entreprise et la concurrence, et après le modèle américain ou le modèle japonais, c'est installer le vide au cœur du système de valeurs. On sait à quelles aberrations peut mener un modèle éducatif qui, comme le japonais, subordonne toute l'entreprise pédagogique à la logique du concours, de la concurrence, de la sélection par les tests. Or, nous ne sommes pas si loin de ce système, et c'est, je crois, cette logique infernale de la lutte de tous contre tous, de la concurrence sans merci pour la bonne note, puis la bonne section, puis la bonne filière, puis la bonne grande école, etc., que dénoncent les étudiants et les lycéens. C'est pourquoi ils exaltent les valeurs de solidarité et de générosité. Il n'y a rien qui divise et isole plus qu'une remise de copies ou, plus encore, la recherche d'une place en fac, quand on ne sait rien ou peu de choses des orientations et des filières, et des hiérarchies qui ne cessent de changer.

Ces jeunes gens et ces jeunes filles nous disent que les derniers seront les premiers. Ils veulent introduire à l'école la philosophie des Restos du cœur. Ils veulent éviter que la logique de la concurrence (et l'individualisme forcené qu'elle encourage), qui était, en d'autres temps, à peu près circonscrite aux classes à concours des grands lycées parisiens, ne remonte peu à peu, comme c'est le cas aujourd'hui, jusqu'à la sixième du plus petit des collèges de province.

— N'est-ce pas une forme d'utopisme ?

— Oui, évidemment. Et en ce sens, les lycéens de 1986 sont bien les héritiers des étudiants de 1968. Mais l'utopisme contient une information et une force. L'enseignement a été abandonné aux lobbys pédagogiques, aux groupes de pression corporatifs ou aux services de ministère, sans parler des ministres et des politiciens. Il fut un temps où les plus grands savants de la Sorbonne et du Collège de France ne dédaignaient pas, comme Lavisse, de réfléchir sur les programmes de l'enseignement primaire ou secondaire ou même d'écrire des manuels pour les écoles de village. Les professeurs du

Collège de France ont fait un semblable travail, il y a un an ou deux. Vous savez le cas que les autorités mêmes qui les avaient demandées ont fait de ces propositions…

— *Vous voulez dire qu'il faudrait repenser de fond en comble les fins du système d'enseignement. Mais est-ce que ça ne conduirait pas à une réforme de plus ?*

— Pas du tout. Je pense que le propre de toutes les réformes successives est qu'elles brillent par l'absence d'un véritable projet éducatif. En leur centre, il y a un trou : elles ne savent pas quel type d'homme elles veulent faire et pour quel type de monde social. C'est ce que les étudiants et les lycéens ont bien senti. Et certains d'entre eux parlent, *à juste titre*, d'opposer au ministre un contre-projet éducatif.

Quel est le cœur de la philosophie du projet proposé par le ministre – en dehors du rétablissement des prérogatives des professeurs titulaires ? Ajuster la production de diplômés à la demande économique. Outre que c'est quelque chose que l'on ne sait pas faire, du fait du décalage inévitable entre le temps de la production scolaire de producteurs et les changements de l'économie, je ne suis pas du tout sûr que cela soit souhaitable. Je pourrais évoquer toutes les inventions économiques, scientifiques et sociales qui sont nées, directement ou indirectement, d'une « surproduction » de diplômés : par exemple, toute l'avant-garde artistique du XIXe siècle, dont on célèbre aujourd'hui le culte au musée d'Orsay, est née d'une surproduction de peintres et de rapins !

Mais l'essentiel n'est pas là. Ce qui est insupportable, je pense, pour les jeunes lycéens et étudiants, c'est l'intention de *normalisation* qui se cache derrière ce souci de l'ajustement au marché de l'emploi. Quand une mère bourgeoise ou même petite-bourgeoise parle de son fils qui veut faire de l'histoire, on croirait qu'elle annonce une catastrophe. Et ne parlons pas de la philo ou des lettres classiques. Les étudiants en lettres sont devenus des bouches inutiles. Et pas seulement pour les « milieux gouvernementaux », de droite et de gauche : pour leur famille aussi, et souvent pour eux-mêmes.

— *Ce système de non-valeurs, quel en est selon vous le centre ?*

— À mon sens, c'est la disqualification de toute forme de recherche *gratuite*, artistique ou scientifique. Surtout lorsqu'elle peut produire des effets critiques, comme la science sociale. On célèbre les artistes morts, mais, comme toujours, on les aime mieux morts que vivants. Le refus de la gratuité, c'est le refus de la *générosité*. C'est ce refus que refuse l'âge de la générosité : tout cet ensemble de gestes mesquins et minables, dont le plus exemplaire est l'expulsion des Maliens, que nous ont offert nos gardiens de l'ordre moral, nos ministres de la Justice, de la Police et de l'Éducation. Et il serait possible de montrer que cette disqualification de la gratuité et de la générosité n'est même pas identifiable à un véritable souci de *rentabilité*.

— *Mais les étudiants et les lycéens proposent des revendications précises, concernant la gratuité des études, la sélection, etc.*

— Je crois que tout découle du refus fondamental d'être de la chair à patrons. Et du refus de la morale impliquée dans l'instauration du règne du concours. En l'absence d'un véritable *projet collectif* pour l'éducation (donc pour la société), il ne reste que les stratégies individuelles de reproduction. Comme dans les situations de panique ou de débandade, c'est le sauve-qui-peut, la lutte des égoïsmes. On se bat pour se sauver et sauver les siens. Quitte à monter dans un bateau qui coule.

Le laisser-faire en matière d'éducation, qu'incarne notre ministre entrepreneur, c'est l'alibi du néant de pensée, de néant de projet. S'agissant d'éducation, rien de grand ne peut se faire sans une mobilisation autour d'une idée de l'homme et de la société. C'est une chose que sentent et que disent les lycéens et les étudiants : ils sentent qu'ils n'ont pas de vraie place dans une société qui n'est pas capable de penser l'avenir. C'est pourquoi le mouvement présent n'a rien d'un feu de paille. Et même si, dans sa forme visible, manifestée, il vient à disparaître, il continuera à exister aussi longtemps que les questions qu'il pose, et que j'ai essayé de formuler, n'auront pas été explicitement et résolument affrontées.

— *Mais n'y a-t-il pas quelque chose d'irréaliste dans le fait de refuser la sélection ?*

— Une situation de crise ouverte, comme celle dans laquelle nous sommes entrés, a pour effet de porter au jour, donc à la conscience, des choses cachées. Refuser la sélection, de manière un peu utopiste, c'est se condamner à découvrir tôt ou tard qu'elle existe déjà. On pourrait dire la même chose pour la gratuité : croyez-vous que pour le fils du facteur de Luchon, qui va suivre ses études à Toulouse, celles-ci soient gratuites ? – comme elles le sont en fait pour l'élève de Dauphine qui habite rue de la Pompe. Tout cela, c'est ce que les réformes à répétition ont masqué.

Les hommes politiques font de l'école un enjeu parce qu'ils n'ont pas de *projet*. Ils pensent que l'école est une chose trop importante pour être laissée aux jeunes gens. En fait, ces jeunes gens nous rappellent que nous ne savons pas ce que nous voulons ; que nous ne savons pas ce que nous voulons faire d'eux. Nous avons mille façons de leur faire sentir qu'ils sont de trop. Et la moindre n'est pas le chômage. C'est une des raisons qui font qu'ils se sentent solidaires de tous ceux à qui on ne cesse de rappeler, parfois brutalement, qu'ils sont de trop, comme les immigrés et leurs enfants.

— *Plutôt que de sélection et de libéralisme sauvage, c'est de juste concurrence qu'il faudrait parler ?*

— Évidemment. D'ailleurs, dans le texte des propositions du Collège de France, si on le lit bien, on trouve une condamnation anticipée du libéralisme sauvage dont il était facile de prévoir le retour. Il dit que la concurrence à outrance existe déjà, engendrant des inégalités cruelles. (Croyez-vous que les étudiants en lettres de Villetaneuse ne savent pas que leur diplôme vaut moins que celui de Paris I ?) Il dit qu'il appartient à l'État de contrôler et de réguler cette concurrence et d'en neutraliser les effet négatifs.

Les étudiants et les lycéens ne tarderont pas à comprendre qu'il s'agit moins de refuser la concurrence – qui n'a pas évidemment que des effets négatifs – que de revendiquer les moyens, *tous* les moyens d'entrer à armes égales dans la concurrence, et aussi d'inventer de nouvelles formes, plus collectives, plus solidaires, de compétition. Mais cela supposerait, encore une fois, un véritable projet collectif. Le fils d'un ouvrier de Saint-Étienne devrait pouvoir accéder à des études réellement (et non formellement) gratuites dans une université réellement capable de lui donner les meilleurs titres, et qui lui proposerait des enseignements réellement conformes à ses souhaits – voudrait-il faire de la philosophie, du cinéma ou des arts plastiques. On ne voit pas pourquoi le privilège de la *gratuité*, à tous les sens du terme, devrait être réservé à ceux qui ont le moyen de payer.

Principes pour une réflexion sur les contenus d'enseignement

Une commission de réflexion sur les contenus de l'enseignement a été créée, à la fin de l'année 1988, par le ministre de l'Éducation nationale. Présidée par Pierre Bourdieu et François Gros, et composée de Pierre Baqué, Pierre Bergé, René Blanchet, Jacques Bouveresse, Jean-Claude Chevalier, Hubert Condamines, Didier DaCunha Castelle, Jacques Derrida, Philippe Joutard, Edmond Malinvaud, François Mathey, elle a reçu mission de procéder à une révision des savoirs enseignés en veillant à renforcer la cohérence et l'unité de ces savoirs.

Dans la première phase de leur travail, les membres de la commission se sont donné pour tâche de formuler les principes qui devront régir leur travail. Conscients et soucieux des implications et des applications pratiques, notamment, de ces principes, il se sont efforcés, pour les fonder, de n'obéir qu'à la discipline intellectuelle qui découle de la logique intrinsèque des connaissances disponibles et des anticipations ou des questions formulables. N'ayant pas pour mission d'intervenir directement et à court terme dans la définition des programmes, ils ont voulu dessiner les grandes orientations de la transformation progressive des contenus de l'enseignement qui est indispensable, même si elle doit prendre du temps, pour suivre, et même devancer, autant que possible, l'évolution de la science et de la société.

Des commissions de travail spécialisées acceptant ces principes continueront ou commenceront un travail de réflexion plus approfondi sur chacune des grandes régions du savoir. Elles essaieront de proposer dans des notes d'étapes qui pourraient être remises au mois de juin 1989, non le programme idéal d'un enseignement idéal, mais un ensemble d'observations précises, dégageant les implications des principes proposés. Ces propositions, qui porteront essentiellement sur la restructuration des divisions du savoir et la redéfinition des conditions de leur transmission, sur l'élimination des notions périmées ou peu pertinentes et l'introduction des nouveaux savoirs imposés par les avancées de la connaissance et les changements économiques, techniques et sociaux, pourront être présentées et discutées dans un colloque regroupant des experts internationaux.

Rapport de la commission présidée par Pierre Bourdieu et François Gros. Ministère de l'Éducation nationale, de la jeunesse et des sports, mars 1989.

Si, dans le système d'enseignement comme ailleurs, le changement réfléchi constitue une exigence permanente, il ne s'agit pas, évidemment, de faire, à chaque moment, table rase du passé. En effet, parmi toutes les innovations qui ont été introduites au cours des années récentes, beaucoup étaient pleinement justifiées. S'il importe d'éviter de reconduire sans examen tout ce qui est hérité du passé, il n'est pas possible de discerner, *à tous les moments et dans tous les domaines*, la part du « périmé » et du « valide ». Il faut seulement prendre pour objet constant de réflexion le rapport nouveau qui peut et doit être instauré entre la perpétuation nécessaire du passé et l'adaptation non moins nécessaire à l'avenir.

La forme, nécessairement abstraite et générale, des principes ainsi énoncés ne se justifie, par anticipation, que par *le travail à venir* qui devra en respecter la rigueur, tout en les mettant à l'épreuve pour déterminer et en différencier le contenu.

Premier principe

Les programmes doivent être soumis à une remise en question périodique visant à y introduire les savoirs exigés par les progrès de la science et les changements de la société (au premier rang desquels l'unification européenne), toute adjonction devant être compensée par des suppressions.

Diminuer l'étendue, voire la difficulté, d'un programme ne revient pas à en abaisser le niveau. Au contraire, une telle réduction, opérée avec discernement, doit permettre une élévation du niveau dans la mesure (et dans la mesure seulement) où elle permet de travailler moins longtemps mais mieux, en replaçant l'apprentissage passif par la lecture active – qu'il s'agisse de livres ou de supports audiovisuels –, par la discussion ou par l'exercice pratique, et en redonnant ainsi toute sa place à la créativité et à l'esprit d'invention. Ce qui implique, entre autres choses, que soient profondément transformés le contrôle de l'apprentissage et le mode d'évaluation des progrès accomplis : l'évaluation du niveau atteint ne devrait plus reposer seulement sur un examen lourd et aléatoire mais devrait associer le contrôle continu et un examen terminal portant sur l'essentiel et visant à mesurer la capacité de mettre en œuvre les connaissances dans un contexte complètement différent de celui dans lequel elles ont été acquises, avec, par exemple, dans le cas des sciences expérimentales, des épreuves pratiques permettant d'évaluer l'inventivité, le sens critique et le « sens pratique ».

Deuxième principe

L'éducation doit privilégier tous les enseignements propres à offrir des modes de pensée dotés d'une validité et d'une applicabilité géné- rales *par rapport à des enseignements proposant des savoirs suscep- tibles d'être appris de façon aussi efficace (et parfois plus agréable) par d'autres voies. Il faut en particulier veiller à ce que l'enseigne- ment ne laisse pas subsister des* lacunes inadmissibles, *parce que pré- judiciables à la réussite de l'ensemble de l'entreprise pédagogique, notamment en matière de modes de pensée ou de savoir-faire fonda- mentaux qui, parce qu'ils sont censés être enseignés par tout le monde, finissent par n'être enseignés par personne.*

Il faut résolument privilégier les enseignements qui sont chargés d'assurer l'assimilation réfléchie et critique des modes de pensée fondamentaux (comme le mode de pensée déductif, le mode de pensée expérimental ou le mode de pensée historique, et aussi le mode de pensée réflexif et critique, qui devrait leur être toujours associé). Dans un souci d'équilibrage, il faudrait notamment rendre plus clairement perceptible la spécificité du mode de pen- sée expérimental, au prix d'une valorisation résolue du raison- nement qualitatif, d'une reconnaissance claire du caractère provi- soire des modèles explicatifs et d'un encouragement et d'un entraînement constant au travail pratique de recherche. Il fau- drait aussi examiner si et comment chacun des grands secteurs de la connaissance (et chacune des « disciplines » dans lesquelles ils se traduisent de manière plus moins adéquate) peut contribuer à la transmission des différents modes de pensée, et si certaines spé- cialités ne sont pas mieux placées, par toute leur logique et leur traduction, pour assurer l'apprentissage réussi de l'un ou l'autre d'entre eux. Et il faudrait enfin veiller à faire une place impor- tante à tout un ensemble de techniques qui, quoiqu'elles soient tacitement exigées par tous les enseignements, font rarement l'objet d'une transmission méthodique : utilisation du diction- naire, usage des abréviations, rhétorique de communication, éta- blissement d'un fichier, création d'un index, utilisation d'un fichier signalétique ou d'une banque de données, préparation d'un manuscrit, recherche documentaire, usage des instruments informatiques, lecture de tableaux de nombres et graphiques, etc. Livrer à tous les élèves cette technologie du travail intellectuel et, plus généralement, leur inculquer des méthodes rationnelles de travail (comme l'art de choisir entre les tâches imposées ou de les distribuer dans le temps) serait une manière de contribuer à réduire les inégalités liées à l'héritage culturel.

Troisième principe

Ouverts, souples, révisables, les programmes sont un cadre et non un carcan : ils doivent être de moins en moins contraignants à mesure que l'on s'élève dans la hiérarchie des ordres d'enseignement ; leur élaboration et leur aménagement pratique doivent en appeler à la collaboration des enseignants. Ils doivent être progressifs – connexion verticale – et cohérents – connexion horizontale – tant à l'intérieur d'une même spécialité qu'au niveau de l'ensemble du savoir engagé (au niveau de chaque classe).

Le programme n'a rien d'un code impératif. Il doit fonctionner comme un guide pour le professeur et pour les élèves – et les parents – qui doivent y trouver un exposé clair des objectifs et des exigences du niveau d'enseignement considéré (on pourrait demander aux professeurs de le communiquer aux élèves en début d'année). C'est pourquoi il doit être accompagné *d'exposés des motifs* indiquant la « philosophie » qui l'a inspiré, les objectifs recherchés, les présupposés et les conditions de sa mise en œuvre et comportant aussi des exemples d'application.

Les objectifs et les contenus des différents niveaux doivent être perçus et définis dans leur interdépendance. Les programmes doivent prévoir *explicitement* toutes les spécifications (et *celles-là seulement*) qui sont indispensables pour assurer l'assimilation des connaissances fondamentales. S'il peut être utile d'aborder la même question à partir de points de vue différents (par exemple, la perpective, du point de vue des mathématiques et de l'histoire de l'art), il reste que l'on doit travailler à abolir, du moins quand la preuve a été faite de leur inutilité, tous les doubles emplois et chevauchements indésirables, tant entre les niveaux successifs de la même spécialité qu'entre les différents enseignements du même niveau.

Pour être en mesure de demander d'obtenir des enseignements continus et cohérents, les programmes doivent prévoir de manière *aussi précise que possible le niveau exigé au départ* (en évitant notamment les intitulés vagues laissant la place à des interprétations élastiques) et le niveau exigé *au terme* de l'année considérée. Ils doivent être mis à l'épreuve, de manière à être réalisables sans prouesse particulière dans les limites du temps imparti (pour favoriser la mise en œuvre réussie, ils doivent être assortis d'indications concernant le temps correspondant à chacune des étapes principales). Toutes les spécialités fondamentales doivent faire l'objet d'un apprentissage dont le trajet doit, sur plusieurs années, dépasser le stade de la simple initiation et conduire à une maîtrise suffisante des modes de pensée et des exigences qui lui sont propres.

La cohérence et la complémentarité entre les programmes des différentes spécialités doivent être méthodiquement recherchées à chaque niveau. Dans le cas où des commissions par spécialités sont nécessaires, il faut prévoir une commission des programmes *commune* (par niveau) pour assurer la cohérence et éliminer les doubles emplois.

Sans sacrifier à l'imitation servile des modèles étrangers, on devrait trouver une inspiration critique dans la comparaison méthodique avec les autres programmes en vigueur dans d'autres pays, européens notamment : moyens de porter au jour les oublis et les lacunes, la comparaison devrait permettre de débusquer les survivances liées à l'arbitraire d'une tradition historique. Outre qu'elle pourrait conduire à accroître la comparabilité du système français avec les autres systèmes européens, et à réduire les handicaps par rapport à des concurrents éventuels, elle aurait pour effet en tout cas de contraindre à substituer la logique du choix conscient et explicite à celle de la reconduction automatique et tacite des programmes établis.

Quatrième principe

L'examen critique des contenus actuellement exigés doit toujours concilier deux variables : leur exigibilité et leur transmissibilité. D'une part la maîtrise d'un savoir ou d'un mode de pensée est plus ou moins indispensable, *pour des raisons scientifiques et sociales, à un niveau déterminé (dans telle ou telle classe) ; d'autre part sa transmission est plus ou moins* difficile, *à ce niveau du cursus, étant donné ce que sont les capacités d'assimilation des élèves et la formation des maîtres concernés.*

Ce principe devrait conduire à exclure toute espèce de transmission prématurée. Il devrait conduire aussi à mobiliser toutes les ressources nécessaires (notamment en *temps* consacré à la transmission et en moyens pédagogiques) pour assurer la transmission et l'assimilation effective des savoirs difficiles qui sont jugés absolument nécessaires. (Pour se donner une idée plus précise de la transmissibilité réelle, à un niveau donné du cursus, d'un savoir ou d'un mode de pensée déterminé, on devrait prendre en compte les résultats des recherches évaluant la maîtrise que les élèves de différents niveaux et de différentes origines sociales ont des savoirs enseignés dans les différentes spécialités.)

La transformation éventuelle des contenus et l'instauration définitive d'une modification du programme ne devraient être opérées qu'après un travail d'expérimentation accompli en situation réelle, avec la collaboration des professeurs et après la transformation de la formation (initiale et continue) des maîtres chargés de les enseigner. L'effort d'adaptation qui serait exigé des enseignants devrait être soutenu par l'octroi de semestres ou d'années sabbatiques et par l'organisation de stages longs qui leur permettraient de s'initier à des modes de pensée ou à des savoirs nouveaux, d'acquérir de nouvelles qualifications et, éventuellement, de changer d'orientation.

De manière plus générale, des instances devraient être mises en place qui auraient mission de recueillir, de rassembler et d'analyser les réactions et les réflexions des enseignants chargés de l'application, suggestions, critiques, aménagements souhaités, innovations proposées, etc. (le réseau Minitel pourrait être utilisé à cette fin). Un effort permanent de recherche pédagogique à la fois méthodique et pratique, associant les maîtres directement engagés dans le travail de formation, pourrait s'instaurer.

Cinquième principe

Dans le souci d'améliorer le rendement de la transmission du savoir en diversifiant les formes de la communication pédagogique *et en s'attachant à la quantité de savoirs* réellement assimilés *plutôt qu'à la quantité de savoirs théoriquement proposés, on distinguera, tant parmi les spécialités, qu'au sein de chaque spécialité, ce qui est* obligatoire, optionnel *ou* facultatif *et, à côté des cours, on introduira d'autres formes d'enseignement,* travaux dirigés *et* enseignements collectifs *regroupant les professeurs de deux ou plusieurs spécialités et pouvant revêtir la forme d'enquêtes ou d'observations sur le terrain.*

L'accroissement de la connaissance rend vaine l'ambition de l'encyclopédisme : on ne peut enseigner toutes les spécialités et la totalité de chaque spécialité. En outre, des spécialités sont apparues, qui allient la science fondamentale et l'application technique (c'est le cas de l'informatique dans tous les ordres de l'enseignement de la technologie au collège). Leur introduction dans l'enseignement ne peut être une simple addition : elle devrait avoir pour effet d'imposer à plus ou moins long terme une redéfinition des divisions de l'enseignement.

Il importe de substituer à l'enseignement actuel, encyclopédique, additif et cloisonné, un dispositif articulant des enseignements obligatoires, chargés d'assurer l'assimilation réfléchie du minimum commun de connaissances, des enseignements optionnels, directement adaptés aux orientations intellectuelles et au niveau des élèves, et des enseignements facultatifs et interdisciplinaires relevant de l'initiative des enseignants. Cette diversification des formes pédagogiques et des statuts des différents enseignements devrait tenir compte de la spécificité de chaque spécialité tout en permettant d'échapper à la simple comptabilité par « discipline » qui est un des obstacles majeurs à toute transformation réelle des contenus des enseignements. Cette redéfinition des formes d'enseignement qui ferait alterner cours et travaux pratiques, cours obligatoires et cours optionnels ou facultatifs, enseignements individuels et enseignements collectifs, enseignement par petits groupes (ou aide individualisée aux élèves) et par groupes plus larges aurait pour effet de *diminuer le nombre des heures inscrites à l'emploi du temps des élèves sans augmenter le nombre des classes attribuées à chaque professeur.* Elle accroîtrait *l'autonomie des enseignements* qui, à l'intérieur du cadre d'ensemble défini par le programme, pourraient organiser eux-mêmes leur plan d'études avant chaque rentrée annuelle. Elle devrait aussi conduire à une utilisation plus souple et plus intensive des instruments et des bâtiments (les autorités territoriales compétentes – région, département, commune – devraient s'employer à construire ou à rénover les bâtiments scolaires, *en s'associant avec les enseignants,* de manière à offrir à l'enseignement les locaux adaptés, en nombre et en qualité).

Les activités collectives et multidimensionnelles conviendraient sans doute mieux à l'après-midi. C'est le cas, par exemple, de l'enseignement des langages : englobant l'étude des usages du discours, oral ou écrit, et de l'image, il est placé à l'intersection de plusieurs spécialités ; il suppose une bonne utilisation de matériels techniques ; il conduit à des relations avec des partenaires extérieurs (artistes, industries de l'image, etc.) et appelle la production autant que le commentaire.

Sixième principe

Le souci de renforcer la cohérence des enseignements devrait conduire à favoriser les enseignements donnés en commun par des professeurs de différentes spécialités et même à repenser les divisions en « disciplines », en soumettant à l'examen certains groupements hérités de l'histoire et en opérant, toujours de manière progressive, certains rapprochements imposés par l'évolution de la science.

Tout devrait être fait pour encourager les professeurs à coordonner leurs actions, à tout le moins pour des réunions de travail visant à échanger l'information sur les contenus et les méthodes d'enseignement, et pour leur donner le désir et les moyens (en locaux adaptés, en équipement, etc.) d'enrichir, de diversifier et d'élargir leur enseignement en sortant des frontières strictes de leurs spécialités ou en donnant des enseignements en commun.

(Il serait souhaitable que certains enseignants puissent être officiellement autorisés à consacrer une part de leur contingent d'heures d'enseignement aux tâches, indispensables, de coordination-organisation des réunions, reproduction des documents, transmission de l'information, etc.).

Les séances d'enseignement regroupant des professeurs de deux (ou plusieurs) spécialités différentes réunies selon les affinités devraient avoir la même dignité que les cours (chaque heure d'enseignement de ce type comptant, pratiquement, pour une heure pour chacun des professeurs qui y participent). Elles s'adressent à des élèves qui seraient regroupés selon d'autres logiques que celles des filières actuelles, plutôt par niveau d'aptitude ou en fonction d'intérêts communs pour des thèmes particuliers. Un contingent d'heures annuelles, dont l'emploi serait librement décidé par l'ensemble des professeurs concernés, pourrait leur être officiellement réservé. Tous les moyens disponibles – bibliothèques renouvelées, enrichies, modernisées, techniques audiovisuelles – devraient être mobilisés pour en renforcer l'attrait et l'efficacité. L'effort, absolument nécessaire, pour repenser et surmonter les frontières entre les « disciplines » et les unités pédagogiques correspondantes, ne devrait pas se faire au détriment de l'identité et de la spécificité des enseignements fondamentaux : mais il devrait au contraire faire apparaître la cohérence et la particularité des problématiques et des modes de pensée caractéristiques de chaque spécialité.

Septième principe

La recherche de la cohérence devrait se doubler d'une recherche de l'équilibre et de l'intégration entre les différentes spécialités et, en conséquence, entre les différentes formes d'excellence. Il importerait en particulier de concilier l'universalisme inhérent à la pensée scientifique et le relativisme qu'enseignent les sciences historiques, attentives à la pluralité des modes de vie et des traditions culturelles.

Tout devrait être mis en œuvre pour réduire (toutes les fois que cela paraît possible et souhaitable) l'opposition entre le théorique et le technique, entre le formel et le concret, entre le pur et l'appliqué, et pour réintégrer la technique à l'intérieur même des enseignements fondamentaux. La nécessité d'équilibrer les parts réservées à ce qu'on appellera, par commodité, le « conceptuel », le « sensible » et le « corporel » s'impose à tous les niveaux, mais tout spécialement dans les premières années. Le poids imparti aux exigences techniques et aux exigences théoriques devra être déterminé en fonction des caractéristiques propres à chacun des niveaux de chacune des filières, donc en tenant compte notamment des carrières professionnelles préparées et des caractéristiques sociales et scolaires des élèves concernés, c'est-à-dire de leurs capacités d'abstraction ainsi que de leur vocation à entrer plus ou moins vite dans la vie active.

Un enseignement moderne ne doit en aucun cas sacrifier l'histoire des langues et des littératures, des cultures et des religions, des philosophies et des sciences. Il doit au contraire se mesurer et travailler sans cesse à ces histoires, de façon de plus en plus subtile et critique. Mais pour cette raison même, il ne doit pas se régler sur la représentation qu'en donnent parfois ceux qui réduisent l'« humanisme » à une image figée des « humanités ». L'enseignement des langages peut et doit, tout autant que celui de la physique ou de la biologie, être l'occasion d'une initiation à la logique : l'enseignement des mathématiques ou de la physique, tout autant que celui de la philosophie ou de l'histoire, peut et doit permettre de préparer à l'histoire des idées, des sciences ou des techniques (cela, évidemment, à condition que les enseignants soient formés en conséquence). De manière plus générale, l'accès à la méthode scientifique passe par l'apprentissage de la logique élémentaire et par l'acquisition d'habitudes de pensée, de techniques et d'outils cognitifs qui sont indispensables pour conduire un raisonnement rigoureux et réflexif. L'opposition entre les « lettres » et les « sciences », qui domine encore aujourd'hui l'organisation de l'enseignement et les « mentalités » des maîtres et des parents d'élèves, peut et doit être surmontée par un enseignement capable de professer à la fois la science et l'histoire des sciences ou l'épistémologie, d'initier aussi bien à l'art ou à la littérature qu'à la réflexion esthétique ou logique sur ces objets, d'enseigner non seulement la maîtrise de la langue et des discours littéraire, philosophique, scientifique, mais aussi la maîtrise active des procédés ou des procédures logiques ou rhétoriques qui y sont engagés. Pour ôter à ces considérations leur apparence abstraite, il suffirait de montrer dans un enseignement commun au professeur de mathématiques (ou de physique) et au professeur de langages ou de philosophie que les mêmes compétences générales sont exigées par la lecture de textes scientifiques, de notices techniques, de discours argumentatifs. Un effort semblable devrait être fait pour articuler les modes de pensée propres aux sciences de la nature et aux sciences de l'homme, pour inculquer le mode de pensée rationnel et critique qu'enseignent toutes les sciences, tout en rappelant l'enracinement historique de toutes les œuvres scientifiques ou philosophiques, et en faisant découvrir, comprendre et respecter la diversité, dans le temps et dans l'espace, des civilisations, des modes de vie et des traditions culturelles.

Le Conseil national des programmes d'enseignement aura pour tâche de mettre en œuvre l'ensemble des principes énoncés ci-dessus. Ses membres devront être choisis en fonction de leur seule compétence et agir *à titre personnel* et non en tant que représentants de corps, d'institution ou d'associations. Il devra travailler en *permanence* (ce qui suppose que ses membres soient libérés d'une partie de leurs autres charges) pendant une durée de cinq ans, mais les modifications qu'il entendra éventuellement apporter aux programmes en vigueur ne pourront être mises en application que *tous les cinq ans*. Sa compétence devra s'étendre à tous les ordres et à tous les types d'enseignement.

Lettre aux lycéens des Mureaux

Vous me demandez de parler à propos du mouvement des lycéens. J'en suis très heureux, mais aussi très embarrassé. Je me refuse en effet à parler des « lycéens » en général et, plus encore, au nom des « lycéens ». Et si j'ai une chose à vous dire, c'est que vous devez vous méfier de ceux qui le font : même lorsque ces porte-parole parlent pour vous, en votre faveur, ils parlent *à votre place*.

Je veux seulement poser quelques questions que vous auriez intérêt à vous poser. D'abord, peut-on parler des « lycéens » en général ? Et n'y a-t-il pas un abus de langage – propre à dissimuler un abus de pouvoir, actuel ou virtuel, déjà accompli ou projeté – dans le fait de parler des « lycéens » en général et surtout dans le fait de parler au nom des « lycéens » en général ? Une des questions que se posent nombre de lycéens – cela, je le sais, pour en avoir interrogé et écouté – est très précisément celle de la diversité – pour ne pas dire la disparité, l'inégalité – entre les lycéens. Les « lycéens » de la seconde S de Louis-le-Grand, qui sont à peu près assurés d'être un jour admis dans l'une ou l'autre des grandes écoles scientifiques, ont-ils quelque chose en commun avec les élèves d'un LEP de Villeurbanne ou de Villetaneuse ?

Mais il y a d'autres principes de différenciation qui sont dissimulés sous le concept générique de « lycéen ». Et je pourrais montrer que la propriété que les lycéens ont le plus indiscutablement en commun, à savoir la « jeunesse », et qui sert de prétexte à des discours faciles et hâtifs sur les rapports entre les générations, est diversifiée à l'extrême. Pour me faire comprendre, je dirai seulement que les fameux « casseurs », que l'on prend soin de distinguer des manifestants conformes, sont des « jeunes », au même titre que les « lycéens », et posent la question de ce qui les sépare des « lycéens », non seulement dans leurs manières de manifester leur malaise, mais aussi dans leurs conditions d'existence (notamment leur rapport avec l'École).

La mise en garde – que je lançais en commençant – à l'égard des porte-parole s'appuie, entre autres choses, sur la référence à cette diversité, à cette inégalité. Je pense qu'il y a un coup de force, essentiel, dans le fait de prétendre parler pour l'ensemble des lycéens. Or les porte-parole parlent toujours, presque par définition, au nom de tous.

Que faire pour aller au-delà ? Il faudrait – mais en avez-vous le temps, l'envie, etc. ? – que vous, « lycéens » des Mureaux – et d'ailleurs –, entrepreniez de vous *interroger* sur ce qu'est, vraiment, votre *malaise*, que vous tentiez de l'exprimer, d'en énoncer les raisons ou les causes. Pourquoi n'essaieriez-vous pas d'écrire – de *m*'écrire –, soit individuellement, soit collectivement, ce qui ne va pas *selon vous* dans *votre* lycée ? Je pourrais alors vous répondre pour tenter de vous aider à poursuivre aussi loin que possible l'exploration.

Ce travail risque d'être long et difficile, et d'arriver après la bataille. Mais on peut être sûr que si la bataille se poursuit dans la même confusion qu'aujourd'hui, elle ne manquera pas de recommencer. Et il serait important que l'on puisse découvrir alors que les hauts cris des porte-parole et les assertions péremptoires des « commentateurs » avaient injustement couvert la petite voix des lycéens des Mureaux.

1988-1995

*La priorité des priorités
devrait être d'élever la
conscience critique des
mécanismes de violence
symbolique qui agissent
dans la politique ; et,
pour cela, de divulguer
les armes symboliques
capables d'assurer à tous
les citoyens les moyens
de se défendre contre la
violence symbolique, et
de se libérer, si besoin,
de leurs "libérateurs".*

LIBRE
EXAMEN

ence):"

Sous la direction de Pierre Bourdie

la misère du mond

ouffranc

ole, parle

(silence):

Sous la direction de Pierre Bourdieu La misère du monde

D'un côté les responsables politiques, qui sont souvent très étrangers à l'existence ordinaire de leurs concitoyens. De l'autre ces hommes et ces femmes qui ont tant de mal à vivre et si peu de moyens de se faire entendre. Les uns ont l'œil fixé sur les sondages d'opinion, les autres protestent en dehors des cadres institués, lorsqu'ils ne s'enferment pas dans leur malheur.

Sous la direction de Pierre Bourdieu, une équipe de sociologues s'est consacrée pendant trois ans à comprendre les conditions de production des formes contemporaines de la misère sociale, l'École, le monde des travailleurs sociaux, le monde ouvrier, le sous-prolétariat, l'univers des employés, ceux des paysans et des artisans, la famille, etc.: autant d'espaces où se nouent des conflits spécifiques, où s'affirme une souffrance dont la vérité est dite, ici par ceux qui la vivent.

On lira ce livre comme autant de petites nouvelles, chroniques d'une assistante sociale dans un hôpital à l'abandon, d'un métallo orphelin de la classe ouvrière, d'un fin-de-droit clochardisé, du proviseur d'un lycée en proie à la violence urbaine, d'un policier de base dans une banlieue défavorisée, et de tant d'autres avec eux.

On comprendra en le lisant pourquoi les gens font ce qu'ils font.

On aura compris en le refermant que ce livre propose une autre façon de faire de la politique.

arole, pa

160F   SEUIL   SEUIL

9 782020 194761

Désenchantement du politique & *Realpolitik* de la raison

> À la question de savoir si la vertu est possible, on peut sub-
> stituer la question de savoir si l'on peut créer des univers
> dans lesquels les gens ont intérêt à l'universel.
>
> Cours au Collège de France, 1988-1989

À LA FIN DES ANNÉES 1980, *après sa participation à l'expertise d'État, Pierre Bourdieu lance un projet collectif,* La
Misère du monde, *qui paraît en 1993 et devient très vite un
travail de référence au sein des mouvements sociaux. Ce livre obtient un énorme succès public : il est vendu à plus de 80 000
exemplaires, porté au théâtre, et le sociologue accepte de participer, en compagnie de l'abbé Pierre, à l'émission de Jean-Marie
Cavada, « La Marche du siècle » (France 3, 15 avril 1993).*

Le « Post-scriptum » de La Misère du monde *interpelle directement la clôture du monde politique sur lui-même et son oubli
de la réalité sociale ; et le titre du livre semble répondre au Premier ministre Michel Rocard qui, sous la poussée électorale d'un
parti d'extrême droite, le Front national, au sujet du « problème
de l'immigration », avait déclaré dans* Le Monde *du 24 août
1990 : « La France ne peut accueillir toute la misère du monde
mais elle doit savoir en prendre fidèlement sa part. »*

*On peut sans doute prendre la mesure de la rupture que consti-
tue la direction de cette enquête en revenant sur l'analyse que
Pierre Bourdieu livrait, deux ans plus tôt* [lire p. 235], *de la solution
politique que le gouvernement de Michel Rocard venait d'apporter aux revendications indépendantistes des Kanaks* [1] :

---

1. Les luttes pour l'indépendance de la Nouvelle-Calédonie avaient
connu un épisode sanglant, entre les deux tours du scrutin électoral pré-
sidentiel, quand le Premier ministre et candidat Jacques Chirac ordonna
la prise d'assaut de la grotte d'Ouvéa où des indépendantistes s'étaient
retranchés avec leurs otages, qui se traduisit par le massacre des militants
du FLNKS. (Lire Jean-Marie Tjibaou, *La Présence kanak*, Odile Jacob,
Paris, 1996 ; Alban Bensa et Jean-Claude Rivière, *Les Chemins de
l'alliance. L'organisation sociale et ses représentations en Nouvelle-
Calédonie*, SELAF, 1982 ; et, sur la position de Pierre Bourdieu, « Quand
les Canaques prennent la parole. Entretien avec Alban Bensa », *Actes de
la recherche en sciences sociales*, 1985, n° 56, p. 69-83.)

moment de recul dans « *une formidable crise de la représentation et de la délégation politiques* » [lire p. 239-244]. *C'est le principe même de la représentation politique qui, selon Pierre Bourdieu, est en cause ; ou, plus précisément, « l'usurpation légitime » de toute charge publique, le « mystère du ministère », ce pouvoir que le mandataire politique tire de la délégation.*

Cette analyse de l'exercice du pouvoir ne conduit pas, selon Pierre Bourdieu, à la passivité ou à la résignation. Si des groupes sociaux ont pu travailler à l'instauration de l'État de droit, de l'idée de service public ou d'intérêt général, c'est qu'ils y ont trouvé des profits d'universalisation [2]. *Une politique efficace et réaliste consisterait à élargir ce principe d'intérêt à l'universel à d'autres univers sociaux, et à inventer des structures institutionnelles pour que les politiques aient intérêt à la vertu.*

> La morale politique ne peut pas tomber du ciel : elle n'est pas inscrite dans la nature humaine. Seule une *Realpolitik* de la raison et de la morale peut contribuer à favoriser l'instauration d'univers où tous les agents sociaux seraient soumis – notamment par la critique – à une sorte de test d'universalité permanent. [...] La morale n'a de chance d'advenir, particulièrement en politique, que si l'on travaille à créer les moyens institutionnels d'une politique de la morale. La vérité officielle de l'officiel, le culte du service public et du dévouement au bien commun ne résistent pas à la critique du soupçon qui découvre partout la corruption, l'arrivisme, le clientélisme ou, dans le meilleur des cas, l'intérêt privé à servir le bien public. [3]

Le rôle de la critique publique s'avère alors déterminant pour forcer les hommes politiques à être ce que leur fonction sociale les enjoint à être, c'est-à-dire à réduire « l'écart entre l'officiel et l'officieux » et à « créer les conditions de l'instauration du règne de la vertu civile » [4].

Toutefois, cette critique des bureaucraties nationales ne conduit pas seulement à dévoiler la souffrance sociale engendrée par les politiques néolibérales menées par la gauche elle-même [lire p. 245]. *Elle s'accompagne d'une réflexion sur les conditions de l'action politique des intellectuels dont l'autonomie est menacée par l'em-*

---

2. Pour une présentation plus détaillée, lire « Esprits d'État », *in Raisons pratiques,* Seuil, Paris, 1984, p. 99-146.
3. *Ibid.*, p. 239.
4. *Ibid.*, p. 240.

prise d'une « technocratie de la communication » qui renforce le monopole des professionnels de la politique sur le débat public.

Le problème que je pose en permanence est celui de savoir comment faire entrer dans le débat public cette communauté de savants qui a des choses à dire sur la question arabe, sur les banlieues, le foulard islamique… Car qui parle [dans les médias] ? Ce sont des sous-philosophes qui ont pour toute compétence de vagues lectures de vagues textes, des gens comme Alain Finkielkraut. J'appelle ça les pauvres Blancs de la culture. Ce sont de demi-savants pas très cultivés qui se font les défenseurs d'une culture qu'ils n'ont pas, pour marquer la différence d'avec ceux qui l'ont encore moins qu'eux. Ces gens-là s'approprient l'espace public et en chassent ceux qui ont des choses à dire. Avant de parler du « mal des banlieues », avant de proférer toutes ces conneries qu'on entend chez les intellectuels français, il faut d'abord y aller ! Ceux qui portent ainsi des verdicts font du mal parce qu'ils disent des choses irresponsables. Et, en même temps, ils découragent l'intervention des gens qui sont sur le terrain, qui travaillent et qui ont des choses à dire. Actuellement, un des grands obstacles à la connaissance du monde social, ce sont eux. Ils participent à la construction de fantasmes sociaux qui font écran entre une société et sa propre vérité.

[C'est une des raisons pour lesquelles j'ai créé la revue *Liber*], qui possède des correspondants dans la plupart des pays européens, qui paraît simultanément en cinq langues et veut surtout être le produit d'une véritable dialectique internationale. Son but est de rendre les différentes cultures nationales un peu plus proches, pour qu'on ne découvre pas l'École de Francfort avec trente ans de retard ou qu'on ne parle plus du structuralisme de manière débile en Allemagne. L'idée est donc d'accélérer les communications afin de synchroniser l'espace de discussion. Mais c'est vrai que *Liber* a également pour fonction de faire entrer les chercheurs dans le débat public, pour que ce ne soient pas toujours ceux qui savent le moins qui parlent le plus. [5]

---

5. « Les intellectuels ont mal à l'Europe », entretien avec Michel Audédat, *L'Hebdo*, 14 novembre 1991.

Alors que les équilibres internationaux sont bouleversés par la chute du Mur de Berlin et par la construction de la Communauté européenne – qui s'impose comme nouveau cadre de travail –, la lutte des intellectuels doit plus que jamais, pour Pierre Bourdieu, être collective et internationale [lire p. 253].

La vertu civile

L E MONDE POLITIQUE est le lieu de deux tendances de sens inverse : d'une part, il se ferme de plus en plus complètement sur soi, sur ses jeux et ses enjeux ; d'autre part il est de plus en plus directement accessible au regard du commun des citoyens, la télévision jouant un rôle déterminant dans les deux cas. Il en résulte que la distance ne cesse de croître entre les professionnels et les profanes ainsi que la conscience de la logique propre du jeu politique.

Il n'est plus besoin aujourd'hui d'être un expert en sociologie politique pour savoir que le nombre des déclarations et des actions des hommes politiques, non seulement les « petites phrases » sur les « grands desseins » ou les grands débats sur les petites divergences entre les leaders ou les « courants », mais aussi les plus graves décisions politiques, peuvent trouver leur principe dans les intérêts nés de la concurrence pour telle ou telle position rare, celle de secrétaire général, de premier ministre ou de président de la République et ainsi à tous les niveaux de l'espace politique. La discordance entre les attentes de sincérité ou les exigences de désintéressement qui sont inscrites dans la délégation démocratique de pouvoirs et la réalité des microscopiques manœuvres contribue à renforcer un indifférentisme actif, symbolisé un moment par Coluche, et si différent de l'antiparlementarisme poujadiste auquel, pour se défendre, entendent le réduire ceux qui contribuent à le susciter. Mais elle peut aussi inspirer un sentiment de scandale qui transforme l'apolitisme ordinaire en hostilité envers la politique et ceux qui en vivent.

C'est ainsi que les volte-face répétées de dirigeants plus évidemment inspirés par le souci de leur propre perpétuation que par les intérêts de ceux qu'ils font profession de défendre ne sont pas pour rien dans le fait que le Front national recrute souvent aujourd'hui dans les anciens bastions du parti communiste, qui a bénéficié plus que personne de la remise de soi confiante ou résignée au porte-parole (on sait en effet que cette disposition est de plus en plus fréquente à mesure que

Paru dans *Le Monde*, 16 septembre 1988, p. 1-2.

l'on descend dans la hiérarchie sociale). Et si les alliances avec les partis de droite profitent tant au même Front national, c'est moins, comme on le dit, par la touche de respectabilité qu'elles lui assurent, que par le discrédit qu'elles infligent à ceux qui dénoncent leurs propres dénonciations en se montrant prêts à tout pour assurer leur propre reproduction.

Ainsi le désenchantement du politique résulte presque automatiquement du double mouvement de l'univers politique. D'un côté ceux qui sont engagés dans le jeu politique s'enferment toujours davantage dans leur jeu à huis clos, sans autre communication avec le monde extérieur bien souvent que des sondages qui produisent des réponses en imposant les questions, et nombre d'entre eux, mus par le seul souci d'exister (comme les prétendants) ou de survivre (comme les champions déchus), se déterminent les uns et les autres dans des actions qui, loin d'avoir pour principe la conviction éthique ou le dévouement à une cause politique, ne sont que des réactions à des réactions des autres. Et le comble de la perversion est atteint lorsque, la « performance télévisuelle » devenant la mesure de toutes choses, les conseillers en communication guidés par les sondeurs forment les politiciens à mimer la sincérité et à jouer la conviction.

De l'autre côté, la télévision, par un de ses effets les plus systématiquement ignorés de ceux qui lui imputent tous les malheurs du siècle, autrefois la « massification » des « masses » et, aujourd'hui, la dégradation de la culture, a ouvert une fenêtre sur le champ clos où les politiciens jouent leur jeux avec le prince, avec l'illusion de passer inaperçus. Comme dans les anciennes démocraties des petits groupes d'interconnaissance ou dans la cité grecque imaginée par Hegel, les mandataires sont désormais sous le regard prolongé du groupe tout entier : pour qui les a observés, à longueur d'interviews, de déclarations ou de débats de soirées électorales, les protagonistes du jeu politique n'ont plus de secret et les plus inconscients d'entre eux perdraient beaucoup de leur superbe s'ils pouvaient lire les portraits psychologiques d'une rare acuité que font d'eux les téléspectateurs, même les plus culturellement démunis, lorsqu'on les interroge à leur propos. Chacun sait que, comme le notait Hugo, « quand la bouche dit oui, le regard dit peut-être ». Et le citoyen, devenu téléspectateur, pour peu qu'il possède l'art de déchiffrer les impondérables de la communication infralinguistique, se trouve en mesure d'exercer le « droit de regard » qu'il a toujours plus ou moins consciemment revendiqué.

L'« ouverture » que les électeurs ont approuvée lors de la dernière élection présidentielle n'est pas celle qui excite et divise les appareils, les apparatchiks et aussi les commentateurs politiques, celle qui renforcerait la tendance du microcosme politique à la fermeture sur soi, c'est-à-dire sur des formes simplement un peu plus compliquées des combinaisons ordinaires. C'est celle qui offrirait, plus largement encore, le monde politique au regard critique de tous les citoyens, empêchant le corps politique d'interposer l'écran de ses intérêts particuliers et de ses préoccupations que l'on a raison d'appeler politiciennes, puisqu'elle n'ont de cause et de fin que la défense du corps politique. Tout le monde a compris qu'il y a trop de problèmes vrais pour que l'on puisse laisser aux hommes politiques le soin d'inventer les faux problèmes nécessaires à leur propre perpétuation.

La solution que le gouvernement de Michel Rocard a apportée au problème calédonien est, en ce sens, exemplaire. Affronter, sans autre fin que de le résoudre, un problème qui venait de faire l'objet d'une véritable exploitation politicienne, c'était faire éclater au grand jour, rétrospectivement, l'instrumentalisme cynique d'une décision politique comme l'attaque de la grotte d'Ouvéa ; c'était rappeler que, comme l'avait enseigné en d'autres temps Mendès France, le courage politique consiste à se mettre au service des problèmes, au risque de ne pas durer, plutôt que de se servir des problèmes pour se perpétuer à tout prix. Et la réussite de la négociation a montré que la vertu civile, peut-être parce qu'elle est si rare, peut-être parce qu'elle appelle la vertu, constitue parfois une arme politique hautement efficace.

On a le sentiment que, du fait du mode d'action politique qui s'est trouvé ainsi instauré, le monde politique est en train de rattraper le retard qu'il avait pris, en se fermant sur lui-même, par rapport aux attentes des citoyens et par rapport notamment aux exigences éthiques qui se sont manifestées tant de fois, au cours des vingt dernières années, à travers notamment des actions ou des manifestations comme celles de SOS Racisme, des étudiants ou des lycéens.

Les responsables politiques les plus libres, objectivement et subjectivement, par rapport aux exigences du jeu politique et aux contraintes des appareils, peuvent se faire entendre tandis que les apparatchiks sont momentanément réduits au silence. Et peut-être les conditions sont-elles en train de se créer pour que s'instaurent durablement des règles, écrites ou non écrites, et, mieux encore, des mécanismes objectifs capables d'imposer pratiquement aux hommes politiques les disciplines de la vertu civile. Il dépend de tous les citoyens, et notamment de ceux qui, comme les intellectuels, ont le loisir et les moyens d'exercer leur droit de regard sur le monde politique, qu'un mode d'exercice du pouvoir qui est parfois dénoncé comme une forme de moralisme naïf (c'est bien ce que l'on veut dire lorsque l'on parle de « boyscoutisme ») soit en réalité une anticipation créatrice d'un état du monde politique où les responsables politiques, sans cesse placés sous le regard de tous, à découvert, seraient contraints d'instaurer cette forme de démocratie directe que rendent possible, paradoxalement, la transparence et l'ouverture du champ politique assurées par un usage démocratique de la télévision.

On a beaucoup parlé du silence des intellectuels en des temps où il leur fallait beaucoup de vertu pour ne pas dénoncer à chaque instant, au risque de servir des desseins plus cyniques, les manquements à la vertu civile. Peut-être le moment est-il venu pour eux de prendre la parole, non pour célébrer les pouvoirs, comme on le leur demande d'ordinaire, mais pour participer, avec d'autres, et en particulier les journalistes, à l'exercice de la vigilance civique qui, par la critique et la révélation autant que par l'éloge et la complicité tacite, contribuerait à instaurer un monde politique où les responsables politiques auraient intérêt à la vertu.

Fonder la critique sur une connaissance du monde social

— *Comment analysez-vous la coupure entre la société et le monde politique ?*

— Une des raisons majeures est la suffisance d'une noblesse d'État qui tire de ses titres de noblesse scolaire l'assurance la plus absolue de sa compétence et de sa légitimité – on sait qu'une part de plus en plus grande des hommes politiques qui comptent, ministres, membres des cabinets ministériels, de gauche ou de droite, sans parler des hauts fonctionnaires ou des patrons des grandes entreprises publiques ou privées, sont issus des grands concours d'école et se pensent comme une élite de l'« intelligence ». Il est significatif que les plus arrogants de ces nouveaux mandarins se croient autorisés à intervenir dans un jeu intellectuel de plus en plus dominé par la logique médiatico-politique du *fastfood* culturel et du *best-seller* ; et qu'ils réussissent parfois à imposer leurs coups de force symboliques avec la complicité des « intellectuels » de cour qui rivalisent avec eux d'empressement médiatique et qui colportent, de colloque à grand spectacle en méditation d'hebdomadaire ou en débat télévisé, les lieux communs à la mode (les lieux ou les hommes de pouvoir en mal de pensée rencontrent les « intellectuels » en mal de pouvoir, revues ou clubs qui font le joint entre les Hautes études en sciences sociales et Sciences-Po, colloques, séminaires, de préférence européens, n'ont cessé de se multiplier et il ne se passe pas de jour où l'on ne voie le même quarteron de protagonistes interchangeables échanger des propos interchangeables sur les sujets imposés du moment).

Ce Tout-Paris médiatique, quoique en apparence tout à fait ouvert sur les problèmes du monde, et convaincu bien souvent de faire l'Histoire, est en fait étroitement confiné dans ses petites histoires. Et comment en serait-il autrement ? Tous ces gens qui ont sans cesse la « société civile » à la bouche n'ont aucune envie, et surtout aucun moyen (mis à part la lecture quotidienne des quotidiens et des sondages), de connaître le monde social qu'ils prétendent penser ou gouverner. Combien

Entretien avec Louis Roméo paru sous le titre « La saine colère d'un sociologue » dans *Politis*, 19 mars 1992, p. 68-70.

de fois, pour faire le tour de telle ou telle « œuvre » destinée à tenir sa place pendant quelques semaines dans la liste des *bestsellers*, il suffit de savoir qu'elle trouve son principe dans une querelle de petits maîtres médiatiques à propos de la fin du « structuralisme », du retour du « sujet » ou de la menace du relativisme culturel, énième version de la mise en question des sciences sociales ? (Ceux qui s'émerveillent de la nouveauté des pensées « post-modernes » devraient relire *Les Deux Sources de la morale et de la religion*, de Bergson...)

La fonction principale de ces penseurs sans pensée (et sans œuvre) est de faire croire qu'ils en ont une et de faire ainsi le vide dans le débat politique et intellectuel : en imposant l'omniprésence de leur insignifiance grâce à leur quasi-monopole des instruments de grande communication (et à la censure, souvent très brutale, qu'ils exercent, au nom du libéralisme et des nécessités de la lutte contre les vestiges du « marxisme »), ils imposent du même coup les problèmes sans autre raison d'être que leur prétention avide au statut de maître-penseur. Ils sont ainsi, sans même le vouloir ni le savoir, les alliés naturels de ceux qui, à la frontière du champ politique et du champ intellectuel, opposent l'écran de leur langue de bois économico-financière à toutes les tentatives pour faire entrer un peu de réalité dans le champ clos de leurs rivalités.

— *Le climat de « sinistrose » qui règne aujourd'hui ne tient-il pas, plutôt qu'à la réalité historique, à la représentation que s'en font les journalistes ?*

— En fait, on a affaire à une formidable crise de la représentation (à tous les sens du terme) et de la délégation, fondements de la démocratie. Faute de pouvoir s'exprimer directement ou de se reconnaître dans les représentations politiques, le mécontentement très profond qui hante toute une part de la société (sans épargner la clientèle traditionnelle des partis de gauche, comme le corps enseignant et toutes les catégories inférieures et moyennes de la fonction publique), peut trouver un exutoire dans les idéologies national-racistes qui se nourrissent du ressentiment ou du désespoir nés de l'expérience du déclin social, individuel ou collectif (comme celui d'une catégorie sociale – celle des métallos par exemple –, d'une région ou de la nation dans son ensemble). On pense évidemment aux souffrances matérielles et morales de tous les chômeurs, de tous les RMIstes, de tous les détenteurs d'emplois temporaires.

Mais on n'en finirait pas de recenser toutes les souffrances d'un type tout à fait nouveau qui tiennent par exemple aux déceptions liées au système scolaire, soit que l'on n'ait pas obtenu de l'école (pour soi, pour les siens) ce que l'on en attendait, soit que l'on n'ait pas obtenu du marché du travail tout ce que promettaient les titres accordés par l'école (le chômage des diplômés apparaissant aux intéressés et à leur entourage comme particulièrement scandaleux). Il y a aussi les souffrances résultant de la dégradation des conditions de travail (favorisée ou autorisée par l'affaiblissement des syndicats et par la précarité de l'emploi), et aussi des conditions de résidence (qui n'épargnent nullement ceux qui, ayant réalisé et rêvé du petit pavillon, paient souvent, en charges financières et en temps de transport, un privilège qui ne les met pas toujours à l'abri des difficultés de voisinage, réelles ou fantasmées). Ceux qui condamnent le racisme devraient condamner avec la même force les conditions qui favorisent ou autorisent racisme, délinquance, violence, isolement, rupture des solidarités, tout ce qui engendre la peur, le repliement sur soi et aussi, évidemment, les conditions qui favorisent ces conduites de désespoir, comme la politique du logement et de l'emploi. Les états d'âme vertueux et le prêchi-prêcha antiraciste ne contribuent pas moins que les confessions de foi anti-Le Pen de certains politiques à favoriser cette sorte de crise de confiance dans la parole des porte-parole, cette suspicion profonde à l'égard des clercs, bref, cette sorte d'anticléricalisme généralisé qui a toujours fait le jeu du fascisme.

Une des raisons de la détresse qui conduit à des solutions de désespoir (comme le vote pour le Front national), c'est que les gens ne savent plus à quel saint se vouer ; ils ont le sentiment que les malaises qu'ils éprouvent ne sont ni vus ni connus, ni entendus ni reconnus par ceux qui ont la parole.

L'État lui-même, cet ultime recours, cette Providence temporelle (je ne veux pas refaire ici la démonstration que j'ai faite en m'appuyant sur Kafka, mais l'État occupe toujours, qu'on le veuille ou non, la place de Dieu), se transforme en dieu méchant qui, à travers des suppôts sans foi ni loi, dénonce la *dette sacrée* de la nation à l'égard de ses membres, bref, rompt le contrat de la citoyenneté. Ce n'est pas par hasard que le désespoir se concentre sur la question des *étrangers*. Et ceux qui se donnent pour seul mot d'ordre le combat contre un parti qui est perçu comme capable de restaurer le contrat qu'ils sont soupçonnés d'avoir rompu sont sans doute les plus mal placés pour arracher la conviction…

— *C'est là que se noue, selon vous, le lien entre le Front national et certaines formes de souffrance sociale ?*

— Effectivement. Mettre l'accent sur le *national* par opposition à l'*étranger*, c'est affirmer la volonté de maîtriser la redistribution (d'aides, d'allocations, d'assurances, d'assistance, et sans doute aussi de travail) qui incombe en propre à l'État, et de donner en la matière une priorité absolue aux *nationaux*. On peut comprendre ainsi le succès du message « nationaliste » auprès des « pauvres Blancs », qui n'ont plus rien que leur appartenance de droit à un État qui les abandonne. Mais ce que l'on comprend plus difficilement, c'est que les partis de gauche se soient laissés aller à reprendre à leur compte, contre toute une tradition d'internationalisme ou d'universalisme, la dichotomie national/étranger ou indigène/immigré, et à en faire le principe de vision et de division principal, au détriment, notamment, de l'opposition entre riches et pauvres, ces derniers englobant aussi bien des nationaux que des étrangers…

— *Vous avez montré, dans* Réponses [1]*, les limites de l'économisme : à une époque, on parlait d'autogestion, on voulait changer les règles du jeu ; et maintenant, si on ne parle pas de gestion, on est perçu comme ringard…*

— Je pense que l'économisme, qui se rencontre aussi bien à gauche, dans la tradition marxiste, qu'à droite, a pour effet de faire subir à la réalité économique, au sens plein, une formidable mutilation, il porte à faire abstraction de toute une dimension, absolument capitale, des coûts et des profits. Faute de pouvoir faire une démonstration complète, et pour aller vite à l'essentiel, je dirai que les conséquences complètes d'une politique conçue comme gestion des équilibres économiques (au sens étroit du terme) se paient de mille façons, sous forme de coûts sociaux, psychologiques, sous forme de chômage, de maladie, de délinquance, de consommation d'alcool ou de drogue, de souffrance conduisant au ressentiment et au racisme, à la démoralisation politique, etc. Une véritable comptabilité globale des coûts et des profits sociaux ferait voir que la sociologie propose une économie qui n'est pas moins rigoureuse et fidèle à la complexité du réel que l'économie par-

---

1. *Réponses* (avec Loïc Wacquant), Seuil, Paris, 1992.

tielle des purs gestionnaires ; et que c'est la logique de l'intérêt bien compris qui impose de rompre avec le *laissez-faire* libéral aussi bien qu'avec le déterminisme de lois sociales naturalisées. Et de réaffirmer le rôle de l'État : contre les deux formes de soumission à la nécessité des lois économiques qui découlent de ces deux formes d'économisme, il faut demander à l'État de s'armer de la connaissance des lois démographiques, économiques et culturelles pour travailler à en corriger les effets par des politiques usant des moyens (juridiques, fiscaux, financiers, etc.) dont il dispose. La justice (éthique et politique) et la justesse (technique) sont sans doute moins, et moins souvent, antithétiques que ne le laisse croire le calcul à courte vue des profits et des pertes étroitement économiques. Loin d'appeler au « dépérissement de l'État », il faut lui demander d'exercer l'action régulatrice capable de contrecarrer la « fatalité » des mécanismes économiques et sociaux qui sont immanents à l'ordre social.

— *On voit là que votre sociologie a une portée politique. Souvent on vous reproche d'être hermétique, tellement qu'on ne voit pas trop à quoi ça peut servir concrètement pour « aider la libération »*...

— Je crois que le reproche que l'on fait souvent à la sociologie (et à moi en particulier) d'encourager le fatalisme ou, ce qui revient au même, la démission pessimiste, repose sur un contresens total (et sans doute inconscient, ce qui ne veut pas dire innocent) sur le statut de la science sociale et des régularités ou des lois qu'elle vise à établir. Est-il besoin de rappeler que les lois sociales ne sont pas des lois naturelles, inscrites de toute éternité et pour l'éternité dans la nature des choses, et que les lois scientifiques ne sont pas des normes prescriptives, des règles impératives de conduite mais des régularités empiriquement constatées et validées ? Et que, par conséquent, ces régularités (statistiques) ne s'imposent nullement comme un impératif ou un destin auquel il faudrait se soumettre ? Les régularités sociales se présentent comme des enchaînements probables que l'on ne peut combattre, si on le juge nécessaire, qu'à condition de les connaître. (Si je me résouds à rappeler de telles vérités premières, c'est que certaines de mes critiques se situent à un tel niveau d'incompréhension – et d'incompétence –, et aussi d'obscurantisme, que je dois en revenir au b.a.-ba de la philosophie des sciences...)

— Pensez-vous que la sociologie peut contribuer à la rénovation de la politique ? Croyez-vous qu'elle peut contribuer à fonder ou à armer le contre-pouvoir critique des intellectuels que vous appelez souvent de vos vœux ?

— La connaissance du monde social que donne la sociologie est sans nul doute une des conditions les plus indispensables d'une pensée critique vraiment responsable. J'ai évoqué la nécessité de rompre avec l'économisme et de promouvoir une action régulatrice prenant en compte tous les éléments constitutifs d'une économie qui soit orientée vers le bonheur et non vers les seules valeurs de productivité, de rentabilité et de compétitivité. Mais je crois qu'une telle économie, qui devrait faire une place éminente au symbolique, ne peut être conçue concrètement, dans ses moyens et surtout dans ses fins, qu'à condition que l'on sache instaurer de nouvelles formes de délégation et de représentation. La crise de la représentation, qui est au fondement du discrédit de la politique, trouve sans doute son principe dans la logique organisationnelle des syndicats et des partis de masse, et en particulier, dans une technologie sociale, inventée au XIXᵉ siècle pour assurer, en principe, la communication entre la base et les dirigeants, et servant, en fait, à assurer la reproduction de l'appareil et de ses dirigeants, celle des programmes, des plates-formes, des motions, des congrès, des mandats. Une critique radicale des formes actuelles de circulation de l'information et d'élaboration des volontés collectives devrait permettre de sortir du désenchantement démobilisateur pour s'orienter vers des formes nouvelles de mobilisation et de réflexion.

Paradoxalement, les appareils politiques qui étaient conçus comme des instruments de libération, individuelle et surtout collective, ont très souvent fonctionné comme des instruments de domination, à travers notamment la violence symbolique qui s'exerçait en leur sein, et aussi à travers eux. C'est pourquoi la priorité des priorités me paraît être d'élever la conscience critique des mécanismes de violence symbolique qui agissent dans la politique et à travers la politique ; et, pour cela, de divulguer largement les armes symboliques capables d'assurer à tous les citoyens les moyens de se défendre contre la violence symbolique, de se libérer, si besoin, de leur « libérateurs ».

Notre État de misère

— *Cette France qui se tait, d'ordinaire, sur ses souffrances sociales, pensez-vous que la présence de la gauche au pouvoir lui ait valu davantage de solidarité ?*

— Les politiques que nous avons vues à l'œuvre depuis vingt ans présentent une continuité remarquable. Amorcé dans les années 1970, au moment où commençait à s'imposer la vision néolibérale enseignée à Sciences-Po, le processus de retrait de l'État s'est, ensuite, affirmé de plus belle. En se ralliant, vers 1983-1984, au culte de l'entreprise privée et du profit, les dirigeants socialistes ont orchestré un profond changement de la mentalité collective qui a conduit au triomphe généralisé du marketing. Même la culture est contaminée. En politique, le recours permanent au sondage sert à fonder une forme des plus perverses de démagogie. Une partie des intellectuels s'est prêtée à cette conversion collective – qui n'a que trop bien réussi, au moins parmi les dirigeants et dans les milieux privilégiés. Pratiquant l'amalgame et sacrifiant à la confusion de pensée, ils ont travaillé à montrer que le libéralisme économique est la condition nécessaire et suffisante de la liberté politique. Qu'à l'inverse, toute intervention de l'État renferme la menace du « totalitarisme ». Ils se sont donné beaucoup de mal pour établir que toute tentative visant à combattre les inégalités – qu'ils jugent d'ailleurs inévitables – est d'abord inefficace et que, ensuite, elle ne peut être menée qu'au détriment de la liberté.

— *Ils mettaient donc en cause les fonctions essentielles de l'État ?*

— Exactement. L'État tel que nous le connaissons – mais peut-être ne peut-on en parler qu'au passé – est un univers social tout à fait singulier, dont la fin officielle est le service public, le service du public et le dévouement à l'intérêt général. On peut tourner tout cela en dérision, invoquer des formes notoires de détournement des fins et des fonds publics. Il reste que la définition officielle de l'officiel – et des personnages officiels, qui sont mandatés pour servir et non pour se servir – est une extraordinaire invention historique, un acquis de l'humanité, au

Entretien avec Sylvaine Pasquier à propos de *La Misère du monde*, paru dans *L'Express*, 18 mars 1993, p. 112-115.

même titre que l'art ou la science. Conquête fragile, toujours menacée de régression ou de disparition. Et c'est tout cela qu'aujourd'hui on renvoie au passé, au dépassé. [lire p. 130-149]

— *Comment le retrait de l'État s'inscrit-il dans les réalités sociales ?*

— Dès les années 1970, il s'est amorcé dans le domaine du logement, avec le choix d'une politique qui entraînait la régression de l'aide à l'habitat social et favorisait l'accès à la propriété [1]. Là encore, sur la base d'équations truquées qui portaient à associer l'habitat collectif au collectivisme et à voir dans la petite propriété privée le fondement d'un libéralisme politique. Et personne ne s'est demandé comment échapper à l'alternative de l'individuel et du collectif, de la propriété et de la location : par exemple en proposant, comme cela s'est fait ailleurs, des maisons individuelles publiques en location. L'imagination n'est pas au pouvoir, pas plus sous la gauche que sous la droite. On en est arrivé à un résultat que nos éminents technocrates n'avaient pas prévu : ces espaces de relégation où se trouvent concentrées les populations les plus défavorisées, c'est-à-dire tous ceux qui n'ont pas les moyens de fuir vers des lieux plus accueillants. Là, sous l'effet de la crise et du chômage, se développent des phénomènes sociaux plus ou moins pathologiques sur lesquels se penchent aujourd'hui de nouvelles commissions de technocrates.

— *Qu'y a-t-il de commun entre deux jeunes des cités du Nord, François et Ali, entre un ouvrier d'origine tunisienne et une employée au tri postal, entre un prof de lettres et un syndicaliste ?*

— Même si la souffrance sociale la plus visible se rencontre chez les plus démunis, il y a aussi des souffrances moins visibles à tous les niveaux du monde social. Les sociétés modernes – et c'est l'une de leurs propriétés majeures – se sont différenciées en une multitude de sous-espaces, de microcosmes sociaux, indépendants les uns par rapport aux autres. Chacun a ses hiérarchies propres, ses dominants et ses dominés. On peut appartenir à un univers prestigieux, mais n'y occuper qu'une position obscure. Être ce musicien perdu dans l'orchestre qu'évoque la pièce de Patrick Süskind, *La*

---

1. En référence à une enquête publiée en mars 1990 dans *Actes de la recherche en sciences sociales* (n° 81/82), qui sera reprise dans le cadre plus vaste de *Structures sociales de l'économie*, Seuil, Paris, 2000. [nde]

Contrebasse. L'infériorité relative de ceux qui sont inférieurs parmi les supérieurs, derniers parmi les premiers, est ce qui définit les misères de position, irréductibles aux misères de condition, mais tout aussi réelles et profondes. Ces misères relatives ne sont pas relativisables.

— *Le sociologue peut-il vraiment comprendre les souffrances ou la révolte de celui qu'il interroge ?*

— À condition d'apercevoir la place que son interlocuteur occupe dans le monde social, et, plus précisément dans le microcosme social où sont placés ses investissements, ses enjeux, ses passions – une entreprise, un service, un bureau, un quartier, un immeuble… À condition de se porter en pensée à cette place, de se mettre, au sens vrai, à sa place.

— *Pourquoi importe-t-il d'en tenir compte ?*

— Parce que ces misères, autant, sinon plus, que les misères extrêmes, engendrent des représentations et des pratiques politiques souvent incompréhensibles en apparence, comme celles du racisme et de la xénophobie, et auxquelles on ne sait opposer que l'indignation ou la prédication. Et aussi parce que ceux qui les éprouvent sont les victimes désignées de politiciens démagogues et criminels – à commencer par le Front national – qui vivent de l'exploitation de la souffrance, de la déception, du désespoir.

— *Comment bascule-t-on dans le racisme ? Votre enquête montre des voisins plongés dans les mêmes difficultés, qui vivent en état de siège mutuel. Sous le prétexte que l'une des familles, d'origine maghrébine, a des chats paraît-il bruyants…*

— L'exemple par excellence de ces « déshérités relatifs » sont ceux que, dans les colonies, on appelait les « pauvres Blancs », tous ceux qui, persuadés d'être membres d'une élite, celle des ayants droit véritables, exclusifs, revendiquent le monopole de l'accès aux avantages économiques et sociaux associés à leur qualité de « nationaux », contre les « immigrés ». On peut lire, dans le livre, des témoignages pathétiques de petits agriculteurs, de petits commerçants qui s'indignent du traitement accordé aux immigrés – dont ils n'ont aucune expérience directe – et, plus largement, à ceux qui bénéficient, indûment à leurs yeux, de l'aide de l'État, délinquants, prisonniers, etc. Même si elles s'habillent de raisons en apparence plus rationnelles, les critiques de l'État-providence doivent sans doute leur succès au fait qu'elles s'enracinent souvent dans des pulsions ou des représentations de cette sorte. Où sont passées les forces capables de contrecarrer les délires xénophobes auxquels cèdent ceux qui sont plus directement affrontés aux « étrangers », soit dans la concurrence pour le travail, soit dans la cohabitation ? Il y a bien sûr les mouvements antiracistes, mais ils touchent surtout les générations fortement scolarisées. Que sont devenus les principes internationalistes de l'ancienne éducation politique ou syndicale ? L'effondrement des idéaux civiques de solidarité a laissé le champ libre aux égoïsmes triomphants qu'encourage l'absence de tout message politique capable de proposer des raisons de vivre autres que la réussite personnelle, mesurée en salaire ou en SICAV monétaires.

— *L'argument tient-il en situation de dénuement partagé ?*

— Dans les lieux de grande souffrance, comme les cités, les grands ensembles, les « banlieues difficiles », les travailleurs sociaux eux-mêmes, mandatés par l'État ou les municipalités pour assurer les plus élémentaires services publics sans disposer des moyens nécessaires, sont pris dans de formidables contradictions. Je pense, par exemple, à ce principal de collège qui a l'idée la plus généreuse et la plus haute de la mission de l'école : il se voit obligé de passer l'essentiel de son temps à lutter (parfois par la violence) contre la violence. Il se sent comme en rupture de contrat. Et il n'est pas le seul. Vous avez des éducateurs, des profs, des policiers, des magistrats de base qui ressentent sous la forme de drames personnels les contradictions de l'institution et de la mission qu'elle leur confie.

— *Parce qu'ils ont le sentiment que l'État a failli et qu'ils prennent sur eux d'y remédier ?*

— On rencontre des personnes extraordinaires qui se consacrent corps et âme à ces activités mal payées, mal considérées, destructrices, des espèces de saints bureaucratiques – mais qui vivent en lutte permanente contre les bureaucraties. Du point de vue du petit cadre qui se nourrit des cours de la Bourse, ce sont des fous. Je pense à un éducateur de rue avec lequel j'avais rendez-vous et qui est arrivé, ce matin-là, épuisé, les yeux battus. Il avait passé une partie de la nuit à s'occuper de drogués gardés à vue au commissariat. Ces petits fonctionnaires du social sont les antennes avancées d'un État dont la main droite ne veut pas savoir ce que fait la main gauche. Pis, les membres patentés de la grande noblesse d'État, énarques de toute obédience politique, regardent de très haut cette petite noblesse à laquelle ils aiment faire la leçon. Ils ignorent qu'elle joue un rôle déterminant dans le maintien d'un minimum de cohésion sociale. Ils devraient se rappeler que la Révolution a été déclenchée par une révolte de la petite contre la grande noblesse…

— *Car la petite noblesse d'État est aujourd'hui en rébellion ?*

— C'est la petite noblesse qui en appelle à la vertu civique et qui dénonce la trahison de tous les défenseurs pharisiens des « valeurs » ou des droits de l'homme. Elle est sans doute aujourd'hui la gardienne de toute la tradition de civisme, de dévouement et de désintéressement héritée de deux siècles de luttes sociales qui ont été comme le laboratoire où se sont inventées des institutions (tels la Sécurité sociale, le salaire minimum, etc.), et aussi des vertus, des idéaux.

— *La désillusion ne s'aggrave-t-elle pas de voir la gauche au pouvoir renier ses principes ?*

— La grande responsabilité du gouvernement de la gauche, c'est d'avoir rendu licite, en la pratiquant, la politique même qu'elle avait pour mission de contester. Et de s'être accordé tous les manques et tous les manquements qu'elle dénonçait par le passé. Autant que le problème du chômage, dont tout le monde a compris qu'il échappe largement aux prises de la seule action politique, ce qui lui est reproché, c'est la démoralisation de l'État, au double sens de perte du moral et de la morale.

— *On a beaucoup parlé du silence des intellectuels. Avouez qu'ils auraient pu exercer leur contre-pouvoir critique.*

— Les puissants en mal de pensée appellent à la rescousse les penseurs en mal de pouvoir, qui s'empressent de leur offrir les propos justificateurs qu'ils attendent. Et tout va pour le mieux dans le meilleur des mondes médiatico-politiques.

Quant aux chercheurs qui établissent des connaissances capables d'éclairer l'action politique, on ne s'inquiète guère des résultats de leurs travaux. Les historiens, les sociologues, les économistes ont porté au jour quelques-uns des mécanismes et des lois tendancielles qui régissent les sociétés dans la longue durée. La loi de la transmission culturelle, par exemple, nous dit que les chances de réussite sur le marché scolaire dépendent, en grande partie, du capital culturel possédé par la famille. Si l'on veut réellement « démocratiser » l'accès à l'école et à la culture, on ne peut se contenter d'actions superficielles et spectaculaires, bien faites pour produire des « effets d'annonce ». Pour combattre des mécanismes aussi puissants que ceux qui régissent les pratiques culturelles, il faut d'abord les connaître, mais il faut aussi et surtout accepter de dépenser beaucoup d'énergie pour une efficacité très faible à court terme. On préfère les proclamations démagogiques du style : 80 % d'une génération au niveau du bac en l'an 2000 !

— *Avec quelles conséquences ?*

— Pour satisfaire aux exigences de ce qui n'était qu'un slogan, on a facilité le passage dans la classe supérieure d'un afflux d'élèves qui, dans l'état antérieur, en auraient été empêchés. Cela sans rien prévoir pour les aider à surmonter leurs difficultés ni pour maîtriser celles qu'ils font surgir par leur présence. Plus grave : l'écart entre les taux de représentation des différentes catégories sociales d'origine, aux niveaux les plus élevés de l'institution scolaire, ne s'est pas réduit. L'École continue à exclure, mais elle maintient dans le système ceux qu'elle exclut en les reléguant dans des filières dévalorisées et en les renvoyant, à 16 ou 18 ans, avec les stigmates de l'échec.

— *Quel est l'impact de la politique scolaire dans le monde ouvrier ?*

— Depuis trente ans, là comme chez les petits commerçants ou en milieu rural, on a vu apparaître un conflit de générations qui est, en fait, un conflit entre des générations scolaires, c'est-à-dire entre ceux qui ont quitté la famille pour entrer directement à l'usine (autour de 14 ans) et ceux qui sont passés par un séjour prolongé à l'école. Les jeunes des cités, qui ont toutes les propriétés des sous-prolétaires sans avenir et sans projet d'avenir, mais modifiées par les aspirations ou les refus que l'école développe en eux, sont en affinité avec les emplois offerts par les entreprises de travail temporaire. Et la coupure entre permanents et intérimaires divise profondément le monde du travail, rendant difficile toute espèce d'action collective. D'autant que certains chefs d'entreprise tirent parti de la soumission imposée par la peur du licenciement. Les formes d'oppression qu'ils exercent marquent un retour aux pires moments du capitalisme naissant.

— Face à des explosions de violence comme celle de Vaux-en-Velin, les médias ont-ils tort de chercher leurs « références » aux États-Unis ?

— Certains actes de délinquance ou de vandalisme peuvent être compris comme une forme larvée de guerre civile. Cependant, les « banlieues » françaises sont loin d'avoir atteint l'état des grands ghettos américains. Il faut lire les descriptions, très réalistes, que Loïc Wacquant et Philippe Bourgois donnent de la vie quotidienne à Chicago ou à Harlem pour découvrir, concrètement, les conséquences d'un retrait total de l'État. Au nom du libéralisme, on a laissé s'installer, au cœur de l'un des pays les plus développés de notre temps, une société sans précédent dans l'histoire, abandonnée à la loi de la jungle ; l'État, qui a détruit tous les mécanismes et toutes les structures (clans, familles, etc.) propres à limiter la violence, laisse derrière lui, après son effondrement, comme aujourd'hui dans l'ex-Yougoslavie, la violence à l'état pur, la guerre de tous contre tous, qui n'avait jamais existé que dans l'imagination de Hobbes. Mieux que toutes les critiques théoriques, la vision du centre dévasté des grandes villes américaines rappelle les limites du libéralisme sans limites.

— Comment concevez-vous le rôle de l'État ?

— On ne saurait se contenter de cette sorte d'État minimal dont l'action se bornerait à la protection des droits naturels des individus. Et pas davantage de l'éthique qui remplace les vertus publiques par les intérêts privés des individus isolés. La république idéale, selon Machiavel, est le régime dans lequel les citoyens ont intérêt à la vertu. Je pourrais aussi bien citer Kant – qu'invoquent si volontiers ceux qui se situent à l'opposé du réalisme « sociologique » de Machiavel – lorsqu'il disait en substance, dans « Le projet de paix perpétuelle », qu'il faut organiser les intérêts égoïstes de telle manière qu'ils se contrebalancent mutuellement dans leurs effets dévastateurs et qu'un homme, lors même qu'il n'est pas un homme bon, soit forcé à être un bon citoyen.

— Existe-t-il des exemples se rapprochant de cet idéal ?

— Les univers scientifiques. S'ils veulent y triompher, des individus animés, comme tout le monde, par des pulsions, des passions et des intérêts doivent le faire dans les formes. Ils ne peuvent pas tuer leur rival ou l'abattre à coups de poing. Ils doivent lui opposer une réfutation conforme au régime de vérité en vigueur. L'objectif serait d'instituer dans les univers bureaucratique et politique des régulations de ce type, capables d'infliger une sanction immédiate à ceux qui transgressent les règles. Les journalistes ont un rôle capital à jouer, qui va bien au-delà de la dénonciation des « affaires », ainsi que les intellectuels, et plus particulièrement les chercheurs en sciences sociales. À condition, bien sûr, que les uns et les autres soient eux-mêmes soumis à des contrôles croisés ; à condition que le recours à certains procédés comme la diffamation ou la dégradation d'autrui, si fréquents dans la critique, vaille à celui qui y sacrifie d'être immédiatement déconsidéré. Une simple déontologie n'y suffit pas – comme le croient les « comités d'éthique ». Reste à inventer des mécanismes qui puissent s'imposer avec une rigueur analogue à celle d'un ordre naturel.

— *Et quant à la fonction de l'État ?*

— Il n'est possible de la définir qu'en refusant l'alternative ordinaire du libéralisme et du socialisme – l'un de ces dualismes funestes qui bloquent la pensée. Les deux systèmes, au moins dans leur définition stricte et radicale, ont en commun de réduire la complexité du monde social à sa dimension économique et de mettre le gouvernement au service de l'économie. Il suffit de penser aux coûts sociaux et, en dernière analyse, économiques des politiques inspirées par la considération exclusive de la productivité et du profit économiques : on mesure ainsi la mutilation mortelle que l'économisme fait subir à une définition complète et complètement humaine des pratiques. Le prix du chômage, de la misère, de l'exploitation, de l'exclusion et de la déshumanisation se paie en souffrance, mais aussi en violence, qui peut être dirigée contre les autres et contre soi, avec l'alcoolisme, la drogue ou le suicide.

— *Est-ce le sens de* La Misère du monde *?*

— Entre autres choses… Je crois en effet que si nos technocrates prenaient l'habitude de faire entrer la souffrance, sous toutes ses formes, avec toutes ses conséquences, économiques ou non, dans les comptes de la nation, ils découvriraient que les économies qu'ils croient réaliser sont souvent de forts mauvais calculs.

Pour des luttes
à l'échelle européene
Réinventer un intellectuel collectif

DANS LA PERSPECTIVE D'UN TRAVAIL COLLECTIF *interna-tional, la revue* Liber *constitue une tentative de réactiver au niveau européen la tradition de l'intellectuel sur le modèle des encyclopédistes du siècle des Lumières. Pierre Bourdieu avait formulé dès 1985 les prémisses de cette entreprise dans le cadre du Collège des artistes et des savants européens, où il avait envisagé la création d'une* European review of books *dans laquelle les intellectuels pourraient faire valoir leurs normes spécifiques. La première ambition de* Liber, « revue internationale des livres », *est de parvenir à diffuser auprès d'un large public des œuvres littéraires, artistiques et scientifiques d'avant-garde, se fixant comme objectif de contrecarrer la fermeture de ces univers sur eux-mêmes et d'atténuer la coupure avec le grand public en « surmontant les décalages temporels et les malentendus liés aux barrières linguistiques, à la lenteur des traductions [...] et à l'inertie des traditions scolaires* [1] ». *Différentes initiatives sont envisagées : généraliser les comptes rendus d'ouvrages paraissant dans d'autres langues* [lire p. 284]*, enquêter sur les particularismes d'institutions nationales dans le cadre d'une rubrique d'ethnographie européenne – le service militaire en Suisse, les clubs anglais, les pompiers finlandais, etc.*

D'abord paru sous la forme d'un supplément au Frankfurter Allgemeine Zeitung, *à* L'Indice, *au* Monde, *à* El País *et au* Times Litterary Supplement, *la première formule, qui fut adressée à près de deux millions de lecteurs, connaît cinq numéros, d'octobre 1989 à décembre 1990. Devenue ensuite un supplément aux* Actes de la recherche *jusqu'à sa clôture en 1999* [2]*, la revue affirme la continuité du projet par la nécessité d'aller à contre-courant « des croyances indiscutées des orthodoxies académiques, si puissantes en ces temps de restauration* [3] ».

---

1. *Liber*, octobre 1989, n° 1, p. 2.
2. Les documents de présentation de la revue annoncent que « *Liber. Revue internationale des livres* est parue dans une douzaine de langues et de pays européens grâce aux efforts constants d'individus et d'institutions dévoués à la cause de l'internationalisme intellectuel ».
3. « *Liber* continue », *Liber*, septembre 1991, n° 7, p. 1.

La ligne éditoriale de Liber *se singularise par la place accordée aux artistes et écrivains dont les œuvres sont porteuses de critique politique* [4]. *La fin de l'URSS, la chute du Mur de Berlin et la réunification allemande constituent alors les thèmes privilégiés de la revue : le philosophe allemand Jürgen Habermas analyse les effets nuisibles du processus de réunification* [5] *; Pierre Bourdieu revient sur l'effondrement du soviétisme, sur la réalité du fonctionnement d'un régime initialement porteur d'un projet émancipateur et sur les « fausses alternatives » (socialisme contre libéralisme) utilisées à des fins de restauration politique* [lire p. 267 & 271].

Il s'agit d'utiliser l'histoire, la sociologie et la littérature comme instruments de la connaissance de soi afin de désarmer les pulsions régressives qui sous-tendent parfois l'action politique des artistes, savants et philosophes. La socioanalyse collective que Pierre Bourdieu appelle de ses vœux a pour fin de désarmer les pièges que l'histoire a légués et sédimentés dans le langage courant : gagner des marges de liberté en ouvrant la voie à un internationalisme réaliste qui parvienne à surmonter les obstacles liés aux conflits nationaux passés et mettre en place des structures de communication propres à favoriser l'instauration de l'universel.

Cette Realpolitik *de la raison inspire l'appel en faveur d'un « corporatisme de l'universel », publié en conclusion des* Règles de l'art *(1992)* [lire p. 257-266]. *Il s'agit pour Pierre Bourdieu de renforcer l'autonomie d'un champ intellectuel qui s'est construit à la fin du XIXe siècle contre les pouvoirs religieux, politiques et économiques et que menacent l'interpénétration accrue du monde de l'art et de l'argent, le recours généralisé à des sponsors pour financer la recherche universitaire, le poids croissant des contraintes commerciales sur les entreprises de production et de diffusion culturelles. De nouvelles formes de lutte doivent donc être inventées, dont la création d'une « Internationale des intellectuels », à laquelle Pierre Bourdieu va se consacrer dans la première moitié des années 1990.*

Instaurer un tel « contre-pouvoir critique » en organisant « une solidarité concrète avec les écrivains menacés » et constituer « un lieu de réflexion sur de nouvelles formes d'engagement » : tel fut l'objet de l'appel prononcé à Strasbourg en novembre 1993, im-

---

4. Par exemple, Hans Haacke (avec qui Pierre Bourdieu publie *Libre-échange* en 1994), qui intègre dans ses créations les conflits liés à l'emprise du monde des affaires sur la société au travers notamment du mécénat culturel.
5. « Une union sans valeurs », entretien avec Jürgen Habermas, *Liber*, juin 1992, n° 10, p. 16-17.

pulsé par Pierre Bourdieu et signé par Jacques Derrida, Édouard Glissant, Toni Morrisson, Susan Sontag et Salman Rushdie [lire p. 289]. *En février 1994, ce dernier est porté à la présidence du Parlement international des écrivains, qui se dote d'une instance de délibération et d'exécution composée de cinquante membres. Cette fondation s'accompagne d'une charte définissant les principes, obligations et formes d'action de l'organisation : indépendance à l'égard des pouvoirs, reconnaissance de la diversité des traditions historiques pour échapper au « prophétisme de la vieille conscience universelle » dénonçant les « grands problèmes de l'heure » définis par les médias, contributions anonymes et collectives, etc. – signalons la constitution d'un réseau international de 400 villes-refuges réparties dans 34 États et l'organisation de conférences de presse internationales sur le Rwanda, l'Algérie, Sarajevo, le droit d'asile, etc.*

Un projet ambitieux au sein duquel Pierre Bourdieu oppose toutefois à la « "figure de l'intellectuel comme porteur autoproclamé de la conscience universelle" celle du rôle, qui peut être entendu de façon très modeste, de "fonctionnaire de l'humanité" (Husserl) » [6].

---

6. « L'intellectuel dans la cité », entretien avec Florence Dutheil, *Le Monde*, 5 novembre 1993.

Pour une Internationale des intellectuels

J E VOUDRAIS PROPOSER un ensemble d'orientations pour une action collective des intellectuels européens en m'appuyant sur une analyse aussi réaliste que possible de ce qu'est et de ce que peut être l'intellectuel.

L'intellectuel est un être *paradoxal*, que l'on ne peut pas penser comme tel aussi longtemps qu'on l'appréhende au travers de l'alternative classique de l'autonomie et de l'engagement, de la culture pure et de la politique. Cela, parce qu'il s'est constitué, historiquement, *dans et par le dépassement* de cette opposition : les écrivains, les artistes et les savants se sont affirmés comme intellectuels lorsque, au moment de l'affaire Dreyfus, ils sont intervenus dans la vie politique en tant que tels, c'est-à-dire avec une autorité spécifique fondée sur l'appartenance au monde relativement autonome de l'art, de la science et de la littérature et sur toutes les valeurs associées à cette autonomie, désintéressement, compétence, etc. L'intellectuel est un personnage bi-dimensionnel : il n'existe et ne subsiste que pour autant que, d'une part, existe et subsiste un monde intellectuel autonome (c'est-à-dire indépendant des pouvoirs religieux, politiques, économiques, etc.) dont il respecte les lois spécifiques, et que, d'autre part, l'autorité spécifique qui s'élabore dans cet univers à la faveur de l'autonomie est engagée dans les luttes politiques. Ainsi, loin qu'il existe, comme on le croit d'ordinaire, une antinomie entre la recherche de l'autonomie (qui caractérise l'art, la science ou la littérature que l'on dit purs) et la recherche de l'efficacité politique, c'est en accroissant leur autonomie – et, par là, entre autres choses, leur liberté de critique à l'égard des pouvoirs – que les intellectuels peuvent accroître l'efficacité d'une action politique dont les fins et les moyens trouvent leur principe dans la logique spécifique du champ de production culturelle.

Il faut et il suffit de répudier la vieille alternative que nous avons tous dans l'esprit, et qui resurgit périodiquement dans les débats littéraires, pour être en mesure de définir ce que

Conférence donnée à Turin en mai 1989,
parue dans *Politis*, n° 1, 1992, p. 9-15.

pourraient être les grandes orientations d'une action collective des intellectuels. Mais cette sorte d'expulsion des formes de pensée que nous nous appliquons à nous-mêmes quand nous nous prenons pour objet de pensée est formidablement difficile. C'est pourquoi, avant d'énoncer ces orientations et pour pouvoir le faire, il faut tenter d'expliciter aussi complètement que possible l'inconscient – et en particulier les principes de vision et de division tels que l'opposition entre l'art pur et l'art engagé – qui s'est trouvé déposé, en chaque intellectuel, par l'histoire même dont les intellectuels sont le produit. Contre l'amnésie de la genèse, qui est au principe de toutes les formes de l'illusion transcendantale, il n'est pas d'antidote plus efficace que la reconstruction de l'histoire oubliée ou refoulée qui continue à fonctionner sous la forme paradoxale de ces formes de pensée en apparence anhistoriques qui structurent notre perception du monde et de nous-mêmes.

Histoire extraordinairement répétitive parce que le changement constant y revêt la forme d'un mouvement de balancier entre les deux attitudes possibles à l'égard de la politique, l'engagement et la retraite (cela au moins jusqu'au dépassement de l'opposition avec Zola et les dreyfusards). L'« engagement » des « philosophes » que Voltaire, dans l'article du *Dictionnaire philosophique*, intitulé « l'homme de lettres », oppose, en 1765, à l'obscurantisme scolastique des Universités décadentes et des Académies, « où l'on dit les choses à moitié », trouve son prolongement dans la participation des « hommes de lettres » à la Révolution française – même si, comme l'a montré Robert Darnton, la « bohème littéraire » saisit dans les « désordres » révolutionnaires l'occasion d'une revanche contre les plus consacrés des continuateurs des « philosophes » [1].

Dans la période de restauration post-révolutionnaire, les « hommes de lettres », parce qu'ils sont tenus pour responsables non seulement du mouvement des idées révolutionnaires – au travers du rôle d'*opinion makers* que leur avait conféré la multiplication des journaux dans la première phase de la Révolution –, mais aussi des excès de la Terreur, sont entourés de méfiance, voire de mépris, par la jeune génération des années 1820 – et tout spécialement par les Romantiques qui, dans la première phase du mouvement, reculent et refusent la prétention du « philosophe » à intervenir dans la vie

---

1. Robert Darnton, *Bohême littéraire et révolution. Le monde des livres au XVIIIᵉ siècle*, Seuil, Paris, 1983.

politique et à proposer une vision rationnelle du devenir historique. Mais, l'autonomie du champ intellectuel se trouvant menacée par la politique réactionnaire de la Restauration, les poètes romantiques, qui avaient été conduits à affirmer leur désir d'autonomie dans une réhabilitation de la sensibilité et du sentiment religieux contre la Raison et la critique des dogmes, ne tardent pas à revendiquer la liberté pour l'écrivain et le savant (notamment avec Michelet et Saint-Simon) et à assumer en fait la fonction prophétique qui était celle du philosophe du XVIIIe siècle.

Mais, nouveau mouvement de balancier, le romantisme populiste qui semble s'être emparé de la quasi-totalité des écrivains dans la période qui précède la révolution de 1848 ne survit pas à l'échec du mouvement et à l'instauration du Second Empire : l'effondrement des illusions que j'appellerai à dessein quarante-huitardes (pour évoquer l'analogie avec les illusions soixante-huitardes dont l'écroulement hante encore notre présent) conduit à cet extraordinaire désenchantement, si vigoureusement évoqué par Flaubert dans *L'Éducation sentimentale*, qui fournit un terrain favorable à une nouvelle affirmation de l'autonomie, radicalement élitiste cette fois, des intellectuels. Les défenseurs de l'art pour l'art, tels Flaubert ou Théophile Gautier, affirment l'autonomie de l'artiste en s'opposant aussi bien à l'« art social », et à la « bohème littéraire », qu'à l'art bourgeois, subordonné, en matière d'art et aussi d'art de vivre, aux normes de la clientèle bourgeoise. Ils s'opposent à ce nouveau pouvoir naissant qu'est l'industrie culturelle en refusant les servitudes de la « littérature industrielle » (sauf au titre de substitut alimentaire de la rente, comme chez Gautier ou Nerval). N'admettant d'autre jugement que celui de leurs pairs, ils affirment la fermeture sur soi du champ littéraire mais aussi le renoncement de l'écrivain à sortir de sa tour d'ivoire pour exercer une forme quelconque de pouvoir (rompant en cela avec le poète *vates* à la Hugo ou le savant prophète à la Michelet).

Par un paradoxe apparent, c'est seulement à la fin du siècle, au moment où le champ littéraire, le champ artistique et le champ scientifique accèdent à l'autonomie, que les agents les plus autonomes de ces champs autonomes peuvent intervenir dans le champ politique en tant qu'intellectuels – et non en tant que producteurs culturels convertis en hommes politiques, à la façon de Guizot ou de Lamartine –, c'est-à-dire avec une autorité fondée sur l'autonomie du champ et toutes les valeurs qui lui sont associées, pureté éthique, compétence, etc. Concrètement, l'autorité proprement artistique ou scientifique s'affirme dans des actes politiques comme le « J'accuse » de Zola et les pétitions destinées à le soutenir. Ces actes politiques d'un type nouveau tendent à maximiser les deux dimensions constitutives de l'identité de l'intellectuel qui s'invente à travers eux, la « pureté » et l'« engagement », donnant naissance à une *politique de la pureté* qui est l'antithèse parfaite de la raison d'État. Ils impliquent en effet l'affirmation du droit de transgresser les valeurs les plus sacrées de la collectivité – celles du patriotisme par exemple, avec l'appui donné à l'article diffamatoire de Zola contre l'armée ou, beaucoup plus tard, pendant la guerre d'Algérie, l'appel au soutien à l'ennemi –, au nom de valeurs transcendantes à celles de la cité ou, si l'on veut, au nom d'une forme particulière d'universalisme éthique et scientifique qui peut servir de fondement non seulement à une sorte de magistère moral mais aussi à une mobilisation collective en vue d'un combat destiné à promouvoir ces valeurs.

Il aurait suffi d'ajouter à cette évocation en survol des grandes étapes de la genèse de la figure de l'intellectuel quelques indications sur la politique culturelle de la République de 1848 ou celle de la Commune pour dessiner le tableau des rapports possibles entre les producteurs culturels et les pouvoirs tels qu'on peut les observer soit dans l'histoire d'un seul pays [2], soit, comme on pourrait le faire, dans l'espace politique actuel des États européens, de Thatcher à Gorbatchev. L'histoire apporte un enseignement important : nous sommes dans un jeu où tous les coups qui se jouent aujourd'hui, ici ou là, ont déjà été joués – depuis le refus du politique et le retour au religieux jusqu'à la résistance à l'action d'un pouvoir politique hostile à l'activité intellectuelle, en passant par la révolte contre l'emprise de ce que certains appellent aujourd'hui les médias ou l'abandon désabusé des utopies révolutionnaires.

Mais le fait de se trouver ainsi en « fin de partie » ne conduit pas nécessairement au désenchantement. Il est clair en effet que l'intellectuel ne s'est pas institué une fois pour toutes et à tout jamais avec Zola et que les détenteurs de capital culturel peuvent toujours « régresser » vers l'une ou l'autre des posi-

---

2. Lire Christophe Charle, *Les Intellectuels en Europe au XIXe siècle : essai d'histoire comparée*, Seuil, « Points Histoire », Paris, 2001.

tions désignées par le pendule de l'histoire, c'est-à-dire vers le rôle du poète, de l'artiste ou du savant « purs » ou vers le rôle de l'acteur politique, journaliste, homme politique, etc. En outre, contrairement à ce que pourrait faire croire la vision vaguement hégélienne de l'histoire intellectuelle que l'on obtiendrait par l'accumulation de traits sélectionnés, la revendication de l'autonomie qui est inscrite dans l'existence même d'un champ de production culturelle doit compter avec des obstacles et des pouvoirs sans cesse renouvelés, qu'il s'agisse des pouvoirs externes, comme ceux de l'Église, de l'État ou des grandes entreprises économiques, ou des pouvoirs internes, et en particulier ceux que donne le contrôle des instruments de production et de diffusion spécifiques (presse, édition, radio, télévision, etc.).

En tout cas, et contrairement aux apparences, les *invariants,* qui sont le fondement de l'unité possible des intellectuels de tous les pays, sont plus importants que les *variations* qui résultent de l'état des rapports présents et passés entre le champ intellectuel et les pouvoirs politiques et des formes que revêtent, en chaque pays, les mécanismes propres à entraver l'élan des producteurs culturels vers l'autonomie. La *même intention d'autonomie* peut en effet s'exprimer dans des prises de position opposées (laïques dans un cas, religieuses dans un autre) selon la structure et l'histoire des pouvoirs contre lesquels elle doit s'affirmer. Les intellectuels des différents pays doivent être pleinement conscients de ce mécanisme s'ils veulent éviter de se laisser diviser par des oppositions conjoncturelles et phénoménales qui ont pour principe le fait que la même volonté d'émancipation se heurte à des obstacles différents. Je pourrais prendre ici l'exemple des philosophes français et des philosophes allemands les plus en vue qui, parce qu'ils opposent le même souci d'autonomie à des traditions historiques opposées, s'opposent en apparence dans des rapports à la vérité et à la raison apparemment inverses. Mais je pourrais prendre aussi bien l'exemple d'un problème comme celui des sondages d'opinion, où certains, en Occident, peuvent voir un instrument de domination, tandis que d'autres, dans les pays de l'Est de l'Europe, peuvent y voir une conquête de la liberté.

Pour comprendre et maîtriser les oppositions qui risquent de les diviser, les intellectuels des différents pays européens doivent avoir toujours à l'esprit la structure et l'histoire des pouvoirs contre lesquels ils doivent s'affirmer pour exister en tant qu'intellectuels ; ils doivent par exemple savoir reconnaître dans les propos de tel ou tel de leurs interlocuteurs – et, en particulier, dans ce que ces propos peuvent avoir de déconcertant ou de choquant –, l'effet de la distance historique et géographique à des expériences de despotisme politique comme le nazisme ou le stalinisme, ou à des mouvements politiques ambigus comme les révoltes étudiantes de Mai 68, ou, dans l'ordre des pouvoirs internes, l'effet de l'expérience présente et passée de mondes intellectuels très inégalement soumis à la censure ouverte ou larvée de la politique ou de l'économie, de l'université ou de l'académie, etc. (Lorsque nous parlons en tant qu'intellectuels, c'est-à-dire avec l'ambition de l'universel, c'est, à chaque instant, l'inconscient historique inscrit dans l'expérience d'un champ intellectuel singulier qui parle par notre bouche. Il fut un temps où l'on parlait beaucoup de communication des consciences. Je crois que nous sommes très ordinairement voués à la communication, évidemment malheureuse et imparfaite, des inconscients et que nous n'avons quelque chance de parvenir à une véritable communication des consciences qu'à condition d'objectiver et de maîtriser les inconscients historiques qui nous séparent, c'est-à-dire les histoires spécifiques des univers intellectuels dont nos catégories de perception et de pensée sont le produit.)

Je veux en venir maintenant à l'exposé des raisons particulières qui imposent aujourd'hui, avec une urgence spéciale, une mobilisation des intellectuels et la création d'une véritable *Internationale des intellectuels* attachée à défendre l'autonomie du champ. Je ne crois pas sacrifier à une vision apocalyptique de l'état du champ de production culturelle dans les différents pays européens en disant que son autonomie est très fortement menacée ou, plus précisément, que des menaces d'une espèce tout à fait nouvelle pèsent aujourd'hui sur son fonctionnement ; et que les intellectuels sont de plus en plus complètement exclus du débat public, à la fois parce qu'ils sont moins enclins à y intervenir et parce que la possibilité d'y intervenir efficacement leur est de moins en moins offerte.

Les menaces sur l'autonomie : l'interpénétration est de plus en plus grande, dans les différents pays occidentaux, entre le monde de l'art et le monde de l'argent. Je pense aux nouvelles formes de mécénat, et aux nouvelles alliances qui s'instaurent entre certaines entreprises économiques, souvent les plus modernistes – comme, en Allemagne, Daimler-Benz ou les banques –, et les producteurs culturels ; je pense aussi au recours de plus en plus fréquent de la recherche universitaire à des sponsors ou à la création d'enseignements directement subordonnés à l'entreprise (comme, en Allemagne, les *Technologiezentren* ou, en France, les écoles de commerce). Mais l'emprise ou l'empire de l'économie sur la recherche artistique ou scientifique s'exerce aussi à l'intérieur même du champ à travers le contrôle des moyens de production et de diffusion culturels, et même des instances de consécration. Les producteurs attachés à de grandes bureaucraties culturelles (journaux, radio, télévision, etc.) sont de plus en plus contraints à accepter et à adopter des normes et des contraintes (par exemple en matière de rythme de travail) qu'ils tendent plus ou moins inconsciemment à constituer en mesure universelle de l'accomplissement intellectuel (je pense par exemple au *fast writing* et au *fast reading* qui deviennent la loi de la production et de la critique journalistiques). On peut se demander si la division en deux marchés, qui est caractéristique des champs de production culturelle depuis le milieu du XIXe siècle, avec d'un côté le champ restreint des producteurs pour producteurs, et de l'autre le champ de grande production et la « littérature industrielle », n'est pas menacée de disparition, la logique de la production commerciale tendant de plus en plus à s'imposer à la production d'avant-garde (à travers notamment, dans le cas de la littérature, les contraintes qui pèsent sur le marché des livres). Et il faudrait montrer aussi comment le mécénat d'État qui permet apparemment d'échapper aux contraintes immédiates du marché, impose, à travers le mécanisme des commissions et des comités, une véritable normalisation de la recherche, qu'elle soit scientifique ou artistique. *Timeo Danaos, et dona ferentes* [3]. Il faut travailler à élever la conscience et la vigilance envers le cadeau empoisonné que peut représenter toute espèce de mécénat.

L'exclusion hors du débat public : cette exclusion est le résultat de l'action conjuguée de plusieurs facteurs, dont certains ressortissent à l'évolution interne de la production culturelle – comme la spécialisation de plus en plus poussée qui porte les chercheurs à s'interdire l'ambition totale de l'intellectuel à l'ancienne – tandis que d'autres sont le résultat de l'emprise de plus en plus grande d'une technocratie qui met les citoyens en vacances en favorisant l'« irresponsabilité organisée », selon le mot d'Ulrich Beck, et qui trouve une complicité immédiate

---

3. « Je crains les Danéens, même s'ils font des présents », Virgile, *Énéide*, II, v, 49. [nde]

dans une technocratie de communication, de plus en plus présente, au travers des médias, dans l'univers même de la production culturelle. Sur le premier point, il faudrait développer par exemple l'analyse de la production et de la reproduction du pouvoir de ceux que l'on a appelés les « nucléocrates », c'est-à-dire ces membres de la noblesse d'État qui font l'objet d'une délégation quasi inconditionnelle (il va de soi que, pour comprendre la complicité tacite dont bénéficient, tout particulièrement en France, ces « nucléocrates », qui ne sont que la limite de tous les technocrates, et de tous ceux notamment qui, jusqu'au sein du parti socialiste aujourd'hui, tendent à réduire la politique à un problème de gestion, il ne suffit pas d'invoquer, comme le fait Ulrich Beck, la vertu dormitive d'un discours d'expertise capable d'endormir la responsabilité : il faut prendre en compte, comme je l'ai fait dans *La Noblesse d'État*, toute la logique d'un système scolaire qui confère à ses élus une légitimité sans précédent historique).

La grande technocratie trouve une complicité immédiate dans la nouvelle technocratie de la communication, ensemble de professionnels de l'art de communiquer qui monopolisent l'accès aux instruments de communication et qui, n'ayant que très peu de choses à communiquer, instaurent le vide du ron-ron médiatique au cœur de l'appareil de communication. Les intellectuels organiques de la technocratie monopolisent le débat public au détriment des professionnels de la politique (parlementaires, syndicalistes, etc.) ; au détriment des intellectuels qui sont soumis, jusque dans leur univers propre, à des sortes de putsch spécifiques – ce qu'on appelle des « coups médiatiques » – comme les enquêtes journalistiques visant à produire des classements manipulés, ou les innombrables palmarès que les journaux publient à l'occasion des anniversaires, etc., ou encore les véritables campagnes de presse visant à accréditer ou discréditer des auteurs, des œuvres ou des écoles.

On a pu montrer que, de plus en plus, une manifestation politique réussie est une manifestation qui a réussi à se rendre visible, manifeste, aux journaux et surtout à la télévision, donc à imposer aux médias qui font sa réussite l'idée qu'elle est réussie – de là le fait que les formes les plus sophistiquées de manifestation sont orientées souvent avec l'aide de conseillers en communication, vers les médias qui doivent en rendre compte [4]. De la même façon, une part de plus en plus impor-

---

4. Lire Patrick Champagne, *Faire l'opinion*, Minuit, Paris, 1990.

tante de la production culturelle, lorsqu'elle n'est pas le produit de gens qui travaillent dans les médias et dont la signature est sollicitée parce qu'ils sont assurés d'avoir l'appui des médias, est définie dans sa date de parution, son titre, son format, son volume, son contenu et son style de manière à combler les attentes des journalistes qui la feront en parlant d'elle.

Ce n'est pas d'aujourd'hui qu'il existe une littérature commerciale et que les nécessités du commerce s'imposent au sein du champ culturel. Mais l'emprise des détenteurs du pouvoir sur les instruments de circulation – et, par là, au moins pour une part, de consécration – n'a sans doute jamais été aussi étendue et aussi profonde ; et la frontière jamais aussi brouillée entre l'ouvrage d'avant-garde et le *best-seller*. Ce brouillage des frontières auquel les producteurs médiatiques sont spontanément inclinés (comme en témoigne le fait que les palmarès journalistiques mêlent toujours les producteurs les plus autonomes et les plus hétéronomes, Claude Lévi-Strauss et Bernard-Henri Lévy) constitue sans doute la pire menace pour l'autonomie de la production culturelle. Le producteur hétéronome, celui que l'on appelle le *tuttologo*, surtout lorsqu'il va sur le terrain de la politique mais sans l'autorité et l'autonomie que donne la compétence spécifique, est sans doute le cheval de Troie à travers lequel l'hétéronomie pénètre dans le champ de production culturelle. La condamnation que l'on peut porter contre les *doxosophes* – savants apparents et savants de l'apparence, comme disait Platon – est impliquée dans l'idée que la force spécifique de l'intellectuel, même en politique, repose sur l'autonomie que donne la capacité de répondre aux exigences internes du champ. Le jdanovisme, qui fleurit toujours parmi les auteurs ratés, n'est qu'une attestation parmi d'autres que l'hétéronomie advient toujours dans un champ à travers les producteurs les moins capables de réussir selon les normes du champ.

La nature paradoxale, en apparence contradictoire, de l'intellectuel, fait que toute action politique visant à renforcer l'efficacité politique des intellectuels est vouée à se donner des mots d'ordre d'apparence contradictoire : d'un côté, renforcer l'autonomie, notamment en renforçant la coupure avec les intellectuels hétéronomes, et en combattant pour assurer aux producteurs culturels les conditions économiques et sociales de l'autonomie (et d'abord en matière de publication et d'évaluation des produits de l'activité intellectuelle) ; d'un autre côté, arracher les producteurs culturels à la tentation de la tour d'ivoire en les encourageant à lutter au moins pour prendre le pouvoir sur les instruments de production et de consécration intellectuelles et à entrer dans le siècle pour y affirmer les valeurs associées à leur autonomie.

Cette lutte ne peut être que collective parce qu'une partie des pouvoirs auxquels les intellectuels sont soumis doivent leur efficacité au fait que les intellectuels les affrontent en ordre dispersé, et dans la concurrence. Et aussi parce que les tentatives de mobilisation seront toujours suspectes, et vouées à l'échec, aussi longtemps qu'elles seront soupçonnées d'être mises au service des luttes pour le *leadership* d'un intellectuel ou d'un groupe d'intellectuels. Elle n'est possible que si, sacrifiant une fois pour toutes le mythe de l'« intellectuel organique », les producteurs culturels acceptent de travailler collectivement à la défense de leurs intérêts propres : ce qui peut les conduire, dans le cadre de l'Europe naissante, à s'affirmer comme un pouvoir de critique et de surveillance, voire de proposition, face aux technocrates ou, par une ambition à la fois plus haute et plus réaliste, à s'engager dans une action rationnelle de défense des conditions économiques et sociales de l'autonomie de ces univers sociaux privilégiés où se produisent et se reproduisent les instruments matériels et intellectuels de ce que nous appelons la Raison. Cette *Realpolitik de la Raison* sera sans nul doute exposée au soupçon de corporatisme. Mais il lui appartiendra de montrer, par les fins au service desquels elle mettra les moyens, durement conquis, de son autonomie, qu'il s'agit d'un *corporatisme de l'universel*.

L'histoire se lève à l'Est
Pour une politique de la vérité. Ni Staline ni Thatcher

NOUS AVONS LONGTEMPS CRU que nous étions parvenus à la fin de l'histoire. Le mouvement social qui, pendant tout le XIXᵉ siècle et la première moitié du XXᵉ, avait porté l'espérance des hommes, s'était anéanti peu à peu dans les échecs et les horreurs d'une tyrannie bureaucratique. Le monde avait l'âge de Brejnev. Là où l'on avait voulu voir une société sans classe s'était instaurée une société de caste. Une oligarchie totalement fermée sur ses privilèges pouvait trouver dans le double langage que lui assurait le monopole usurpé d'une rhétorique révolutionnaire le moyen de masquer et de se masquer le mur d'incompréhension qui la séparait des citoyens ordinaires. La destinée tragique de cet univers sans au-delà historique pesait comme un couvercle sur l'humanité progressiste tout entière. Et pas seulement parce que ce socialisme à visage inhumain fournissait aux conservateurs de tous les pays la meilleure des justifications du *statu quo*.

Nous venons d'assister à la fin d'une dictature ; mais qui n'était pas, quoi qu'on en dise, une dictature comme les autres. Elle s'est instaurée et exercée au nom du peuple, et elle a été abattue par le peuple ; au nom de la vérité, et elle a été abattue au nom de la vérité ; au nom de la liberté et de l'égalité, et elle a été abattue au nom de la liberté et de l'égalité. Formidable célébration de la Révolution de 1789 ! Cette révolution contre les crimes commis au nom de la Révolution n'est pas, pour une fois, contre-révolutionnaire. La collision des mots, liberté contre liberté, vérité contre vérité, égalité contre égalité, pourrait conduire, au terme d'une formidable dévaluation sémantique, au nihilisme. Or que font-ils, sous nos yeux, ces peuples qui ont été brimés, opprimés, emprisonnés, *embastillés* au nom de ces mots réduits à l'état de mots d'ordre, au nom de la vérité convertie en mensonge d'État, sinon mettre en œuvre le programme du poète : « Donner un sens plus pur aux mots de la tribu. » Il est naturel que le poète, l'écrivain, l'intellectuel, qu'il ait nom Mircea Dinescu, Václav Havel ou Christoph

Hein, retrouve son rôle originaire de porte-parole du groupe ou, plus modestement, d'écrivain public. Il est en effet celui qui enseigne que les grands mots où sont déposés les rêves ou les idéaux de l'humanité sortent plus purs et plus forts du doute radical auquel les a soumis l'histoire ; en se dressant pour les défendre contre l'abus de langage qui est toujours gros d'un abus de pouvoir, il rappelle que la politique de la vérité est sans doute plus réaliste, même en politique, que toutes les formes de *Realpolitik*.

C'est pourquoi tous les intellectuels de tous les pays doivent aujourd'hui s'organiser pour continuer la lutte ainsi engagée. C'en est fini de « l'intellectuel organique » qui se croyait contraint de plier sa raison aux verdicts de la raison d'État, ou du « compagnon de route » à la manière de Sartre qui, pour effacer son « péché originel », s'efforçait de « s'abêtir » pour se mettre au rang des « penseurs » de parti. Il n'y a pas de compromis en matière de vérité. Qu'on ne vienne pas nous dire qu'il faut préparer, pour 1992, un « marché commun de l'esprit ». La culture dont l'Europe a besoin, pour elle et pour le monde, et en particulier le tiers état du monde, ne sortira pas d'une négociation d'experts ou d'une confrontation de technocrates. Il s'agit de travailler à faire de l'usage rigoureux de la raison, donc du langage, une vertu politique, la première des vertus politiques ; donc de donner aux intellectuels le seul pouvoir qu'ils soient en droit et en devoir de revendiquer, celui d'exercer une vigilance incessante et efficace contre les abus de mots, et surtout de grands mots.

L'élan révolutionnaire que les peuples de l'Est viennent d'insuffler dans l'histoire alanguie de l'Europe est à prendre. Tous les professionnels du discours politique vont tâcher de s'en emparer, pour le détourner à leur profit. Ils vont revenir avec leurs fausses alternatives, Staline ou Thatcher, socialisme ou libéralisme, Karl Marx ou Milton Friedmann, Moscou ou Chicago, État ou marché, planification ou *laissez-faire*, cachant que derrière chacun de ces mots ils cachent leurs intérêts, leurs fantasmes ou, tout simplement, leur incapacité de penser librement. Ils vont essayer de relancer le pendule, qui renvoie indéfiniment d'une absurdité économique et politique dans une autre. Et la collusion des adversaires complices rendra difficile la découverte de ce point supérieur, qui n'est ni un juste milieu ni, comme le prétendaient les idéologues de la révolution, une « troisième voie ». Ceux qui ont découvert les idéaux de vérité, de liberté, ou même d'égalité et de fraternité contre les détournements pervers qu'en ont fait et en font les noblesses d'État « socialistes » sont les mieux placés, paradoxalement, pour nous réapprendre à nous libérer des mots et des modes de pensée qu'ont déposés dans notre inconscient les maîtres à penser mégalomanes et les ingénieurs irresponsables qui sont toujours prêts à sacrifier des peuples sur l'autel de leurs motions ou de leurs équations.

Mais il faut aussi empêcher à tout prix les manipulateurs de phobies et de fantasmes de réveiller les anciennes épouvantes, de s'appuyer sur les vieilles culpabilités, si faciles à inverser en auto-affirmations perverses, et désespérées, de jouer à tous ces « jeux à faire peur » qui, comme chez les enfants, risquent toujours de conduire à de vraies terreurs. Il faut au contraire se réjouir que la puissante et pesante Allemagne, de plus en plus inclinée à s'endormir, malgré l'aiguillon des mouvements alternatifs, sur le mol oreiller de sa réussite économique, se trouve placée au centre de l'épreuve de vérité, au cœur de la confrontation pratique entre les réalités du « paradis capitaliste », simple inversion de l'ancien mirage oriental, et les aspirations ou les exigences qu'ont laissées dans les esprits de ses ressortissants orientaux la rhétorique socialiste et surtout, peut-être, la révolte quotidienne contre les privilèges négateurs des idéaux proclamés.

Ainsi l'histoire ne s'est pas vraiment arrêtée, au cours des années 1930, à Moscou. Et les revendications, et les espérances dont le nouveau mouvement révolutionnaire est porteur et surtout les formidables contradictions que nous a léguées ce temps mort apparent de l'histoire, peuvent, si nous savons les affronter sans nous payer de mots, être au principe d'une remise en mouvement d'une pensée et d'une politique libératrices.

LE LANGAGE POLITIQUE
DES RÉVOLUTIONS CONSERVATRICES

Quatrième de couverture de *L'Ontologie politique
de Martin Heidegger*, Minuit, Paris, 1988

« Le discours philosophique, comme toute autre forme
d'expression, est le résultat d'une transaction entre une
intention expressive et la censure exercée par l'univers
social dans lequel elle doit se produire. Ainsi, pour comprendre l'œuvre de Heidegger dans sa vérité inséparablement philosophique et politique, il faut refaire le travail
d'euphémisation qui lui permet de dévoiler en les voilant
des pulsions ou phantasmes politiques. Il faut analyser la
logique du double sens et du sous-entendu qui permet à
des mots du langage ordinaire de fonctionner simultanément dans deux registres savamment unis et séparés.
Mettre en forme philosophique, c'est mettre des formes
politiquement : c'est présenter sous une forme philosophiquement acceptable, en les rendant méconnaissables,
les thèmes fondamentaux de la pensée des "révolutionnaires conservateurs". C'est donc à condition de recons-
truire les différentes variantes de la vision du monde qui
s'exprime crûment chez les essayistes de l'Allemagne de
Weimar et la logique inséparablement intellectuelle et
sociale du champ philosophique qui est le véritable opérateur de transmutation de l'humeur *Völkisch* [1] en philosophie existentielle, que l'on peut comprendre l'ontologie
politique de Martin Heidegger sans opérer les clivages
trop commodes entre le texte et le contexte, ou entre le
recteur nazi et le "berger de l'Être". »

---

1. Adjectif abondamment utilisé dans la propagande nationale-
socialiste, « *Völkisch* » renvoie à une exaltation du « peuple »
allemand dans sa composante « raciale ». [nde]

Les murs mentaux

NOTRE ÉPOQUE EST CELLE DES ILLUSIONS PERDUES. Nous sommes obligés à une sorte de doute radical. En ce sens, nous sommes dans une période faste, et tout particulièrement ici, à Berlin. Que pouvons-nous faire ? Quelle tâche, quelle mission pouvons-nous nous assigner en tant que philosophes, sociologues, écrivains, artistes ? Quelle tâche *réaliste*, c'est-à-dire *réalisable* collectivement ?

Premier objectif d'un programme *modeste* de travail intellectuel, soumettre le langage politique, et tout particulièrement les *mots* désignant des *collectifs* (peuple, nation, national, etc.) à une critique radicale. Comme je l'ai montré à propos de Heidegger, notre langage ordinaire et, plus encore, le langage dit *savant* est gros d'une *ontologie politique*. Dans le passé, ceux qui prétendaient à une vision *critique* du monde social, depuis les marxistes jusqu'à l'École de Francfort, étaient parmi les plus gros producteurs de concepts chargés d'ontologie politique. Il faut que désormais la critique s'applique d'abord aux mots de la critique. C'est ce que j'appelle le principe de *réflexivité*. Il ne faut pas entendre par là une exhortation au simple retour réflexif du sujet connaissant sur lui-même dans la tradition de la philosophie du sujet. Il s'agit d'une véritable *socioanalyse* qui ne peut être que *collective*. La vie intellectuelle (et sans doute aussi la vie politique) serait profondément changée si chaque locuteur, moi-même en ce moment, chacun de ceux qui parleront cet après-midi, se sentait sans cesse *exposé* à une critique visant à saisir non seulement les *raisons* de son discours mais aussi les *causes possibles*, les déterminants sociaux inconscients, les dispositions et les intérêts liés à l'occupation d'une position particulière dans le monde social et, plus particulièrement, s'agissant d'intellectuels, dans le monde universitaire ou intellectuel.

Il faut s'arrêter à ce point. On m'accusera sans doute de sociologisme, de réductionnisme, et on me tiendra pour coupable d'abaisser la raison. Je l'ai dit et redit cent fois, contre toutes les formes de l'*absolutisme rationaliste* – dont le représentant le

---

Conférence donnée à l'Institut français de Berlin le 2 octobre 1992 dans le cadre d'une réunion de l'association des Amis de *Liber*, parue dans le numéro spécial du *Liber* de janvier 1993, p. 2-4.

plus éclairé est aujourd'hui Jürgen Habermas –, la raison est de part en part historique et nous ne pouvons que travailler à créer les conditions historiques dans lesquelles elle peut se déployer. C'est ce que j'appelle la *Realpolitik* de la raison. Combattre pour la raison, pour la communication non distordue qui rend possible l'échange rationnel d'arguments, etc., c'est combattre, très concrètement, contre toutes les formes de violence, et d'abord de *violence symbolique*. Nous devons travailler résolument, collectivement, à porter au jour les mécanismes de cette violence insidieuse, qui s'exerce à travers la concurrence pour des postes, des honneurs, des titres, et qui se donne à observer de manière particulièrement claire, ici même, en ce moment, dans ce pays.

Je pense que l'arme par excellence de la *réflexivité critique* est l'analyse historique : paradoxalement, l'historicisation méthodique des instruments de la pensée rationnelle (catégories de pensée, principes de classification, concepts, etc.) est un des moyens les plus puissants de les arracher à l'histoire. Popper parlait, bien imprudemment, de misère de l'historicisme ; je suis de plus en plus convaincu qu'il faut parler de *misère de l'anhistorisme* : nombre de nos débats théoriques les plus purs n'existent et ne subsistent que parce qu'ils opposent des notions déshistoricisées, produits de la transfiguration de constructions historiques en essences transhistoriques.

Je vous parais sans doute abstrait. Je crains de vous paraître trop concret ou même un peu terre à terre si je transpose ces réflexions sur le terrain de la pratique quotidienne, en usant de la liberté – ou de l'irresponsabilité – que me confère mon statut d'étranger, qui m'expose à la naïveté et à l'arrogance prétentieuse et antipathique du donneur de leçons. Ainsi, par exemple, l'usage que certains font de la référence au passé, notamment dans les débats à propos des intellectuels de l'ancienne Allemagne de l'Est, est une parfaite illustration de tout ce que met au jour la sociologie des intellectuels, souvent taxée de pessimisme historiciste : comment ne pas voir le rôle des intérêts spécifiques dans les pratiques et les discours de tous ceux qui font un usage jdanovien (ou maccarthyste) de la dénonciation du jdanovisme pour s'emparer des postes de l'Est, reproduisant ainsi ce qu'ils dénoncent ?

Les crises révolutionnaires donnent souvent le spectacle de semblables chassés-croisés de la mauvaise foi (au sens sartrien de *self-deception*). Il faut relire Robert Darnton sur le rôle des intellectuels mineurs dans la Révolution française. Et ceux qui s'empressent aujourd'hui de juger et de condamner sans comprendre devraient relire aussi ce que l'historien américain écrivait, tout récemment, sur les mécanismes de la censure dans l'Allemagne de l'Est ; et méditer la phrase par laquelle il conclut son évocation de la rencontre avec deux « censeurs » de la RDA : « Mais j'étais aussi très conscient que rien n'était simple dans ce monde étrange situé de l'autre côté du mur. » (J'aurais pu citer aussi bien le petit livre, *Peurs totales*, où Bohumil Hrabal raconte, avec beaucoup de lucidité et de courage, ses rencontres avec ses censeurs.) Les armes de l'analyse scientifique, qui saisit des *invariants* transhistoriques, sont indispensables pour *échapper* à la logique de la *dénonciation* qui fait l'économie du travail nécessaire pour *comprendre* les conduites en les rapportant aux conditions sociales qui les rendent possibles et parfois inévitables.

Peut-être me taxerez-vous de scientisme, mais j'aimerais être ici, à Berlin, pour participer à une analyse rigoureuse et, par là, libératrice, de la *situation quasi expérimentale* qui s'offre à qui veut étudier les variations des conduites et des stratégies en fonction de différentes variables sociales telles que l'appartenance nationale (Est/Ouest), la discipline, l'âge, le statut. Non pour distribuer les blâmes et les éloges, dans la logique du procès à laquelle s'abandonnent si souvent les historiens. Mais pour comprendre, pour rendre raison, et rappeler à ceux qui jugent et condamnent, que ceux qu'ils condamnent sont leurs pareils, mais leurs pareils à l'histoire près, c'est-à-dire ce qu'ils auraient pu être s'ils avaient été soumis aux mêmes conditions. On comprend pourquoi il faut historiciser. Je fais partie de ceux qui, en France, étaient scandalisés lorsqu'ils entendaient les pacifistes allemands crier « plutôt rouge que mort », et je me suis battu de mon mieux, avec beaucoup d'autres, pour briser l'isolement symbolique des intellectuels des pays de l'Est. Je n'en suis que plus libre pour juger un peu sévèrement ceux qui jugent si sévèrement ceux qui n'ont pas eu d'autre choix que d'être rouges plutôt que morts.

Les Allemands ont affronté avec beaucoup de courage – peut-être n'avaient-ils pas d'autre choix – leur passé historique. Et on ne compte pas les travaux qui mettent au jour les mécanismes historiques qui ont conduit à l'horreur historique. Nous devons aujourd'hui affronter, avec la même intrépidité, le passé et le présent. Il ne s'agit plus de penser le tout ni de tout penser – mais de penser sans cesse les limites de la pensée. Plus que jamais, la sociologie critique des intellectuels est le préalable à toute recherche et toute action politique des intellectuels. Seuls des intellectuels sans illusions sur les intellectuels peuvent entreprendre une action intellectuelle « responsable » et efficace.

Nous devons poursuivre et généraliser le travail d'anamnèse historique. Pour éviter d'être les marionnettes du passé, c'est-à-dire de l'inconscient (Durkheim disait que « l'inconscient, c'est l'histoire »), nous devons nous réapproprier ce passé. La rhétorique unitaire tend à masquer que le mur a cessé d'exister comme réalité physique et politique, mais qu'il continue d'exister dans les cerveaux comme *principe de vision et de division*. J'avais dit, en 1989, dans un entretien donné au *Spiegel* (qui, sans doute parce qu'il a paru trop pessimiste, dans l'euphorie de la réunification, n'a pas été publié alors – mais qui l'a été depuis), que, comme la Vendée, toujours séparée du reste de la France, deux siècles après la Révolution française, par une frontière invisible, les deux Allemagnes resteraient durablement séparées. On peut voir aujourd'hui, au deuxième anniversaire de la réunification, que les habitus peuvent survivre durablement à leurs conditions sociales de production. Surtout quand ils trouvent des renforcements dans les conditions objectives (avec, pêle-mêle, le chômage, le mépris des « Occidentaux », l'*Abwicklung* [1], etc.).

Cela dit, il ne faudrait pas que pour abattre ce *mur mental*, on vienne à en restaurer d'autres. Je pense à tous ces murs historiques, souvent édifiés par les intellectuels, et tout spécialement « l'intelligentsia prolétaroïde », la classe dangereuse par excellence, qui ont séparé les nations, ces « communautés imaginaires » qui finissent par devenir bien réelles [2]. Ici encore, l'arme la plus efficace contre cette forme de *fétichisme* qu'est le nationalisme est l'histoire, mais une *histoire critique* (critique étant pris au sens de l'École de Francfort mais aussi au sens kantien), c'est-à-dire une histoire réflexive qui se prend elle-même pour objet et soumet à l'anamnèse historique l'histoire célébratrice, et constructrice de *fétiches* (je pense en particulier à l'histoire de la littérature en sa forme traditionnelle, qui est un des fondements du culte national et nationaliste et de l'imposition de la croyance dans l'« identité nationale » ; mais on

---

1. Depuis l'effondrement de la République démocratique allemande, le terme « *Abwicklung* » désigne le démantèlement et la liquidation de l'État socialiste. [nde]
2. Lire Benedict Anderson, *L'Imaginaire national*, La Découverte, Paris, 1996.

pourrait en dire autant, ou presque, de l'histoire des autres arts et même de l'histoire de la philosophie).

À cette histoire créatrice de fétiches, il faut substituer une *histoire* orientée vers la recherche de ces *transcendantaux historiques* que sont les catégories historiques de l'entendement – il faut ici réconcilier, et c'est difficile moins pour des raisons théoriques que pour des raisons *sociales*, la tradition durkheimienne et la tradition kantienne, représentée notamment par Cassirer. On pourrait ainsi montrer que l'opposition historique entre la France et l'Allemagne a servi de base (inconsciente, refoulée) à un certain nombre de grandes alternatives (par exemple culture/civilisation) *qui n'ont de fondement qu'historique* et qu'il faut défétichiser ou, ce qui revient au même, dénaturaliser. Je prendrai ici l'exemple d'une des oppositions les plus centrales – au moins à mes yeux –, celle qui sépare l'*impérialisme* de l'*universel*, issu des philosophes de l'*Aufklärung* [3] et de la Révolution française, et le *national populisme*, associé pour moi au nom de Herder, mais présent dans toute une tradition littéraire et philosophique allemande, jusqu'à Heidegger. Il est important de voir que la pensée de Herder, et plus généralement la pensée *à la Herder*, est, comme beaucoup de pensées conservatrices (par exemple celle de Burke), une *réaction* à la pensée à la française dans ce qu'elle a de « révolutionnaire », de progressiste, d'universel, mais aussi une réaction (pas nécessairement réactionnaire) contre un impérialisme ou un nationalisme qui (comme on le voit mieux dans les entreprises coloniales de la France) invoque l'universel (les droits de l'homme, etc.) pour s'imposer. Il y a quelque chose d'un peu inquiétant (au moins pour moi) dans la pensée de type herderien et dans les notions comme « esprit du peuple », « âme du peuple », qui fondent une sorte d'organicisme anti-universaliste, ou dans l'exaltation du langage comme condensé de l'expérience et de l'authenticité des nations, donc comme fondement possible des revendications nationales ou des annexions nationalistes. Et, sans conférer à la clarification scientifique et à la prise de conscience une efficacité qu'elles n'ont sans doute pas, on peut espérer que si les Allemands prenaient conscience et de l'ambiguïté de la tradition herderienne qui se réaffirme périodiquement et du fait

---

3. Nom allemand pour les Lumières, l'*Aufklärung* désigne un processus d'affranchissement des hommes par rapport à un « état de tutelle » (Kant). [nde]

qu'elle est fondée dans l'ambiguïté de l'*Aufklärung* à la française – ambiguïté qui échappe aussi bien à ses défenseurs qu'à ses adversaires –, ils seraient sans doute moins inquiétants et pour eux-mêmes et pour les autres. Et de même les intellectuels français donneraient toute sa force à leur universalisme s'ils savaient le dépouiller de tout le substrat inconscient de particularisme, voire de nationalisme plus ou moins sublimé, qui fait par exemple l'ambiguïté de leur adhésion actuelle à la construction de l'Europe. (Ces considérations un peu abstraites sont au fondement de la revue *Liber*, et, plus particulièrement, de la rubrique intitulée « Ethnographie européenne », où sont publiés des textes visant à porter à l'état explicite certaines des traditions ou des présupposés constitutifs des inconscients nationaux, c'est-à-dire ces particularités ou ces particularismes nés de l'histoire que l'on impute souvent à des sortes de natures, les « caractères nationaux ».)

C'est à condition, donc, de travailler sans cesse à cette exploration historique de leur inconscient historique que les artistes, les écrivains et les savants pourront entrer sans danger ni pour eux-mêmes ni pour les autres dans le combat pour lequel ils sont le mieux armés, la lutte symbolique contre la violence symbolique. Il leur appartient en effet de forger des instruments de défense et de critique contre toutes les formes de pouvoir symbolique qui ont connu un formidable développement, tant dans l'univers économique que dans le monde politique – au point que la pensée critique est sans doute en retard de plusieurs guerres. Et de donner une force symbolique à la critique de la violence symbolique (en prenant appui pour cela sur des artistes qui, comme Hans Haacke, savent mettre toutes les ressources de l'invention artistique au service d'actions de dévoilement). Cela notamment en se donnant pour mission, sans recréer le mythe de l'intellectuel organique, d'agir en écrivains publics et de faire accéder à l'espace public les discours privés de ceux qui sont privés de discours public.

J'ai parlé en commençant de programme *modeste*. La première condition d'une action réaliste est la connaissance de ses propres limites. Les intellectuels peuvent représenter une force incontestable, un pouvoir critique, un contre-pouvoir, à condition qu'ils luttent collectivement pour s'assurer le contrôle de leurs instruments de production (contre les pouvoirs économiques et politiques) et de l'évaluation de leurs produits (contre le journalisme). C'est ici que la solidarité internationale, fondée sur la construction d'instruments trans-nationaux d'échange et de communication, peut jouer un rôle décisif en libérant les producteurs culturels des effets négatifs associés à la *fermeture* des champs culturels et linguistiques nationaux et aux effets de domination exercés par les pouvoirs politiques, économiques ou culturels (universitaires notamment) à base nationale. On sait par expérience que les intellectuels libres ont souvent trouvé refuge à l'étranger, aux Pays-Bas au temps de l'absolutisme, en France, où nombre de mouvements d'avant-garde, littéraires ou artistiques autant que politiques du xixe siècle ont pris leur naissance, en Angleterre ou aux États-Unis lors de la montée du nazisme. L'étranger est souvent le lieu de la liberté, de la dissidence, de la rupture et c'est en luttant pour l'unification du champ intellectuel mondial et pour la levée de tous les obstacles à la circulation internationale des producteurs culturels et de leurs produits que les intellectuels peuvent le mieux contribuer au progrès de la liberté et de la raison.

LIBER

SUPPLÉMENT AU NUMÉRO 101-102 DE ACTES DE LA RECHERCHE EN SCIENCES SOCIALES – ISSN 1144-5858

revue européenne des livres

MOHAMED HARBI
La crise algérienne

ABDELMALEK SAYAD
Intellectuels à titre posthume

Modernité littéraire et politique en Algérie
Entretiens avec KATEB YACINE ET RACHID BOUDJEDRA

ENZO PACE
La mosquée et le bistrot

SILVIA NAEF
Islam et modernité

Revue internationale des livres

SUPPLÉMENT AU NUMÉRO 109 DE ACTES DE LA RECHERCHE EN SCIENCES SOCIALES – ISSN 1144-5858

**Écosse,
un nationalisme cosmopolite ?**

PIERRE BOURDIEU ET KEITH DIXON
Une double cosmogonie nationale

MARTIN CHALMERS
Les ambiguïtés du récit des origines

ANGELA MCROBBIE
Wet, wet, wet

H. GUSTAV KLAUS
1984 Glasgow :
Alasdair Gray, Tom Leonard, James Kelman

EMMANUEL TELLIER
The Jesus And Mary Chain :
rapide portrait d'un groupe de rock écossais

TOM NAIRN
La société civile : un mythe écossais

EDWIN MORGAN
« État de rêve », paradis perdu ou pays rêvé

Kilts, clans et bagpipes : l'invention
d'une tradition « authentique »

KEITH DIXON
La littérature écossaise du XXe siècle

JACKIE KAY
He Told Us He Wanted a Black Coffin

et la Librairie européenne

24
Octobre
1995

17
m a r s
1 9 9 4

Revue internationale des livre

n° 27 ju
1 9 9

SUPPLÉMENT AU NUMÉRO 113 DE ACTES DE LA RECHERCHE EN SCIENCES SOCIALES – ISSN 1144-5858

Critique autrichienne de la raison germanique

LUIGI REITANI
Y a-t-il une littérature autrichienne ?

FRAUKE MEYER-GOSAU
Elfriede Jelinek : « un commencement
conçu comme une fin »

ELFRIEDE JELINEK
Entretien

CLAUDIO MAGRIS
Sur la correspondance de Musil

CHRISTINE LECERF-HÉLIOT
Le millénaire de l'Autriche

ERNST JANDL
Poèmes

CHRISTINE LECERF-HÉLIOT
Une petite fugue philosophique
de Thomas Bernhard

DORON RABINOVICI
Le populisme de Jörg Haider

NORBERT CHRISTIAN WOLF
La littérature autrichienne
et l'Allemagne

ROKUS HOFSTEDE
Batavus Droogstoppel, Max Havelaar
Le double visage du calvinisme

ADAN KOVACSICS
Un regard qui dérange

Luigi Reitani

Y A-T-IL UNE LITTÉRATURE

Responsabilités intellectuelles
Les mots de la guerre en Yougoslavie

YOUGOSLAVIE. Sans doute le silence est coupable. Mais faut-il, pour se donner bonne conscience ou pour se faire voir faisant ce qu'il faut faire, parler à tout prix, sans efficacité réelle et au risque de dire n'importe quoi ? La simple conviction, si généreuse soit-elle, ne suffit pas. Et lorsqu'elle s'associe à l'ignorance, elle dit plus sur ceux qui parlent et sur l'univers intellectuel dans lequel ils sont pris que sur l'objet dont ils croient parler.

Lorsque, comme ici, il y a des siècles d'histoire derrière chaque mot, on s'expose à être manipulé par les mots qu'on manipule, à prendre parti sans le savoir sur les questions que les mots dissimulent (à engager par exemple toute une vision de la Bosnie et de la population qui l'occupe dans le seul fait d'appeler « Bosniaques » les Musulmans – ou musulmans – de cette région). Or, les questions de mots sont souvent des questions de vie ou de mort. Les luttes symboliques ont pour enjeu des mots, et des mots qui tuent parce que, convertis en mots d'ordre, en slogans mobilisateurs, en ordres de mobilisation, ils constituent en essences déshistoricisées, naturalisées, les populations qu'ils désignent et leurs particularités : noms de langues, noms de religions, noms d'ethnies, noms de régions, etc. ; autant de créations historiques, auxquelles les intellectuels ont contribué, et dont les mêmes intellectuels, ou d'autres, font des armes dans leurs luttes pour l'hégémonie, pour la domination dans l'État ou pour la construction des États qu'ils espèrent dominer.

La responsabilité des intellectuels, en ces affaires, est immense. Ce sont les petits écrivains sans talent, enfermés dans les limites nationales de leur cerveau, qui, comme le montre le terrible réquisitoire de Danilo Kis, dans *La Leçon d'anatomie* [1], profitent des conditions offertes par les populismes autoritaires, national-socialistes ou national-communistes pour régler sur le

---

1. Danilo Kis, *La Leçon d'anatomie*, Fayard, Paris, 1993.

Paru dans *Liber*, juin 1993, n° 14, p. 2.

terrain politique les conflits littéraires, artistiques ou philosophiques dans lesquels ils sont vaincus d'avance. Cela, à la faveur de l'effondrement des structures bureaucratiques des grands empires ou des États qui, comme Rogers Brubaker l'a montré [2], autorise et favorise la régression vers ce degré zéro de la politique qu'est le retour aux solidarités et aux loyautés élémentaires, souvent justifiées dans le langage du sang et de la pureté génétique et affirmées dans le sang et les opérations de « purification ethnique ».

Que peuvent faire les intellectuels, en de telles circonstances – je ne parle pas de ceux qui sont sur le terrain, impuissants et désespérés –, sinon tirer parti de leur extériorité (provisoire ?) pour aider le camp de la raison, nécessairement affaibli en temps de crise ? Et mobiliser, inlassablement, toutes les armes intellectuelles disponibles contre ceux d'entre les intellectuels qui, dans les situations ordinaires de la vie intellectuelle, recourent aux armes politiques ou économiques pour triompher à tout prix dans les luttes intellectuelles et qui, ce faisant, préparent souvent les guerres bien réelles dans lesquelles ils pourront prolonger les luttes intellectuelles par d'autres moyens.

---

2. Rogers Brubaker, « L'éclatement des peuples à la chute des empires », *Actes de la recherche en sciences sociales*, juin 1993, n° 98, p. 4-19.

Comment sortir
du cercle de la peur ?

À propos du livre de Juan E. Corradi, Patricia Weiss Fagen et Manuel
Antonio Garreton, *Fear at the Edge : State Terror and Resistance in Latin
America* (University of California Press, Berkeley, 1992).

UN OBJET SINGULIER, peu fréquenté depuis Montesquieu,
qui faisait reposer le despotisme sur la crainte : la politique de la peur. Dans quatre pays du sud de l'Amérique
latine, Argentine, Brésil, Chili et Uruguay, au cours des années 1970, des régimes militaires ont fait régner une *terreur
d'État* visant à « dissoudre ou à isoler les institutions civiles capables de protéger les citoyens contre le pouvoir de l'État ».
Par une étrange inversion, l'État qui tend à assurer le maintien
de l'ordre, la sécurité des personnes et, dans les termes de Max
Weber, la « prévisibilité et la calculabilité » du monde social
devient le principe d'une sorte d'insécurité radicale et d'une
imprévisibilité à peu près totale. Ces dictatures qui « promet-
tent d'en finir avec la peur, engendrent en fait de nouvelles
peurs parce qu'elles brisent profondément les routines et les
habitudes sociales, rendant la vie quotidienne imprévisible » ;
elles suscitent un sentiment d'impuissance et l'environnement
familier lui-même semble habité par des forces étrangères et
hostiles : l'obsession de la survie empêche les gens de vivre.

Le terrorisme et la terreur d'État ou les différentes combinaisons possibles de l'un ou de l'autre installent l'incertitude au
cœur du système social (surtout lorsque l'État, constitué,
comme le dit quelque part Norbert Elias, contre la logique du
racket, devient – on en a nombre d'exemples récents – une
mafia organisant le racket et le meurtre). Les définitions légales
de l'activité criminelle sont vagues ; l'information est imprécise
ou inaccessible et la communication difficile ; la violence physique s'exerce ouvertement en association avec des activités
semi-clandestines telles que tortures et exécutions illégales. Les
actes d'intimidation publique (comme les enlèvements accomplis avec un grand déploiement de force ou les exécutions
publiques) instituent l'insécurité la plus extraordinaire au cœur

de l'existence la plus ordinaire. Dans ces conditions, « la capacité de calculer rationnellement les conséquences d'une action est profondément altérée ».

Mais l'effet le plus terrible du terrorisme et de la terreur d'État est l'atomisation des groupes, la destruction de toute solidarité entre des individus isolés et effrayés. Et aussi le repli vers les solidarités primaires, et cette sorte de « familisme amoral », comme dit Juan Corradi, que vient renforcer la tendance à se désolidariser de ceux qui résistent et dont on craint qu'ils n'attirent la répression. L'inaction cherche sa justification dans un transfert mutuel de responsabilités qui apparaît comme un « échange social d'excuses » : les gens en place renvoient la balle aux simples citoyens « qui n'ont rien à perdre » ; les simples citoyens aux gens en place « qui ne risquent rien ». L'un dit qu'il est en train de finir ses études, l'autre qu'il ne veut pas créer des difficultés à sa famille ou à son patron, ou encore qu'il a peur que son passeport ne soit pas renouvelé (on pense à *Peurs totales* de Bohumil Hrabal) ; les jeunes disent qu'ils sont trop jeunes et les vieux trop vieux. Pire, il n'est pas rare d'observer « une véritable haine à l'égard de ceux qui donnent l'exemple du courage », mettant ainsi les autres en face d'un choix moral difficile. La peur que chacun a de tous les autres isole progressivement les individus et les groupes les plus actifs dans la résistance aux pouvoirs. L'invocation de la nécessité, pessimiste ou cynique, fournit un puissant système de défense contre les appels à l'action. Le désespoir conduit à une sorte d'« autisme social » (selon la formule de Bruno Bettelheim) et à la retraite dans le silence. Les menaces publiques et l'intimidation privée se combinent avec les rumeurs pour condamner les individus isolés et incapables de vérifier leurs impressions subjectives par la confrontation avec celles des autres à des croyances plus ou moins irréalistes où les frontières entre le fantastique, le possible et le désiré se trouvent brouillées. Si, par parenthèse, on n'a guère de peine à comprendre cette « logique de l'inaction collective » qui trouve les conditions de son plein accomplissement dans les occasions extraordinaires créées par la politique de la terreur, c'est qu'on la rencontre chaque jour dans toutes les institutions totales, prisons, hôpitaux psychiatriques ou internats, et aussi dans les routines de l'existence bureaucratique ou de la vie intellectuelle, où la crainte diffuse de sanctions incertaines suffit bien souvent à déclencher les innombrables lâchages infinitésimaux qui rendent possibles les grands et les petits abus de pouvoir.

Est-il possible de briser le cercle de la peur ? L'analyse comparative des différentes situations historiques montre que la condition majeure d'une telle issue est l'existence d'organisations capables de briser le monopole des communications contrôlées par l'État, de fournir une assistance matérielle et juridique, de soutenir les efforts de résistance et d'imposer peu à peu la conviction que l'horizon n'est pas fermé à jamais. Cela, en permettant à la grande majorité des gens de se convaincre que l'exceptionnalisme héroïque n'est pas la seule possibilité d'action et de prendre de l'assurance en découvrant que beaucoup d'autres pensent et agissent comme eux et aussi que des personnalités importantes (dans le pays ou à l'étranger) soutiennent leur action et renforcent les barrières protectrices. Autrement dit, les stratégies les plus efficaces sont celles qui conduisent la majorité silencieuse et terrorisée à découvrir et à montrer sa force collective à travers des actions relativement ordinaires et peu risquées mais qui, accomplies au même moment par un très grand nombre de personnes concertées (comme un mouvement silencieux de toute une population vers le centre de la ville ou la fermeture simultanée de toutes les maisons et de toutes les boutiques) produisent un immense effet symbolique d'abord sur ceux qui les accomplissent, et aussi sur ceux contre qui elles sont dirigées.

Pour contribuer efficacement à l'internationalisme réaliste qui est sa raison d'être, Liber *a mis en œuvre deux stratégies complémentaires. Il a tenté d'une part d'offrir à ses lecteurs turcs, grecs, allemands ou bulgares la possibilité de se familiariser avec des auteurs, des œuvres ou des institutions anglais, écossais, tchèques ou irlandais, et réciproquement, et de faire connaître a l'échelle internationale des particularités attachées à des traditions nationales (c'est la fonction notamment des numéros consacrés à un seul pays ou des analyses et des évocations de traits singuliers, caractéristiques d'une tradition historique avec des rubriques comme « L'intraduisible » ou « L'ethnographie européenne »). D'autre part, il s'est efforcé de rassembler et de confronter des analyses du même objet particulier (ici les intellectuels) tel qu'il se présente en différentes cultures nationales, faisant ainsi apparaître, contre les présupposés et les stéréotypes de l'essayisme, des faits et des effets qui se retrouvent partout, des invariants qu'annulent ou ignorent tout aussi infailliblement les propos vagues ou pompeux des réunions et des revues internationales que les descriptions limitées aux frontières d'une nation. En permettant ainsi à des lecteurs de différents pays de lire dans leur langue maternelle des textes délestés des particularités anecdotiques qui emplissent les journaux et les revues nationaux et chargés des informations qui, au contraire, en sont absentes parce qu'elle vont de soi pour les familiers, on voudrait contribuer, patiemment, inlassablement, à les arracher aux limites de leurs univers nationaux et à créer une sorte d'intellectuel collectif, libéré de l'idolâtrie des idiotismes culturels que l'on identifie trop souvent à la culture.*

Déclaration d'intention
du numéro 25, 1995, de la revue *Liber*

Au service des formes historiques de l'universel

DE FAÇON GÉNÉRALE, les intellectuels n'ont pas bonne presse. Partout, les mots qui les désignent sont presque tous péjoratifs. Sans doute, pour une part, parce que ce sont des intellectuels, petits ou grands – plutôt petits vraisemblablement –, qui les ont inventés. Les anti-intellectualismes, comme toutes les formes de racisme, ont presque toujours pour principe le ressentiment, souvent lié au déclin collectif (celui des grands empires disparus, anglais, autrichien, français ou portugais notamment) ou au déclassement individuel, soit dans l'espace social, avec la petite bourgeoisie déclinante, soit au sein des microcosmes artistique, littéraire ou scientifique, où la déchéance et la déréliction sociales font aussi des ravages (sans oublier le journalisme, lieu de beaucoup d'illusions déçues et d'espoirs perdus). Le pire des anti-intellectualismes, intellectuel ou non, trouvera d'innombrables justifications, aujourd'hui dans les pratiques anomiques favorisées par le déclin de l'autonomie que les univers de production culturelle avaient conquise au prix de plusieurs siècles de luttes contre tous les pouvoirs temporels, Églises, États et marché : le commerce et le journalisme, lui-même de plus en plus soumis à la sanction du marché par l'intermédiaire de la télévision qui tend toujours davantage à lui imposer sa domination et qui est elle-même dominée par le règne de l'audimat et des annonceurs, ne cessent d'étendre leur empire sur la production, la circulation et l'évaluation des œuvres [1]. On peut en voir toutes sortes de conséquences. C'est par exemple le développement de la « *world fiction* », cette littérature d'emblée destinée au marché mondial qui, parce que la logique du commerce des livres la place aux premiers rangs dans les listes de *best-sellers* de tous les pays, est parfois assimilée, avec la complicité consciente ou inconsciente des éditeurs et des critiques, aux grandes œuvres de la littérature universelle qui n'ont conquis que peu à peu, presque toujours contre les

---

1. Lire « L'emprise du journalisme », *Actes de la recherche en sciences sociales*, mars 1994, n° 101/102, p. 2-9.

Paru sous le titre « Et pourtant... » dans *Liber*, décembre 1995, n° 25, p. 1-2.

pouvoirs du commerce, la reconnaissance qui leur est partout accordée aujourd'hui [2]. C'est aussi l'apparition de personnages de la scène médiatico-politique qui, tels un double, une doublure, pris au piège de son rôle, comme dans le film d'Akiro Kurosawa, *Kagemusha*, miment la figure et le rôle de l'intellectuel : faute d'avoir l'œuvre et l'autorité que présuppose l'intervention de l'écrivain en tant qu'intellectuel dans le champ politique, ils ne peuvent donner le change qu'au prix d'une présence constante dans le champ journalistique (il faudrait ici donner des noms propres mais qui ont en commun de n'être connus que dans un seul pays) ; ils y importent des pratiques qui, en d'autres univers, auraient nom corruption, concussion, malversation, trafic d'influence, concurrence déloyale, collusion, entente illicite ou abus de confiance et dont la plus typique est ce que l'on appelle en français le « renvoi d'ascenseur ».

La très profonde démoralisation qui découle du déclin de l'autonomie des microcosmes littéraire, philosophique ou scientifique est redoublée par la crise des utopies millénaristes et la rupture de la relation enchantée qui unissait une fraction des intellectuels, souvent la plus généreuse, sinon au peuple, du moins à une image plus ou moins fantasmatique du peuple. Il est devenu de bon ton de considérer avec condescendance, sinon avec commisération, tout ce qui peut évoquer une forme quelconque d'« engagement » et l'on accorde partout la même indulgence à toutes les trajectoires qui ont conduit tant de révolutionnaires intraitables à des positions enviées de l'*establishment* littéraire, politique ou journalistique et aux prises de position tranquillement conservatrices qui vont de pair.

Et pourtant, ceux qui vont, un peu partout, annonçant la fin des intellectuels, de leur fonction ou, pour employer un grand mot, de leur mission, se trompent gravement ; peut-être parce que, tout simplement, ils prennent leurs désirs pour des réalités, attestant par là que l'idée même de l'intellectuel n'a pas cessé d'inquiéter. Il est vrai que, grâce notamment aux progrès de la science sociale, on a aujourd'hui une vision beaucoup plus réaliste des intellectuels, mais qui s'oppose aussi bien à l'exaltation naïvement hagiographique à laquelle sacrifient volontiers biographes et commentateurs qu'au dénigre-

---

2. Lire Pascale Casanova, « La *world fiction*, une fiction critique », *Liber*, décembre 1993, n° 16.

ment de l'amour ou de l'ambition déçus que pratique la critique du ressentiment.

Les microcosmes où se produisent et circulent les œuvres culturelles d'ambition universelle (droit, science, art, littérature ou philosophie) et où se disputent les profits matériels ou symboliques (la célébrité par exemple) qu'elles procurent sont, en un sens et sous un certain rapport, des univers sociaux comme les autres, avec des rapports de force et des luttes pour les conserver ou les transformer, des profits et des pouvoirs. Mais, sous un autre rapport, ils s'en distinguent profondément : les rapports de force et les luttes dont ils sont le lieu y revêtent une forme spécifique et sont en mesure d'imposer leur propre loi *(nomos)* et cela d'autant plus complètement qu'ils sont plus indépendants à l'égard des forces externes, économiques (celles du marché national et international des biens et des services culturels) et politiques (celles de l'État national et du nationalisme notamment). Ce qui veut dire concrètement que l'on ne peut s'y accomplir, y être non seulement connu mais reconnu (par ses pairs), que pour autant que l'on respecte la loi propre du champ, celle de l'art ou de la littérature par exemple, à l'exclusion de toute autre, celle du commerce ou du pouvoir notamment.

Cette vision réaliste des mondes intellectuels ne conduit nullement, on le voit, au désenchantement. Elle peut même servir de base à un utopisme rationnel, fondé, avant toutes choses sur la défense de l'autonomie et de tous les acquis qu'elle a rendus possibles. Mais s'ils veulent se poser en garants efficaces d'un « interdit de régression » (*Regressverbot*, comme dit l'allemand), les intellectuels ne peuvent plus se contenter des dénonciations prophétiques de l'intellectuel total à la manière de Sartre, ni même des analyses critiques de l'« intellectuel spécifique », tel que le définissait Foucault. Ils doivent se mobiliser et s'organiser à l'échelle internationale (peut-être en s'appuyant sur les nouvelles technologies de la communication) de manière à constituer un véritable intellectuel collectif ; transdisciplinaire et international, capable de s'instituer en contre-pouvoir efficace en face des pouvoirs économiques, politiques et médiatiques nationaux et supranationaux et de mettre de nouvelles formes d'action au service des différentes formes historiques de l'universel dont leur existence et leurs intérêts spécifiques sont indissociables.

Cette fonction de mandataires de l'universel que certains intellectuels peuvent parfois revendiquer est inscrite dans tous les champs de production culturelle, juridique, scientifique, littéraire, artistique, en tant que raison d'être et norme idéale, capable, même si elle est sans cesse transgressée ou, plus simplement, oubliée, d'exercer de puissants effets sociaux. (Paradoxalement, les actions quasi parodiques des intellectuels médiatiques fournissent une attestation de cette efficacité en tant qu'hommages hypocrites du vice à la vertu inspirés par la recherche des profits symboliques universellement accordés au respect de l'universel.) C'est au nom de cet idéal, ou de ce mythe, que l'on peut encore, aujourd'hui, tenter de mobiliser contre les entreprises de restauration qui sont apparues, un peu partout dans le monde, au sein même des champs de production culturelle ; c'est au nom de la force symbolique qu'il peut donner, malgré tout, aux « idées vraies » que l'on peut tenter de s'opposer avec quelques chances de succès aux forces de régression intellectuelle, morale et politique, notamment celles que suscitent les impérialismes, passés et présents, et les conséquences qu'ils engendrent, comme la violence xénophobe ou raciste à l'égard des immigrés issus des sociétés économiquement et politiquement dominées au sein du nouvel « ordre mondial ». Mais la première tâche de la nouvelle entreprise d'*Aufklärung* qui devrait servir de fondement à un nouvel internationalisme est sans doute de soumettre à la critique les illusions de la raison et les abus de pouvoir qui se sont commis et se commettent en son nom : ceux qui s'indignent à grands cris contre les violences fanatiques devraient retourner leur critique rationnelle contre l'impérialisme de l'universel et le fanatisme de la raison dont la violence aussi implacable qu'impeccable (celle de la « rationalité » toute formelle de l'économie dominante, par exemple) pourrait être au principe, paradoxalement, des formes les plus irréductibles de l'irrationalisme.

Un parlement des écrivains pour quoi faire ?

DEPUIS SA FONDATION À STRASBOURG en novembre 1993, le Parlement international des écrivains a cristallisé beaucoup d'attentes. Il me semble important, à la veille des rencontres de Strasbourg, de témoigner des discussions qui nous ont occupés pendant un an.

Pour exister collectivement, comme une force de solidarité, de contestation et de proposition, mais d'abord pour s'arracher aux particularismes linguistiques et nationaux, l'action du Parlement international des écrivains devrait s'appuyer sur trois principes :

1. L'indépendance à l'égard des pouvoirs politiques, économiques et médiatiques et de toutes les orthodoxies. L'action du Parlement doit avoir pour vocation de défendre partout où elle est menacée l'autonomie de la création et de la pensée, de restituer aux écrivains la pleine maîtrise de leurs moyens de production et de définition de leurs travaux et définir eux-mêmes une « politique de création » indépendante des « politiques culturelles » des États, et indifférente aux pressions du marché ou des médias.

2. Un nouvel internationalisme, fondé sur la connaissance et la reconnaissance de la diversité des traditions historiques.

Il s'agit bien sûr toujours de lutter pour les causes universelles tout en se gardant de « l'impérialisme de l'universel », qu'il s'agisse d'un cosmopolitisme limité aux frontières de l'Europe, d'un humanistarisme de la mauvaise conscience ou d'un prophétisme de la vieille conscience universelle, attachée à dénoncer les grands scandales du moment ou à prendre des positions éthiques sur « les grands problèmes de l'heure », c'est-à-dire sur les questions posées et imposées par les médias.

Loin de favoriser les échanges entre intellectuels à l'échelle de l'univers, le faux universalisme européen a contribué à susciter la défiance et le retrait des intellectuels extra-européens, sans les encourager et les aider vraiment à échapper à la soumission à l'égard des anciennes métropoles coloniales ou de

Paru dans *Libération*, 3 novembre 1994.

leurs propres autorités politiques (elles-mêmes dominées, bien souvent, par les grands pouvoirs économiques et politiques centraux, notamment à travers l'emprise du Fonds monétaire international).

3. De nouvelles pratiques militantes.

Le Parlement ne doit pas être un de ces groupements qui, comme les académies ou les clubs, apportent de très grands profits symboliques, en organisant la défense et la promotion collective des avantages et des privilèges de leurs membres, sans demander grand-chose en contrepartie. C'est un mouvement d'un type nouveau, fondé sur une critique radicale de la représentation que les intellectuels se font souvent de leur fonction dans l'histoire. Un mouvement capable de demander et d'obtenir un dévouement militant, c'est-à-dire des contributions (cotisation, don de temps et de travail) sans contrepartie (anonymat, travail collectif) et respectueux des singularités. Les objectifs du Parlement et des instances permanentes dont il se dotera progressivement (secrétariat, commissions, etc.) devront être déterminés par la confrontation de tous les membres. Ce qui suppose que soit instaurés peu à peu des lieux et des moments de discussion réglés, réunions plénières (Lisbonne, Strasbourg, Amsterdam) et réunions « régionales », et des formes d'organisation simples et ouvertes visant à assurer l'orchestration continue de l'information. On voudrait donc :

— intensifier, face à la multiplication des atteintes à la liberté de créer et de penser, la conscience des intérêts communs et amener la nécessité d'organiser collectivement la défense de ces intérêts ;

— défendre partout face aux pouvoirs les créateurs et les conditions de la création, c'est-à-dire non seulement les créateurs menacés, persécutés ou censurés, mais aussi les conditions de la création libre, notamment les langues et les cultures minoritaires ou opprimées (enseignement, accès à la publication, etc.), la liberté réelle d'expression, les instruments de production et de diffusion (éditions, revues, politique de traduction) ;

— agir en tant qu'instance critique contre toutes les mesures susceptibles de menacer l'exercice de la fonction critique, à commencer par l'emprise diffuse des instances de manipulation des esprits, propagande politique ou religieuse ;

— orienter et organiser un travail continu et approfondi, associant les écrivains et les spécialistes, sur des problèmes politiques, économiques, culturels importants et souvent exclus de la vision médiatique au jour le jour (critique scientifique des usages politiques de la science ou de l'autorité scientifique ; analyse d'une situation critique – Rwanda, Haïti, Timor, Algérie, etc. – visant à présenter et à diffuser une représentation informée, rigoureuse et complexe de cette situation et à formuler des propositions) ;

— organiser, par le fonctionnement en réseau, la concentration et la redistribution de l'information (chaque participant recueillant et transmettant à tous les autres, soit directement, soit par l'intermédiaire d'un organe commun de concentration et de redistribution – *newsletters* –, les informations pertinentes sur tous les problèmes d'intérêts généraux – fonction d'agence de presse autonome).

Les intellectuels n'ont guère inventé en matière de forme d'action, depuis l'affaire Dreyfus. Il est significatif que leurs actions collectives mettent très peu en œuvre leurs capacités spécifiques – à la différence de ce qui se passe dans l'univers des arts plastiques. Que de pétitions vaines, signées machinalement, de tribunes surchauffées d'ego hypertrophiés… Parmi les menaces qui pèsent sur l'autonomie intellectuelle et collective des écrivains, une des plus pernicieuses est l'emprise d'un véritable complexe médiatico-intellectuel qui impose sa vision du monde, ses problématiques, sa culture de l'urgence. Véritable cheval de Troie, le complexe médiatico-intellectuel tente d'introduire dans la vie intellectuelle et dans l'espace public la logique du *show-business*, la recherche cynique de la visibilité à tout prix, le trafic de capital symbolique, en se rassemblant pour s'adonner à l'exploitation de cas de détresse spectaculaire et mettre en scène la posture ou la pose de l'engagement, réduit à l'indignation moralisatrice de la belle âme européenne et de ses vagues culpabilités rétrospectives (colonialisme, holocauste, etc.). C'est aussi parce qu'ils en ont assez d'être condamnés au silence et d'être pris en otage par les intellectuels médiatiques, qui prétendent parler en leur nom et à leur place et qui défigurent l'image de l'intellectuel, que les plus conscients et les plus rigoureux des écrivains se tiennent en retrait et refusent de participer à des débats dont ils n'ont pas défini les termes.

Nous devrons mettre en œuvre tous les moyens pour briser l'isolement des écrivains par :

— des conférences de presse simultanées ;

— des tribunes libres orchestrées dans les journaux de tous les pays ;

— des actions auprès des gouvernements des différents pays.

Par ailleurs, le Parlement international des écrivains devra favoriser la publication de livres blancs présentant les résultats du travail de « commissions de spécialistes » (accompagnées de contributions d'écrivains) et servant de base à des revendications ou des recommandations pratiques qui seront défendues collectivement dans la presse et par des interventions auprès des autorités politiques, nationales et internationales ; et d'œuvres d'écrivains censurés ou persécutés dans leur pays.

À travers un réseau international de « villes-refuges » (qui comprend déjà Strasbourg, Amsterdam, Berlin, Gorée, etc.), il s'efforcera de développer une solidarité active, permanente et discrète en faveur des écrivains, des artistes et des savants menacés, persécutés ou condamnés à l'exil. En résumé, le Parlement international des écrivains devra inventer des formes d'action à la fois efficaces, conformes à la dignité intellectuelle, et faisant appel à l'imagination et aux formes artistiques plutôt qu'aux traditionnelles pétitions et « interventions » spectaculaires.

Le Parlement des écrivains sera ce que les écrivains en feront, à condition qu'ils ne s'arrêtent pas indéfiniment à s'interroger sur ce qu'il doit être dans sa composition ou sa fonction, à condition qu'ils acceptent de ne le définir, provisoirement, que par ce qu'il fera. Il sera ce qu'il fera parce que c'est à faire et que personne ne le fait ; parce que seuls peuvent le faire les écrivains rassemblés pour faire quelque chose qu'ils ne pourraient faire seuls.

Il sera ce que feront des écrivains ressemblés pour parler, dans le langage qui leur est propre, de ce qu'ils veulent faire, pour poser les questions qu'ils veulent se poser – et celles-là seulement –, pour établir des échanges à propos des actions qu'ils mènent ou qu'ils projettent, pour chercher ensemble les moyens de donner toute leur force à ces actions. Le rassemblement produira par lui-même ses effets : quand les uns parleront de leur action à propos du Rwanda, les autres penseront à ce qu'ils font ou pourraient faire à propos de l'Algérie. Et chacun, fort des informations et des incitations qu'il aura reçues des autres, pourra s'engager à amplifier, par son propre univers, l'action de tous les autres.

Vers un intellectuel collectif
L'ARESER & le CISIA

DEUX INITIATIVES *lancées au début des années 1990 sur les problèmes de l'enseignement supérieur et de l'Algérie permettent à Pierre Bourdieu de mettre en pratique sa conception du travail collectif des intellectuels.*

En mars 1992, un appel à la communauté des chercheurs et des universitaires débouche sur la création d'un collectif, l'Association de réflexion sur les enseignements supérieurs et la recherche (ARESER), présidée par Pierre Bourdieu et dont le secrétaire est l'historien Christophe Charle. L'« Appel à la communauté des universitaires et des chercheurs », lancé le 26 mars 1992 pour la fondation de l'association, avait été signé par une centaine d'universitaires et de chercheurs de toutes disciplines. L'ARESER y propose de promouvoir une véritable communauté universitaire et scientifique qui veut reprendre en main son avenir : « De tous les défauts dont souffrent depuis longtemps l'enseignement supérieur et la vie intellectuelle en France, l'un des plus graves est l'absence d'une large réflexion collective sur les finalités et les modalités d'une vie universitaire et scientifique adaptée tant à l'évolution des savoirs qu'aux transformations du public étudiant. Jusqu'ici, cette fonction réflexive a été remplie soit par des organisations dites représentatives qui, on le sait, connaissent une crise, soit par des groupes de pression ou des organisations de spécialistes qui ont, à présent, tendance à se cantonner dans des objectifs disciplinaires ou corporatifs étroits. »

Contre les dysfonctionnements qui affectent les processus de décision, et notamment la perte de contrôle des instances de spécialistes qui laisse à des « administrateurs scientifiques » le pouvoir de fixer les objectifs et les modalités des enseignements, l'action de l'ARESER consiste à rassembler des documents et produire des textes afin d'établir « quelques diagnostics et remèdes urgents pour une université en péril » – comme l'indique le titre de l'ouvrage publié par le collectif en 1997 [1]. Résumées dans une proposition de « loi de programmation universitaire », les réflexions du collectif veulent donner les moyens de lutter contre l'accentuation d'un système d'enseignement à deux vitesses, non seulement par un engagement

---

1. ARESER, *Quelques diagnostics et remèdes urgents pour une université en péril*, Raisons d'agir, Paris, 1997.

des moyens financiers et humains nécessaires à l'encadrement pédagogique de publics de plus en plus hétérogènes mais surtout par une réorganisation des formes de travail et un renforcement de l'auto-administration. En parallèle à ce dossier, l'ARESER a organisé plusieurs tables rondes avec la participation d'universitaires étrangers et intervient dans le débat public avec des articles prenant pour objet les politiques ministérielles : ainsi le simulacre de « consultation nationale » auprès des 15-25 ans, lancé en 1994 par le Premier ministre Édouard Balladur à des fins électorales [lire p. 296] ; ou encore les réformes « en trompe-l'œil » proposées par les ministres François Bayrou [lire p. 301] puis Claude Allègre [2].

Perçu comme une « limite extrême de tous les problèmes sociaux et politiques que peut rencontrer un chercheur et un intellectuel », le « problème algérien », devient pour Pierre Bourdieu le cadre d'un travail collectif avec le Comité international de soutien aux intellectuels algériens (CISIA), créé en juin 1993 en soutien aux intellectuels qui sont, depuis le début de la guerre civile algérienne, l'objet d'attentats et d'assassinats – ainsi le sociologue Djellali Labes, le journaliste Tahar Djaout ou le dramaturge Abdelkader Alloulla [lire p. 307].

En liaison avec le Parlement des écrivains, le CISIA s'efforce tout d'abord de faciliter l'exil des intellectuels les plus menacés puis de casser l'isolement de ceux que la situation de violence a coupés de toute information. Comme le déclare la charte du comité (Paris, 1er juillet 1993) : « C'est l'intelligence qu'on assassine. L'entrée de l'Algérie dans la modernité politique et le pluralisme se fait dans une terrible violence. Violence de la répression sanglante des émeutes d'octobre 1988 ; violence protestataire des prêches islamistes ; violence de l'interruption du processus électoral ; violence des tirs de mitraille contre ceux qui veulent faire basculer le pouvoir en place ; violations répétées des droits de l'homme ; violence terroriste et violence sécuritaire de l'état d'urgence arc-boutées dans un duel féroce qui confine à la guerre civile, sur fond de désastre économique… Lorsqu'on tue ceux dont le métier est de produire des idées, des analyses, des œuvres d'art, ou de prendre soin de la vie humaine, c'est la tête, le cœur, la voix d'un pays qu'on atteint. »

---

2. Ministre de l'Éducation du premier gouvernement de Lionel Jospin, Claude Allègre fut qualifié par Pierre Bourdieu d'« analphabète sociologique ». Son départ sera analysé avec Chistrophe Charle et les membres du bureau de l'ARESER [lire p. 367].

Le CISIA se donne pour objectif d'alerter, dans une « indépendance totale à l'égard des gouvernements, des institutions, des partis », les opinions publiques sur les atteintes aux vies et aux libertés, et de prendre position en faveur d'un « parti de la paix civile » [lire p. 311]*, vers lequel les élections présidentielles de novembre 1995, qui portent Liamine Zeroual au pouvoir, sembleront par la suite mener : « Les Algériens ont voté pour des hommes. Mais ils ont surtout voté pour une exigence, la paix civile, tout de suite, c'est-à-dire le passage de la violence des armes à la confrontation politique.* ³ »

Mais le CISIA a aussi pour fin de fournir, loin de la « froide analyse politique » ou du « prêche humaniste indécent » des intellectuels médiatiques ⁴*, des outils de compréhension de la situation présente, notamment en montrant que « l'islam n'est pas, par nature, incompatible avec l'État de droit* ⁵ »*. Contre le refoulement collectif issu de la situation coloniale, un travail d'exploration de « l'inconscient historique » montre que le mensonge collectif de la classe dirigeante algérienne, en lien avec la régression dans la barbarie dont la France a fourni le modèle en retrouvant les réflexes répressifs de la guerre d'Algérie, trouve ses racines, depuis la colonisation, dans la subordination de la culture à la politique : contre la culture instituée « au nom de la vraie religion, de la science, de l'esprit du peuple ou de la logique de marché », il s'agit d'œuvrer à l'institution d'un « consensus de compromis », d'une culture faite « à partir de la multiplicité des expériences concrètes »* ⁶*. Dans la mesure où le « modèle culturel dominant » n'a pas tant été imposé à partir de l'islam traditionnel que d'une « idéologie moderniste » mélangeant l'ancien et le nouveau dans un tout cohérent appelant la « conversion », il faut lutter pour l'instauration des libertés politiques et culturelles.*

Les textes produits par Pierre Bourdieu avec Marie Virolle ou Jean Leca (qui préside le CISIA au cours de ces années-là) [lire p. 319] *ou encore Jacques Derrida* [lire p. 315 & 317] *ne cessent de réaffirmer ce soutien tout en critiquant les mesures gouvernementales françaises en matière d'immigration.*

---

3. « Le parti de la paix civile » (avec Marie Virolle), *Alternatives algériennes*, novembre-décembre 1995, n° 2, p. 4.
4. « Avec les intellectuels algériens » (avec Jean Leca), *Le Monde*, 7 octobre 1994.
5. Charte du Comité international de soutien aux intellectuels algériens (CISIA), Paris, 1ᵉʳ juillet 1993.
6. « Avec les intellectuels algériens », *op. cit.*

Un exemple de « démagogie rationnelle » en éducation

Un questionnnaire démagogique

Le questionnaire que M. Balladur a soumis à tous les jeunes de 15 à 25 ans présente l'immense avantage de concentrer en un petit dépliant maniable l'essentiel des grandes erreurs qui doivent être évitées à tout prix dans une enquête par questionnaire. Il fournit à ce titre à tous les lycéens et étudiants, de moins ou plus de 25 ans, qui souhaitent se familiariser avec les techniques d'enquête un document irremplaçable. Espérons qu'il servira au moins à cela. Car du point de vue scientifique, toutes les conditions sont d'ores et déjà réunies pour qu'aucun résultat significatif ne puisse jamais sortir de cette consultation.

L'enquête se donne comme un recensement puisque le questionnaire est adressé dans toutes les boîtes aux lettres. Réponde qui voudra ! Ce parti pris interdit tout contrôle sur l'âge et la structure socio-démographique des répondants. Quel que soit le taux de réponse, les questionnaires reçus seront inexploitables car on ne pourra jamais savoir qui a répondu et qui n'a pas répondu, condition indispensable pour exploiter n'importe quel questionnaire et interpréter les biais introduits par les non-réponses.

D'autant que, dans le cas d'une consultation politique de ce type, tous les brouillages et falsifications facétieuses (« Je remplis moi-même plusieurs questionnaires », « Je m'attribue des caractéristiques socio-démographiques qui ne sont plus de mon âge », etc.) sont loin d'être exclus. Une enquête réalisée sur un échantillon aléatoire dont on aurait contrôlé avec soin la structure aurait fourni à moindre frais des résultats dotés de sens.

Dès lors qu'on se propose un objectif aussi ambitieux que de demander aux jeunes de s'exprimer sur « leurs propres

Cosigné avec Christian Baudelot et Catherine Lévy, paru dans *Le Monde* des 8 juilllet et 27 septembre 1994. Ces textes, qui encadrent la publication des résultats du « questionnaire Balladur », expriment le point de vue de l'ARESER.

expériences », leur « propre vision de la vie », leur « propre conception de l'avenir », une précaution élémentaire consiste à leur offrir toutes les chances de s'exprimer avec les mots qui sont les leurs. Or ce questionnaire majoritairement fermé est construit sur des échelles d'attitudes (tout à fait d'accord, plutôt d'accord, plutôt pas d'accord, pas du tout d'accord) dont l'optimum (tout à fait d'accord) fait référence à un modèle social tout à fait typé et fort inégalement distribué dans l'ensemble de la population (je me sens européen, j'ai confiance en l'avenir, ma famille a suffisamment d'argent pour vivre, je me sens bien dans ma peau, quand je me sens mal, je sais à qui m'adresser, l'école prépare bien au monde du travail, etc.).

On ne suppose pas un seul instant qu'il puisse exister des jeunes qui n'ont absolument rien à dire sur tous ces points mais qui auraient par contre beaucoup d'autres choses à raconter sur la vie, le travail, les cités, les flics, les patrons, les banlieues, etc. Les questions ouvertes ostensiblement stéréotypées au fil des pages ne sauraient pallier cette lacune car elles supposent pour qu'on y réponde avec une maîtrise de la langue écrite et une confiance dans l'écriture et les organisateurs de ce sondage qui sont loin d'exister. Quant aux variables caractérisant les jeunes, elles sont d'une pauvreté consternante.

Le plus scandaleux dans cette opération, c'est que des instituts de sondages réputés et des sociologues aient pu se compromettre dans cette entreprise de manipulation qui les déconsidère, sans jamais avoir cherché à faire valoir le minimum des principes professionnels qui assurent le minimum d'objectivité à une enquête. L'objectif poursuivi, qui est d'obtenir un maximum de réponses dans une tranche d'âge donnée, s'apparente dans sa forme au référendum (pris dans son sens premier de consultation et non de vote) tout comme récemment la consultation organisée par le ministre de l'Éducation nationale auprès de l'administration, des enseignants et des parents d'élèves des collèges et lycées.

Il semblerait que le gouvernement attende de ces consultations nationales qu'elles apaisent les mouvements de rejet de leurs projets de loi (manifestation du 16 janvier et manifestations anti-CIP [contrat d'insertion professionnelle]). Cette pseudo-démocratie directe, véritable parodie des cahiers de doléances qui furent écrits collectivement lors de réunions prévues à cet effet, en vue des états généraux de 1789, n'est qu'une forme de démagogie rationnelle. Ce n'est ni faire l'apprentissage de la démocratie ni exercer ses droits de citoyen que de s'inscrire dans un dialogue anonyme où le sujet s'adresse au « prince » pour lui faire part de ses *desiderata* ; une collection d'opinions individuelles (en admettant que l'on puisse les réunir et les interpréter) n'a rien à voir avec des projets collectifs et un peuple (ou une partie de celui-ci) n'est pas réductible à une simple addition de sujets.

Moins d'un jeune sur cinq

Neuf millions de jeunes âgés de quinze à vingt-cinq ans en France aujourd'hui : 1 539 000 d'entre eux ont retourné le questionnaire, soit un taux de réponse de 17,1 %. Bien que trois fois supérieur à celui qu'attendaient les organisateurs, ce taux ne doit pas dissimuler le fait principal : plus de quatre jeunes sur cinq se sont abstenus de participer à la consultation nationale des jeunes. Il n'y a aucune raison de supposer que la population des répondants soit représentative de l'univers consulté.

Voilà qui devrait tempérer l'enthousiasme débordant des organisateurs et de son commanditaire, puissamment relayés par les médias, qui n'ont cessé, tout au long de l'été, de comptabiliser les réponses comme d'autres les millions de francs du Téléthon. Sous prétexte qu'a été atteint puis dépassé le chiffre magique du million, on parle déjà de « réponses en masse », de « raz-de-marée », etc. : si encombrant et inexploitable que puisse être le tas de papier ainsi recueilli, ce taux de réponse demeure modeste ; il est très proche de celui que l'on obtient à la suite d'une enquête postale sans relance sur des sujets qui motivent peu les populations interrogées.

Quant aux résultats, ils sont à la mesure des questions posées. D'une consternante banalité. Ils ne font qu'enfoncer des portes ouvertes depuis longtemps par des enquêtes moins onéreuses et plus fécondes menées par des sociologues, des démographes, des psychologues, des statisticiens… Tous résultats que la presse et les médias ont déjà largement diffusés. Que la famille soit, dans une période de chômage et d'incertitude, l'ultime refuge pour un grand nombre de jeunes, les sociologues de la famille et les démographes l'avaient souligné depuis belle lurette ; que l'école et l'université soient à la fois perçus comme un lieu intégrateur et un mécanisme impitoyable de sélection, tous les spécialistes de l'éducation le répètent depuis près de vingt ans ; que les entreprises ne reconnaissent pas les qualifications scolaires, on le savait aussi ; que les jeunes reprochent aux patrons de ne pas leur faire confiance, il suffit de consulter les taux de chômage par tranche d'âge pour le savoir et le comprendre ; quant à la peur et à l'incertitude devant l'avenir, comment pourrait-il en être autrement dans une société gérontocratique minée par le chômage et traversée par autant de restructurations depuis deux décennies ? Il suffisait, là, de prêter l'oreille aux cris des manifestants de mars dernier.

« Nous n'avons pas voulu faire une enquête sociologique », disent aujourd'hui les maîtres d'œuvre de la consultation. Soit ! Mais quel est alors le statut de cette entreprise ? Une consultation organisée par le pouvoir politique ? Dans ce cas, le raz-de-marée est du côté de l'abstention ; si le pouvoir politique veut organiser une consultation, qu'il s'en donne les moyens et mette en place les éléments d'un débat national. La réflexion collective et la confrontation des idées sont toujours plus riches que les réponses individuelles et précontraintes par l'interrogation.

Université : la réforme
du trompe-l'œil

L E PLUS REMARQUABLE et le seul effet de ce qu'il est convenu d'appeler la réforme Bayrou est l'accueil positif qu'elle
a rencontré chez les responsables universitaires ou étudiants,
d'ordinaire critiques ou réservés. Pourtant, un examen sans
parti pris des propositions ministérielles oblige à conclure que
cette prétendue réforme n'en est pas une, notamment si on la
compare aux projets ou réalisations des années précédentes.

Le principal chapitre des mesures annoncées porte sur l'organisation du premier cycle en semestres et la création d'un
semestre d'orientation. Or, cette réforme est inscrite dans les
textes depuis l'arrêté du 26 mai 1992, titre II, articles 4 à 8 !
Pièce maîtresse de la réforme du DEUG, élaborée lorsque
Lionel Jospin était ministre de l'Éducation nationale, mal
reçue à l'époque et mise en sommeil, elle a été reprise et offi-
cialisée sous le ministère Lang et mise en pratique par les universités. On présente ainsi comme une nouveauté ce que les
établissements mettent en place depuis cinq ans. La seule originalité consiste à fixer en détail ce que les auteurs de l'initiative précédente, plus soucieux de souplesse et d'autonomie des
universités, avaient laissé délibérément à l'initiative des intéressés. La vraie question n'est donc plus d'introduire cette
organisation mais d'en évaluer les effets puisque celle-ci a été
expérimentée depuis assez de temps. Or, ces effets, dans la
limite des informations disponibles, apparaissent plus que
modestes. Il semble qu'assez peu d'étudiants ont tiré parti des
possibilités d'orientation ainsi offertes. Ce remède miracle à
l'échec repose en fait sur un postulat erroné : l'échec viendrait
d'abord du manque d'information et de motivation des étudiants. C'est oublier que les bacheliers n'ont plus qu'une
marge de choix limitée, en fonction de leur série d'admission
au bac, et que les taux d'échec les plus élevés concernent les
bacheliers des séries qui, précisément, n'offrent ni le choix ni

Cosigné avec Christian Baudelot, Christophe Charle, Jacques Fijalkow,
Bernard Lacroix et Daniel Roche pour le collectif ARESER,
ce texte est paru dans *Le Monde*, 1er avril 1997.

les armes intellectuelles pour aborder les DEUG les plus généralistes [1]. L'un des problèmes principaux qui se posent aujourd'hui aux universités est celui de leur adaptation à un nouveau public. Réduire à des erreurs d'orientation individuelle l'origine des difficultés rencontrées, c'est faire une erreur de diagnostic et, par suite, adopter des remèdes inadaptés.

Le second point mis en avant dans le catalogue ministériel est la « professionnalisation ». Rappelons que la professionnalisation est une tendance affichée depuis une quinzaine d'années dans toutes sortes de filières (AES, MASS, MIAGE, communication, etc.) ou à travers des modules optionnels dit « pré-pro », par exemple pour les métiers de l'enseignement. Les dispositions relatives à la professionnalisation accroissent les charges d'enseignement sans contrepartie, notamment en transformant les enseignants en démarcheurs de stages auprès des entreprises, au détriment de ce qu'on croyait être leur tâche essentielle, l'enseignement et la recherche.

Les quatre mesures affichées en ce qui concerne les locaux et les bâtiments relèvent, elles aussi, de l'art du trompe-l'œil : plan complémentaire de construction, création d'une agence de modernisation destinée à venir en aide aux équipes présidentielles désemparées, possibilité du recours à la formule juridique de la fondation pour accroître le patrimoine universitaire. Enfin, les locaux, aujourd'hui propriété de l'État, seraient donnés en pleine possession aux universités, conformément à une proposition déjà contenue dans le rapport Laurent. En fait, le plan complémentaire de construction n'est que la reprise du plan de rattrapage d'urgence arraché à la suite des grèves de décembre 1995, mais sans moyens supplémentaires. Le recours aux fondations indique que l'État se décharge sur des partenaires étrangers à l'université de l'obligation de construire. Donner la propriété des locaux existants aux universités revient à leur confier l'entretien et la rénovation des bâtiments, maintenant vieillissants, sur des budgets dont rien ne garantit qu'ils seront augmentés en conséquence et à dégager la responsabilité de l'État en matière d'incidents, d'accidents ou de mises aux normes.

---

1. On enregistre respectivement 24,3 % et 33,1 % de réussite au DEUG pour les séries techniques (F, G, H) contre 61 à 68,6 % pour les séries générales (chiffres du ministère de l'Éducation nationale cités dans *Le Monde* du 29 janvier).

En matière de recherche et de politique du personnel, les propositions présentent le même mélange d'indigence et d'ambiguïté. Le ministère est-il au courant du fonctionnement des institutions sur lesquelles il exerce sa tutelle ? On ne peut qu'être d'accord pour évaluer les recherches, prendre en compte les activités pédagogiques des enseignants, revoir les obligations de service de certaines catégories surchargées ou favoriser la mobilité. L'ennui est que ces dispositions sont théoriquement déjà en place depuis longtemps. Évaluer : n'est-ce pas déjà la tâche du Comité national d'évaluation, qui, établissement par établissement, établit des rapports sur les forces et les faiblesses des diverses unités de recherche ? Tenir compte des activités pédagogiques ? N'est-ce pas depuis longtemps l'un des critères de recrutement des commissions de spécialistes et du Conseil national des universités ? Le plus important serait d'ailleurs de prendre en compte la polyvalence des universitaires en matière d'enseignement, de recherche et de gestion en cours de carrière, ce que la rigidité des normes actuelles ignore. S'intéresser enfin aux nouvelles catégories d'enseignants, comme les PRAG (professeurs du secondaire en poste dans le supérieur) dont le nombre va croissant pour des raisons d'économies budgétaires, n'est qu'une réponse apportée, sous la pression revendicative des intéressés eux-mêmes, à une difficulté créée par la politique à courte vue de recrutement de ces personnels : on s'aperçoit maintenant qu'on ne pourra éternellement en faire les nouveaux « maîtres auxiliaires » de l'enseignement supérieur. La vraie direction à définir serait une réflexion à long terme sur les flux de recrutement, à mesure que les départs à la retraite vont s'accélérer dans les années qui viennent, et sur les équilibres à observer entre les diverses catégories de personnels, sous peine d'une balkanisation supplémentaire des universités, où, pour épargner les finances de l'État, on n'a déjà que trop multiplié les « faisant-fonction ».

La mesure la plus concrète, qui a permis d'obtenir provisoirement le soutien de certaines organisations étudiantes, concerne la rationalisation du système d'allocations d'études. Là encore, on ne fait qu'habiller de neuf un système traditionnel de bourses où l'accroissement des ressources par bénéficiaire sera limité par la réduction du nombre des individus aidés par le système actuel. On notera en outre que le débat est renvoyé à 1998, année électorale où l'action du gouvernement en faveur des étudiants pourra être montée en épingle, sans garantir les engagements puisqu'il y aura, au minimum, un nouveau gouvernement qui, même s'il est de la même couleur politique, pourra toujours (rappelons-nous 1995) arguer d'une nouvelle conjoncture pour revoir à la baisse les choix budgétaires.

Au total, le bilan est maigre, surtout au bout de deux ans de concertation et de grandes opérations médiatiques pour faire croire qu'on travaille en haut lieu. La politique de l'enseignement supérieur peut se résumer à la métaphore de la peau de chagrin : de référendum enterré sur l'éducation du candidat Chirac en rapport de la commission Fauroux, pratiquement désavoué, et en loi de programmation, concédée à la rentrée 1995, réaffirmée en mars 1996, et abandonnée le 28 juin 1996, on en vient à un catalogue sans imagination ni projet, où le laisser-faire le dispute au faire-semblant. Alors que toutes les enquêtes prouvent qu'une bonne formation longue est la meilleure arme contre le chômage, cette absence de politique universitaire justifiée par le prétexte de la contrainte budgétaire [2] est une non-assistance à la jeunesse en difficulté et une hypothèque sur l'avenir à l'horizon de dix ans. Cet électoralisme à courte vue, en ce domaine comme en d'autres, est inacceptable.

---

2. Le rapport Fauroux avait chiffré précisément les mesures minimales pour remettre les universités françaises au standard européen. La disgrâce dans laquelle est tombé ce texte, pourtant commandé par le gouvernement, est significatif du blocage financier.

Un problème peut en cacher un autre

Sur l'affaire du foulard « islamique »

L E DÉBAT QUI S'EST ENGAGÉ à propos du port du foulard (arbitrairement appelé « islamique ») est révélateur de l'état du débat politique en France. L'emprise de médias qui ne connaissent que la recherche du sensationnel, l'empire des sondages qui permettent de transformer les faux problèmes médiatiques en objets de consultation « démocratique », la volonté gouvernementale de réduire la politique à la gestion, la fermeture sur soi d'un parti socialiste qui pense et agit moins par référence à la réalité politique qu'en fonction des enjeux de la concurrence interne pour la succession, tout un ensemble de facteurs se conjuguent pour orienter le débat public vers des questions plus ou moins futiles, ou, pire, vers des questions réelles réduites à la futilité.

C'est le cas du débat sur le problème posé par trois jeunes filles de Creil qui sont venues au lycée avec un fichu sur la tête... En projetant sur cet événement mineur, d'ailleurs aussitôt oublié, le voile des grands principes, liberté, laïcité, libération de la femme, etc., les éternels prétendants au titre de maître à penser ont livré, comme dans un test projectif, leurs prises de position inavouées sur le problème de l'immigration : du fait que la question patente – faut-il ou non accepter à l'école le port du voile dit islamique ? – occulte la question latente – faut-il ou non accepter en France les immigrés d'origine nord-africaine ? –, ils peuvent donner à cette dernière une réponse autrement inavouable.

En livrant ainsi, imprudemment, leur impensé, ils contribuent à faire monter l'angoisse, génératrice d'irrationnel, qu'éprouvent nombre de Français devant cette réalité. Ils ne font que retarder le moment où sera affirmée courageusement la nécessité de mobiliser les moyens de donner à des immigrés le plus souvent « désislamisés » et déculturés (ils ignorent tout, pour la plupart, de leur langue et de leur culture d'origine), la possibilité d'affirmer pleinement leur dignité d'hommes et de citoyens. Le moment est venu, pour les intellectuels européens, de sommer les gouvernements nationaux et les instances européennes de concevoir et de mettre en œuvre un vaste programme commun d'intégration économique, politique et culturelle des immigrés.

Arrêtons la main des assassins

ABDELKADER ALLOULA, dramaturge, metteur en scène, animateur d'un théâtre d'avant-garde en langue arabe, vient de mourir assassiné. Il était l'une de ces figures symboliques qui font le lien entre la culture internationale et la voix du peuple algérien. Il était l'un de ces esprits indépendants qui refusent les tutelles autoritaires et l'endoctrinement. Il est mort de tout cela ; c'est tout cela qu'on a voulu tuer.

Abdelkader Alloula, assassiné comme tant d'autres : Ahmed Asselah, directeur de l'École des beaux-arts d'Alger, et son fils, étudiant ; Tahar Djaout, écrivain, journaliste, poète ; Mahfoud Boucebci, professeur de psychiatrie ; Djilali Belkhenchir, professeur de pédiatrie ; Mohand Oubélaïd Saheb, ingénieur ; Smaïl Yefsah, journaliste de télévision ; Larissa Ayada, artiste-peintre, de nationalité russe ; Monique Afri, employée au consulat de France ; Rachid Tigziri, économiste ; Raymond Lousoum, opticien, de nationalité tunisienne ; Youcef Sebti, poète, agronome ; Joaquim Grau, dit « Vincent », libraire, ami de l'esprit et des arts.

Nous condamnons sans appel ceux qui, en Algérie et hors d'Algérie, hors de l'État et dans l'État, arment le bras des assassins au nom ou sous couvert de l'islamisme, qui donne ordre de viser à la tête, d'égorger, de décapiter, de mutiler des citoyens sans défense, connus ou inconnus, hommes, femmes et même enfants ; ceux qui, en instaurant le règne de la terreur, visent à détruire les solidarités civiques, à briser les défenses démocratiques et à faire perdre la raison à tout un peuple.

Katia Bengana, 17 ans, lycéenne, tuée parce qu'elle ne portait pas le hidjab ; Rachida Oubelaïd, assassinée avec son mari devant leurs fillettes ; Oum el-Kheir Haddad, cartomancienne, enceinte de cinq mois, tuée par balles ; Fadela Ikhlef, femme au foyer, égorgée ; Aïcha Bouchlaghem, mère de neuf enfants, égorgée ; Aouïcha Allel, commerçante, tuée par balles ; Aïcha Meloufi, femme de ménage, tuée par balles ; Mimouna Ricouèche, mère de cinq enfants, décapitée devant sa famille ; Tamma Mansour, femme de ménage, tuée par

---

Message lu au Panthéon par Ariane Mnouchkine le 16 mars 1994 lors d'une manifestation organisée par le CISIA.

balles ; Keltoum Boudjar, 94 ans, égorgée ; Safia Lounis, 73 ans, égorgée ; Bernarbia, tuée par balles au volant de son véhicule. Et d'autres encore, mères, épouses, sœurs de policiers, de fonctionnaires, d'imams…

Nous déclarons qu'aucune fin politique, aucun mobile idéologique ou religieux ne peut justifier le recours à la stratégie criminelle qui est mise en œuvre en Algérie. Nous disons notre solidarité à tous ceux qui continuent de résister aux diktats de la terreur par les seules armes de la raison, de la parole, de l'écrit, de la détermination pacifique.

Abdelkader Alloula, assassiné comme tant d'autres : Djilalli Liabes, sociologue ; Laadi Flici, médecin, écrivain ; M'hammed Boukhobza, sociologue ; Hafid Senhadri, cadre, syndicaliste ; Rabah Zenati, journaliste de télévision ; Radouane Sari, physicien nucléaire ; Saad Bakhtaoui, journaliste ; Abderrahmane Chergou, économiste ; Omar Arar, imam ; Rabir Allaouchiche, directeur de lycée ; Olivier Quemeneur, journaliste français.

Nous appelons tous ceux qui, en Allemagne, en Belgique, au Canada, en Espagne, en Grande-Bretagne, en Italie, aux Pays-Bas, se sont unis à notre action, à se mobiliser pour convaincre leurs concitoyens, leurs médias, leurs gouvernants que la douleur de l'Algérie est actuellement un défi à la conscience du monde.

Nous demandons solennellement au gouvernement francais d'en finir avec le repliement national et les mesquineries sécuritaires pour renouer avec la tradition d'accueil qui a toujours été celle de la France en accordant largement des visas à ceux et celles qui lui demandent refuge.

Nous lui demandons de s'arracher à l'attentisme prudent pour garantir son soutien actif et son aide économique à ceux qui se donnent pour programme le rétablissement du pluralisme d'expression, l'horizon démocratique et la lutte contre toutes les formes d'exclusion en Algérie.

Abdelkader Alloula, assassiné comme tant d'autres : Rachid Djellid, sociologue ; Karima Belhadj, 17 ans, assistante sociale ; Djamel Bouhidel, archéologue ; Ahmed Traïche, enseignant coranique ; Mustapha Abada, journaliste de télévision ; Hamoud Hambli, professeur de droit musulman ; Abdelhamid Benmenni, journaliste ; Rabah Guenzet, professeur de philosophie, syndicaliste ; Zhor Mezjane, directrice de collège. Et des dizaines d'enseignants, de magistrats, avocats, membres du corps médical, cadres, ingénieurs, techniciens, journalistes, fonctionnaires, imams, syndicalistes, anciens moudjahidins, sportifs, militants associatifs…

Nous voulons redire notre sympathie et notre sollicitude à tous les Algériens qui pleurent leurs morts et qui souffrent. Nous sommes aussi à leurs côtés dans leurs efforts pour sauver de l'extermination l'intelligence et la culture de leur pays et pour préserver la cohésion sociale et l'énergie créatrice de leur peuple.

Pour un parti de la paix civile

DE QUEL DROIT POUVONS-NOUS PARLER ? Comment pouvons-nous nous taire ? Cette contradiction, nous la ressentons profondément, aujourd'hui, tous autant que nous sommes, ici, dans cette salle.

Sans illusions sur ce que nous pouvons faire contre la violence, par la seule force de nos discours, nous nous sentons pourtant tenus de faire quelque chose, impérativement, pour combattre le despotisme de la terreur. Cette contradiction, je suis sûr que vous l'éprouvez aussi.

Nous savons qu'à l'origine de la tragédie il y a toute la violence dont la nation française s'est rendue coupable, pendant plus de cent cinquante ans, et dont nous nous sentons responsables ; mais nous savons aussi que cette culpabilité, collective ou individuelle, qui est sans doute une des raisons les plus profondes de l'émotion qui nous mobilise, et nous paralyse, ne justifie aucune espèce d'intrusion et que nous ne devons pas essayer de l'endormir par de vagues prêchi-prêchas humanistes.

Je pourrais continuer à énoncer les contradictions qui nous réunissent et nous divisent, qui introduisent la division entre nous et en chacun de nous, qui font que l'on n'a de choix qu'entre la violence, le terrorisme ou la terreur d'État, et le silence, entre la compromission et la démission ; en effet, l'incitation à parler, elle-même, apparaîtra à certains comme une concession aux criminels et l'appel à la démocratie comme une abdication devant le despotisme de la terreur. C'est pourquoi on est fondé, je crois, à parler de tragédie.

Mais j'ajouterai seulement une dernière contradiction, sans doute la plus terrible : comment, sans manquer au devoir d'analyse, et de compréhension, qui conduirait sans doute à dire que tout le monde a tort ou que tout le monde a raison, prendre position de manière active et tant soit peu efficace à la fois *contre* tous ceux qui contribuent à faire régner la terreur et *pour* le *parti de la paix civile*, qui existe sans aucun doute en Algérie, c'est-à-dire en faveur de cette majorité d'hommes et surtout de femmes, que le règne de la terreur condamne à la solitude et au silence ?

Conférence organisée à la Sorbonne le 7 février 1994.

Le CISIA, Comité international de soutien aux intellectuels algériens, qui regroupe des intellectuels de tous les pays, spécialistes, pour bon nombre d'entre eux, des sociétés maghrébines, s'était donné pour mission, entre autres choses, d'essayer d'introduire la logique de l'analyse sur des terrains abandonnés à la passion partisane et à l'incompréhension sectaire. Au risque de paraître sacrifier à un utopisme naïvement scientiste, je voudrais rappeler ici les conclusions des analyses scientifiques des mécanismes du terrorisme et de la terreur d'État et des effets sociaux qu'ils ont produits dans les différents pays de l'Amérique latine où ils ont sévi, dans des combinaisons différentes, au cours des années 1970 [lire p. 281]. Dans les situations d'imprévisibilité radicale et d'insécurité totale où, comme on le verra par les témoignages que nous allons entendre, la rue apparaît comme le lieu de toutes les menaces, où l'information devient imprécise ou inaccessible, où la peur rend la communication difficile, même entre familiers, où la violence ouverte et les actes d'intimidation publique, enlèvements, exécutions, etc. s'accompagnent d'actions plus ou moins clandestines telles que tortures et exécutions arbitraires, où les rumeurs viennent redoubler l'angoisse, où, en un mot, le souci de survivre empêche de vivre, dans ces situations d'insécurité extrême, on observe toujours que les groupes s'atomisent, que les solidarités s'effondrent, laissant les individus isolés et effrayés, repliés, comme dit Juan Corradi, sur un « familisme amoral ».

Mais l'analyse montre aussi qu'il est possible de sortir du cercle de la peur, et comment. La première condition est l'existence d'organisations capables d'arracher les individus démoralisés par la terreur à l'alternative de l'héroïsme ou de la démission et d'organiser des actions propres à redonner le moral (et la morale) à tous ceux que la peur condamne à l'isolement ; cela en leur donnant l'occasion de découvrir que beaucoup d'autres pensent comme eux et que des personnes et des institutions importantes, dans le pays et à l'étranger, soutiennent leurs actions et renforcent les protections qui leur sont assurées. Les stratégies les plus efficaces sont celles qui conduisent la majorité silencieuse à découvrir et à montrer sa force collective à travers des actions relativement banales et peu risquées, mais qui produiront un immense effet symbolique, d'abord sur ceux qui les accomplissent, et aussi sur ceux contre qui elles sont dirigées, si elles sont accomplies au même moment par un très grand nombre de personnes concertées

– marcher en silence vers un même lieu de rendez-vous, fermer les maisons et les boutiques, etc. De telles actions ont eu lieu, à plusieurs reprises, en Algérie, mais elles ont toujours été partiellement neutralisées par les annexions partisanes, réelles ou supposées.

J'ai ainsi la conviction que notre appel à la paix civile pourrait être tout autre chose que la déclaration platonique et vaguement humaniste d'un groupe d'intellectuels de bonne volonté. Il faudrait pour cela que, en Algérie même, des hommes et des femmes dotés d'une autorité incontestable – il y en a beaucoup en Algérie –, autorité intellectuelle, morale, religieuse ou politique, décident de réunir leurs forces symboliques pour appeler – éventuellement avec le soutien international que pourraient leur apporter le Comité international de soutien aux intellectuels algériens et le Parlement international des écrivains – à la mobilisation des forces de paix dans un parti de la paix civile rassemblant la majorité silencieuse, aujourd'hui atomisée, démoralisée et condamnée à l'impuissance par le régime de la terreur. En restaurant la confiance chez tous ceux qui ont la volonté de résister à la violence, ce parti de la paix réunirait et cumulerait les forces de tous ceux qui, dans leur travail et leur vie de tous les jours, n'ont pas cessé, malgré les menaces tout particulièrement dirigées contre eux, d'agir en faveur de la paix civile, au prix d'une lutte quotidienne contre l'intimidation et la peur. Et qui seraient ainsi en mesure de dénoncer et de contrecarrer efficacement les manœuvres démagogiques des apprentis sorciers qui, avec les apparences de l'impunité, s'efforcent d'exploiter l'angoisse et le désespoir de l'immense sous-prolétariat né de la crise et de l'exploitation internationale.

Vous penserez sans doute que j'ai sacrifié un moment à l'utopie, et que je me suis empressé d'oublier les antinomies que j'énonçais en commençant, et toutes les censures qu'elles impliquaient. La naïveté, si naïveté il y a, est à la mesure de l'anxiété que j'éprouve, avec beaucoup d'autres, devant la menace de la guerre civile, dans ses formes les plus horribles. J'en viens donc à des actions plus limitées, mais plus sûres, pour lesquelles le CISIA a été créé. Nous devons d'abord nous attacher à ce qui dépend de nous, c'est-à-dire de nos gouvernements. D'autres vous diront les démarches que nous comptons entreprendre auprès des gouvernements européens afin d'obtenir l'annulation de la dette qui écrase l'Algérie – votre adhésion à la pétition que nous avons rédigée donnera plus de force à nos interventions. Il y a ensuite les tâches d'assistance à l'égard de ceux qui doivent fuir la violence. Faut-il dire, contre les rumeurs, que nous n'avons jamais fait de choix entre les victimes et que nous ne faisons pas passer un examen linguistique à ceux qui s'adressent à nous ? On vous expliquera les démarches que nous avons conduites en vue d'obtenir pour ceux qui souhaitent trouver refuge en France un statut juridique convenable. Démarches particulièrement difficiles, et nécessaires, en ces temps d'idéologie sécuritaire. Nous travaillons, en accord avec les antennes provinciales du CISIA et diverses associations, à trouver des postes, des logements et des ressources pour ceux qui demandent notre aide. Là aussi, nous avons besoin de vous. Ceux qui pensent pouvoir nous aider sur tel ou tel des points que j'ai évoqués peuvent nous faire savoir, soit ici même, à la sortie, soit par lettre, en laissant leur nom et leur adresse, le type d'aide qu'ils peuvent fournir.

Je m'en tiendrai à ces indications très concrètes. La gravité extrême de la situation dans laquelle se trouve l'Algérie, et qui n'autorise ni la complaisance rhétorique ni l'exaltation éthique, nous impose retenue et dignité.

Non-assistance
à personne en danger

RÉCEMMENT PUBLIÉS au *Journal officiel*, les décrets qui mettent fin au statut particulier dont bénéficiaient les Algériens pour le droit au séjour en France constituent un crime de non-assistance à personne en danger. Cette politique des guichets fermés tourne le dos à l'hospitalité universelle qui fondaient l'identité du pays des droits de l'homme. Il est temps de passer à la résistance civique.

Destinées, disait-on à « maîtriser » les flux migratoires, consolidées – on devrait dire surarmées – la même année par la réforme constitutionnelle qui restreint le droit d'asile, les lois de juillet et août 1993 montrent désormais leurs sinistres conséquences : les personnes légalement installées connaissent un sort plus précaire que jamais, les enfants nés en France, surnommés « jeunes étrangers », sont exclus de la nationalité française, la politique des guichets déploie son arbitraire, etc. Jusqu'ici, les Algériens pouvaient bénéficier d'un statut particulier au moins pour le droit au séjour, sinon à la résidence. Les décrets publiés au *Journal officiel* le 20 décembre viennent de les en priver.

On ose nous présenter ce geste comme une simple mesure parmi d'autres, un simple retour au droit commun des étrangers. Comme si la fermeture des consulats français en Algérie ne suffisait pas ! Comme si ne suffisait plus le détour par le service de Nantes, démarche interminable et le plus souvent (pour 80 à 90 %) vouée à l'échec ! Comme si ne suffisait pas encore la sélection entre les détenteurs de visa qui souhaiteraient pour des raisons évidentes rester plus de trois mois !

Des centaines de témoignages convergent pour décrire la politique inhumaine et éhontée que la plupart des administrations concernées mettent en place à l'égard des requérants. L'État se dessaisit désormais de ses responsabilités en faveur des maires, en leur donnant la possibilité, arbitraire au plus haut point, de délivrer ou refuser à leur guise les autorisations d'entrée et d'accueil des étrangers.

Cosigné avec Jacques Derrida & Sami Naïr,
paru dans *Le Monde*, 29 décembre 1994.

La situation est d'autant plus douloureuse pour les Algériens qu'elle est déterminée par la guerre civile qui se poursuit chez eux, et dans laquelle la France joue un rôle contradictoire et prend des responsabilités discutables. De quelque manière qu'on évalue ces responsabilités, au nom de quels principes refuser encore d'accueillir des victimes innocentes et tous ceux qui fuient une guerre civile ? Car qui pourrait feindre de l'ignorer encore aujourd'hui, quand on ne peut même plus prétendre que la tragédie est l'affaire des autres de l'autre côté de la Méditerranée ? Le cynisme de ces décrets s'étale au moment où des dizaines de milliers d'Algériens sont exposés à la mort.

Nous dénonçons le crime de non-assistance à personne en danger. Nous dénonçons l'ignominie de lois raciales déguisées en retour au droit commun. Chaque fois qu'elle a voulu être le pays des droits de l'homme, la terre du droit d'asile et de l'hospitalité universelle aux victimes des tyrannies, la France a dû combattre la haine xénophobe et les masques patriotiques de l'égoïsme sordide. Ceux qui voulaient condamner Dreyfus ont ouvert la voie à ceux qui plébiscitèrent Pétain.

Nous nous adressons ici à tous ceux qui ne se reconnaissent plus dans la France du conservatisme répressif – avant tout hypocrite et démagogique –, dans la France du contrôle policier, dans la France de l'enquête administrative, des certificats d'hébergement et autres dispositions analogues. Nous les appelons à se joindre à nous dans un vaste mouvement de résistance civique qui, en accord avec d'autres associations, devra recenser, pour les combattre, tous les manquements à la loi républicaine en matière de droit d'asile et de citoyenneté. Notre but immédiat tient dans une seule revendication : nous demandons l'abrogation des mesures discriminatoires et le retour à la pratique républicaine du droit d'asile.

M. Pasqua, son conseiller & les étrangers

SOUS LE TITRE « Quand les intellectuels manquent de rigueur », M. Barreau nous reproche de ne pas respecter les faits, tout en concédant du moins aux « intellectuels » (merci pour eux, et les autres ?) « le droit de s'opposer à une politique qui leur déplaît ». La question est en effet politique, à qui veut-on l'apprendre ? Et qu'un conseiller de M. Pasqua ait dès lors du mal à nous suivre, qui en sera surpris ? En nous élevant contre cette politique-là, en distinguant rigueur et rigueur, nous contestons l'argumentation de M. Barreau sur les cinq points soulevés par sa réponse embarrassée.

1. Est-il interdit de déclarer désormais son désaccord avec la loi sur la nationalité ? Elle prive certains « jeunes étrangers » de droits dont ils jouissaient auparavant ; elle les oblige à des procédures auxquelles personne n'aurait proposé d'avoir recours si elles n'étaient pas, dans leur finalité même, décourageantes.

2. Nous n'avons jamais dit que la fermeture des consulats en Algérie « a été voulue pour embêter les Algériens ». Nous notions seulement qu'avec nombre d'autres mesures analogues, elle ajoutait aux difficultés déjà considérables de demande et d'obtention de visa dans la situation tragique que l'on sait, quand ces procédures sont souvent un des derniers recours avant la mort.

3. Quand nous regrettons que l'État se dessaisisse de sa responsabilité en faveur des maires, on nous répond que « les préfets décident en dernier ressort ». Cette clause de droit n'empêche pas que, en fait, sauf exception, sauf recours juridique laborieux et d'avance décourageant, les maires gardent le pouvoir de décider. Nous voulions souligner les risques d'arbitraire d'une telle délégation.

4. Autre désaccord politique : pour des raisons historiques trop évidentes et compte tenu des responsabilités françaises dans la terrifiante situation algérienne (responsabilité qu'on peut interpréter différemment, mais qu'on ne peut nier), nous ne pensons pas que le retour au droit commun pour les

Cosigné avec Jacques Derrida,
paru dans *Le Monde*, 10 juin 1995, p. 20.

Algériens aille de soi et soit juste, précisément aujourd'hui. « Les Marocains et les Tunisiens s'en accommodent », dit tranquillement M. Barreau. Argument choquant, comme celui qui consiste à rappeler que les accords d'Évian sont chose passée.

Si, comme il nous est répliqué, les « ministères de l'Intérieur et des Affaires étrangères » faisaient ou souhaitaient faire le « maximum » pour accueillir les Algériens menacés, pourquoi la rigueur de ces nouveaux décrets ? Car toute la question est là, c'est elle que nous soulevions.

5. M. Barreau devrait savoir que tous les étrangers (même non européens) n'ont pas besoin d'un visa pour entrer en France. C'est ce que nous appelons discrimination. Nous ne préconisons pas en ce lieu et en ce moment une ouverture sans limite des frontières. Nous protestons contre la « rigueur » nouvelle (cette rigueur pour laquelle nous n'avons en effet aucun goût) d'une certaine police de l'immigration, celle dont les récents décrets montrent le vrai visage. Et, au moins autant que contre l'exigence d'un visa, nous protestons contre les conditions inédites et terriblement rigoureuses qui, sous couvert de ces nouveaux décrets, sont faites aux Algériens – et à tant d'autres – pour en demander et en obtenir un.

Si telle n'était pas l'intention déclarée de cette politique répressive, quel sens, peut-on nous le dire, quelle finalité auraient donc de tels décrets ?

Non à la ghettoïsation de l'Algérie

EN 1989, LE MINISTÈRE DES AFFAIRES ÉTRANGÈRES avait accordé 800 000 visas aux Algériens qui souhaitaient passer quelque temps sur le sol français pour des raisons diverses. Le volume de ces déplacements – malgré la restriction apportée par l'instauration du visa obligatoire – reflétait simplement l'intensité des relations humaines et économiques entre les deux pays.

En 1994, il a été accordé moins de 100 000 visas aux Algériens, alors que les demandes étaient globalement de même volume et de même nature que les années précédentes. En 1995, on en est à n'octroyer qu'à peine un visa sur dix demandes. Il s'agit bien d'une quasi-fermeture de la frontière entre les deux pays.

Bien sûr, il faut exiger que celles et ceux qui doivent sauver leur vie en s'expatriant puissent le faire en urgence et trouver un accueil administratif décent – ce qui n'est pas le cas actuellement en France. Nous nous battons jour après jour pour cela aux côtés de nos amis algériens et nous nous heurtons à des obstacles d'autant plus révoltants que ces mesures d'accueil ne concernent que quelques milliers de personnes. La France est-elle devenue si faible, si frileuse, si oublieuse de son ambition d'être le pays des droits de l'homme ?

Nous affirmons aussi qu'il est indispensable de ne pas aggraver la situation des millions d'Algériennes et d'Algériens qui tiennent à rester en Algérie au cœur des périls afin que ce pays continue à vivre, à créer, à produire et à se préparer un avenir. Leur interdire de fait de voyager vers la France – ou vers tout autre pays –, c'est les exposer davantage, les désespérer, décourager les énergies, entraver la respiration sociale, compromettre plus sûrement les perspectives démocratiques et les perspectives de sortie de crise.

Plonger le pays dans le huis clos, c'est faire le jeu des violences, des ostracismes, de l'intolérance. C'est aussi pousser vers un exil plus long et moins réversible des personnes qui ne

---

Cosigné avec Jean Leca, paru dans *Le Monde*, 25 mars 1995.

l'auraient pas choisi, puisque nul n'a maintenant l'assurance que, en rentrant, il pourra ressortir un jour, même s'il se trouve aux portes de la mort.

Les Algériens ne sont-ils plus des citoyens du monde à part entière ? N'ont-ils plus besoin d'aller voir leurs parents, leurs amis, de se promener, de se rendre à des rencontres, de collaborer avec des professionnels et d'échanger leurs idées avec d'autres ? La France les met au ban des voyageurs internationaux sous prétexte de terrorisme. Mais ne savons-nous pas tous que les terroristes du monde entier sont des voyageurs qui se passent d'un visa « classique » ?

Encore une fois, c'est la société algérienne ordinaire qui paye : prise en tenaille entre les violences des groupes islamistes armés et la répression militaro-policière, elle est aussi l'otage des fantasmes sécuritaires français. En ce sens, la politique française de refus des visas est criminelle.

En outre, elle est à courte vue, sans envergure sur le plan des échanges transméditerranéens. La France officielle devient sourde aux demandes légitimes d'une population établie des deux côtés de la Méditerranée ; en en confinant une partie dans un ghetto territorial, elle facilite la tâche à ceux qui veulent la confiner dans un ghetto politique et religieux.

Pour que les Algériens puissent continuer à vivre dans leur pays et à le préserver du pire, nous demandons aux autorités françaises : la reprise de la délivrance normale des visas (un minimum de refus, une procédure moins longue et plus simple) ; l'octroi et le renouvellement de visas longue durée à multiples entrées pour les catégories de personnes exposées qui n'envisagent pas l'exil ; la délivrance de visas en urgence pour les personnes menacées de mort qui en font la demande.

Une manifestation nationale doit se tenir à Nantes, le 25 mars, devant les services du ministère des Affaires étrangères qui s'occupent de traiter par correspondance – c'est-à-dire principalement d'envoyer des lettres types de refus – les demandes algériennes de visa. Ceux qui voient dans la situation algérienne l'un des grands drames engageant l'avenir de la région et qui souhaitent une issue civile, pacifique et démocratique ne peuvent qu'alerter les pouvoirs publics sur l'aveuglement de leur politique concernant la circulation des citoyens algériens.

Dévoiler & divulguer le refoulé

C'EST À CONDITION DE REMONTER TRÈS LOIN que l'on peut saisir les racines du problème algérien. À la suite de l'indépendance, il y a eu une sorte de refoulement collectif de la colonisation, de la répression coloniale et des violences associées à la guerre de libération. Il faudrait, me semble-t-il, analyser les stratégies de mauvaise foi, au sens de mensonge à soi-même, de *self deception*, que les ex-colonisés, collectivement mais différentiellement selon leur position dans l'espace politique algérien, ont mises en œuvre pour refouler la colonisation, les traces profondes qu'elle a laissées dans les choses et dans les cerveaux. Pour contribuer à cette exploration de l'inconscient historique, il faudrait faire une histoire sociale des rapports différentiels que les Algériens ont entretenus et qu'ils continuent à entretenir avec la langue française. Toutes les questions autour de l'arabisation ou de la perpétuation du français ont été le lieu central du refoulement et du mensonge à soi-même (le problème de la langue française a toujours été abordé honteusement, passivement, comme si les dirigeants pensaient que l'arabe était bon pour les dominés, alors que le français, voire le latin et le grec, convenait mieux aux dominants ; on pourrait dire la même chose de l'islam). Mensonge collectif, dont on est peut-être en train de payer le prix aujourd'hui. Malheureusement, les fautes historiques sont commises par quelques-uns et les sanctions sont subies par tous. Tous ces problèmes doivent être abordés historiquement. Évidemment, on voit bien dans ce cas-là que l'histoire n'est pas une science pure, purement académique ; plus exactement, c'est une science pure et académique, mais plus elle est pure, académique, plus elle est engagée et politique.

Dans cet inconscient colonial, il y a aussi la guerre de libération, la vérité de la guerre de libération. J'ai lu deux ou trois thèses, restées, je crois, inédites, sur la guerre de libération, qui m'ont fait penser que c'était une des histoires les plus tragiques qu'ait jamais connues l'humanité. L'histoire des purges successives (par le FLN, à l'intérieur du FLN, par l'armée française,

Intervention au colloque « Algérie-France-Islam » organisé par le Centre français de l'université de Fribourg en Brisgau et le Centre de sociologie européenne du Collège de France les 27 et 28 octobre 1995, édité par L'Harmattan en 1997.

etc.) a été recouverte sous l'éloge rituel des moudjahidins auquel tout le monde participait. Ainsi, la déclaration de 1954, devenue un lieu commun de la célébration anniversaire, si on la relit aujourd'hui, garde beaucoup de vertus mais qui ont été occultées sous une rhétorique anticolonialiste. Marx dénonce quelque part le culte rétrospectif des révolutions du passé. Les Algériens (et c'est une chose qu'ils ont apprise des Français, une partie de l'inconscient colonial), sont passés maîtres dans le révolutionarisme rétrospectif qui a servi très souvent d'alibi à l'instauration d'un conservatisme. Il y avait aussi le modèle soviétique, évidemment. Pour ce genre de choses, aujourd'hui, on a l'embarras du choix. Il y a eu tellement de révolutions détournées qu'on n'a même pas besoin de réinventer une rhétorique pseudo-révolutionnaire, il suffit de puiser dans l'arsenal des révolutions ratées.

Il faudrait aussi, dans le bilan du refoulé, inclure l'histoire de la répression de la révolution algérienne qui fait partie des grandes maladies honteuses de la conscience française ; je pourrais raconter des dizaines d'anecdotes sur la mémoire tragique que beaucoup de Français ont gardée de la guerre de libération de l'Algérie. Il y a, comme le disait Joseph Jurt, une souffrance française à propos de l'Algérie, sur laquelle on peut encore s'appuyer pour réfléchir et agir sérieusement. Malheureusement, cette souffrance française est aussi génératrice de pulsions très funestes de paranoïa collective, et il suffit de se promener aujourd'hui autour d'une gare parisienne pour avoir le sentiment de voir un *remake* d'un film sur l'Algérie des années 1960. La France, qui a été, en d'autres temps, un modèle pour un certain nombre de choses (dont les droits de l'homme), est en train de devenir un modèle pour la régression collective dans la barbarie et, comme il y a des barbares dans tous les pays, cet antimodèle risque de s'universaliser. Il est à craindre que les autres États européens ne s'autorisent du mauvais exemple que la France est en train de donner pour renoncer à leurs politiques généreuses en matière d'émigration exemplaire. Et, malheureusement, si on va du côté de la Kabylie aujourd'hui, on a aussi l'impression que l'armée algérienne répète ce que faisait l'armée française à la même époque, que la guerre d'Algérie se rejoue de manière dramatique, des deux côtés de la Méditerranée, avec les mêmes phobies, les mêmes manies, les mêmes réflexes primitifs de la barbarie militaire.

Dans l'inconscient colonial qu'il faudrait porter au jour, il y a eu, entre autres choses, les effets d'une sorte d'imitation servile de l'État à la française. Me promenant en Algérie aussitôt après l'indépendance, j'avais été frappé (je l'ai écrit à l'époque) de voir toutes sortes de gens qui rejouaient des scènes du colonialisme ordinaire, qui étaient installés dans le bureau du colon, ou du directeur de ministère avec tous les signes extérieurs de l'arrogance si française. Et tout ça au nom de la lutte contre le colonialisme, évidemment. Le rapport à l'État mériterait, me semble-t-il, une analyse très approfondie. Ce modèle étatique français, comment a-t-il été imposé ? Comment a-t-il été mimé sans que soient assurées les conditions de son fonctionnement ? Les conditions historiques du fonctionnement d'un État moderne qui est le produit d'une longue, très longue élaboration historique ne sont pas données immédiatement et il faut travailler à les produire par le système d'enseignement, par une éducation civique, par un combat contre les survivances du féodalisme, contre les traditions de népotisme qui sont inhérentes à certain état des structures familiales, etc. sous peine d'aboutir à des modèles féodalo-socialistes (dans lesquels, comme l'a montré mon ami et élève M'hammed Boukhobza, récemment assassiné, les structures bureaucratiques et la rhétorique socialiste servent de masque et de support à la perpétuation de grands privilèges lignagers). Toutes ces choses-là, qui sont très connues des spécialistes, il faut les rendre publiques ; il ne faut pas qu'elles restent le privilège de la communauté scientifique.

Autre lieu de refoulement, le problème des intellectuels. Je pense qu'une part de cette sorte de guerre civile à laquelle nous assistons tient au fait que les intellectuels algériens ont continué les luttes intellectuelles par d'autres moyens. Les intellectuels sont ordinairement réduits à utiliser des armes symboliques pour se combattre, mais dès qu'ils en ont l'occasion et les moyens, ils passent à d'autres armes. On sait le rôle qu'ils jouent dans les guerres civiles nationales – je pense au cas de la Yougoslavie. On dit toujours que les intellectuels ne servent à rien. De fait, lorsqu'ils veulent agir contre les tendances immanentes des sociétés, ils sont impuissants ; mais lorsqu'ils agissent dans le sens du pire, ils sont très efficaces parce qu'ils offrent une expression et une légitimation aux pulsions obscures, honteuses, d'une société. C'est dire qu'un univers intellectuel mal analysé, mal auto-analysé, mal socio-analysé est très dangereux. Et si je devais désigner une « classe dangereuse », comme on disait au XIXᵉ siècle, je dirais que ce sont les intellectuels et plutôt ceux que Max Weber appelait « les intellectuels prolétaroïdes » : ce sont les petits clercs défroqués qui menaient les mouvements millénaristes du Moyen-Âge, ce sont les révolutionnaires mineurs de 1789. La responsabilité des intellectuels est très grande et, dans le refoulement que j'évoquais, les intellectuels algériens ont joué un rôle énorme. Là encore, parler en général n'a pas de sens : l'intelligentsia est un champ dans lequel il y a des dominants et des dominés, des luttes, des gens qui se sont battus contre l'obscurantisme, contre le refoulement, etc. Mais, globalement, les résultats agrégés, pour parler comme des statisticiens, sont assez désolants. Il faudrait donc travailler à une sociologie historique des intellectuels dans leur rapport à la langue, à l'État, à la nation, au nationalisme, au problème berbère, au problème de l'arabisation, etc. On ne peut pas aborder vraiment un problème quelconque sans traverser l'écran de fumée que produisent les intellectuels et sans étudier d'abord ce qu'ils en ont dit. On voit que l'historicisation qu'a évoquée Joseph Jurt n'a rien d'académique. Il ne s'agit pas simplement de restituer la vérité historique ; il faut se servir de l'histoire pour restituer le rapport véridique à l'histoire. Le travail d'anamnèse de l'inconscient historique est l'instrument majeur de maîtrise de l'histoire, donc du présent qui la prolonge. Évidemment, il ne s'agit pas – même si, par moments, pour éviter le ton académique, j'ai pu être un peu polémique – de se placer dans la logique du procès, de chercher et de dénoncer des coupables (c'est là encore un effet de la mauvaise foi). Il ne s'agit pas de se battre la coulpe (surtout sur la poitrine des autres, comme les révolutionnaires ou les justiciers rétrospectifs). Il faut demander que l'histoire soit assumée dans sa réalité et dans ses conséquences. Et pour ça il faut l'établir, et ça, seule la communauté scientifique peut le faire.

Je suis passé très naturellement, il me semble, de problèmes de connaissance à des problèmes d'action, et je crois que, comme je le disais tout à l'heure, le problème algérien pose de manière particulièrement aiguë la question de la responsabilité spécifique des savants. Il y a en France une tradition de l'engagement qui a été inaugurée par Zola, et qui me paraît très respectable. Le devoir de communication de la vérité fait partie du métier de savant ; on pourrait invoquer aussi Max Weber. Il y a une responsabilité des savants, surtout dans une situation comme celle de l'Algérie, où l'on a affaire à un problème qui, pour une grande part, est un artefact historique, construit pour l'essentiel par les médias. S'il est vrai, comme je le crois vraiment, que, dans les sociétés modernes, la réalité sociale est pour une part très importante construite par les médias, qui sont le moyen de production dominant du discours dominant sur le monde social, nous sommes moins désarmés que s'il s'agit de combattre les forces économiques. Nous sommes mieux armés pour combattre les multinationales de la production symbolique qui produisent les fameux « problèmes de société », à condition que nous sachions tant soit peu nous organiser en vue de donner de l'efficacité à la vérité dont on sait qu'elle n'a pas d'efficacité spontanée. Je cite souvent Spinoza : « Il n'y a pas de force intrinsèque de l'idée vraie. » C'est une des phrases les plus tristes de toute l'histoire de la pensée. Cela signifie que la vérité est très faible, sans force. Par conséquent, nous qui travaillons à produire de la vérité, qui croyons tacitement qu'il est important de produire de la vérité, qui croyons tacitement qu'il est important de diffuser la vérité puisque nous enseignons, nous parlons, nous écrivons, etc., est-ce que, pour être en accord avec nous-mêmes, pour ne pas être trop contradictoires et trop désespérés, nous ne devons pas essayer de réfléchir sur la nécessité de nous unir pour donner collectivement un peu de force sociale à la vérité ?

1995-2001

On doit refuser la fausse neutralité hypo-crite et en particulier la philosophie politique dépolitisée qui mène tout droit à la table du Medef.

«Je suis ici pour dire notre soutien.

PAR PIERRE BOURDIEU

Je suis ici pour dire notre soutien à tous ceux qui luttent depuis trois semaines contre la destruction d'une « civilisation » associée à l'existence du service public, celle de l'égalité républicaine des droits, droits à l'éducation, à la santé, à la culture, à la recherche, à l'art, et, par-dessus tout, au travail.

Je suis ici pour dire que nous comprenons ce mouvement profond, c'est-à-dire à la fois le désespoir et les espoirs qui s'y expriment, et que nous ressentons aussi ; pour dire que nous ne comprenons pas (ou que nous ne comprenons que trop) ceux qui ne le comprennent pas, tel ce philosophe qui, dans le *Journal du dimanche* du 10 décembre, découvre avec stupéfaction « *le gouffre entre la compréhension rationnelle du monde* », incarnée, selon lui, par Juppé – il le dit en toutes lettres –, « *et le désir profond des gens* ».

Cette opposition entre la vision à long terme de l'*élite*, éclairée et les pulsions à courte vue du peuple ou de ses représentants est typique de la pensée réactionnaire de tous les temps et de tous les pays ; mais elle prend aujourd'hui une forme nouvelle, avec la noblesse d'État, qui puise la conviction de sa légitimité dans le titre scolaire et dans l'autorité de la science, économiquement : pour ces nouveaux gouvernants de droit divin, seulement la raison et la modernité, mais aussi le mouvement, le changement, sont du côté des gouvernants, ministres, patrons ou « experts » ; la déraison ou l'inertie, le conservatisme du côté du p[euple...], syndicats, des intellectuels critiques.

C'est cette certitude technocratique qu'exprime Juppé lorsqu'il s'écrie : « *Je veux que la France soit un pays sérieux et un pays heureux.* » Ce qui peut se traduire : « *Je veux que les gens sérieux, c'est-à-dire les élites, les énarques, ceux qui savent où est le bonheur du peuple, soient en mesure de faire le bonheur du peuple, fût-ce malgré lui, c'est-à-dire contre sa volonté ; en effet, aveuglé par ses désirs, dont parlait le philosophe, le peuple ne connaît son bonheur – en particulier son bonheur d'être gouverné par des gens qui, comme M. Juppé, connaissent son bonheur mieux que lui.* » Voilà comment pensent les technocrates et comment ils entendent la démocratie. Et l'on comprend qu'ils ne comprennent pas que le peuple, ou du moins ils préfèrent gouverner, descende dans la rue – comble d'ingratitude ! – pour s'opposer à eux.

Cette noblesse d'État, qui prêche le dépérissement de l'État et le règne sans partage du marché et du consom[mateur...]

Pierre Bourdieu parmi les grévistes, gare de Lyon.

L'ACTION

[...]ontinuent (ce peut être la tâche des experts), mais les combattre, et, le cas échéant, les neutraliser. La crise aujourd'hui est une chance historique, pour la France et sans doute aussi pour tous ceux, chaque jour plus nombreux qui, en Europe et ailleurs dans le monde, refusent la nouvelle alternative : libéralisme ou barbarie. Cheminots, postiers, enseignants, employés des [...]ques [...] diants, et tant d'autres,

> Pour ces nouveaux gouvernants de droit divin, la raison, la modernité et le mouvement sont du côté des ministres ou patrons, la [...]

[...] tivement ou passivement engagés dans le mouvement, ont posé, par les manifestations, par les déclarations, par les réflexions innombrables qu'ils ont déclenchées, que le couvercle médiatique s'efforce en vain d'étouffer, des problèmes tout à fait fondamentaux, trop importants pour être [...]és des technocra[...]

---

nous, la définition éclairée et raisonnable des services publics, la santé, l'éducation, les transports, etc., en liaison notamment avec ce[...] les autres pays d'Europe, sont exposés aux m[...]naces ? Comment réinventer l'école de la R[...] en refusant la mise en place progressive, au [...] l'enseignement supérieur, d'une éducation de [...]tesses, symbolisée par l'opposition entre [...] écoles et les facultés ? Et l'on peut poser la [...]tion à propos de la santé ou des transports [...] lutter contre la précarisation qui frappe tous [...] nels des services publics et qui entraîne des [...] dépendance et de soumission, particulière[...] nestes dans les entreprises de diffusion cul[...]dio, télévision ou journalisme, par l'effet [...] qu'elles exercent, ou même dans l'enseignem[...] Dans le travail de réinvention des services p[...] intellectuels, écrivains, artistes, savants, etc., [...] le déterminant à jouer. Ils peuvent d'abord co[...] briser le monopole de l'orthodoxie technocr[...] les moyens de diffusion. Mais ils peuvent aussi [...]ger, de manière organisée et permanente, et p[...]ment dans les rencontres occasionnelles [...] conjoncture de crise, aux côtés de ceux qui so[...] sure d'orienter efficacement l'avenir de la so[...] sociations et syndicats notamment, et travaille[...]rer des analyses rigoureuses et des prop[...] inventives sur les grandes questions que l'or[...] médiatico-politique interdit de poser : je pense [...]culier à la question de l'unification du cham[...] mique mondial et des effets économiques et so[...] la nouvelle division mondiale du travail, ou [...]tion des prétendues lois d'airain des marchés fi[...] au nom desquelles sont sacrifiées tant d'initiati[...]tiques, à la question des fonctions de l'éducat[...]

Libération,
14 décembre 1995, p. 7

Le Nouvel Observateur,
3-9 septembre 1998, p. 6

Marianne,
**31 août-6 septembre 1998,
p. 68-69**

L'Événement du jeudi,
27 août-2 septembre 1998

DOSSIER
BOURDIEU : LES COUACS DE L'IMPRÉCATEUR

C'est le plus médiatique des antimédiatiques. À la télévision, qu'il accable de critiques, ne sait plus quoi inventer pour l'attirer sur ses plateaux. En moins d'un an, Pierre Bourdieu est devenu le sociologue le plus regardé de France.

continuent de car[...] listes de vente, le n[...] le grand procureur [...] France, est mis en c[...] essai de son anc[...] Jeannine Verdès-[...] Savant et la politiq[...] Et la riposte très [...]

Le cas Bourd[...]

par Philippe Petit

Comme c'est étrange, et pourquoi tant de hargne ? On attendait un livre critique sur le travail et l'engagement politique de Pierre Bourdieu, on a un essai peu convaincant sur l'œuvre et la posture intellectuelle du sociologue français le plus lu à l'étranger. On attendait à une riposte scrupuleuse, on a droit à un règlement de comptes. Jeannine Verdès-Leroux, qui travaille au CNRS, dénonce dans le *Savoir et la Politique* le terrorisme de Bourdieu [1], sa naïveté, ses contorsions langagières, son ambition démiur[...]

france sociale ordinaire ? Pierre Bourdieu n'est-il que ce populiste de gauche dont parlent Joël Roman et Olivier Mongin dans la revue *Esprit* (juillet 1998) ? N'est-il que ce sociologue à l'estomac dont parle Mme Verdès-Leroux ? Mandarin autoritaire ? Gauchiste tardif ? Ami du peuple ? Homme de clan ? Ces vocables sont télégéniks. Il faut prendre au sérieux le propos de ce vile parisienne, écrivait Régis Debray en 1979, dans le *Pouvoir intellectuel en France*. Peut-être, mais il point trop n'en faut. Car à force de prendre au sérieux les réseaux, les stratégies, les ambitions, on finit [...]

N'est-il que ce [...]

[...]*populisme façon mépris* » (3) dans la revue *« Esprit »*. Son directeur, Olivier Mongin, s'explique en débat avec Daniel Bensaïd, dirigeant de la Ligue communiste révolutionnaire

L'EVENEMENT DU JEUDI

Terrorisme
L'énigme Ben Laden

ET SI LA PENSÉE UNIQUE C'ÉTAIT LUI...?

BOURDIEU INTELLECTUEL

LA RÉACTION DE FRANCE

PRIX 20 F · N° 721 DU 27 AOÛT AU 9 SEPTEMBRE 1998

Rentrée : le moral au beau fixe. Et demain ?
Sondage CSA-*L'Évf* : les Français ont la pêche, mais 69% craignent que ça ne dure pas p. 20

Est-il terroriste

En soutien aux luttes sociales
De Décembre 95 à Raisons d'agir

> Le discours conservateur se tient toujours
> au nom du bon sens.
>
> *Choses dites*, 1987

L E MOUVEMENT SOCIAL DE DÉCEMBRE 1995 *résulte de la
conjonction de plusieurs crises : une contestation étudiante
qui, à partir de novembre, s'accompagne d'une mobilisation des
réseaux militants de l'enseignement supérieur ; une grève des
transports en commun en réaction à l'annonce d'un plan État-
SNCF et d'une réforme des systèmes de retraites, qui contribuent
à bloquer la circulation et les activités des grandes agglomérations ; enfin, à la suite de l'annonce, le 15 novembre, du « plan
Juppé » de réforme de la Sécurité sociale, qui prévoit la réduction des dépenses publiques au nom de la lutte contre l'exclusion,
le développement de résistances qui trouvent dans les mobilisations du moment un terrain d'expression privilégié* [1].

*Face à ces mobilisations, les animateurs de la Fondation Saint-
Simon* [2] *et la revue* Esprit *lancent une pétition de soutien au gouvernement, « Pour une réforme de fond de la Sécurité sociale »,
double stigmatisation de l'archaïsme du système de santé et de
ceux qui refusent le projet. En soutien aux grévistes, Pierre
Bourdieu participe à la rédaction d'un appel à l'initiative d'universitaires proches des milieux militants, qui paraît dans* Le

---

1. Lire *Le Souffle de décembre*, René Mouriaux et Sophie Béroud (dir.),
Syllepse, Paris, 1997.
2. La Fondation Saint-Simon a vu le jour en décembre 1982 sous l'impulsion de François Furet, Pierre Rosanvallon, Emmanuel Le Roy-Ladurie,
Simon et Pierre Nora, Alain Minc et Roger Fauroux. Réunissant universitaires, monde des affaires et haute fonction publique, elle « accomplit un
travail idéologique de dissimulation du travail politique, [... pour]
construire la "voie étroite" suivie par les dirigeants politiques [vers] la démocratie de marché comme "fin de l'histoire" et le social-libéralisme
comme horizon indépassable pour nos sociétés ». (Lire notamment Keith
Dixon, *Les Évangélistes du marché. Les intellectuels britanniques et le libéralisme*, Raisons d'agir, Paris, 1998 ; Vincent Laurent, « Enquête sur la fondation Saint-Simon. Les architectes du social-libéralisme », *Le Monde
diplomatique*, septembre 1998 ; Serge Halimi, « Les boîtes à idées de la
droite américaine », *Le Monde diplomatique*, mai 1995.)

Monde du 5 décembre [3]. *La manifestation du 12 décembre, qui rassemble plus d'un million de personnes, se termine par un meeting à la gare de Lyon au cours duquel le sociologue prend la parole pour défendre les services publics menacés par les politiques néolibérales ; il y dénonce notamment l'action d'une « noblesse d'État qui prêche le dépérissement de l'État et le règne sans partage du marché et du consommateur* [4] ». *Contre les experts qui s'appuient sur l'autorité de la science économique, le sociologue affirme par là son soutien à ceux que les élites technocratiques présentent comme un peuple dominé par ses « pulsions » et auquel il faudrait dicter d'en haut des politiques raisonnables – ainsi que le suggère le philosophe Paul Ricœur (*Le Journal du dimanche, 10 décembre*). *Les analyses de Pierre Bourdieu reviennent donc sur les mécanismes sociaux par lesquels le néolibéralisme s'est imposé en France depuis les années 1980* [lire p. 349, 357 & 365].

Les gouvernements français constituent alors l'objet direct des critiques de Pierre Bourdieu : la politique d'immigration, avec les « lois Pasqua-Debré » (1993-1995) qui autorisent une discrimination au faciès [lire p. 347] *; ou le refus de la régularisation des sans-papiers* [lire p. 345], *qui donne lieu, dès 1996, à une importante mobilisation du secteur associatif dans la continuité du mouvement de décembre 1995 ; puis le silence de la gauche dans la bataille des homosexuels pour l'égalité devant la loi* [lire p. 343] *; ou encore les « effets d'annonce » du ministre de l'Éducation Claude Allègre* [lire p. 367]. *C'est tout le poids de sa notoriété scientifique que Pierre Bourdieu, souvent associé alors à d'autres intellectuels, veut apporter aux militants situés à « l'avant-garde » de la contestation* [5] *; mais également, à partir de 1997, à tous ceux qui voient dans la politique du gouvernement Jospin un dévoiement des idéaux de gauche* [lire p. 361].

En janvier 1998, Pierre Bourdieu intervient publiquement en faveur du mouvement des chômeurs, dont les formes d'action directe, impulsées par une minorité mobilisée de militants, ont capté l'attention médiatique. L'occupation de l'École normale supérieure lui donne ainsi l'occasion de souligner le « miracle social » constitué par la mobilisation de ceux que leur situation

---

3. Lire Julien Duval, Christophe Gaudert, Frédéric Lebaron, Dominique Marchetti et Fabienne Pavis, *Le Décembre des intellectuels français*, Raisons d'agir, Paris, 1998.
4. Intervention publiée sous le titre « Contre la destruction d'une civilisation », *Contre-feux*, Raisons d'agir, Paris, 1998, p. 30-33.
5. Lire « Quelques questions sur la question gay et lesbienne », *in La Domination masculine*, Seuil, Paris, 1998, p.129-134.

tend à atomiser et à désorganiser [6]. *La cause des chômeurs permet de dénoncer la précarité généralisée et entretenue par les
politiques libérales* [lire p. 357] : *l'« insécurité objective » qui touche
le monde du travail est au principe de l'« insécurité subjective »
qui affecte les précaires comme les salariés en permettant l'application de politiques de flexibilisation et l'instauration de nouveaux modes de domination* [7].

*Au-delà de telles interventions ponctuelles, Pierre Bourdieu s'ef-
force d'inscrire son action dans la durée : l'entreprise des états
généraux du mouvement social n'ayant pas véritablement eu de
suites après 1996* [lire p. 341], *il met en œuvre son idée d'« intellectuel
collectif » en regroupant des chercheurs proches de ses orientations.
Ainsi est créé Raisons d'agir, collectif destiné à mettre les compétences analytiques des chercheurs au service des mouvements de
résistance aux politiques néolibérales, pour contrebalancer l'influence des* think tanks *conservateurs* [8]. *S'appuyant sur le succès
public de* La Misère du monde *et le travail collectif qu'il a
nourri, ce groupe veut s'engager dans les luttes symboliques contre
l'imposition d'une doxa néolibérale par les experts et, en particulier, les économistes. Le travail sociologique, qui consiste à rendre
visible ce qui se dérobe aux perceptions habituelles du monde
social, sert alors de base à des interventions politiques du collectif
dans la presse et par le biais de conférences et de débats publics* [9].
*Pour diffuser les « armes intellectuelles de la résistance », Pierre
Bourdieu créé également une collection de livres à bas prix (30 à
40 francs), Liber-Raisons d'agir, destinée à offrir à un large
public des travaux de sciences sociales sous une forme accessible,
ou encore des analyses que la censure médiatique n'autorise pas,
en particulier lorsqu'il s'agit des médias eux-mêmes.*

---

6. Lire « Le mouvement des chômeurs, un miracle social », *Contre-feux*,
op. cit., p. 102-104.
7. « La précarité est aujourd'hui partout », *Contre-feux, op. cit.*, p. 95-101.
8. Les *think tanks* sont des groupes plus ou moins formels réunissant
principalement des intellectuels (universitaires, journalistes, etc.) afin d'in-
fluencer les décideurs économiques et politiques. À leur rôle dans la légitimation et l'instauration du néolibéralisme dans le monde anglo-saxon,
correspond en France celui de la Fondation Saint-Simon ; et pour renouveler et défendre les acquis de l'État social, la Fondation Copernic.
9. En plus de parutions régulières du collectif dans *Le Monde diplomatique*, Pierre Bourdieu coordonne un numéro spécial des *Inrockuptibles*,
« Joyeux bordel » (décembre 1998-janvier 1999), donnant la parole aussi
bien à des chercheurs, des artistes et des philosophes qu'à des militants
associatifs et syndicaux.

Liber-Raisons d'agir entend présenter l'état le plus avancé de la recherche sur des problèmes politiques et sociaux d'actualité. Conçus et réalisés par des chercheurs en sciences sociales, sociologues, historiens, économistes mais aussi, à l'occasion, des écrivains et des artistes, tous animés par la volonté militante de diffuser le savoir indispensable à la réflexion et l'action politiques dans une démocratie, ces petits ouvrages denses et bien documentés devraient constituer une sorte d'encyclopédie populaire internationale.

Les deux premiers titres de la collection, qui ont pris dès leur parution une place très marquante dans le débat public [10], amorcent la diffusion d'une critique du champ journalistique, dont Pierre Bourdieu et ses collaborateurs avaient commencé l'analyse quelques années plus tôt.

---

10. Les ventes de *Sur la télévision* (1996) ont dépassé les 140 000 exemplaires ; celles des *Nouveaux Chiens de garde* (1997), de Serge Halimi, ont atteint les 100 000 exemplaires en moins de six mois.

irresponsables ?

par Pierre Bourdieu, rédacteur en chef invité

"Je hais le mouvement qui déplace les lignes"

Éditorial des *Inrockuptibles*, 16 décembre 1998-5 janvier 1999, n° 178.

ribunes dites libres contrôlées par un quarteron de "*gate-keepers*": pages critiques professant la licence littéraire et livrées en fait à de minuscules lobbies qui pratiquent sans vergogne la circulation circulaire des critiques de complaisance; comptes rendus sélectifs ou systématiquement biaisés de toutes les interventions publiques, surtout hétérodoxes, ainsi filtrées, déformées, ...ées et empêchées d'atteindre le public: c'est toute la logique du ...nnement des médias (et non la volonté de tel ou tel, si puissant ...olitiquement ou économiquement) qui tend à faire peser sur la ...ique et culturelle une *censure* spécialement pernicieuse, parce ...ce de liberté. Pour lever cette censure, à la faveur de l'occasion qui ...offerte par *Les Inrockuptibles*, j'ai voulu ou- ...uelques-uns de ceux qui sont exclus du cercle ...que, et qui ne sont en rien mes porte-parole, ...ce de liberté.

...armi eux, j'en ai bien conscience, beaucoup ...ponsables", comme aiment à dire, avec l'élé- ...norale qui les caractérise, nos "responsables" ...es, qui retrouvent spontanément les inusables ...jdanoviens de tous les socialismes autoritaires.

...nsables, ils le sont sans aucun doute, si cela veut dire qu'ils ne se ...pas, pour décider de leurs prises de position artistiques, ...es, philosophiques ou politiques, à la *ligne* d'un parti ou aux

marginales ou de tendances syndicales plus ou moins minoritaires, cinéastes aventureux, sociologues présomptueux, convaincus de détenir des informations plus utiles que celles que les politiques demandent avidement aux sondages –, c'est l'arrogante certitude des évidences indiscutables: les "responsables" politiques sont responsables de la politique; il leur appartient de faire de la politique; la politique leur appartient.

Virtuoses de l'équilibre sur place et du faux mouvement immobile ou rétrograde – réformes suspendues, mesures différées, changements sans conséquences effectives, décisions d'apparence progressiste aux effets régressifs, reconduction tacite ou masquée des politiques conservatrices de leurs prédécesseurs –, les "responsables politiques" n'ont pas de mots assez sévères pour ceux qu'ils n'ont pas réussi à tenir à l'écart de la politique, et qui se refusent à se contenter de la pensée prédigérée que leur offrent les McDonald du fast-food politique international. Portés sous les lambris dorés des palais de la République par un mouvement social auquel ils n'ont guère participé et qu'ils n'ont jamais vraiment compris, et forts de l'assurance inébranlable qui s'enracine dans les solidarités d'Etat et de parti, ils réservent leurs coups les plus durs à ceux qui, insensibles à leurs rappels à l'ordre disciplinaires et sournoisement culpabilisants, ou à la séduction des charges et des ...ment à refuser la définition hautement intéressée ...ils entendent imposer.

...amant de la légitimité populaire, identifié à ...ons scores dans les sondages", ils peuvent condamner ..." tout rappel de la misère des victimes de la politique ...ute évocation des privilèges ou des abus de la noblesse ...grandement responsable, c'est que, préoccupés surtout ...rpétuation, ils se doutent bien que, pour "changer la ...ssaient bien imprudemment autrefois, il faudrait ...hanger la vie politique. Or comment changer ...que sans changer les "responsables" politiques ...t leurs caractéristiques sociales et scolaires) et sans ...e convertir réellement, tant dans leur mode de vie que ...u monde, aux vertus et aux valeurs au nom desquelles ...que leur rappellent, par des actes et des paroles

JOYEUX BORDEL

PIERRE BOURDIEU

Sur la télévision

suivi de

L'emprise du journalisme

SERGE HALIMI

Les nouveaux chiens de garde

J. DUVAL, C. GAUBERT, F. LEBARON, D. MARCHETTI, F. PAVIS

Le «décembre» des intellectuels français

R-RAISONS D'AGIR

Retour sur les grèves de décembre 1995

— En France comme en Allemagne, de nombreux intellectuels et hommes politiques ont stigmatisé les grèves de décembre 1995 comme rétrogrades et corporatistes. Ne peut-on pas les considérer, au contraire, comme des mouvements de réaction aux politiques néolibérales impliquant le retrait de l'État, conformément aux critères de Maastricht ?

— Jamais la subordination de certains intellectuels à l'égard des forces politiques et économiques n'a été aussi visible qu'à l'occasion de ce mouvement, tout à fait surprenant par son ampleur et sa durée. Non contents de le décrire comme une sorte de mouvement réactionnaire, rétrograde, archaïque, voire nationaliste et même raciste (comme l'a fait Michel Wieviorka [1] dans un article du *Monde*), certains – surtout parmi les journalistes, dont on sait les privilèges parfois exorbitants, et parmi les « philosophes journalistes » – ont dénoncé les privilèges des grévistes, ceux de la SNCF notamment, ces « nantis » accrochés à la défense de leurs acquis purement et simplement identifiés à des privilèges. Cela au mépris de tous les signes qui disent le contraire. Par exemple, lors de la manifestation de la gare de Lyon au cours de laquelle j'ai déclaré la solidarité des intellectuels (ou, plus exactement, d'une fraction d'entre eux), les grévistes ont été follement applaudis par la foule des assistants – ils réunissaient, à côté des porte-parole de divers syndicats (et en particulier du nouveau syndicat SUD, né d'une scission avec la CFDT, qui avait soutenu le gouvernement et accueille depuis un certain nombre des initiateurs du texte dit des « experts » en faveur du gouvernement), des porte-parole de mouvements de soutien aux sans-logis (Droit au logement), aux sans-papiers menacés d'expulsion et plus généralement aux immigrés. Cette solidarité des travailleurs

---

1. Sociologue, directeur du CADIS, laboratoire fondé par Alain Touraine ; signataire en décembre 1995 de la pétition en soutien à la politique du gouvernement Juppé. (Lire Julien Duval *et al.*, *Le Décembre des intellectuels français*, *op. cit.*) [nde]

Entretien avec Margareta Steinrücke paru dans *Sozialismus*, n° 6, 1997.

avec les chômeurs et avec les immigrés s'est affirmée sans cesse depuis, que ce soit lors du mouvement dit de « désobéissance civile » qui s'opposait au renforcement des « lois raciales » dites lois Pasqua. Ceux qui, parmi les journalistes et les intellectuels-journalistes, ont parlé de « populisme » à propos de ce mouvement, de manière à pouvoir faire l'amalgame avec le Front national et Le Pen, sont ou stupides ou malhonnêtes, ou les deux (je pense à Jacques Julliard, qui est plus connu comme éditorialiste du *Nouvel Observateur* que comme historien, et qui, dans un ouvrage consacré à l'année 1995, entendait me mettre dans le même sac que Pasqua). Cet amalgame est aussi au principe de la critique conservatrice de toutes les critiques de l'Europe de Maastricht et de la politique néolibérale qui se pratique en son nom. Dans tous les cas, il s'agit d'exclure la possibilité d'une critique de gauche d'une politique économique et sociale réactionnaire qui se couvre d'un langage libéral, voire libertaire (« flexibilité », « dérégulation », etc.), tout en présentant cette liberté forcée qui nous est proposée comme un destin inévitable – avec le mythe de la « globalisation ».

— *Il semble que les grèves de 1995 en France aient joué un rôle précurseur en Europe. Des mouvements de protestation se sont développés par la suite dans d'autres pays, surtout en Allemagne avec les mineurs, les sidérurgistes ou les mobilisations contre le démantèlement de l'État social. Cela n'invalide-t-il pas le thème d'une fin de l'histoire (comme lutte des classes) développé par les conservateurs après la chute des régimes dits communistes ?*

— Effectivement, le mouvement français, qui a eu d'immenses répercussions dans toute l'Europe (un peu comme en 1848), a sans doute contribué à accélérer une prise de conscience et surtout à démontrer que, malgré le chômage de masse et la précarisation de l'ensemble des travailleurs manuels et intellectuels, un mouvement était possible.

Rien ne m'a fait plus de plaisir (et je ne suis pas le seul) que les innombrables témoignages de solidarité adressés au mouvement de décembre 1995 et aussi la référence explicite que les travailleurs allemands en grève ont faite au mouvement français. Mais le plus important est que, partout, on a compris que ce qui se masquait sous l'invocation de la nécessité économique, c'est un retour à une forme modernisée de capitalisme sauvage, à la faveur d'une démolition de l'État social. Je crois en effet que l'effondrement des régimes dits « communistes » ou « socialistes » – s'il n'a rien, évidemment, d'une fin de l'histoire (ce qui supposerait, paradoxalement, que ces régimes aient été vraiment communistes ou même socialistes) – a donné aux dominants un avantage provisoire dans la lutte pour l'imposition des conditions les plus favorables à leurs intérêts. Et l'on a vu ainsi réapparaître des formes d'exploitation dignes du XIXᵉ siècle ou même pires, en un sens, dans la mesure où elles mettent les stratégies les plus modernes du management au service de la maximisation du profit.

— *Qu'est-ce qui vous a incité à vous solidariser avec les grévistes, contrairement à de nombreux intellectuels français, qui sont restés très réservés voire hostiles à l'égard de ce mouvement ? Qu'est-ce qui vous a amené à faire ce discours devant les cheminots à la gare de Lyon, et à apparaître ainsi (par exemple en Allemagne) comme la seule référence critique de l'Europe libérale de Maastricht ?*

— J'étais sans doute préparé par mes recherches (je pense en particulier à *La Misère du monde*) à comprendre la signification d'un mouvement de révolte contre le retrait de l'État. Alors que la plupart des intellectuels français entonnaient les louanges du libéralisme, j'avais pu mesurer les effets catastrophiques que les premières mesures dans le sens du libéralisme (dans le domaine du logement par exemple) avaient produits. Je voyais aussi les conséquences de la « précarisation » des emplois tant dans la fonction publique que dans le secteur privé : je pense par exemple aux effets de censure et de « conformisation » que l'insécurité dans le travail produit, notamment dans la production et la transmission culturelle, chez les gens de radio, de télévision, chez les journalistes et aussi, de plus en plus, chez les professeurs. À la différence de la plupart des « intellectuels » qui prennent la parole dans les médias, j'étais, par mon travail, informé sur la réalité du monde social – sans être trop déformé, à la façon de nombre d'économistes, par la foi dans les constructions formelles. Je pense que l'autorité de l'économie, et des économistes, est sans doute un des facteurs de la complicité que nombre d'intellectuels ont accordé au discours dominant ou, du moins, de la réserve dans laquelle ils se sont tenus, convaincus qu'ils étaient de n'avoir pas la compétence nécessaire pour évaluer adéquatement les discours sur la « mondialisation » ou sur les contraintes économiques associées au traité de Maastricht.

L'effet de théorie s'est exercé surtout sur les intellectuels, mais aussi, plus subtilement, sur les leaders des mouvements sociaux et sur les travailleurs (à travers notamment la doxa économique que les radios et les télévisions ne cessent de déverser et à laquelle les petits intellectuels vaguement frottés de culture économique – comme dans le cas de la France, les essayistes de la fondation Saint-Simon, d'*Esprit* et du *Débat* – ont apporté leur caution). C'est ce qui rend particulièrement nécessaire l'intervention de chercheurs assez informés et armés pour être capables de combattre à armes égales les beaux parleurs souvent très mal formés qui s'appuient sur l'autorité d'une science qu'ils ne maîtrisent pas pour imposer une vision purement politique du monde économique. En fait, ce discours dominant est extrêmement fragile et il suffisait de travailler un peu pour s'en apercevoir – mais, en ces matières, les intellectuels aiment mieux s'en remettre aux impressions de l'opinion ou aux verdicts des journalistes. Je me rappelle par exemple avoir éprouvé (et exprimé) des doutes sur le credo de la « globalisation » (et de la « délocalisation » qui en est la variante marxisante) en observant que la part des importations en Europe des biens en provenance de pays non européens, si elle a très légèrement augmenté au cours des trente dernières années (de l'ordre de 1 %), reste très faible relativement (moins de 10 % du produit intérieur brut [PIB]). Les échanges de l'Europe avec les nouveaux pays industrialisés, comme en Asie du Sud-Est, représentent un peu moins de 1 % du même PIB européen. C'en est fait, on le voit, du mythe de Hong-Kong et de Singapour, nouvelle variante du fameux « péril jaune » qu'on nous a brandi (comme aux Américains le mythe japonais) pour justifier comme nécessaires, inévitables, fatales, des politiques de démolition des acquis sociaux des travailleurs. Un fait tel que celui-là, que tout le monde, au prix d'un petit effort, pouvait s'approprier, et qui, une fois brisée l'évidence de la doxa (rupture para-doxale qui incombe en propre au vrai chercheur), circule aujourd'hui de plus en plus (sans atteindre encore les journaux et les journalistes !), suffit à ruiner tous les discours fatalistes et à interdire d'imputer à la « globalisation » tous les malheurs de l'époque, à commencer par le chômage. Et il peut même faire découvrir qu'une politique européenne commune visant à interdire le *dumping social*, qui tend à tirer tous les pays vers les pays les plus défavorisés en matière d'acquis sociaux des travailleurs, pourrait neutraliser les effets funestes de la concurrence ; et, plus précisément, qu'une politique visant à assurer une réduction du temps de travail sans réduction de salaire dans l'ensemble des pays européens pourrait apporter une solution au chômage sans entraîner aucune des conséquences catastrophiques que l'on invoque pour s'opposer à cette mesure.

On voit que je n'étais pas aussi irresponsable et irréaliste qu'on l'a affimé lorsque je disais, en décembre 1995, que la grève avait pour enjeu la défense des acquis sociaux d'une fraction des travailleurs et, à travers eux, de toute une civilisation, incarnée et garantie par l'État social, capable de défendre le droit au travail, le droit au logement, le droit à l'éducation, etc. Et c'est dans la même logique que je pouvais opposer à ce que j'appelais la « pensée Tietmeyer [2] » (très proche par son fatalisme économiste de ce qu'en d'autres temps on appelait la « pensée Mao ») la nécessité de créer, en face de la banque européenne, des institutions politiques, un État social européen capable de gérer rationnellement (d'une rationalité qu'ignore le rationalisme à courte vue des économistes de service) l'espace économique et social européen ; capable surtout d'arracher les différents États à la concurrence folle pour la compétitivité par le renforcement de la « rigueur salariale » et de la « flexibilité ». Et cela pour les inciter à une coopération raisonnée dans des politiques de réduction du temps de travail associées à des politiques de relance de la demande ou d'investissement dans les technologies nouvelles, politiques impossibles ou ruineuses, comme le rabâchent les faux experts, ces « demi-habiles », aussi longtemps qu'elles sont menées à l'échelle d'un seul pays. (Je n'ai pas besoin de dire qu'une telle politique, par son succès même, rendrait concevable et réalisable une action visant à transformer les rapports de force à l'échelle du champ économique mondial et à contrarier, au moins partiellement, les effets de l'impérialisme – dont l'immigration n'est pas le moindre.)

— *Le collectif Raisons d'agir a émergé de cette expérience de solidarité avec les grévistes. Quels sont ses objectifs et ses modes d'action ? Quelles en ont été les effets ?*

— Le groupe de travail Raisons d'agir, que nous avons constitué aussitôt après les grèves de décembre pour essayer de

---

2. Du nom du président de la Banque fédérale d'Allemagne, présenté par la presse d'alors comme le « grand prêtre du deutsch mark ». (Lire « La pensée Tietmeyer » (1996), repris in *Contre-feux, op. cit.*, p. 51.) [nde]

réaliser pratiquement cette sorte d'« intellectuel collectif » dont j'appelle la constitution depuis des années, est né du souci de produire les instruments d'une solidarité pratique entre les intellectuels et les grévistes. Nous nous sommes réunis régulièrement et nous comptons sortir des petits livres très bon marché dans lesquels seront présentés les résultats de la recherche la plus avancée sur un problème politique, social, ou culturel important, avec, autant que possible, des propositions concrètes d'action. Le premier de la série a été mon *Sur la télévision*, qui a connu un succès extraordinaire (nous approchons des 100 000 exemplaires), ce qui nous permettra de financer sans problèmes les livres suivants – car, j'ai oublié de le dire, nous avons fondé une maison d'édition.

Pour que ce travail soit réellement sérieux et efficace, il doit s'accomplir sur une base internationale : nous avons constitué (avec votre aide pour l'Allemagne) un réseau de chercheurs et de groupes de recherche que nous espérons pouvoir mobiliser sur tel ou tel sujet (par exemple nous avons envoyé une sorte de questionnaire à tous les membres du réseau à propos de la politique en matière d'immigration) et dont nous souhaitons pouvoir produire en français les travaux. Une des fonctions du réseau est de nous faire connaître les études déjà publiées qui mériteraient d'être éditées en français dans la collection « Raisons d'agir » (c'est là que nous aurons besoin d'argent pour payer correctement les traductions) ou de produire des textes originaux susceptibles d'être publiés en plusieurs langues (plusieurs éditeurs – allemand, grec, italien, américain, etc. – se sont engagés à publier dans leur langue la quasi-totalité de la série). Ainsi se constituerait peu à peu une sorte de grande encyclopédie populaire internationale où les militants de tous les pays pourraient trouver des armes intellectuelles pour leurs combats. L'entreprise est difficile : les sciences sociales ont fait d'immenses progrès et c'est seulement au prix d'un effort tout particulier, auquel seuls des militants convaincus peuvent consentir, que l'on pourra trouver en chaque cas le mode d'expression simple et efficace qui permette de transmettre sans déperdition ni déformation les résultats de la recherche.

Appel pour des états généraux du mouvement social

DANS QUELLE SOCIÉTÉ voulons-nous vivre et dans quelle société voulons-nous que vivent nos enfants ? Telle est bien la question que le mouvement social des mois de novembre et décembre 1995 a posée, et telle est bien la raison pour laquelle la très grande majorité de la population l'a reconnu légitime. Les grands problèmes soulevés par les grévistes et par les manifestants sont en effet les problèmes de toutes et de tous.

Quelle lutte contre le chômage et l'exclusion, pour une société de plein emploi, en particulier par la réduction du temps de travail ?

Quels services publics, garants de l'égalité et de la solidarité, proches des citoyens et créateurs d'emplois ?

Quelle autre Europe pour demain, qui tourne le dos au libéralisme, une Europe démocratique, écologique et sociale ?

C'est avec une très grande force que le mouvement social a posé la question de l'égalité effective des droits pour tous, hommes et femmes, nationaux et immigrés, citadins et ruraux. Comment se battre pour les droits des femmes, conquérir une réelle égalité politique et sociale ? Comment défendre l'accès au savoir et à l'emploi pour tous les jeunes, garantir une école publique ouverte à tous ? Comment combattre l'exclusion, imposer le droit au logement, des droits nouveaux pour les chômeurs, les exclus et les précaires ?

Les défis imposés par la mondialisation, dans chaque pays et dans tous les pays, appellent un réponse globale, qui ne saurait consister dans la soumission aux lois du marché. À sa façon, le mouvement social a déjà apporté des éléments de réponse. Cependant, nul ne peut prétendre que des réponses achevées aient été fournies à ces diverses questions. C'est par le débat, par la confrontation, et en donnant à tous voix au chapitre qu'elles s'élaborent, et non par le verdict de pseudo-experts.

En décembre, intellectuels, syndicalistes dans leur diversité, animatrices du mouvement des femmes, associations de

---

Texte collectif. Archives du Collège de France.

chômeurs et de sans-logis ont déjà fait cause commune. Nous proposons aujourd'hui qu'ils se retrouvent, s'ouvrent à tous ceux qui s'interrogent, dans chaque ville de France, pour élaborer, à partir des préoccupations quotidiennes et avec tous les citoyens, leurs réponses aux questions soulevées. Nous proposons que se mettent ainsi en place, dès à présent et tout au long de l'année 1996, de vastes états généraux, pluralistes et décentralisés, où se recueillent les doléances et s'élaborent des propositions. Nous proposons que circulent, de l'un à l'autre, textes et documents, états des lieux et questionnements. Nous proposons que toutes ces approches décentralisées fassent l'objet d'une discussion générale le 24 octobre 1996, jour anniversaire du départ de la grève reconductible des cheminots. Cela aussi nous voulons le faire ensemble.

Nous invitons toutes celles et tous ceux qui se reconnaissent dans cet appel à prendre toutes les initiatives de débat et de collaboration, et à les faire connaître.

En soutien à la Marche de la visibilité homosexuelle

J'AURAIS VOULU ÊTRE LÀ ce soir et vous dire mon soutien. Je suis depuis longtemps attentif aux efforts que les homosexuels n'ont cessé de faire, comme vous aujourd'hui, pour obtenir la reconnaissance pleine et entière de leur existence, de leurs droits, de leur droit à l'existence. Je suis attentif aussi aux résistances que suscitent les actions, même les plus « convenables », et les revendications, même les plus raisonnables. Une des contradictions que rencontrent toutes les luttes des victimes de la violence symbolique est celle-ci : ou bien se plier aux normes de la bienséance qui leur sont imposées jusque dans la révolte contre les injustices, les humiliations, les stigmatisations qu'on leur impose au nom de la bienséance ; ou bien transgresser ces normes, par des actions provocatrices de subversion symbolique capables de réveiller les bien-pensants, et s'exposer à renforcer la stigmatisation et le mépris. Vous avez des illustrations, chaque jour, de cet effet de tenaille. Je ne crois pas pourtant que cela doive vous condamner à l'inaction, nous condamner à l'inaction.

Je crois qu'il est temps de créer un vaste mouvement, groupant des homosexuels et des hétérosexuels, et solidaire de toutes les organisations de lutte contre la violence et la discrimination symboliques, c'est-à-dire contre toutes les formes de racisme de genre (ou de sexe), d'ethnie (ou de langue), de classe (ou de culture).

L'appel lancé par 234 personnalités qui a été publié dans *Le Nouvel Observateur* du 9 mai 1996 est un premier pas dans cette direction. Il s'agirait d'organiser la lutte contre toutes les formes de la discrimination légale qui trouve son principe dans la non-reconnaissance du couple homosexuel : absence de droits de succession, de droit au bail, absence de statut de soutien de famille (impliquant l'exemption du service militaire), refus des avantages accordés aux couples hétérosexuels par les

---

Texte lu sur le podium dressé sur la place de la Nation à l'issue de la Marche de la visibilité homosexuelle organisée par Lesbian & Gay Pride le samedi 22 juin 1996. Cette intervention fait suite à un texte cosigné avec Jacques Derrida, Didier Éribon, Michelle Perrot, Paul Veyne et Pierre Vidal-Naquet, paru dans *Le Monde* du 1er mars 1996 sous le titre « Pour une reconnaissance du couple homosexuel ».

compagnies aériennes, etc. Les défaillances du droit, outre qu'elles sont révélatrices d'un état archaïque de la pensée collective, offrent des armes innombrables, comme, dans un autre domaine, les lois Pasqua, à tous ceux qui sont habités par le racisme anti-homosexuel. Il faut donc lutter, par tous les moyens, pour obtenir une véritable *égalité juridique* pour les homosexuels.

Mais cela ne suffit pas. Il faut multiplier les actions symboliques, unissant hétérosexuels et homosexuels, actions à grande échelle, comme cette marche, ou actions à plus petite échelle, dans le cadre de l'atelier, du bureau, de l'entreprise, destinées à faire régresser, au prix d'une vigilance et d'une assistance de tous les instants, et la honte ou la culpabilité, et le mépris, la dérision ou l'insulte.

Voilà ce que je voulais dire, sans doute un peu maladroitement. Sachez, en tout cas, que je suis de tout cœur avec vous.

Adopté en octobre 1999 sur proposition du ministre socialiste de la Justice Élisabeth Guigou, le Pacte civil de solidarité (Pacs) a répondu à l'essentiel des revendications qu'évoque ce texte. [nde]

Combattre
la xénophobie d'État

IL Y AURAIT BEAUCOUP À DIRE, et à redire, sur la politique estivale du gouvernement, et pas seulement en matière d'accueil aux étrangers. Mais la dernière mesure de M. Debré est exemplaire par son absurdité, qui fait éclater l'incohérence d'une politique toute de grossière démagogie.

Au lieu de régulariser les trois cents « sans-papiers » de Saint-Bernard à Paris, qui se battent depuis le mois de mars pour obtenir des titres de séjour, le ministre de l'Intérieur a fait hospitaliser de force, le 12 août, les dix étrangers qui, au nom de tous les autres, mènent, depuis une quarantaine de jours, une grève de la faim. Selon l'avis des médecins, leur état de santé n'inspirait encore aucune inquiétude. Il s'agit donc d'une simple démonstration de force destinée à prouver la détermination répressive du gouvernement.

Cette intervention est absurde. Elle ignore l'ampleur du désarroi de milliers d'étrangers qui, pour être privés de papiers, ne sont pas pour autant des clandestins. Anciens demandeurs d'asile issus de pays de violence, conjoints et enfants d'étrangers en situation régulière privés du droit de vivre en famille, ils sont légitimement présents en France depuis de nombreuses années et ont multiplié en vain les démarches pour obtenir un titre de séjour et de travail. Depuis le printemps, une vingtaine d'occupations de locaux et de grèves de la faim sur l'ensemble du territoire national ont porté sur la place publique la détresse de tous ces hommes, de toutes ces femmes qui, avant d'en venir à ces actes extrêmes, avaient épuisé tous les recours.

Il n'y a pas d'autre issue, aujourd'hui, qu'une régularisation de la situation de ces étrangers qui, au cours des vingt dernières années, ont été pris peu à peu au piège de lois de plus en plus dures, fondées sur le mythe irréaliste, et liberticide, de la fermeture des frontières. Comment obliger le gouvernement à rompre avec cette politique criminelle par ses motivations et sa

Communiqué AFP du 13 août 1996, en référence à la parution dans *Libération*, le 3 mai 1995, du bilan de l'enquête du Groupe d'examen des programmes électoraux sur les étrangers en France ; un thème que poursuit le texte « Le sort des étrangers comme schibboleth », paru dans *Contre-feux, op. cit.*, p. 21-24.

stupidité, qui nous engage tous ? Comment combattre la xénophobie d'État qu'il institue et qui, par l'effet de l'accoutumance, risque de s'imposer peu à peu comme un dogme ? Comment empêcher que la plus honteuse des démagogies ne s'installe, par procuration, au pouvoir ?

L'appel à des jeûnes de solidarité, menés dans toute la France en vue d'obtenir la régularisation de la situation des « sans-papiers » de Saint-Bernard et des étrangers placés dans des situations similaires, me paraît donner une première réponse à ces questions. La solidarité avec les étrangers menacés dans leurs droits, leur dignité, leur existence même, peut être le principe d'une nouvelle solidarité de tous ceux qui entendent résister à la politique de la bassesse.

Nous en avons assez du racisme d'État

NOUS EN AVONS ASSEZ des tergiversations et des atermoiements de tous ces « responsables » élus par nous qui nous déclarent « irresponsables » lorsque nous leurs rappelons les promesses qu'ils nous ont faites. Nous en avons assez du racisme d'État qu'ils autorisent. Aujourd'hui même, un de mes amis, Français d'origine algérienne, me racontait l'histoire de sa fille, venue pour se réinscrire à la fac, à qui une employée de l'université demandait, le plus naturellement du monde, de présenter ses papiers, son passeport, au seul vu de son nom à consonance arabe.

Pour en finir une fois pour toutes avec ces brimades et ces humiliations, impensables il y a quelques années, il faut marquer une rupture claire avec une législation hypocrite qui n'est qu'une immense concession à la xénophobie du Front national. Abroger les lois Pasqua et Debré évidemment, mais surtout en finir avec tous les propos hypocrites de tous les politiciens qui, à un moment où l'on revient sur les compromissions de la bureaucratie française dans l'extermination des Juifs, donnent pratiquement licence à tous ceux qui, dans la bureaucratie, sont en mesure d'exprimer leurs pulsions les plus bêtement xénophobes, comme l'employée d'université que j'évoquais à l'instant.

Il ne sert à rien de s'engager dans de grandes discussions juridiques sur les mérites comparés de telle ou telle loi. Il s'agit d'abolir purement et simplement une loi qui, par son existence même, légitime les pratiques discriminatoires des fonctionnaires, petits ou grands, en contribuant à jeter une suspicion globale sur les étrangers – et pas n'importe lesquels évidemment. Qu'est-ce qu'un citoyen qui doit faire la preuve, à chaque instant, de sa citoyenneté ? (Nombre de parents français d'origine algérienne se demandent quels prénoms donner à leurs enfants pour leur éviter plus tard des tracasseries. Et la fonctionnaire qui harcelait la fille de mon ami s'étonnait qu'elle s'appelle Mélanie...)

Paru dans *Les Inrockuptibles*, n° 121, 11-14 novembre 1997.

Je dis qu'une loi est raciste qui autorise un fonctionnaire quelconque à mettre en question la citoyenneté d'un citoyen au seul vu de son visage ou de son nom de famille, comme c'est le cas mille fois par jour aujourd'hui. Il est regrettable qu'il n'y ait pas, dans le gouvernement hautement policé qui nous a été offert par M. Jospin, un seul porteur de l'un ou l'autre de ces stigmates désignés à l'arbitraire irréprochable des fonctionnaires de l'État français, un visage noir ou un nom à consonance arabe, pour rappeler à M. Chevènement la distinction entre le droit et les mœurs, et qu'il y a des dispositions du droit qui autorisent les pires des mœurs.

Je livre tout cela à la réflexion de ceux qui, silencieux ou indifférents aujourd'hui, viendront, dans trente ans, exprimer leur « repentance », en un temps où les jeunes Français d'origine algérienne seront prénommés Kelkal [1].

---

1. Épilogue d'une vague d'attentats lancée le 25 juillet (explosion dans une rame du RER à la station Saint-Michel, 8 morts et 84 blessés), une chasse à l'homme aboutit, le 29 septembre, à l'exécution par les gendarmes de Khaled Kelkal, un jeune homme originaire de Vaux-en-Velin (Rhône), terroriste présumé, soupçonné d'être impliqué dans les attentats de l'été. Dans une ambiance « digne du Far West, [avec] affiches de personnes recherchées et tenues de parachutistes », des images furent largement diffusées du corps « troué de onze balles et retourné du pied » (Henri Leclerc, « Terrorisme et République », *Le Monde diplomatique*, février 1996, p. 32). [nde]

Le néolibéralisme comme révolution conservatrice

J E REMERCIE L'INSTITUT ERNST-BLOCH et son directeur, M. Klaus Kufeld, la ville de Ludwigshafen, et son maire, M. Wolfgang Schulte, et M. Ulrich Beck, pour sa *laudatio* très généreuse qui me fait croire que nous pourrons, dans un jour prochain, voir réalisée l'utopie de l'intellectuel collectif européen que j'appelle depuis très longtemps de mes vœux.

J'ai conscience que l'honneur qui m'est fait, et qui me place sous l'égide d'un grand défenseur de l'utopie, aujourd'hui discréditée, bafouée, ridiculisée, au nom du réalisme économique, m'incite et m'autorise à essayer de définir ce que peut et doit être aujourd'hui le rôle de l'intellectuel, dans son rapport à l'utopie et en particulier à l'utopie européenne.

Nous sommes dans une époque de restauration néo-conservatrice. Mais cette révolution conservatrice prend une forme inédite : il ne s'agit pas, comme en d'autres temps, d'invoquer un passé idéalisé, à travers l'exaltation de la terre et du sang, thèmes agraires, archaïques. Cette révolution conservatrice d'un type nouveau se réclame du progrès, de la raison, de la science (l'économie en l'occurrence) pour justifier la restauration et tente ainsi de renvoyer dans l'archaïsme la pensée et l'action progressistes. Elle constitue en normes de toutes les pratiques, donc en règles idéales, les régularités réelles du monde économique abandonné à sa logique, la loi dite du marché, c'est-à-dire la loi du plus fort. Elle ratifie et glorifie le règne de ce qu'on appelle les marchés financiers, c'est-à-dire le retour à une sorte de capitalisme radical, sans autre loi que celle du profit maximum, capitalisme sans frein et sans fard, mais rationalisé, poussé à la limite de son efficacité économique, par l'introduction de formes modernes de domination, comme le management, et de techniques de manipulation, comme l'enquête de marché, le marketing, la publicité commerciale.

Si cette révolution conservatrice peut tromper, c'est qu'elle n'a plus rien, en apparence, de la vieille pastorale Forêt-Noire

Allocution prononcée à l'occasion de la remise du prix Ernst-Bloch 1997, parue dans *Zukunft Gestalten. Reden und Beiträge zum Ernst-Bloch-Preis 1997*, Klaus Kufeld (dir.), Talheimer, 1998.

des révolutionnaires conservateurs des années 1930 [1]; elle se pare de tous les signes de la modernité. Ne vient-elle pas de Chicago ? Galilée disait que le monde naturel est écrit en langage mathématique. Aujourd'hui, on veut nous faire croire que c'est le monde économique et social qui se met en équations. C'est en s'armant de mathématiques (et de pouvoir médiatique) que le néolibéralisme est devenu la forme suprême de la sociodicée conservatrice qui s'annonçait, depuis la fin des années 1960, sous le nom de « fin des idéologies », ou, plus récemment, de « fin de l'histoire ».

Ce qui nous est proposé comme un horizon indépassable de la pensée, c'est-à-dire la fin des utopies critiques, n'est autre chose qu'un *fatalisme économiste* auquel peut s'appliquer la critique que Ernst Bloch adressait à ce qu'il y avait d'économisme, et de fatalisme, dans le marxisme : « Le même homme – c'est-à-dire Marx – qui débarrassa la production de tout caractère de fétiche, qui crut analyser et exorciser toutes les irrationalités de l'histoire comme étant simplement des obscurités dues à la situation de classe, au processus de production, obscurités qu'on n'avait vues ni comprises et dont pour cela l'influence semblait fatale, le même homme donc qui exila hors de l'histoire tout rêve, toute utopie agissante, tout *telos* relevant du religieux, se comporte à l'égard des "forces productives", du calcul du "processus de production", de la même manière trop constitutive, retrouve le même panthéisme, le même mysticisme, revendique pour eux la même puissance déterminante ultime que Hegel avait revendiquée pour l'"idée" aussi bien que Schopenhauer pour sa "volonté" alogique. [2] »

Ce fétichisme des forces productives conduisant à un fatalisme, on le retrouve aujourd'hui, paradoxalement, chez les prophètes du néolibéralisme et les grands prêtres de la stabilité monétaire et du deutsch mark. Le néolibéralisme est une théorie économique puissante, *qui redouble par sa force proprement symbolique, liée à l'effet de théorie, la force des réalités économiques qu'elle est censée exprimer.* Il ratifie la philosophie spontanée des dirigeants des grandes multinationales et des agents de la grande finance (notamment les gestionnaires des fonds de pension) qui, relayée, partout dans le monde, par les hommes politiques et les hauts fonctionnaires nationaux et internationaux, et surtout par l'univers des grands journalistes,

1. Référence à Martin Heidegger, lire p. 270, *sq.* [nde]
2. Ernst Bloch, *L'Esprit de l'utopie*, Gallimard, Paris, [1923] 1977, p. 290.

tous à peu près également ignorants de la théologie mathématique fondatrice, devient une sorte de croyance universelle, un nouvel évangile œcuménique. Cet évangile, ou plutôt la vulgate molle qui nous est proposée partout sous le nom de libéralisme, est faite d'un ensemble de mots mal définis, « globalisation », « flexibilité », « dérégulation », etc., qui, par leurs connotations libérales, voire libertaires, peuvent contribuer à donner les dehors d'un message de liberté et de libération à une idéologie conservatrice qui se pense comme opposée à toute idéologie.

En fait, cette philosophie ne connaît et ne reconnaît pas d'autre fin que la création toujours accrue de richesses et, plus secrètement, leur concentration aux mains d'une petite minorité de privilégiés ; et elle conduit donc à combattre *par tous les moyens*, y compris la destruction de l'environnement et le sacrifice des hommes, tous les obstacles à la maximisation du profit. Les partisans du *laissez-faire*, Thatcher ou Reagan et leurs successeurs, se gardent bien en effet de laisser faire et, pour donner le champ libre à la logique de marchés financiers, ils doivent engager la guerre totale contre les syndicats, contre les acquis sociaux des siècles passés, bref contre toute la *civilisation associée à l'État social.*

La politique néolibérale peut être jugée, aujourd'hui, à ses résultats que tout le monde connaît, malgré les falsifications, fondées sur des manipulations statistiques et des trucages grossiers, qui veulent faire croire que les États-Unis ou la Grande-Bretagne sont parvenus au plein emploi : il y a le chômage de masse ; il y a la précarité et surtout l'insécurité permanente, à laquelle est vouée une partie croissante des citoyens, jusque dans les couches moyennes ; il y a la démoralisation profonde, liée à l'effondrement des solidarités élémentaires, familiales notamment, avec toutes les conséquences de cet état d'anomie, comme la délinquance juvénile, le crime, la drogue, l'alcoolisme, le retour des mouvements d'allure fasciste, etc. ; il y a la destruction progressive des acquis sociaux, dont la défense est décrite comme conservatisme archaïque. À quoi s'ajoute, aujourd'hui, la destruction des bases économiques et sociales des acquis culturels les plus rares de l'humanité. L'autonomie des univers de production culturelle à l'égard du marché, qui n'avait pas cessé de s'accroître, à travers les luttes et les sacrifices des écrivains, des artistes et des savants, est de plus en plus menacée. Le règne du « commerce » et du « commercial » s'impose chaque jour davantage à la littérature, à travers notamment la concentration de l'édition, de plus en plus directement soumise aux contraintes du profit immédiat, au cinéma (on peut se demander ce qui restera, dans dix ans, d'un cinéma de recherche, si rien n'est fait pour offrir aux producteurs d'avant-garde des moyens de production et surtout peut-être de diffusion) ; sans parler des sciences sociales, condamnées à s'asservir aux commandes directement intéressées des bureaucraties d'entreprises ou d'État ou à mourir de la censure de l'argent.

Dans tout cela, me dira-t-on, que font les intellectuels ? Je n'entreprendrai pas d'énumérer – ce serait trop long et trop cruel – toutes les formes de la démission ou, pire, de la collaboration. J'évoquerai seulement les débats des philosophes dits modernes ou postmodernes qui, lorsqu'ils ne se contentent pas de laisser faire, occupés qu'ils sont par leurs jeux scolastiques, s'enferment dans une défense verbale de la raison et du dialogue rationnel ou, pire, proposent une variante « radical chic » de l'idéologie de la fin des idéologies, avec la condamnation des « grands récits » ou la dénonciation nihiliste de la science.

Devant tout cela, qui n'est guère encourageant, comment échapper à la démoralisation ? Comment redonner vie, et force sociale, à « l'utopisme réfléchi » dont parlait Ernst Bloch à propos de Bacon [3] ? Et d'abord, que faut-il entendre par là ? Donnant un sens rigoureux à l'opposition que faisait Marx entre le « sociologisme », soumission pure et simple aux lois sociales, et l'« utopisme », défi aventureux à ces lois, Ernst Bloch décrit « l'utopiste réfléchi » comme celui qui agit « en vertu de son *pressentiment parfaitement conscient de la tendance objective* », c'est-à-dire de la possibilité objective, et réelle, de son « époque », qui, en d'autres termes, « anticipe psychologiquement un possible réel ». L'utopisme rationnel se définit à la fois contre « le *wishful thinking* pur [qui] a toujours discrédité l'utopie » et contre « la platitude philistine essentiellement occupée du Donné » [4] ; il s'oppose à la fois à l'« hérésie, en fin de compte défaitiste, d'un *automatisme objectiviste*, d'après lequel les contradictions objectives suffiraient à elles seules à révolutionner le monde qu'elles parcourent », et à l'« *activisme en soi* », pur volontarisme, fondé sur un excès d'optimisme [5].

---

3. E. Bloch, *Le Principe d'espérance*, Gallimard, Paris, 1976, t. 1, p. 176.
4. *Ibid.*, p. 177.
5. *Ibid.*, p. 181.

Ainsi, contre le *fatalisme des banquiers*, qui veulent nous faire croire que le monde ne peut pas être autrement qu'il est, c'est-à-dire pleinement conforme à leurs intérêts et à leurs volontés, les intellectuels, et tous ceux qui se soucient vraiment du bonheur de l'humanité, doivent restaurer une pensée utopiste lestée scientifiquement, et dans ses fins, compatibles avec les tendances objectives, et dans ses moyens, eux aussi scientifiquement éprouvés. Ils doivent travailler *collectivement* à des analyses capables de fonder des projets et des actions réalistes, étroitement ajustées aux processus objectifs de l'ordre qu'elles visent à transformer.

L'utopisme raisonné tel que je viens de le définir est sans doute ce qui manque le plus à l'Europe d'aujourd'hui. À l'Europe que la pensée de banquier veut à toute force nous imposer, il s'agit d'opposer non, comme certains, un refus nationaliste de l'Europe, mais un refus progressiste de l'Europe néolibérale des banques et des banquiers. Ceux-ci ont intérêt à faire croire que tout refus de l'Europe qu'ils nous proposent est un refus de l'Europe tout court. Refuser l'Europe des banques, c'est refuser la pensée de banquier qui, sous couvert de néolibéralisme, fait de l'argent la mesure de toutes choses, de la valeur des hommes et des femmes sur le marché du travail et, de proche en proche, dans toutes les dimensions de l'existence, et qui, en instituant le profit en principe d'évaluation exclusif en matière d'éducation, de culture, d'art ou de littérature, nous voue à la platitude philistine d'une civilisation de l'audimat, du *best-seller*, ou de la série télévisée.

La résistance à l'Europe des banquiers, et à la restauration conservatrice qu'ils nous préparent, ne peut être qu'européenne. Elle ne peut être réellement européenne, c'est-à-dire affranchie des intérêts et surtout des présupposés, des préjugés, des habitudes de pensée nationaux et toujours vaguement nationalistes, que si elle est le fait de l'ensemble concerté des intellectuels de tous les pays d'Europe, des syndicats de tous les pays d'Europe, des associations les plus diverses de tous les pays d'Europe. C'est pourquoi le plus urgent aujourd'hui n'est pas la rédaction de programmes européens communs, c'est la création d'institutions (parlements, fédérations internationales, associations européennes de ceci ou de cela : des camionneurs, des éditeurs, des instituteurs, etc., mais aussi des défenseurs des arbres, des poissons, des champignons, de l'air pur, des enfants, etc.) à l'intérieur desquelles seraient discutés et élaborés des programmes européens. On m'objectera que tout ça existe déjà : en fait, je suis sûr du contraire (il suffit de penser à ce qu'est aujourd'hui la fédération européenne des syndicats) et la seule internationale européenne réellement en voie de constitution et dotée d'une certaine efficacité est celle des technocrates contre laquelle je n'ai d'ailleurs rien à dire – je serais même le premier à la défendre contre les mises en question simplistes et le plus souvent bêtement nationalistes ou, pire, poujadistes qui lui sont opposées.

Enfin, pour éviter de m'en tenir à une réponse générale et abstraite à la question que je posais en commençant, celle du rôle possible des intellectuels dans la construction de l'utopie européenne, je voudrais dire la contribution que, pour ma part, je souhaite apporter à cette tâche immense et urgente. Convaincu que les lacunes les plus criantes de la construction européenne concernent quatre domaines principaux, celui de l'État social et de ses fonctions, celui de l'unification des syndicats, celui de l'harmonisation et de la modernisation des systèmes éducatifs et celui de l'articulation entre la politique économique et la politique sociale, je travaille actuellement, en collaboration avec des chercheurs de différents pays européens, à concevoir et à construire les structures organisationnelles indispensables pour mener les recherches comparables et complémentaires qui sont nécessaires pour donner à l'utopisme en ces matières son caractère raisonné, notamment en portant au jour les obstacles sociaux à une européanisation réelle d'institutions comme l'État, le système d'enseignement et les syndicats.

Le quatrième projet, qui me tient particulièrement à cœur, concerne l'articulation de la politique économique et de la politique que l'on dit sociale, ou, plus précisément, les effets et les coûts sociaux de la politique économique. Il s'agit d'essayer de remonter jusqu'aux causes premières des différentes formes de la *misère sociale* qui frappent les hommes et les femmes des sociétés européennes – c'est-à-dire, le plus souvent, jusqu'à des décisions économiques. C'est une manière pour le sociologue, à qui on ne fait appel d'ordinaire que pour réparer les pots cassés par les économistes, de rappeler que la sociologie pourrait et devrait intervenir au niveau des décisions politiques qui sont de plus en plus laissées aux économistes ou inspirées par des considérations économiques, au sens le plus restreint. Par des descriptions circonstanciées des souffrances engendrées par les politiques néolibérales (descriptions du type de celles que nous avons présentées dans *La*

Misère du monde) et par une mise en relation systématique *d'indices économiques*, concernant aussi bien la politique sociale des entreprises (débauchages, formes d'encadrement, salaires, etc.) que leurs résultats économiques (profits, productivité, etc.) et *d'indices plus typiquement sociaux* (accidents du travail, maladies professionnelles, alcoolisme, consommation de drogue, suicides, délinquance, crimes, viols, etc.), je voudrais poser la question des *coûts sociaux de la violence économique* et tenter de jeter les bases d'une *économie du bonheur*, prenant en compte dans ses calculs toutes ces choses que les dirigeants de l'économie, et les économistes, laissent en dehors des comptes plus ou moins fantastiques au nom desquels ils entendent nous gouverner.

Au terme, je me contenterai de poser la question qui devrait être au centre de toute utopie raisonnée concernant l'Europe : comment créer une *Europe réellement européenne*, c'est-à-dire affranchie de toutes les dépendances à l'égard de tous les *impérialismes*, à commencer par celui qui s'exerce, notamment en matière de production et de diffusion culturelles, à travers les contraintes commerciales, et libérer aussi de tous les *vestiges nationaux et nationalistes* qui l'empêchent encore de cumuler, d'augmenter et de distribuer ce qu'il y a de plus universel dans la tradition de chacune des nations qui la composent ? Et, pour finir sur une « utopie raisonnée » tout à fait concrète, je dirai que cette question, à mes yeux essentielle, pourrait être mise au programme du Centre Ernst-Bloch et de l'internationale des « utopistes réfléchis », dont il pourrait devenir le siège.

Les actions
des chômeurs flambent

CELLES ET CEUX qu'on a pris l'habitude de désigner comme « les exclus » – exclus provisoires, temporaires, durables ou définitifs du marché du travail – sont presque toujours aussi des exclus de la parole et de l'action collective. Que se passe-t-il lorsqu'au bout de plusieurs années d'efforts isolés et apparemment désespérés de quelques militants, nécessairement minoritaires, une action collective parvient enfin à briser le mur d'indifférence médiatique et politique ?

D'abord, le risible affolement et la hargne à peine dissimulée de certains professionnels de la parole, journalistes, syndicalistes et hommes ou femmes politiques, qui n'ont vu dans ces manifestations de chômeurs qu'une remise en cause intolérable de leurs intérêts boutiquiers, de leur monopole de la parole autorisée sur « l'exclusion » et « le drame national du chômage ». Confrontés à cette mobilisation inespérée, ces manipulateurs professionnels, ces permanents de plateau de télévision n'ont su y voir qu'une « manipulation de la détresse », « une opération à visée médiatique », l'illégitimité d'une « minorité » ou « l'illégalité » d'actions pacifiques.

Ensuite, l'extension du mouvement et l'irruption sur la scène médiatico-politique d'une minorité de chômeurs mobilisés : le premier acquis du mouvement des chômeurs, c'est le mouvement lui-même (qui contribue à détourner du Front national un électorat populaire désorienté). Le mouvement des chômeurs, c'est-à-dire à la fois l'ébauche d'une organisation collective et les conversions en chaîne dont elle est le produit et qu'elle contribue à produire : de l'isolement, de la dépression, de la honte, du ressentiment individuel, de la vindicte à l'égard de boucs émissaires, à la mobilisation collective ; de la résignation, de la passivité, du repli sur soi, du silence, à la prise de parole ; de la déprime à la révolte, du chômeur isolé au collectif de chômeurs, de la misère à la colère. C'est ainsi que le slogan des manifestants finit par se vérifier : « Qui sème la misère récolte la colère. »

Cosigné avec Gérard Mauger & Frédéric Lebaron sous l'égide de l'association Raisons d'agir, paru dans *Le Monde*, 17 janvier 1998.

Mais aussi, le rappel de quelques vérités essentielles des sociétés néolibérales, qu'avait fait surgir le mouvement de novembre-décembre 1995 et que les puissants apôtres de « la pensée Tietmeyer » s'évertuent à dissimuler. À commencer par la relation indiscutable entre taux de chômage et taux de profit. Les deux phénomènes – la consommation effrénée des uns et la misère des autres – ne sont pas seulement concomitants – pendant que les uns s'enrichissent en dormant, les autres se paupérisent chaque jour un peu plus –, ils sont interdépendants : quand la Bourse pavoise, les chômeurs trinquent, l'enrichissement des uns a partie liée avec la paupérisation des autres. Le chômage de masse reste en effet l'arme la plus efficace dont puisse disposer le patronat pour imposer la stagnation ou la baisse des salaires, l'intensification du travail, la dégradation des conditions de travail, la précarisation, la flexibilité, la mise en place des nouvelles formes de domination dans le travail et le démantèlement du code du travail. Quand les firmes débauchent, par un de ces plans sociaux annoncés à grand fracas par les médias, leurs actions flambent. Quand on annonce un recul du chômage aux États-Unis, les cours baissent à Wall Street. En France, 1997 a été l'année de tous les records pour la Bourse de Paris.

Mais surtout, le mouvement des chômeurs remet en cause les divisions méthodiquement entretenues entre « bons » et « mauvais » pauvres, entre « exclus » et « chômeurs », entre chômeurs et salariés.

Même si la relation entre chômage et délinquance n'est pas mécanique, nul ne peut ignorer aujourd'hui que « les violences urbaines » trouvent leur origine dans le chômage, la précarité sociale généralisée et la pauvreté de masse. Les condamnés « pour l'exemple » de Strasbourg, les menaces de réouverture des maisons de correction ou de suppression des allocations familiales aux parents « démissionnaires » des fauteurs de troubles sont la face cachée de la politique de l'emploi néolibérale. À quand, avec Tony Blair, l'obligation faite aux jeunes chômeurs d'accepter n'importe quel petit boulot et la substitution à l'« État-providence » de l'« État sécuritaire » à la mode américaine ?

Parce qu'il oblige à voir qu'un chômeur est virtuellement un chômeur de longue durée et un chômeur de longue durée, un exclu en sursis, que l'exclusion de l'UNEDIC c'est aussi la condamnation à l'assistance, à l'aide sociale, au caritatif, le mouvement des chômeurs remet en cause la division entre

« exclus » et « chômeurs » : renvoyer les chômeurs au bureau d'aide sociale, c'est leur retirer leur statut de chômeur, et les faire basculer dans l'exclusion.

Mais il oblige à découvrir aussi et surtout qu'un salarié est un chômeur virtuel, que la précarisation généralisée (en particulier des jeunes), l'« insécurité sociale » organisée de tous ceux qui vivent sous la menace d'un plan social font de chaque salarié un chômeur en puissance.

L'évacuation *manu militari* n'évacuera pas « le problème ». Parce que la cause des chômeurs est aussi celle des exclus, des précaires et des salariés qui travaillent sous la menace. Parce qu'il y a peut-être un moment où l'armée de réserve de chômeurs et de travailleurs précaires, qui condamne à la soumission ceux qui ont la chance provisoire d'en être exclus, se retourne contre ceux qui ont fondé leur politique (ô socialisme !) sur la confiance cynique dans la passivité des plus dominés.

Pour une gauche de gauche

Q UINZE JOURS APRÈS LE VENDREDI NOIR des élections aux présidences régionales, les guérisseurs en tous genres s'affairent au chevet de la République. Pour l'un, un changement de régime électoral permettrait à la démocratie de retrouver ses belles couleurs modérées ; pour un autre, juriste savant, une révision du système électoral remettrait en état de marche une démocratie paralytique ; pour un troisième, ancien ministre et fin stratège, c'est l'absence d'un « centre » qui a transformé l'État en bateau ivre, oscillant de droite à gauche et de gauche à droite, au risque de sombrer à l'extrême droite.

Le plus haut personnage de l'État, dans un rôle de père noble un peu trop grand pour lui, tance les partis comme des gamins turbulents et promet le changement de règle qui permettrait au jeu de reprendre sans les *skinheads*. Un ancien candidat à la présidence, dans un éclair de lucidité tardive, se demande si les électeurs n'en ont pas assez de revoir depuis trente ans la même comédie. Les experts en résultats électoraux évaluent au pourcent près les potentiels électoraux des nouvelles coalitions en gestation.

Les trois derniers présidents de région mal élus plastronnent déjà sur les plateaux de télévision : loin d'être des otages, ils sont des remparts, ils n'ont embrassé le Front national que pour mieux l'étouffer ; pour un peu, ils convieraient leur conseil régional à voter d'urgence l'érection de leur propre statue, histoire d'aider les artistes locaux, la culture régionale et le civisme républicain.

Mais devant le triste spectacle de nos médicastres politico-médiatiques, la dérision ne suffit pas. La réponse « nouvelle » qu'ils prétendent apporter à la fascisation d'une partie de la classe politique et de la société française est à leur image, superficielle. Ils restreignent le cercle des questions gênantes au *vademecum* habituel du futur candidat à la prochaine élection : comment ne pas perdre les européennes ? comment préparer les législatives en cas de nouvelle dissolution ? à quel nouveau parti vaut-il mieux adhérer ? Et bientôt : comment rallier les

Élaboré dans le cadre de l'association Raisons d'agir, cosigné avec Christophe Charle, Frédéric Lebaron, Gérard Mauger & Bernard Lacroix, paru dans *Le Monde*, 8 avril 1998.

voix du centre en déshérence ? etc. C'est cette conception de la politique qui est depuis plusieurs années l'alliée la plus sûre du Front national : instrumentale et cynique, plus attentive aux intérêts des élus qu'aux problèmes des électeurs, elle n'attend de solution que de la manipulation des règles du jeu électoral et médiatique.

Les vraies questions sont d'une tout autre ampleur : pourquoi, en moins d'un an, la gauche plurielle a-t-elle cassé la dynamique de sa victoire à l'arraché alors qu'elle n'a pas même l'alibi d'indicateurs économiques en déroute ? Pourquoi a-t-elle suscité des déceptions dont ses résultats électoraux interprétés comme des victoires ne donnent qu'une faible idée ? Pourquoi, par exemple, tant de suffrages pour les organisations qui se veulent ou se disent hors du jeu politique ? Pourquoi une partie de la droite en perdition préfère-t-elle se radicaliser alors qu'elle est au pouvoir à travers une gauche qui réalise tous ses rêves ? Avec sa tentation extrémiste, la droite rejoue une partie déjà perdue par le centre et la droite allemandes au début des années 1930 sous la République de Weimar. L'État impotent suscite l'indifférence massive des électeurs pour la République : il est clair qu'on ne va pas voter pour répartir des prébendes, étouffer des scandales, vendre des services publics au plus offrant, s'en remettre à des bureaucraties inamovibles et inaccessibles, nationales et internationales.

En implosant, la droite française retourne aux origines troubles du régime qu'elle a fondé. Quand les conservateurs ne savent plus quoi conserver, ils sont prêts à toutes les révolutions conservatrices. La persistance du succès électoral d'un parti comme le Front national, dont le programme appliqué ferait la ruine de ses électeurs les plus démunis, n'exprime souvent rien d'autre que l'aversion à l'égard d'un personnel politique obstinément sourd et aveugle au désarroi des classes populaires. Les faux semblants de la gauche plurielle déçoivent les électeurs de gauche, démobilisent les militants, renvoient vers l'extrême gauche les plus exaspérés. Il n'est guère étonnant que les premiers à protester aient été les premiers floués de la démagogie plurielle d'une gauche vraiment singulière : les sans-papiers, les chômeurs, les enseignants.

Une réforme électorale ne suffira pas à calmer les revendications auxquelles des ministres répondent par la charité ostentatoire, le saupoudrage calculé ou les tours de passe-passe rusés. Quand ils ne se laissent pas aller à des outrances verbales arrogantes ou démagogiques, tout à l'opposé de la générosité enthousiaste d'un message mobilisateur, voire à des pratiques tragiquement semblables à celles de leurs prédécesseurs. La gauche officielle a du mal à se débarrasser de l'héritage douteux du mitterrandisme ; elle irrite ses fidèles sans pouvoir attendre de ses ennemis le moindre signe de satisfaction ; elle profite provisoirement de la médiocrité de ses adversaires sans proposer autre chose qu'une politique au jour le jour qui ne change rien d'essentiel dans la vie quotidienne de la grande majorité des citoyens. Le jour du bilan, peut-être plus proche qu'elle ne croit, avec la menace de nouveau disponible de la dissolution, que pourra-t-elle invoquer pour mobiliser les abstentionnistes, les dissuader de voter pour le Front national ? Les emplois jeunes pour quelques-uns, les 35 heures en peau de chagrin, la rigueur ininterrompue, une réforme de l'éducation transformée en *show* ministériel, la fuite en avant vers l'Europe des banquiers ? Croit-on pouvoir tromper longtemps l'attente d'une Europe sociale avec une « gauche plurielle européenne » animée par la troïka néolibérale « Blair-Jospin-Schröder » ?

La gauche de base croit encore à la république sociale : il est temps que le quatuor « Jospin-Chevènement-Hue-Voynet » se rappelle que les majorités de gauche ont conduit au désastre chaque fois qu'elles ont voulu appliquer les politiques de leurs adversaires et pris leurs électeurs pour des idiots amnésiques. Les vraies réponses à la fascisation rampante ou déclarée ne peuvent venir que des mouvements sociaux qui se développent depuis 1995. À condition que l'on sache les entendre et les exprimer au lieu de travailler à les déconsidérer par la diffamation publique ou les coups fourrés d'anciens apparatchiks politiques convertis en hommes d'appareil d'État. Elles suggèrent en effet des perspectives politiques et avancent même parfois des projets et des programmes constitués. La pression locale dans certaines régions de gauche a contribué à rappeler à la raison la droite la moins aveugle. Les manifestations anti-Front national témoignent d'une capacité militante qui ne demande qu'à défendre des causes plus ambitieuses que le seul refus du fascisme. Le mouvement pour le renouveau des services publics – et notamment pour une éducation nationale plus juste, tel qu'il s'exprime aujourd'hui en Seine-Saint-Denis [1] – est à l'opposé de la crispation identitaire sur une

---

1. Référence aux mouvements de grève des enseignants menées au printemps 1998 dans ce département. (Lire Sandrine Garcia, Franck Poupeau, Laurence Proteau, « Dans la Seine-Saint-Denis, le refus », *Le Monde diplomatique*, juin 1998, p. 15.) [nde]

institution archaïque : il affirme la nécessité de services publics efficaces et égalitaires dans leur fonctionnement et dans leurs effets. Le mouvement des sans-papiers, voué aux gémonies par les « responsables » de tous bords, est une résistance collective face à la politique obtuse qui, au nom de la lutte contre Le Pen, prend souvent ses idées et ses armes chez Le Pen (avec le succès que l'on sait…). Le mouvement des chômeurs apparaît comme une « lutte tournante » sans cesse recommencée contre les effets destructeurs de la précarisation généralisée. Les mouvements récents contre l'AMI et pour la taxation des capitaux [2] témoignent de la montée en puissance de la résistance au néolibéralisme : elle est, par nature, internationale.

Ces forces que nos professionnels de la manipulation suspectent d'être sous l'emprise de manipulateurs extérieurs, sont encore minoritaires, mais déjà profondément enracinées, en France comme dans d'autres pays européens, dans la pratique de groupes militants, syndicaux et associatifs. Ce sont elles qui, en s'internationalisant, peuvent commencer à s'opposer pratiquement à la prétendue fatalité des « lois économiques » et à humaniser le monde social. L'horizon du mouvement social est une internationale de la résistance au néolibéralisme et à toutes les formes de conservatisme.

2. Une mobilisation internationale d'information sur le contenu de l'Accord multilatéral sur les investissements (AMI) réussit à en faire avorter la signature par les États du G8. Associée à ces mobilisations, l'association ATTAC, initialement fondée sur la promotion de la taxe Tobin sur les mouvements de capitaux, a pris une place centrale dans la mobilisation internationale contre les politiques libérales de déréglementation. [nde]

Nous sommes dans une époque de restauration

NOUS DEVONS DÉVELOPPER de nouvelles formes de combat pour contrecarrer par des moyens appropriés la violence de l'oppression symbolique qui s'est peu à peu installée dans les démocraties occidentales. Je pense à la censure larvée qui frappe de plus en plus la presse critique et, dans les grands journaux officiels, la pensée critique. Nous en avons fait l'expérience très directement quand nous avons eu à nous opposer à la guerre du Golfe. La presse soi-disant progressiste, qui s'était elle-même prise d'enthousiasme pour la guerre, refusait nos textes ou veillait à les assortir de textes favorables à la guerre. Plusieurs journaux anglais ont refusé de publier le très beau poème écrit par Harold Pinter pour dénoncer la guerre (nous l'avons fait paraître plus tard dans *Liber*).

La vie politique comme la vie intellectuelle sont de plus en plus soumises à la pression des médias – à commencer par la télévision – qui sont eux-mêmes soumis aux pressions des annonceurs ou tout simplement à une obligation de bonne conduite qui exclut toute possibilité de critique.

L'internationale conservatrice, qui a pour centre les États-Unis, fait pression sur tous les espaces d'expression libre, comme les musées, et réprime les recherches d'avant-garde en contrôlant l'octroi des subventions publiques, sous prétexte de pornographie ou d'atteinte à l'ordre public.

Nous sommes dans une époque de restauration. Des critiques médiocres et des écrivains insignifiants dénoncent l'art moderne comme une pure tromperie, et ils en appellent à une réconciliation du roman avec les formes narratives traditionnelles. Sans parler des sciences sociales, sur lesquelles pèse constamment le soupçon. Le débat sur la Révolution française (que le livre de Kaplan a bien analysé [1]) a remis à la mode les vieilles idéologies antirévolutionnaires. Les courants individualistes et ultrasubjectifs qui dominent l'économie et qui sont en

---

1. Steven Laurence Kaplan, *Adieu 89*, Fayard, Paris, 1993.

Paru dans *Les Inrockuptibles*, supplément de mai 1998.

passe de conquérir l'ensemble du champ des sciences sociales (avec Gary Becker en particulier [2]), tendent à saper les fondements mêmes de la science sociale.

C'est dans la sphère intellectuelle que les intellectuels doivent mener le combat, non seulement parce que c'est sur ce terrain que leurs armes sont les plus efficaces, mais aussi parce que c'est le plus souvent au nom d'une autorité intellectuelle que les nouvelles technocraties parviennent à s'imposer. La nouvelle démagogie s'appuie principalement sur les sondages pour légitimer les mesures répressives prises à l'encontre des étrangers, ou les politiques culturelles hostiles à l'avant-garde. Voilà pourquoi les intellectuels doivent disposer de moyens d'expression autonomes, qui ne dépendent pas de subventions publiques ou privées, et s'organiser collectivement, pour mettre leurs armes propres au service des combats progressistes.

2. Professeur à l'université de Chicago, Prix Nobel d'économie en 1992, Gary Becker est notamment l'inventeur de la notion de « capital humain », par laquelle il veut étendre le modèle de l'« acteur rationnel » et du « marché libre » à l'ensemble des pratiques humaines. (Lire, de Pierre Bourdieu, « Avenir de classe et causalité du probable », *Revue française de sociologie*, janvier-mars 1974, XV, p. 3-42.) [nde]

Un ministre ne fait pas le printemps

SA CHUTE ÉTAIT ATTENDUE : on ne boudera pourtant pas totalement le plaisir de voir partir celui qui n'a pas ménagé ses efforts pour se rendre odieux à toute une profession, et aussi à ceux au nom desquels il disait agir, élèves ou étudiants. Mais la satisfaction est de très courte durée : les effets de sa politique se feront encore sentir lorsqu'il aura regagné son laboratoire ; d'ailleurs était-ce bien « sa » politique ? L'attention qu'il a attirée sur sa personne – on se demandait parfois si sa politique avait un autre but – risque de dissimuler qu'il n'a fait pour l'essentiel que proroger ou prolonger la politique de ses prédécesseurs et accentuer la remise en cause de l'université inlassablement appelée à se réformer, c'est-à-dire, dans l'esprit des ministres qui se sont succédé depuis quinze ans, à s'effacer devant le grand marché des prestations éducatives en cours de constitution sans pour autant renoncer, vaille que vaille, à ses tâches scientifiques ordinaires.

Rapidement, le ton fut donné. Il fallait « dégraisser le mammouth », mettre au travail des enseignants absentéistes… Dans l'ordre du mépris, ce fut un festival. Que feignent d'oublier ceux qui s'étonnent aujourd'hui de la mise en cause *ad hominem* d'Allègre dans toutes les manifestations.

Certes, on ne demande pas que le ministre de l'Éducation soit le ministre des enseignants. Mais du moins est-on en droit d'attendre d'un employeur un minimum de respect pour l'ensemble des personnels – les enseignants ne furent pas, en effet, les seules victimes des « dérapages verbaux » de « leur » ministre. Des dérapages contrôlés puisque répétés et immédiatement justifiés, au nom des élèves et des étudiants. Il allait les replacer au centre du système éducatif, et si ses propos typiquement populistes, qui ravissaient tant de commentateurs, pouvaient choquer, c'est parce qu'ils froissaient les intérêts et le conservatisme des enseignants. Découvrant l'existence d'une lutte des classes, le ministre prenait courageusement le parti des opprimés : les pupitres contre l'estrade, les familles contre les « corps ».

Cosigné avec Christophe Charle et les membres du bureau de l'ARESER, paru dans *Le Monde*, 8 avril 2000.

En fait, le mot d'ordre demandant que l'élève ou l'étudiant soit mis au centre n'avait rien de nouveau. Son prédécesseur avait tenu exactement le même discours, en termes cependant moins fleuris. Plus, ce souci proclamé des « usagers » du système éducatif n'était pas sans rappeler l'« obsession » du client qui est au fondement des nouvelles modes managériales développées depuis le début des années 1980 dans le sillage des prophètes de l'« excellence » gestionnaire, Thomas Peters et Robert Waterman. Au-delà de l'incantation, pourtant, on assista à un renforcement de la différenciation des « usagers » du système éducatif, pendant exact de la segmentation des clients du monde marchand. Ce fut le thème de la lourdeur des programmes, de l'empilement des savoirs, qu'illustra le ministre, avec la rouerie du camelot, en invitant le journaliste qui lui faisait face, lors d'une émission télévisée du dimanche soir, à soupeser une besace lestée de manuels. Comme si l'on exigeait des élèves la maîtrise du contenu des manuels, conçus avant tout comme des recueils de documents, sur lesquels s'appuie le travail réalisé en classe ! Qu'importe ! Il fallait alléger. Sous prétexte que certains élèves ou étudiants n'avaient pas les moyens d'accéder à ces savoirs, il faudrait aussi adapter l'enseignement dispensé, le réduire à l'essentiel et viser l'utile.

Malgré les proclamations ministérielles, les lycéens, dont le ministre disait épouser le parti, se sentirent placés non au centre du système, mais plutôt à la périphérie. Ils se retrouvèrent, dès 1998, dans la rue pour réclamer, avec les enseignants, des moyens pour l'école. Le coup était rude, la jeunesse, une fois encore, ignorante et ingrate. Heureusement, il pouvait compter sur les parents, pas les parents de base, mais les responsables des deux grandes fédérations « représentatives », jusque-là concurrentes et défendant les mêmes positions, les siennes. Jusqu'à ce que se multiplient les actions réunissant professeurs, élèves et parents…

Face aux réactions négatives que suscitaient les foucades verbales et les attaques irresponsables contre telle ou telle discipline, les langues cantonnées dans des usages pratiques, les mathématiques congédiées au nom des calculettes, Allègre ne changea pas de ton, mais mit en avant quelques efforts de concertation. Là encore, il n'innovait pas par rapport à son prédécesseur. Sauf peut-être dans la forme : là où Bayrou lançait des « états généraux », Allègre, lui, sollicitait un autre registre sémantique, celui des « chartes » : charte pour bâtir l'école du XXIe siècle, charte pour la réforme des lycées, charte des thèses, charte de la déconcentration, charte de la vie étudiante, charte de qualité des constructions et rénovations scolaires, charte de l'accompagnement scolaire... Des chartes, donc, de celles que l'on octroie, et dans le cadre strict desquelles s'organisera un simulacre de concertation.

Il est parti. On ne le regrettera pas. Le risque serait pourtant de s'en satisfaire. Car, au-delà de la forme, Allègre, dont on essaiera de nous faire croire qu'il a été victime de ses audaces réformatrices, s'est situé dans une continuité politique de gestion des dossiers éducatifs. Dès lors, on peut craindre que, en l'absence de mobilisation, l'orientation libérale de la politique éducative, largement pensée dans un cadre européen et continuellement inspirée de l'exemple américain, ne s'accentue encore. À cet égard l'enseignement supérieur se trouve en première ligne : son adaptation au marché et, plus encore, sa transmutation en un marché sont en fait très largement amorcées.

À partir du milieu des années 1980 – et sans doute l'année 1983 marque, là encore, la rupture –, la thématique de l'inadaptation de l'enseignement académique aux besoins, d'ailleurs jamais précisément définis, des entreprises – comme si elles étaient les seules à recruter – envahit les discours gouvernementaux, de gauche comme de droite. Alors que le chômage s'aggravait, alors que l'on renonçait, conversion néolibérale oblige, à l'application de politiques macroéconomiques de relance, le procès fait à l'enseignement en général et, particulièrement, à l'université permit de déplacer les responsabilités, de laisser croire que le chômage des jeunes était lié à la seule insuffisance de leur formation, et de leur faire intérioriser la légitimité de leur exclusion croissante du marché du travail.

Autre convergence entre les gouvernants, par-delà les positions politiques, la nécessité de la « massification » de l'enseignement supérieur s'imposa même à ceux qui tenaient jusque-là un discours élitiste de sélection à l'entrée des universités : ne faut-il pas répondre à la demande sociale de plus en plus forte de scolarisation tout en demandant à l'université de jouer le rôle d'instrument de gestion du chômage en retardant l'entrée sur le marché du travail ? Ce nouveau boom des effectifs universitaires – plus qu'un doublement en quinze ans –, après celui des années 1960, s'il est une spécificité française, n'a pas supprimé mais creusé les inégalités entre filières. Pour lutter contre cette tendance propre au système dual à la française, il aurait fallu engager des moyens budgétaires qui ne se réduisent pas à un rattrapage après la stagnation des années antérieures et une réforme de longue haleine qu'aucun ministre, alternances ou mouvements étudiants aidant, n'a su ni voulu entreprendre. Si la massification permet des économies d'échelle, la démocratisation de l'enseignement ne peut se faire qu'à coût (individuel) croissant.

Toutes les politiques d'enseignement supérieur mises en œuvre depuis le milieu des années 1980, de Jospin à Allègre en passant par Lang, Fillon et Bayrou, ont cherché à tirer les profits, notamment électoraux, de l'augmentation des effectifs, tout en essayant d'en limiter le coût budgétaire. C'est dans cette perspective que l'on a mobilisé la rhétorique de l'inadaptation et développé la professionnalisation en trompe l'œil. Dans l'université, à moyens constants, la création de filières « professionnelles » – dont le dernier avatar sont les licences professionnelles – ne peut se faire qu'au détriment des filières existantes, qualifiées de classiques et déclarées inadaptées.

Cette fausse professionnalisation est, en réalité, le cheval de Troie de la privatisation de l'enseignement supérieur. Elle favorise ou autorise les interventions croissantes des représentants du « monde économique » – un euphémisme utilisé pour parler des employeurs sans susciter trop d'opposition dans la « communauté universitaire ». Elle justifie l'allègement des savoirs disciplinaires au profit de l'acquisition de compétences floues dont on ne sait si elles pourront d'ailleurs être mises en œuvre dans un cadre professionnel : que deviendront, par exemple, les détenteurs d'une licence en écriture de scénario ? Enfin, elle remet en cause la notion de diplôme national et de certification par l'État de titres universitaires. Mais elle est partout brandie, même là où l'on aurait pu s'attendre à d'autres références, lorsque l'accès à un métier, qui existe déjà et n'a donc nul besoin d'être constitué, se fait par concours.

Le projet de réforme des Capes, et, plus largement, du recrutement et de la formation des enseignants, publié en février 2000, est, sous ce rapport, exemplaire. Par ce nouveau dispositif, il s'agit de présélectionner, dès le mois de septembre, sur des critères contestables – « la vocation professionnelle » serait ainsi évaluée dans l'oral forcément court qui double l'examen du dossier –, ceux qui seront préparés, dans le cadre des Instituts universitaires de formation des maîtres (IUFM), aux écrits du concours. Une préparation réduite au minimum, quatre mois, et sanctionnée par des épreuves d'admissibilité allégées, compte tenu du temps imparti pour leur correction. La logique est claire : ce ne sont pas les connaissances disciplinaires qui importent dans cette nouvelle conception du recrutement et du métier même d'enseignant.

Le nouveau « professionnel » de l'éducation, appelé pour l'essentiel à faire de la « socialisation », notamment dans les établissements dits « difficiles », devra avant tout compter, pour répondre à la demande – désormais différenciée selon que les élèves sont scolarisés en ZEP ou en centre-ville –, sur les trucs et les astuces d'une pédagogie désincarnée parce que coupée de tout socle disciplinaire et relevant souvent de pseudosciences telles que la programmation neurolinguistique ou l'analyse transactionnelle, qui ont désormais des vulgarisateurs officiels dans les instances de formation « professionnelle » des futurs enseignants comme des enseignants en activité. L'enseignement supérieur a été investi à son tour par le discours du marché que le ministère de l'Éducation nationale a travaillé de multiples façons à inscrire dans les têtes et dans les faits : en engageant individuellement des enseignants et des chercheurs, à travers la loi sur l'innovation, à se lancer dans la création d'entreprises ; en poussant les universités soucieuses de rénover ou d'agrandir leurs locaux, dans le cadre du plan Université du troisième millénaire (U3M), à tisser ou à renforcer des liens avec le milieu économique local ; en organisant, via l'« agence » Édufrance, créée par Claude Allègre, et destinée à lui survivre, la vente du « savoir-faire éducatif français » à l'étranger, façon d'expérimenter pour demain le transfert au marché de la fourniture des prestations éducatives ; en préparant, via l'Agence de modernisation des universités, la mue des universités pressées d'acheter les logiciels de gestion qu'elle produit – logiciels de gestion comptable et de gestion des ressources humaines notamment, bien entendu vendus à un prix de marché – et conviées ainsi, sous les auspices de la fée informatique, à se familiariser avec des critères de gestion tirés du secteur privé. Il est probable que les forces qui souhaitent la déréglementation, malgré l'échec de la tentative de Seattle, reviendront à la charge très vite.

Après trois ans d'agitation absurde et de fausses réformes à peine amorcées, les talents de metteur en scène du nouveau ministre ne suffiront pas à rattraper le temps gaspillé. Ils ne pourront en tout cas pas résoudre ni même masquer les problèmes cruciaux qui restent posés à l'avenir de l'université et de la recherche et dont nous rappellerons ici les plus urgents –

en espérant que ce ministre trouvera le temps de lire les propositions de réforme précises et réalistes, issues d'un long travail de réflexion mené par un groupe d'enseignants de tous les rangs et des toutes les disciplines :

— rien ou presque, en dehors de vagues recommandations de conseillers du prince, pour assurer le rapprochement entre les universités et les grandes écoles ;

— le pacte de solidarité entre chercheurs et enseignants-chercheurs, mal engagé par la réforme avortée du CNRS, reste à conclure et à mettre en pratique, et cette fois avec les deux ministres de tutelle ;

— l'avenir des jeunes docteurs – malgré les formules magiques sur la formation par la recherche à la recherche et non plus pour la recherche – s'assombrit parce que le ministère a choisi – Bercy oblige – de préférer les postes précaires ou à horaires lourds au détriment des postes d'enseignants-chercheurs ;

— les formules incantatoires sur les logiciels d'auto-apprentissage ont fait oublier la nécessaire réflexion sur le rééquilibrage entre cours magistraux et groupes à effectifs restreints qu'utilisent toutes les universités étrangères réellement efficaces ;

— l'européanisation de l'enseignement supérieur n'a donné lieu jusqu'ici qu'à des rencontres entre ministres sous les lambris de nos plus vieilles universités (Sorbonne et Bologne) pour des calendriers à long terme d'harmonisation.

Pendant ce temps, certains rêvent, à l'occasion de l'ouverture des frontières, de soumettre l'usage aujourd'hui incontrôlé des nouvelles technologies de communication aux forces social-darwiniennes d'une concurrence généralisée, supposée bonne partout et toujours, sans voir que, dans un domaine où la France n'est pas *leader*, une telle concurrence sauvage ne profiterait qu'aux plus nantis ou aux nations économiquement et linguistiquement dominantes. La construction d'un espace universitaire européen ne sera réelle et profitable à tous que si la communauté universitaire, au lieu de s'en remettre aux décisions de technocraties régionales, nationales ou européennes, soumises à des impératifs pratiques ou financiers, s'engage dans une réflexion intellectuelle collective. En préconisant un véritable parlement des universités – ouvert sur les enseignements supérieurs européens – et des engagements pluriannuels de l'État sur des objectifs collectivement discutés, l'ARESER a proposé des pistes en ce sens pour rompre avec les fausses concertations rituelles des périodes d'après-crise que la France universitaire connaît depuis trente ans.

L'Europe universitaire comme les nouvelles technologies d'enseignement ou de diffusion du savoir pourraient nous permettre de nous rapprocher de l'idéal exigeant et universaliste qui a fondé les universités européennes. C'est du moins notre souhait. Mais il dépend de tous, universitaires, étudiants et personnels administratifs, et non de nos éphémères ministres et de leurs conseillers à la mode, qu'il se réalise sans sacrifier ni l'autonomie du savoir, ni la pluralité des points de vue, ni l'accessibilité au plus grand nombre.

ACTUALITÉ DE KARL KRAUS [1]
Un manuel de combattant
contre la domination symbolique

KARL KRAUS FAIT UNE CHOSE ASSEZ HÉROÏQUE, qui consiste à mettre en question le monde intellectuel lui-même. Il y a des intellectuels qui mettent en question le monde, mais il y a très peu d'intellectuels qui mettent en question le monde intellectuel. Ce qui se comprend si l'on songe que, paradoxalement, c'est plus risqué parce c'est là que se trouvent nos enjeux, et que les autres le savent, qui s'empresseront de le rappeler à la première occasion, en retournant contre nous nos propres instruments d'objectivation. De plus, cela conduit à se mettre en scène – comme on le voit dans les *happenings* de Karl Kraus –, donc à se mettre en jeu personnellement. Théâtraliser son action, comme le faisait Kraus, dramatiser sa pensée, la mettre en acte et en action, c'est tout à fait autre chose que d'écrire un article savant énonçant *in abstracto* des choses abstraites. Cela demande une forme de courage physique, peut-être un certain exhibitionnisme, et aussi un talent d'acteur et des dispositions qui ne sont pas inscrites dans l'habitus académique. Mais c'est aussi prendre des risques, parce que lorsqu'on se met en jeu à ce point-là on ne s'engage pas seulement au sens banalement sartrien

---

1. Né en 1874 à Gitschin (Bohème), Karl Kraus est mort à Vienne en 1936. Écrivain et essayiste majeur de la littérature de langue allemande des premières décennies du xxᵉ siècle, il exerça un rôle intellectuel et politique très influent, surtout à travers *Die Fackel* [*Le Flambeau*, 1899-1936], revue satirique dont il fut le fondateur et assez vite le seul auteur. Kraus a soumis la culture et la politique de la bourgeoisie autrichienne à une critique radicale et impitoyable, notamment pour son engagement dans la boucherie de la Première Guerre mondiale et pour le rôle central de la presse comme corrupteur de la langue et de la pensée, et de la presse libérale en particulier dans le soutien du monde des affaires. (Lire Karl Kraus, *Les Derniers Jours de l'humanité*, Agone, Marseille, 2000 ; *Dits et contre-dits* (Aphorismes), Ivréa, Paris, 1993 ; et Jacques Bouveresse, *Schmock ou le triomphe du journalisme. La grande bataille de Karl Kraus*, Seuil, Paris, 2001.) [nde]

Extrait d'une intervention au colloque « Actualité de Karl Kraus. Le centenaire de la *Fackel* (1899-1936) », Paris, 4-6 novembre 1999, paru dans *Austriaca*, décembre 1999, n° 49, p. 37-50.

du terme, c'est-à-dire sur le terrain de la politique, des idées politiques, on s'engage soi-même, on se donne soi-même en gage, avec toute sa personne, ses propriétés personnelles, et l'on doit par conséquent s'attendre à des chocs en retour. On ne fait pas des exposés, comme à l'université, on « s'expose », ce qui est éminemment différent : les universitaires exposent beaucoup dans des colloques... mais ils ne s'exposent pas beaucoup. On doit s'attendre à des attaques que l'on dit personnelles parce qu'elles s'en prennent à la personne (n'a-t-on pas accusé Kraus d'antisémitisme ?), des attaques *ad hominen* visant à détruire dans son principe, c'est-à-dire son intégrité, sa véracité, sa vertu, celui qui, par ses interventions, s'institue en reproche vivant, lui-même sans reproches.

Que fait Kraus de si terrible pour susciter pareille fureur ? (Tous les journaux se sont donné le mot pour taire son nom, ce qui ne l'a pas mis à l'abri de la diffamation.) Une chose dont il donne le principe dans une phrase qui me paraît résumer l'essentiel de son programme : « Et même si je n'ai fait rien d'autre, chaque jour, que recopier ou transcrire textuellement ce qu'ils font et disent, ils me traitent de détracteur. » Cette formule splendide énonce ce que l'on peut appeler le *paradoxe de l'objectivation* : qu'est-ce que regarder du dehors, comme un objet, ou, selon le mot de Durkheim, « comme des choses », les choses de la vie, et, plus précisément, de la vie intellectuelle, dont on fait partie, dont on participe, en rompant le lien de complicité tacite que l'on a avec elles et en suscitant la révolte des personnes ainsi objectivées et de tous ceux qui se reconnaissent en elles ? Qu'est-ce que cette opération qui consiste à rendre scandaleux quelque chose qu'on a déjà vu, déjà lu, qu'on voit et lit tous les jours dans les journaux ? (C'est un peu ce que nous avons fait avec les *Actes de la recherche en sciences sociales*, qui a un certain nombre de traits communs avec *Die Fackel* : par le fait de coller un document, une photo, un extrait d'article, dans un texte d'analyse, on change complètement le statut et du texte et du document ; ce qui faisait l'objet d'une lecture ordinaire un petit peu distraite peut prendre soudain une apparence étonnante, voire scandaleuse. Des éditoriaux prétentieux, on en voit toutes les semaines – pour être vraiment krausien, il faudrait dire des noms propres –, puis, un beau jour, on découpe l'un deux et on le colle dans une revue et tout le monde trouve ça insupportable, insultant, injurieux, calomnieux, terroriste, etc.) Jeter sur le papier et livrer au public, rendre public ce qui ne se dit d'ordinaire que dans le secret du ragot ou de la médisance invérifiable, comme les petits riens hautement signifiants de la vie universitaire, éditoriale ou journalistique, à la fois connue de tous et fortement censurée, en se déclarant personnellement garant et responsable de leur authenticité, c'est rompre la relation de complicité qui unit tous ceux qui sont dans le jeu, c'est suspendre la relation de connivence, de complaisance et d'indulgence que chacun accorde à chacun, à titre de revanche, et qui fonde le fonctionnement ordinaire de la vie intellectuelle. C'est se vouer à apparaître comme un malotru malséant, qui prétend porter à la dignité du discours savant de simples racontars malveillants ou, pire, un casseur de jeu ou un traître qui vend la mèche.

Si le recours à la citation objectivante est immédiatement dénoncée et mis à l'index, c'est qu'on y voit une façon de montrer du doigt et mettre à l'index. Mais, dans le cas particulier de Karl Kraus, ceux qu'il met à l'index sont ceux qui d'ordinaire mettent à l'index. En termes plus universels, il objective les détenteurs du monopole de l'objectivation publique. Il fait voir le pouvoir – et l'abus de pouvoir – en retournant ce pouvoir contre celui qui l'exerce, et cela par une simple stratégie de monstration. Il fait voir le pouvoir journalistique en retournant contre le pouvoir journalistique le pouvoir que le journalisme exerce quotidiennement contre nous.

Ce pouvoir de construction et de constitution de la publication à grand tirage, de la divulgation massive, les journalistes l'exercent tous les jours, par le fait de publier ou de ne pas publier les faits ou les propos proposés à leur attention (de parler d'une manifestation ou de la passer sous silence, de rendre compte d'une conférence de presse ou de l'ignorer, d'en rendre compte de manière fidèle ou inexacte, ou déformée, favorable ou défavorable), ou bien

encore, en vrac, par le fait de mettre des titres ou des légendes, par le fait d'accoler des étiquettes professionnelles
plus ou moins arbitraires, par excès ou par défaut (on
pourrait parler des usages qu'ils font de l'étiquette de
« philosophe »), par le fait de constituer comme un problème quelque chose qui n'en est pas un, ou l'inverse.
Mais ils peuvent aller beaucoup plus loin, tout à fait im-
punément, à propos des personnes ou de leurs actions et
de leurs œuvres. On pourrait dire, sans exagérer, qu'ils ont
le monopole de la diffamation légitime. Ceux qui ont été
victimes de tels énoncés diffamatoires, et qui ont essayé de
leur apporter un « démenti », savent que je n'exagère rien.
La citation et le collage ont pour effet de retourner contre
les journalistes une opération qu'ils font quotidiennement.
Et c'est une technique assez irréprochable puisque, en
quelque sorte, sans parole. Cela dit, tous les intellectuels et
les artistes ne sont pas toujours aptes à inventer des techniques de ce type. Un des intérêts de Kraus, c'est d'offrir
une sorte de manuel du parfait combattant contre la domination symbolique. Il a été un des premiers à comprendre en pratique qu'il y a une forme de violence
symbolique qui s'exerce sur les esprits en manipulant les
structures cognitives. Il est très difficile d'inventer et surtout d'enseigner les techniques de *self-defense* qu'il faut
mobiliser contre la violence symbolique.

Karl Kraus est aussi l'inventeur d'une technique d'intervention sociologique. À la différence de tel pseudo-artiste
qui prétend faire de l'« art sociologique » alors qu'il n'est ni
artiste ni sociologue, Kraus est un artiste sociologique au
sens où il fait des actes qui sont des interventions sociologiques, c'est-à-dire des « actions expérimentales » visant à
amener des propriétés ou des tendances cachées du champ
intellectuel à se révéler, à se dévoiler, à se démasquer. C'est
là aussi l'effet de certaines conjonctures historiques qui
conduisent certains personnages à trahir au grand jour ce
que leurs actes et surtout leurs écrits antérieurs ne dévoi-
laient que sous une forme hautement voilée – je pense par
exemple à Heidegger et son discours de rectorat. Kraus
veut faire tomber les masques sans attendre le secours
des événements historiques. Pour cela, il a recours à la

« provocation », qui pousse à la faute ou au crime. La vertu de la provocation est qu'elle donne la possibilité d'« anticiper », en rendant immédiatement visible ce que seules l'intuition ou la connaissance permettent de pressentir : le fait que les soumissions et les conformismes ordinaires des situations ordinaires annoncent les soumissions extra-ordinaires des situations extra-ordinaires.

Jacques Bouveresse a fait allusion au fameux exemple des fausses pétitions, véritables *happenings* sociologiques qui permettent de vérifier des lois sociologiques. Kraus fabrique une fausse pétition humaniste, pacifiste, sur laquelle il appose des signatures de gens sympathiques, réellement pacifistes, et des signatures d'anciens militaristes récemment convertis au pacifisme. (Imaginez un peu ce que ça pourrait donner aujourd'hui avec des révolutionnaires de Mai 68 convertis au néolibéralisme.) Seuls les pacifistes protestent contre l'utilisation de leur nom tandis que les autres ne disent rien parce que, évidemment, ça leur permet de faire rétrospectivement ce qu'ils n'ont pas fait quand ils auraient dû le faire. C'est de la sociologie expérimentale !

Kraus dégage un certain nombre de propositions sociologiques qui sont en même temps des propositions morales. (Et je récuse ici l'alternative du descriptif et du prescriptif.) Il a horreur des bonnes causes et de ceux qui en tirent profit : c'est un signe, à mon avis, de santé morale d'être furieux contre ceux qui signent des pétitions symboliquement rentables. Kraus dénonce ce que la tradition appelle le pharisaïsme. Par exemple le révolutionarisme des littérateurs opportunistes dont il montre qu'il n'est que l'équivalent du patriotisme et de l'exaltation du sentiment national d'une autre époque. On peut tout mimer, même l'avant-gardisme, même la transgression et les intellectuels que Karl Kraus parodie évoquent déjà nos « intellectuels de parodie » – comme les nomme Louis Pinto –, pour qui la transgression (facile, le plus souvent sexuelle) est de règle, et toutes les formes du conformisme de l'anticonformisme, de l'académisme de l'anti-académisme dont le Tout-Paris médiatico-mondain s'est fait une spécialité. Nous avons des intellectuels roués, voire pervers, des sémiologues convertis en romanciers comme Umberto Eco ou David Lodge, des artistes qui mettent en œuvre plus ou moins cynique des trucs, des procédés dégagés des œuvres d'avant-garde antérieures, tel Philippe Thomas qui fait signer ses œuvres par des collectionneurs et qui sera tôt ou tard mimé par un autre faisant faire signer ses œuvres par les mêmes collectionneurs. Et ainsi de suite, à l'infini. Kraus dénonce aussi tous les profits intellectuels liés à ce que nous appelons les renvois d'ascenseurs et aux mécanismes de l'économie des échanges intellectuels. Il montre que la règle du donnant-donnant rend impossible toute critique sérieuse et que les directeurs de théâtre n'osent pas refuser une pièce d'un critique puissant comme Hermann Bahr qui peut ainsi se faire jouer dans tous les théâtres [2]. Nous avons l'équivalent avec tous ces critiques littéraires que les éditeurs s'arrachent ou à qui ils confient la direction de collection, et je pourrais donner des exemples détaillés de renvois d'ascenseur incroyables dans lesquels des postes universitaires peuvent aussi entrer en jeu.

Si nous nous retrouvons évidemment dans Kraus, c'est qu'en grande partie les mêmes causes produisent les mêmes effets. Et que les phénomènes observés par Kraus ont leur équivalent aujourd'hui. Quant à savoir pourquoi nous sommes quelques-uns, des écrivains, des artistes, dans tous les pays, surtout de langue allemande, à aimer tout particulièrement Kraus, c'est sans doute plus compliqué. Nous occupons une position et ce que nous aimons peut être lié à cette position. Il est important d'essayer de comprendre la position de Kraus dans son univers pour essayer de comprendre ce qu'il y a dans sa position de semblable ou d'homologue à notre position qui fait que nous nous retrouvons dans ses prises de position. Peut-être le fait que c'est un intellectuel à l'ancienne, formé à l'ancienne (il suffit d'entendre son allemand, sa diction, etc.), qui se sent menacé par des intellectuels nouvelle manière : c'est-à-dire, d'une part les journalistes, qui, à ses yeux, sont

---

2. Hermann Bahr, « l'infatigable et prolixe majordome du Nouveau » (Kraus), critique et dramaturge viennois, membre éminent du monde littéraire viennois, fut l'une des cibles favorites de Kraus. (Lire « Karl Kraus », *Cahiers de l'Herne*, 1975.) [nde]

l'incarnation de la soumission au marché ; d'autre part les intellectuels d'administration, et d'administration de guerre, et les intellectuels d'appareil, les intellectuels de parti, qui jouent un rôle très important dans sa bataille. Il avait contre lui l'alliance des apparatchiks et des journalistes. Là encore, *mutatis mutandis*, il y a beaucoup d'analogies avec le présent. Peut-être que, comme aujourd'hui, les limites entre le champ intellectuel et le champ journalistique étaient en train de se déplacer et que les rapports de force entre ces deux champs étaient en train de changer, avec l'ascension en nombre et en poids symbolique des intellectuels « mercenaires », directement soumis aux contraintes de la concurrence et du commerce.

Ainsi, le fait que nous reconnaissons Kraus est sans doute lié à une affinité d'humeur. Mais on peut se demander s'il ne faut pas, pour être tant soit peu « moral », être un peu de mauvaise humeur, c'est-à-dire mal dans sa peau, dans sa position, dans l'univers où l'on se trouve, donc, être contrarié, voire choqué ou scandalisé par des choses que tout le monde trouve normales, naturelles, et privé en tout cas des profits de conformité et de conformisme qui échoient spontanément à ceux qui sont spontanément conformes ; s'il ne faut pas, en un mot, avoir quelque intérêt à la morale (qu'il ne faut pas se cacher). Mais la faiblesse de Kraus – et de toute critique d'humeur –, c'est qu'il ne saisit pas très bien les structures ; il en voit les effets, il les montre du doigt, mais sans en saisir, le plus souvent, le principe. Or, la critique des individus ne peut pas tenir lieu de critique des structures et des mécanismes – qui permet de convertir les mauvaises raisons de l'humeur, bonne ou mauvaise, en raison raisonnée et critiquée de l'analyse. Cela dit, l'analyse des structures ne conduit pas à débarrasser les agents sociaux de leur liberté. Ils ont une toute petite part de liberté qui peut être accrue par la connaissance qu'ils peuvent acquérir des mécanismes dans lesquels ils sont pris. C'est pourquoi les journalistes se trompent lorsqu'ils traitent l'analyse du journalisme comme une « critique » du journalisme, alors qu'ils devraient y voir une instrument indispensable pour accéder à la connaissance et à la conscience des contraintes structurales dans lesquelles ils sont pris, donc de se donner un tout petit peu plus de liberté.

La sociologie, on le voit, invite non à moraliser, mais à politiser. Comme elle porte au jour des effets de structure, elle jette le plus grand doute sur la déontologie et sur toutes les formes de la pseudo-critique journalistique du journalisme, ou télévisuelle de la télévision, qui ne sont qu'autant de façons de faire de l'audimat et de restaurer sa bonne conscience, tout en laissant les choses en l'état. En fait, elle invite les journalistes à trouver des solutions politiques, c'est-à-dire à chercher, dans l'univers même, les moyens de lutter avec les instruments mêmes de cet univers, pour la maîtrise de leurs instruments de production et contre toutes les contraintes non spécifiques qui s'imposent à eux. Et cela en sachant s'organiser collectivement, en créant, grâce notamment à l'Internet, des mouvements internationaux de journalistes critiques, bref, en inventant, en lieu et place de la « déontologie » verbale dont se gargarisent certains journalistes, une véritable déontologie d'action (ou de combat) dans et par laquelle des journalistes dénonceraient à la Kraus, en tant que journalistes, les journalistes qui détruisent la profession de journaliste.

Le « cas Bourdieu » en examen

Alors que Roger-Pol Droit analyse le dernier essai du sociologue consacré à la domination masculine, Michel Contat rend compte de l'ouvrage critique de l'historienne J

Michel Contat

Pour le pluralisme médiatique *par Philippe Se*

NE des grandes obsessions de notre temps est de tout ré...
de se prononcer...
la démarche de Pierre
Bourdieu : Bernard
Lahire,
et Patri
en défe... s

Le vrai problème, comme toujours, est celui du temps. Mallarmé était l'exact contemporain de l'expouvoirs. Le véritable...
Sartre s'était gagné une audience par une œuvre, une œuvre...

sibilités de s'exercer. Ne pas le constater, ou s'en plaindre, montre qu'on préfère un monde d'ordre,

dans l'ombre. Le discours lyptique n'est qu'une des de la tendance à la tyran

Je me suis bien amusé *par Bernard-Henri Lévy*

L   de
À   Démocratie média   Quant au reste, quant à la façon

Des infortunes de la vertu scientifique

pensée
, il faut
pter de
...ssion
un savoir et en faire profiter les

chercheurs en sciences sociales, il
ne veut pas voir venir les adversaires et reste sourd à toute réfutation ou plus subtil...
l'Assemblée constituante.

Bernard Lahire

sons
tant

Sauver l'innocence et le secret *par Alain Finkielkr*

coterie,
autour

dans l'affaire semble de ne pas
« perdre la face », de « garder la

...e... pol...
contre un auteur célèbre »...
Lorsque l'on risque à coup sûr

Comme l'écrit Pierre
...levisions. Être fidèle au mode de
pensée de Pierre Bourdieu, à ce
qu'il y a de plus précieux dans ce

compétence sociale
du m
reuse
gneri

Des intellectuels de pouvoir *par Michel Su*

...s vu attribuer la

pas davantage à la vie scientifique.
...respect scientifique d'une

certaines prises de position politiques adoptées. Mais la façon dont
il justifie son intervention et stig

...fique. Ce qui est en
n'est plus le trava
tellement effectu
prestige lié à la puis

Les méfaits d'un rationalism simplificateur *par Claude Lanzmann et Robert Rede*

Numéro de septembre - 12 F

...ARADOXE du système...
...oppose... une « réfutation », c'est
que, comme une grande partie des

v...age parlementaire. Cependant
que le t...
La tâche se complique cependant

...figure ...e sont rencontrés dans

Une double temporalité *par Olivier Mongin*

I   NTELLECTUEL, journaliste. Les partitions de l'un
et de l'autre sont-elles en

pauvres masses aliénées dont la
connaissance est celle du premier
genre, la passion et l'émotion. Vol.

Ceux qui font remonter la naissance des intellectuels à l'affaire
Dreyfus...

configuration médiatique contemporaine favorise un recul de l'écrit

Le Monde du 28 août 1998 pour Michel Contat, Bernard Lahire ; du 18 septembre 1998 pour Philippe Soll
Bernard-Henri Lévy, Michel Surya, Alain Finkielkraut, Olivier Mongin, Claude Lanzmann, Robert Rede...

Les médias au service de la révolution conservatrice

LES PREMIERS TRAVAUX *de Pierre Bourdieu sur l'émergence des « intellectuels-journalistes » datent des années 1970* [lire p. 81], *et ceux sur la soumission du journalisme aux exigences du marché des années 1980* [lire p. 387]. *À l'occasion d'un retour critique sur la guerre du Golfe, les journalistes de Reporters sans frontières invitèrent le sociologue, qui analysa leur contribution inconsciente à la naturalisation de la vision dominante du monde social* [lire p. 391] ; *et un hebdomadaire grand public se fit alors l'écho de ces critiques* [lire p. 399]. *La parution de* Sur la télévision **1** *déclencha pourtant, en 1996, une polémique particulièrement violente, mobilisant les plus grands quotidiens et hebdomadaires plusieurs mois durant, période pendant laquelle le livre fut en tête de la liste des meilleures ventes. L'analyse des contraintes pesant sur le travail journalistique (urgence, concurrence, etc.), qui contribuent au « désenchantement de la politique », rejoint en fait dans l'analyse des médias les menaces que font peser, sur le débat public, les intellectuels médiatiques, dont la production est ajustée aux exigences de l'audimat. Mais alors que les textes scientifiques de Pierre Bourdieu avaient été relativement peu lus,* Sur la télévision *fait tomber la barrière de l'ésotérisme savant.*

La situation n'était pas, de toute manière, à l'apaisement, notamment après la parution, dans Libération *(17 janvier 1995), d'un libelle intitulé « Sollers tel quel », où Pierre Bourdieu dénonçait le reniement des avant-gardes condensé dans l'apologie par Philippe Sollers du Premier ministre-candidat et favori des présidentielles d'alors : « Balladur tel quel »* **2**. *Ce travail de dévoilement était complété par la publication, également aux éditions Raisons d'agir, des* Nouveaux Chiens de garde *(1997), ouvrage dans lequel Serge Halimi, journaliste au* Monde diplomatique, *décrit les réseaux du « journalisme de connivence » et l'installation dans les opinions de l'idéologie de marché ; travail que poursuit,*

---

1. *Sur la télévision* (Raisons d'agir, Paris, 1996) reprend deux cours du Collège de France filmés en mars 1996 pour la chaîne cablée Paris Première et un article, « L'emprise du journalisme », paru en mars 1994 dans *Actes de la recherche en sciences sociales* (n° 101/102).
2. « Balladur tel quel » fut publié dans *L'Express*, 12 janvier 1995 ; « Sollers tel quel » est reproduit dans *Contre-feux, op. cit.*, p. 18.

dans la même collection, un ouvrage collectif de jeunes chercheurs du Centre de sociologie européenne, Le Décembre des intellectuels français, sur les clivages politiques que le mouvement de décembre 1995 a fait apparaître entre les intellectuels qui ont soutenu le plan Juppé et ceux qui ont accompagné la résistance des grévistes, et sur le rôle décisif que jouent les médias dans la construction du débat public [3].

En plus des effets paradoxaux de « publicité » que la violence de la critique des éditorialistes les plus en vue put engendrer, le retentissement de ces publications peut s'expliquer par le regain des luttes sociales mais également par l'attention croissante portée aux dérives des médias – ce que confirment le lancement, « pour une action démocratique sur le terrain des médias », de l'association ACRIMED (Action-critique-médias), qui fait suite au mouvement social de novembre-décembre 1995 [4] ; puis, en 1998, la mobilisation pour la diffusion du film de Pierre Carles, Pas vu pas pris [5].

À la visibilité croissante de Pierre Bourdieu depuis la parution de La Misère du monde et ses prises de position très médiatisées en faveur de la grève de décembre 1995 vient alors s'ajouter la polémique qui l'oppose à Daniel Schneidermann au sujet de son passage à l'émission « Arrêt sur images » (La Cinquième, 23 janvier 1996). Lors de cette émission – qui entend proposer une critique de certaines productions télévisuelles –, Pierre Bourdieu était venu expliquer qu'aucun véritable décryptage de la télévision ne peut être réalisé à la télévision car « les dispositifs de la télévision s'imposent même aux émissions critiques du petit écran » [lire p. 424 & 427]. Ce qui aurait dû être discuté comme une analyse est alors reçu comme une attaque, surtout lorsque le sociologue tente d'expliquer en quoi les contraintes du milieu journalistique installent

----

3. Aux critiques virulentes, en particulier de la revue *Esprit* et de magazines comme *Marianne*, *L'Événement du jeudi* ou *Le Nouvel Observateur*, s'ajouta la parution d'une attaque de la sociologie de Pierre Bourdieu par l'une de ses anciennes collaboratrices, Jeannine Verdès-Leroux (*Le Savant et la politique*, Grasset, Paris, 1998). Mais on peut sans doute voir le point culminant de la réaction dans l'ensemble de « points de vue » commandé par *Le Monde* (18 septembre 1998) à Olivier Mongin pour *Esprit*, Philippe Sollers pour *L'Infini*, Alain Finkielkraut pour *Le Messager européen*, Bernard-Henri Lévy pour *La Règle du jeu*, Claude Lanzmann et Robert Redeker pour *Les Temps modernes*.

4. Ce groupe de réflexion fut lancé par Patrick Champagne et Henri Maler ; informations sur <www.samizdat.net/acrimed>.

5. Commandé puis refusé par Canal+, ce documentaire sur la connivence entre journalisme et politique qui interrogeait : « Peut-on tout montrer à la télévision ? » devint un film, censuré par la télévision, sur les limites de l'autocritique à la télévision.

une « *vision cynique* » *de la politique réduite à un microcosme coupé du public et décrite comme un simple affrontement d'ambitions égoïstes* [6].

Désenchantement politique, méthode marketing et soumission au marché concurrentiel sont également les thèmes qui motiveront la participation de Pierre Bourdieu, pendant l'automne 1999, à une action, à l'initiative de l'ACRIMED, « pour la défense de France Culture » : critique du bouleversement des programmes qui ont suivi la nomination de Jean-Marie Cavada à la présidence de Radio France et de Laure Adler à celle de France Culture. « Véritable liquidation », une telle réforme des programmes par l'importation de « "recettes" qui sont censées avoir fait le succès des stations publiques et privées », transforme, pour l'ACRIMED, les radios publiques en outils « à peine déguisés de publicité pour les livres, les disques ou les films les plus commerciaux » [7].

L'attention du sociologue pour le fonctionnement des médias dominants au service de la pensée de marché tient avant tout au fait que cette puissance fait obstacle aux luttes progressistes.

Un des grands obstacles à la constitution de forces de résistance est le fait que les dominants contrôlent les médias comme jamais dans l'histoire. […] De nos jours, tous les grands journaux français sont complètement contrôlés. Même des journaux apparemment autonomes comme *Le Monde* sont en fait des sociétés d'actionnaires dominées par les grandes puissances d'argent. [8]

Car par-delà une critique des médias, c'est le mouvement social comme « internationale de la résistance au néolibéralisme et à toutes les formes de conservatisme » qui est au fondement des questions que Pierre Bourdieu adresse aux « maîtres du monde, ces nouveaux pouvoirs que sont les puissances conjuguées de l'argent et des médias » [lire p. 417].

---

6. « La télévision, le journalisme et la politique », *Contre-feux, op. cit.*, p. 80.
7. ACRIMED, « Manifeste pour la défense de France Culture », *L'Humanité*, 5 novembre 1999.
8. Entretien avec Lino Polegato (14 décembre 2001) pour la revue *Flux News* (Liège, Belgique), décembre 2001-janvier 2002, n° 27, p. 7.

Libé 20 ans après

L'ÉVOLUTION DE LIBÉ est aujourd'hui l'un des objets favoris de la conversation distinguée : « *Libé*, c'est devenu le journal des intellectuels d'entreprise » ; « *Libé*, c'est le *Parisien libéré* des *yuppies*. » Chacun s'appuie, pour fonder ses verdicts, sur les observations qui nourrissent la statistique spontanée : lecteurs de *Libé* aperçus dans l'autobus ou le métro, contenu de *Libé*, nouvelles signatures, nouvelles rubriques sports, Bourse. On infère les changements du public du changement supposé des contenus ou les changements des contenus des changements supposés du public, imputant à des intentions et des volontés les nouveautés déplorées. Et il suffirait de lui poser la question pour que tel ou tel des « sociologues » branchés que les hebdomadaires et les mensuels dans le vent, de *Lui* à *Globe*, en passant par *Le Nouvel Observateur*, lancent périodiquement sur le marché vienne nous expliquer sans mollir tout le processus : montée de l'individualisme, fin des intellectuels, grande lessive des mandarins et autres *self-fulfilling prophecies* chères à ceux qui prennent leurs désirs pour des réalités. Et qui, soit dit en passant, jouent sur le velours : la sociologie sans larmes qu'ils proposent a toutes les chances d'être accueillie avec soulagement par tous ceux qui se sentiront de plain-pied avec ces analyses à l'emporte-pièce où ils reconnaîtront nombre de leurs intuitions de sociologues amateurs.

Il m'arrive de déplorer que l'idée que je me fais de la sociologie m'interdise ces facilités, et de ne pouvoir me départir de l'image rébarbative du sociologue sans guillemets, rabat-joie, raseur, bardé de statistiques et de concepts, qui sert de repoussoir et de faire-valoir aux sociologues avec guillemets, qui se veulent d'ailleurs « philosophes », à leur discours « fragmenté », c'est-à-dire décousu, « éclaté » plus qu'éclatant. Je regrette de ne pouvoir écrire la version chic d'un discours publicitaire choc, qui dirait que *Libé*, journal de ceux qui ont eu vingt ans

---

Commandé en 1988 par *Libération* pour accompagner des statistiques de lectorat à l'usage des annonceurs du journal ; le quotidien n'a jamais publié ce texte, dont une version abrégée est parue dans *Actes de la recherche en sciences sociales*, mars 1994, n° 101/102.

en 1968, et aujourd'hui le journal des jeunes prolongés, que ce qui fut le signe de ralliement des babacools barbus et chevelus ou des adolescents tourmentés est devenu la lecture « incontournable » des cadres modernes à fort pouvoir d'achat, des citadins intelligents et des novateurs ouverts à la modernité. Cela dans des formules situées « quelque part » entre le titre de *Libé* et le slogan publicitaire avancé. Mais cela, qui ferait sans doute très plaisir à ceux qui aiment à prendre des vessies médiatiques pour des lanternes philosophiques, des lumignons (ou des lus mignons, comme aurait commenté autrefois la claviste) pour des lumières, n'apporterait pas grand-chose à la compréhension d'un phénomène qui, après tout, pourrait n'être pas tellement dépourvu d'intérêts.

Pour apprendre quelque chose sur *Libé* et sur nous-mêmes, les lecteurs plus ou moins anciens, premiers amateurs déçus ou nouveaux convertis – ou, plus exactement, convertis de la première, de la deuxième ou de la onzième heure –, il faudrait se donner les moyens d'examiner si et comment les glissements progressifs des contenus d'un journal se relient aux glissements concomitants des propriétés de ses lecteurs : comment la disparition des notes de la claviste, des commentaires ravageurs de la rubrique télévision, des enquêtes flash sur le petit Arabe matraqué par les vigiles du grand magasin ou sur un meeting des ouvriers d'Usinor à Dunkerque, et l'apparition des propos très Sciences-Po des pages économiques, des analyses très *clean* sur le football américain ou des titres centrés, comme ailleurs, sur le vaudeville de la cohabitation ou des présidentielles, ont quelque chose à voir avec l'extension du lectorat vers les 15-24 ans et les 24-35 ans, avec le quasi-doublement de la part relative de la catégorie « affaires et cadres supérieurs » (qui passe de 22 % à 39 %) ou l'accroissement très marqué de la part des lecteurs urbains dotés de titres d'enseignement supérieur ou de revenus excédant 120 000 francs par an, sportifs, grands voyageurs et « récents actionnaires ».

Mais est-ce à dire que les récents actionnaires sont nécessairement plus réactionnaires ou que les « consommateurs pionniers et sophistiqués », qui sont bien faits pour séduire les annonceurs, sont annonciateurs du triomphe des pionniers sophistiqués, prêts à accompagner les reconversions et les conversions opérées par les survivants en vue des libertaires libérés du premier *Libé* ?

Questions de premier jet, qui en cachent d'autres, beaucoup plus complexes, qu'il faudrait peu à peu élaborer, construire, confronter avec les données. Mais tout cela, qui me demande-rait beaucoup de temps, et de peine (à tous les sens du mot), personne ne me le demande vraiment. Parce qu'au fond le rôle du sociologue sans guillemets est sans doute de dire sans phrases ce que personne ne veut savoir.

Questions de mots
Une vision plus modeste du rôle des journalistes

J E NE VOUDRAIS PAS que ce que je vais dire soit perçu comme une critique du journalisme, au moins au sens que l'on donne d'ordinaire à ce terme, c'est-à-dire comme une « attaque » contre une activité et ceux qui la pratiquent.

Je voudrais seulement contribuer à la réflexion que les journalistes mènent sur eux-mêmes. Et cela, d'abord, en rappelant d'emblée les limites de la réflexion que les groupes peuvent faire sur eux-mêmes. Tous les groupes produisent une représentation de ce qu'ils sont et de ce qu'ils veulent être ; et cela est particulièrement vrai des agents spécialisés dans la production culturelle. Cette représentation doit beaucoup, évidemment, aux intérêts, conscients ou inconscients, de ceux qui la produisent et qui pèchent notamment par omission ou par indulgence à soi-même. Là où Marx disait : « Les hommes ne se posent que les problèmes qu'ils peuvent résoudre », on pourrait dire : « Les groupes ne se posent que les problèmes qu'ils peuvent supporter. » Ils ont des stratégies d'évitement, notamment celle qui consiste à poser des problèmes extrêmes, liés à des situations limites, pour éviter les problèmes quotidiens. Le débat sur l'éthique médicale en est un exemple : poser le problème de l'euthanasie, c'est éviter de poser celui des infirmières, de la vie quotidienne dans les hôpitaux, etc. Je mets donc en garde contre le danger auquel est exposé un groupe comme celui-ci : on parlera beaucoup de la guerre du Golfe, une situation dans laquelle la liberté des journalistes était tangente à zéro, et on évitera de poser les problèmes où la liberté des journalistes est faible mais réelle. Le premier pas vers une réflexion éthique consiste à définir les zones de liberté où les responsabilités réelles, les possibilités réelles d'action sont engagées.

Comment peut-on poser ces problèmes ordinaires que la réflexion sur les problèmes extraordinaires tend à occulter ? Comment éviter de déplacer la réflexion des régions de la pratique qui dépendent de nous – comme disaient les stoïciens – vers celles qui ne dépendent pas de nous et où nous sommes

Intervention lors d'un colloque de Reporters sans frontières, parue dans *Les Mensonges du Golfe*, Arléa, Paris, 1992, p. 27-32.

exemptés, par définition, de toute responsabilité et de toute action ? Il faut commencer par revenir à une vision beaucoup plus modeste du rôle des journalistes. Qu'est-ce qui est réellement en leur pouvoir ? Parmi les choses qui dépendent d'eux, il y a le maniement des mots. C'est à travers les mots qu'ils produisent des effets, qu'ils exercent une violence symbolique. C'est donc en contrôlant leur usage des mots qu'ils peuvent limiter les effets de violence symbolique qu'ils peuvent exercer *volens nolens*. La violence symbolique est une violence qui s'accomplit dans et par la méconnaissance, qui s'exerce d'autant mieux que celui qui l'exerce ne sait pas qu'il l'exerce, et que celui qui la subit ne sait pas qu'il la subit.

C'est une proposition qui a l'air abstraite, mais voici un exemple concret. J'ai entendu ce matin une publicité pour l'émission de Jean-Marie Cavada au cours de laquelle on assenait comme si elle allait de soi une philosophie de l'histoire sociale des sentiments et des relations entre les sexes : 1970, la libération sexuelle ; 1980, le moralisme ; 1990, le retour du sentiment – quelque chose comme ça. Quand j'entends des choses pareilles – et Dieu sait combien on en entend tous les jours ! C'est « Le retour du sujet », « La fin du structuralisme », « Le retour de la démocratie », « La fin de l'histoire », etc. –, je me demande toujours : « Mais comment le savent-ils ? » Or, dans le monde des journalistes, qui est le lieu par excellence de la production, de la reproduction et de la circulation de cette vulgate, bizarrement, personne ne se pose la question. Vous lirez à la une du *Nouvel Observateur* : « Le retour du sentiment » ; le *Quotidien de Paris* titrera « La fin de la révolution sexuelle ». Ces coups médiatiques sont des coups de force symboliques qui sont exercés en toute innocence, qui sont d'autant plus efficients qu'ils sont plus innocents. Ils ne peuvent, en un sens, s'exercer que parce que les gens qui exercent la violence sont eux-mêmes victimes de la violence qu'ils exercent, et c'est là qu'intervient la fausse science des demi-habiles qui vient donner les apparences d'une ratification scientifique aux intuitions du sens commun (on pourrait appeler cela l'« effet Cofremca ») : des typologies, fondées sur la projection de l'inconscient social des nouveaux magiciens, viennent rencontrer l'inconscient des commanditaires (comme les hommes d'affaires ou les hommes politiques) ou des destinataires (comme les journalistes). Et les journalistes – voilà leur responsabilité – participent à la circulation des inconscients.

Soit un exemple de ces effets symboliques qui prennent souvent la forme du paralogisme du « roi de France chauve », bien connu des philosophes. Lorsqu'on dit : « Le roi de France est chauve », on joue sur les deux sens du verbe « être », dissimulant une thèse d'existence (il y a un roi de France, le roi de France existe) sous une proposition prédicative (le roi de France est chauve, il a la propriété d'être chauve). On attire l'attention sur le fait que le roi est chauve et, en réalité, on fait passer, comme allant de soi, qu'il y a un roi de France. Je pourrais citer d'innombrables propositions à propos du monde social qui sont tout à fait de ce type, notamment celles qui ont pour sujet des noms collectifs : « La France s'ennuie », « Le peuple n'admettra pas », « Les Français sont favorables à la peine de mort », etc. Dans les sondages, au lieu de demander successivement : « Pensez-vous qu'il y ait actuellement une crise de la morale ? » et « Cette crise est-elle grave ? très grave ? », etc. On demandera tout simplement : « La crise actuelle de la morale est-elle grave ? très grave ? », etc.

Parmi les thèses tacites les plus puissantes, il y a toutes celles qui portent sur des oppositions, des principes de vision et de division, comme riche/pauvre, bourgeoisie/peuple, sur lesquels s'est fondée la lutte du mouvement ouvrier et qui sont encore présentes dans l'inconscient de la plupart d'entre nous, une opposition nationaux/étrangers, indigènes/immigrés, nous/eux, etc. C'est un changement formidable. Désormais, on pourra prendre des positions tout à fait différentes sur ce qu'il faut faire des immigrés, il reste que les gens qui s'opposent ont en commun – le consensus dans le dissensus – d'accepter tacitement la prédominance, la priorité, de l'opposition immigrés/étrangers sur toute autre espèce d'opposition, à commencer par l'opposition entre les riches et les pauvres – à l'intérieur de laquelle il peut y avoir des indigènes et des étrangers. Ainsi se trouve réalisé le rêve de toutes les bourgeoisies : avoir une bourgeoisie sans prolétariat. À partir du moment où il n'y a plus que des nationaux, riches et pauvres confondus, cela arrange bien les choses, au moins pour les riches. Nombre de mots que nous employons sans même y penser, et en particulier tous les couples d'adjectifs, sont des catégories de perception, des principes de vision et de division historiquement hérités et socialement produits et reproduits, des principes d'organisation de notre perception du monde social, et en particulier des conflits, et la lutte politique vise, pour l'essentiel, à conserver ou à transformer ces principes, à renforcer ou à changer la vue du monde social. Les journalistes jouent ainsi un rôle central parce qu'ils sont, entre tous les producteurs de discours, ceux qui disposent des moyens les plus puissants de les faire circuler et de les imposer. Ils occupent donc une position privilégiée dans la lutte symbolique pour faire voir et faire croire. C'est ce qui leur vaut l'ambivalence des intellectuels. Ils sont enviés par certains intellectuels « m'as-tu-vu » qui veulent se faire voir, et ils sont enviés aussi par des intellectuels moins voyants, mais qui voudraient se faire entendre. Ceux qui savent quelque chose sur le monde social aimeraient bien pouvoir le dire, mais ils se heurtent à ceux qui contrôlent l'accès aux moyens de communication et qui sont ainsi en mesure de sélectionner ce qui peut avoir accès à la diffusion massive.

Pour me résumer, je dirai que ce qu'il y a de plus terrible dans la communication, c'est l'inconscient de la communication, fondement de la communication des inconscients, ce sont en particulier, au sens d'Aristote, ces « choses avec lesquelles nous communiquons, mais sur lesquelles nous ne communiquons jamais », ces oppositions fondamentales qui rendent possible la discussion et qui ne sont jamais objet de discussion. Ce que je prêche ici, c'est la nécessité d'une communication sur l'inconscient de la communication. Pour que cela ne reste pas un vœu pieux, il faudrait concevoir et créer une instance critique qui soit capable de sévir et de punir – du moins par le ridicule – ceux qui passent les limites. Je sais que je suis dans l'utopie, mais j'aime à imaginer une émission critique qui associerait des chercheurs avec des artistes, des chansonniers, des satiristes, pour soumettre à l'épreuve de la satire et du rire ceux qui, parmi les journalistes, les hommes politiques et les « intellectuels » médiatiques, tombent de manière trop flagrante dans l'abus de pouvoir symbolique.

Du fait divers
à l'affaire d'État
Sur les effets non voulus du droit à l'information

ON PEUT SE FAIRE UNE IDÉE de la contribution du journalisme à la genèse d'une *opinion agissante et efficiente* en suivant le déroulement chronologique d'une affaire, somme toute assez banale, comme l'« affaire de la petite Karine », simple fait divers voué à rester confiné dans la rubrique locale d'un journal régional, qui s'est trouvé peu à peu transformé en véritable affaire d'État par un travail de constitution d'une opinion collective, publique et légitime, finalement ratifiée par une loi (la loi sur la réclusion à perpétuité).

Au départ, dans un petit journal local, *L'Indépendant de Perpignan*, l'annonce de la disparition de la petite fille (15 septembre 1993), l'« appel pathétique » de sa mère (16 septembre), l'appel du père à ses amis (19 septembre), l'évocation d'un « suspect », ami de la famille et repris de justice « déjà condamné deux fois en cour d'assises » (20 septembre), les aveux du meurtrier (22 septembre). Puis, le 23 septembre, un changement de registre : une déclaration du père de la victime appelant au rétablissement de la peine de mort doublée d'une déclaration dans le même sens du parrain de Karine, et un éditorial suggérant que les antécédents du meurtrier « auraient dû entraîner des mesures définitives pour l'empêcher de récidiver encore ». Le 25, un appel de la famille à la manifestation en faveur d'un projet de loi durcissant les peines à l'égard des violeurs et des meurtriers d'enfants, l'annonce de la création d'une Association des amis des parents de Karine dans un petit village voisin et d'un appel au ministre de l'Intérieur dans un autre. Le 26, manifestation avec banderoles réclamant le rétablissement de la peine de mort ou de la détention à perpétuité. *La Dépêche de Toulouse* suit à peu près le même mouvement, mais un éditorial du 26 évoque « celui qui reste l'un d'entre nous » et appelle à la modération. Le 27 septembre, *L'Indépendant* annonce que le gouvernement va déposer à la session d'automne un projet de loi qui durcirait la règle d'exécution de

Additif à « L'emprise du journalisme », *Actes de la recherche en sciences sociales*, mars 1994, n° 101/102, p. 8.

la peine pour les auteurs de meurtres d'enfants. Des hommes politiques interviennent, des membres du Front national d'abord, puis des autres partis (notamment, le maire socialiste de Perpignan).

À partir de cette date, le débat passe à l'échelle nationale. *L'Indépendant* du 6 octobre annonce que l'Association Karine, qui s'est dotée d'un avocat, se constitue en partie civile dans toutes les affaires, appelle à la manifestation et demande d'écrire aux députés ; le 8 octobre qu'elle est reçue par le ministre de la Justice ; le 9 qu'elle appelle au rassemblement ; le 10 qu'a eu lieu une manifestation pour une « vraie perpétuité ». Le 16, autre manifestation à Montpellier ; le 25, débat rassemblant 2 700 adhérents. Le 28, nouvelle audience chez le ministre de la Justice. Le 30 octobre, 137 députés de droite réclament le rétablissement de la peine capitale. Le 17 novembre, la télévision intervient, en force, avec l'émission de Charles Villeneuve intitulée « Le Jury d'honneur », où sont invités « la maman de Karine et Me Nicolau », et aussi le ministre de la Justice, des représentants d'associations et des avocats, sur le thème : « Que faisons-nous des assassins de nos enfants ? », question dont chaque mot est un appel à l'identification vengeresse. Les journaux parisiens interviennent seulement assez tard et assez mollement. Sauf *Le Figaro* : dès la fin septembre, il donne la parole à un avocat, l'auteur de *Ces enfants qu'on assassine*, qui demande qu'on en finisse avec l'indulgence et appelle au référendum, et il prend position continûment en faveur de la réforme de la loi (comme *Le Quotidien de Paris*). L'annonce, le 4 novembre, que le Conseil des ministres a décidé d'adopter un projet de loi instaurant la peine de prison à perpétuité, déclenche une levée de boucliers des principales organisations de magistrats et un syndicat des avocats indique que « en poursuivant un but médiatique, le projet va à l'encontre de la sérénité d'un travail législatif » (*La Croix*, 4 novembre) [1].

Ainsi, au moins dans la phase initiale, les journalistes ont joué un rôle déterminant : en lui donnant la possibilité d'accéder à l'expression publique, ils ont transformé un élan

---

1. « Reconnu coupable du viol et du meurtre, le 13 septembre 1993, de la petite Karine, alors âgée de huit ans, Patrick Tissier a été condamné à la réclusion criminelle à perpétuité assortie d'une période de sûreté de trente ans, vendredi 30 janvier 1998, à Perpignan, par la cour d'assises des Pyrénées-Orientales. », *Le Monde*, 2 février 1998, p. 9. [nde]

d'indignation privée et vouée à l'impuissance sérielle, en un appel public, *publié*, donc licité et légitimé, à la vengeance et à la mobilisation qui a été lui-même au principe d'un mouvement de protestation public et organisé (manifestations, pétitions, etc.). Et la brièveté du délai, moins de quatre mois, entre la disparition de la petite fille et la décision législative rétablissant la réclusion à perpétuité, a le mérite de faire apparaître les effets que les journalistes peuvent produire toutes les fois que, par la seule vertu de la *publication*, comme divulgation impliquant ratification et officialisation ils attisent ou mobilisent des pulsions. Et comme le montre l'intervention, en cette affaire, de la télévision, la soumission à l'audimat, et à la logique de la concurrence pour les parts de marché, qui porte à flatter les attentes les plus répandues, ne peut que renforcer la propension à laisser jouer les effets ignorés de la publication, voire à les redoubler par l'excitation démagogique des passions élémentaires. La responsabilité des journalistes réside sans doute dans le laisser-faire de l'irresponsabilité qui les conduit à exercer sans le savoir des effets non voulus au nom d'un droit à l'information qui, constitué en principe sacro-saint de la démocratie, fournit parfois son meilleur alibi à la démagogie.

La misère des médias

— *Pourquoi, en ce début 1995, la question de l'Algérie vous paraît-elle si vitale ?*

— Elle me paraît prioritaire, non seulement en termes éthiques, mais aussi en termes politiques. D'un point de vue cynique, celui de notre intérêt bien compris, l'Algérie est aujourd'hui le problème numéro un de la France. Ni les dirigeants, ni les hommes politiques, quels qu'ils soient (on oublie que c'est Joxe qui a ouvert la voie à Pasqua **¹**), ni les journalistes ne l'ont compris. La guerre civile algérienne peut, d'un jour à l'autre, se transporter en France, avec ses meurtres, ses attentats **²**, dont les responsables ne seront pas tous et pas toujours ceux que désigneront les journalistes, c'est-à-dire les islamistes… C'est pourquoi il faut soutenir, par tous les moyens, les accords de Rome, entre les partis démocratiques et les représentants (que je crois vraiment représentatifs) du FIS **³**.

— *Au fond, derrière la question des réfugiés algériens, vous voyez celle des valeurs républicaines.*

— La politique policière du gouvernement français menace la démocratie, jusqu'ici protégée par le civisme républicain, et instaure des mœurs racistes à l'égard de tous ceux qui n'ont pas une tête, ou un patronyme, ou des ancêtres bien français. Les mesures prises à l'égard des étrangers menacent les traditions

---

1. Pierre Joxe et Charles Pasqua furent ministres de l'Intérieur, respectivement pour des gouvernements de gauche et de droite. [nde]
2. Des attentats auront effectivement lieu en France en juillet de la même année. [nde]
3. En juin 1990, le Front islamique du salut (FIS) remporte son premier succés électoral aux municipales. Il lance aussitôt un appel à une grève illimitée pour des élections présidentielles anticipées. De violents affrontements entre islamistes et forces de l'ordre débouchent sur la proclamation de l'état de siège et l'arrestation des dirigeants du FIS, parti qui remporte en décembre 1991 le premier tour des élections législatives. Le président algérien d'alors démissionne et cède le pouvoir à un Haut comité d'État (HCE) ; les élections sont annulées puis l'état d'urgence instauré en février 1992. Les groupes islamiques armés (GIA) viennent de revendiquer leurs premiers attentats. Le général Zéroual prend la tête du

Entretien avec François Granon paru dans *Télérama*, 15 février 1995, n° 2353.

universalistes et internationalistes de la France [4]. Elles réveillent, dans certaines catégories sociales, les dispositions latentes au racisme. Ce n'est pas la peine de dire aux policiers : « Contrôlez les gens en fonction du faciès », il suffit de ne rien leur dire pour qu'ils le fassent.

— *Dans ce travail en faveur des Algériens et, au-delà, des principes républicains, vous sentez-vous aidé par les médias ?*

— La difficulté, c'est que, dans cette association de chercheurs, le CISIA [lire p. 293], nous sommes un tout petit nombre de bénévoles, sans infrastructure, et que nous n'avons pas un goût immodéré pour nous faire voir dans les médias. À tel point que, récemment, un directeur de radio a lancé : « Oh, ce CISIA, ils ne font rien : on ne les voit jamais. » Tout ça parce qu'il y avait eu un après-midi consacré à l'Algérie, et qu'on avait autre chose à foutre que d'aller papoter…

— *Exister, c'est passer à la radio ou à la télé ?*

— Actuellement, plus personne ne peut lancer une action sans le soutien des médias. C'est aussi simple que ça. Le journalisme finit par dominer toute la vie politique, scientifique, ou intellectuelle. Il faudrait créer des instances où l'on puisse travailler ensemble, où chercheurs et journalistes se critiquent mutuellement. Or, les journalistes sont une des catégories les plus susceptibles : on peut parler des évêques, du patronat, et même des profs, mais sur les journalistes, impossible de dire des choses qui sont l'objectivité même…

— *C'est le moment de les dire !*

— À la base, il y a un paradoxe : c'est une profession très puissante composée d'individus très fragiles. Avec une grosse discordance entre le pouvoir collectif, considérable, et la fragilité statutaire des journalistes, qui sont en position d'infériorité vis-à-vis des intellectuels autant que des politiques. Collectivement, les journalistes peuvent écraser. Individuel-

HCE en janvier 1994. L'échec du dialogue entre l'État et le FIS se prolonge sur fond d'attentats et de massacres. Le 26 novembre 1994, une rencontre à Rome entre les partis d'opposition (FIS, FLN, FFS) débouche sur une série de propositions destinées à restaurer la paix civile (janvier 1995). Malgré l'appel au boycott des partis d'opposition, le général Zéroual est élu président en novembre 1995. [nde]
4. Il s'agit des lois Pasqua (lire p. 317, 330, *sq.*). [nde]

lement, ils sont sans cesse en péril. C'est un métier où, pour des raisons sociologiques, la vie est dure (ce n'est pas un hasard si on y trouve tant d'alcoolisme) et les petits chefs souvent terribles. On brise non seulement les carrières, mais aussi les consciences – c'est vrai aussi ailleurs, hélas ! Les journalistes souffrent beaucoup. Du même coup, ils deviennent dangereux : quand un milieu souffre, il finit toujours par transférer à l'extérieur sa souffrance, sous forme de violence et de mépris.

— *Est-ce un milieu capable de se réformer ?*

— La conjoncture est très défavorable. Le champ du journalisme est le lieu d'une concurrence forcenée, dans laquelle la télévision exerce une emprise terrible. On peut en donner mille indices, depuis les transferts de journalistes télé à la tête d'organes de presse écrite jusqu'à la place croissante des rubriques télé – et leur docilité, pour ne pas dire leur servilité – dans les journaux. C'est la télé qui définit le jeu : les sujets dont il faut parler ou pas ; les personnes importantes ou pas. Or, la télévision, aliénante pour le reste du journalisme, est elle-même aliénée, puisqu'elle se trouve soumise, comme rarement un espace de production culturelle, à la contrainte directe du marché. On en plaisante, mais il n'y a plus que les Guignols pour le dire publiquement. (De façon générale, si le sociologue écrivait le dixième de ce qu'il entend lorsqu'il parle avec les journalistes – sur les « ménages » [5] par exemple, ou sur la fabrication des émissions –, il serait dénoncé par les mêmes journalistes pour son parti pris et son manque d'objectivité, pour ne pas dire son arrogance insupportable…) Celui qui perd deux points à l'audimat, il dégage. Cette violence qui pèse sur la télévision contamine tout le champ des médias. Elle contamine même les milieux intellectuels, scientifiques, artistiques, qui s'étaient construits sur le dédain de l'argent et sur une indifférence relative à la consécration de masse – vous imaginez Mallarmé attendant d'être reconnu dans la rue et applaudi dans les *meetings* ? Or, ces petits univers, comme la littérature ou les sciences, dans lesquels on pouvait vivre inconnu et pauvre pourvu qu'on ait l'estime de quelques-uns et qu'on fasse des choses dignes d'être faites, sont actuellement menacés.

---

5. Lucratives « animations » par des journalistes très connus de colloques ou de « débats » organisés par de grosses entreprises à des fins promotionnelles. [nde]

— *Vous croyez que, dans les conditions actuelles de concurrence, les médias peuvent entendre votre plaidoyer ?*

— Je sais que j'ai l'air d'un professeur Nimbus qui vient prêcher la morale à un moment où il faut sauver les meubles et où le patron de *Libération* doit se demander tous les matins s'il aura assez d'annonceurs pour publier son prochain numéro. Mais c'est précisément cette crise et la violence qu'elle exacerbe qui font que certains journalistes commencent à se dire que les sociologues ne sont pas aussi fous qu'ils en ont l'air. Chez les journalistes, ce sont, comme toujours, les jeunes et les femmes qui sont le plus touchés : j'aimerais qu'ils comprennent un peu mieux pourquoi ça leur arrive, que ce n'est pas nécessairement la faute au petit chef – qui, évidemment, n'est pas très malin, mais il a été choisi pour ça –, que c'est une structure qui les opprime. Cette prise de conscience peut les aider à supporter la violence et à s'organiser. Elle dédramatise, elle donne des instruments pour comprendre collectivement.

— *Vous avez décrit le champ de l'art, de la science, comme des univers qui se trouvent peu à peu des règles. Comment se fait-il que le champ du journalisme n'ait pas pu trouver les siennes ?*

— Dans l'univers scientifique, on trouve en effet des mécanismes sociaux qui obligent les savants à se conduire moralement, qu'ils soient « moraux » ou non. Le biologiste qui accepte de l'argent d'un labo pour écrire une publication bidon a tout à perdre… Il y a une justice immanente. Celui qui transgresse certains interdits se brûle. Il s'exclut, il est discrédité. Alors que, dans le milieu du journalisme, où peut-on trouver un système de sanctions et de récompenses ? Comment va se manifester l'estime envers le journaliste qui fait bien son métier ? […]

— *On va vous reprocher de vouloir un système dirigiste, un comité central des médias…*

— Je sais. Mais c'est tout le contraire. L'autonomie que je prêche accroît la différence. Et c'est la dépendance qui fait l'uniformité. Si les trois magazines français (*L'Express*, *Le Point* et *Le Nouvel Observateur*) tendent à être interchangeables, c'est qu'ils sont soumis à peu près aux mêmes contraintes, aux mêmes sondages, aux mêmes annonceurs, que leurs journalistes passent de l'un à l'autre, qu'ils se volent des sujets ou des couvertures. Alors que s'ils gagnaient plus d'autonomie à l'égard des annonceurs – à l'égard de leur audimat à eux, qui est le chiffre de vente –, à l'égard de la télé, qui impose les sujets importants – en ce moment, il « faut » des reportages sur les rapports entre Balladur et Chirac [6] –, ils se différencieraient aussitôt. J'avais par exemple suggéré, pour limiter les effets funestes de la concurrence, que les journaux créent des instances communes, analogues à celles qu'on met en place dans les cas extrêmes, un rapt d'enfant par exemple, quand on se met d'accord pour faire le *black-out* sur toute information. Dans ces cas extrêmes, les médias passent sur leurs intérêts concurrentiels pour sauvegarder une sorte d'éthique commune. Sur d'autres sujets qu'on ne traite que parce que les autres les traitent, comme « l'affaire du voile » [lire p. 304], on pourrait aussi bien imaginer une espèce de moratoire. Dans le cas des livres, ce suivisme est frappant. Beaucoup de journalistes culturels sont obligés de parler de livres qu'ils méprisent, uniquement parce que les autres en ont parlé. Ce qui ne contribue pas peu au succès irrésistible de bouquins comme le dernier Minc ou autres foutaises du même genre…

— *Face à ces médias qui vous déplaisent, vous sembler choisir une attitude qu'on peut critiquer : celle du dédain. Pourquoi ?*

— Une attitude de retrait, plutôt. Mais elle ne m'est pas propre. Je ne connais pas un grand savant, un grand artiste, un grand écrivain qui ne souffre pas dans son rapport aux médias. C'est un gros problème, parce que les citoyens ont le droit d'entendre les meilleurs. Or les mécanismes d'invitation et d'exclusion font que les téléspectateurs sont à peu près systématiquement privés de ce qu'il y a de mieux.

— *Donc, plus encore que les journaux, vous voudriez changer la télé ?*

— L'outil n'est pas en cause, bien sûr. Il permettrait le contraire absolu de ce qu'on en fait. Il pourrait être un instrument de démocratie directe, et il se transforme en instrument d'oppression symbolique. Il faudrait, pour changer la télé, un travail considérable, qui serait une véritable tâche démocratique – pas du tout de la politique à la papa.

---

6. L'entretien a été réalisé en période préélectorale : Édouard Balladur et Jacques Chirac, tous deux membres du RPR, étaient alors rivaux pour l'élection présidentielle de mai 1995. [nde]

— Vous êtes excessif, tout de même : pourquoi voit-on à la télé Pierre-Gilles de Gennes, qui semble avoir moins de réticences que vous, et pourquoi pas Bourdieu ?

— Le problème de de Gennes à la télé, c'est qu'il peut parler de tout, parce qu'il est le seul à pouvoir parler d'une chose dont il ne parle pas.

— Je ne comprends pas…

— Mais si. On le laisse parler de trucs un peu naïfs, mais sympas comme tout, comme quand il suggère d'irriguer le Sahara… Mais vous n'entendez jamais de Gennes parler de physique. Il parle admirablement pour les profanes, il emploie des métaphores, il fait en sorte que tout le monde croie avoir compris, mais enfin il ne parle jamais vraiment de physique : parce qu'en trois secondes, alors là, l'audimat… Si bien qu'au nom d'un discours qu'il ne tient pas, il dit n'importe quoi sur des terrains où il n'a pas de discours à tenir.

— Est-ce que vous, sociologue, vous êtes gêné par une difficulté supplémentaire : que le grand public vous considère comme « moins scientifique » que les physiciens ou les biologistes ?

— Il faut comparer avec des choses comparables. Par rapport à la physique nucléaire, la comparaison est trop défavorable à la sociologie parce qu'elle n'est pas constituée au même degré, qu'elle n'est pas formalisée, etc. Mais comparons avec l'histoire. Voilà une science bien moins avancée que la sociologie et qui apporte des choses beaucoup moins décisives du point de vue de la gestion de l'existence, aussi bien individuelle que collective. Eh bien, personne ne pose à l'historien la question de sa scientificité. À nous, si. Non seulement nous traitons d'enjeux brûlants – alors que les problèmes dont parle l'historien sont morts et enterrés –, mais encore nous sommes en concurrence avec des gens qui prétendent, sur le même objet que le nôtre, dire des choses aussi définitives au nom d'autres principes de validation. À mon principe de validation, qui est le même que celui du physicien, on oppose un autre principe de validation, celui de l'homme politique : l'argument d'autorité ou le plébiscite par le nombre. C'est comme si on jugeait de la validité d'un théorème au suffrage universel.

— Au fond, la sociologie a le même objet que la politique, mais les mêmes règles de validation que la science…

— Voilà. Et on veut lui appliquer les règles de validation de la politique au prétexte que son objet est politique. Si j'étais spécialiste de Byzance, j'aurais une position un peu semblable à celle de Lévi-Strauss, on m'écouterait avec révérence – et indifférence. Mais comme je travaille sur le présent, et qu'il peut m'arriver de parler de Balladur ou de Tapie, ou des journalistes – sujet tabou par excellence –, cette autorité m'est contestée alors que j'ai des choses beaucoup plus fondées ou compliquées que l'intellectuel médiatique de base, que la plupart des journalistes courtisent, tout en le méprisant un peu, et qui arrive avec trois formules préadaptées à la télévision, c'est-à-dire simplistes et propres à renforcer l'opinion commune. Dans son cas, on acceptera de se mettre à son service pour lui permettre de placer sa salade, supposée apporter des points à l'audimat. Alors que si je demande la même chose pour moi et pour d'autres, on dénoncera mon arrogance. [...]

Quand la vérité est compliquée, ce qui est souvent le cas, on ne peut la dire que de manière compliquée, à moins de parler de tout à fait autre chose, comme Pierre-Gilles de Gennes... Notre travail, c'est non seulement d'aller contre l'opinion commune et contre nos propres œillères sociales, mais d'utiliser un langage qui s'oppose à la divulgation de la vérité scientifique, qui est toujours subversive. Même les mots sont préparés pour qu'on ne puisse pas dire le monde tel qu'il est.

Questions
sur un quiproquo

POURQUOI EST-IL SI DIFFICILE d'être entendu des journalistes quand on parle du journalisme ? Pourquoi ne peut-on rien écrire sur cette profession sans avoir à se justifier, devant les tribunaux parfois, et sans s'exposer à l'abus de pouvoir des prières d'insérer et des droits de réponse sans appel ? Pourquoi est-il aujourd'hui tellement dangereux d'aborder ces sujets que quelques très bons écrits de journalistes sur les choses de télévision ne trouvent pas d'éditeur ?

Pourquoi ceux qui ont un quasi-monopole de la diffusion massive de l'information ne supportent-ils pas l'analyse des mécanismes qui régissent la production de l'information et, moins encore, la diffusion de la moindre information à ce propos ? Pourquoi un livre dont – au moment où j'écris – il n'a pas été dit un seul mot dans un quotidien soucieux de sa réputation de sérieux, et qui a déjà été lu à ce jour par plus de 70 000 lecteurs [1], sans doute moins convaincus que les journalistes de la transparence du journalisme, fait-il l'objet d'une mise au point hautaine ?

Qui a jamais nié qu'il y ait d'immenses journalistes, plutôt, évidemment, du côté des journalistes d'enquête et

---

1. Fin 2001, *Les Nouveaux Chiens de garde* – qui en est à sa 22e édition – s'est vendu à plus de 220 000 exemplaires ; *Le Monde* n'a jamais publié de critique de ce livre. [nde]

Paru dans *Le Monde diplomatique* (février 1998, p. 26), ce texte répondait à un article d'Edwy Plenel, « Le faux procès du journalisme », remontrance du directeur de la rédaction du quotidien *Le Monde* s'érigeant en avocat des soutiers et des artisans de la profession contre le livre de Pierre Bourdieu, *Sur la télévision*, et celui de Serge Halimi, *Les Nouveaux Chiens de garde*, érigés en procureurs du journalisme.

d'investigation que des éditorialistes ou des animateurs-amuseurs ? Mais quelle est la fatalité qui fait que, identifiant la description la plus objectiviste des mécanismes à un pamphlet contre des personnes, les journalistes se dressent comme un seul homme contre l'analyse iconoclaste ? Et que les plus sensibles et les plus intègres des journalistes, les plus soucieux de l'image réelle et de la réalité idéale du journalisme prennent fait et cause pour l'ensemble de la profession – donc pour les plus indéfendables, ils le savent mieux que personne, de leurs confrères ?

Pourquoi dans ce champ hautement différencié qu'est le journalisme, traversé, comme l'Église ou l'École, par des concurrences et des conflits entre des gens qui font des métiers très différents ou qui font très différemment le même métier, la ruse de la raison sociale, qui a mille tours dans son sac, veut-elle que ce soit le prêtre-ouvrier exemplaire ou le curé de paroisse dévoué qui prenne les armes pour défendre les cardinaux prévaricateurs ou les évêques corrompus contre des adversaires qui sont en fait ses alliés et qui, comme tous les hérétiques, ne font rien d'autre que rappeler la profession à la pureté idéale des commencements ?

Plans de l'émission « Arrêt sur images »
(23 janvier 1996) extraits de *Enfin pris ?*
film de Pierre Carles (C-P production, 2002)

La télévision peut-elle critiquer la télévision ?

Chronique d'un passage à l'antenne

J'AI ÉCRIT CES NOTES dans les jours qui ont suivi mon passage à l'émission « Arrêt sur images ». J'avais, dès ce moment-là, le sentiment que ma confiance avait été abusée, mais je n'envisageais pas de les rendre publiques, pensant qu'il y aurait eu là quelque chose de déloyal. Or voilà qu'une nouvelle émission de la même série revient à quatre reprises – quel acharnement ! – sur des extraits de mes interventions et présente ce règlement de comptes rétrospectif comme un audacieux retour critique de l'émission sur elle-même. Beau courage en effet : on ne s'est guère inquiété, en ce cas, d'opposer des « contradicteurs » aux trois spadassins chargés de l'exécution critique des propos présentés.

La récidive a valeur d'aveu : devant une rupture aussi évidente du contrat de confiance qui devrait unir l'invitant et l'invité, je me sens libre de publier ces observations, que chacun pourra aisément vérifier en visionnant l'enregistrement des deux émissions [1]. Ceux qui auraient encore pu douter, après avoir vu la première, que la télévision est un formidable instrument de domination devraient, cette fois, être convaincus : Daniel Schneidermann, producteur de l'émission, en a fait la preuve, malgré lui, en donnant à voir que la télévision est le lieu où deux présentateurs peuvent triompher sans peine de tous les critiques de l'ordre télévisuel.

« Arrêt sur images », La Cinquième, 23 janvier 1996. L'émission illustrera parfaitement ce que j'avais l'intention de démontrer : l'impossibilité de tenir à la télévision un discours cohérent et critique sur la télévision. Prévoyant que je ne pourrais pas déployer mon argumentation, je m'étais donné pour projet, comme pis-aller, de laisser les journalistes jouer leur jeu habituel (coupures, interruptions, détournements, etc.) et de dire, après un moment, qu'ils illustraient parfaitement mon

---

1. « Arrêt sur images », La Cinquième, 23 janvier et 13 mars 1996.

Version initiale d'un texte paru avec le sous-titre « Analyse d'un passage à l'antenne » dans Le Monde diplomatique, avril 1996, p. 25.

propos. Il aurait fallu que j'aie la force et la présence d'esprit de le dire en conclusion (au lieu de faire des concessions polies au « dialogue », imposées par le sentiment d'avoir été trop violent et d'avoir inutilement blessé mes interlocuteurs).

Daniel Schneidermann m'avait proposé à plusieurs reprises de participer à son émission. J'avais toujours refusé. Début janvier, il réitère sa demande, avec beaucoup d'insistance, pour une émission sur le thème : « La télévision peut-elle parler des mouvements sociaux ? » J'hésite beaucoup, craignant de laisser passer une occasion de faire, à propos d'un cas exemplaire, une analyse critique de la télévision *à la télévision*.

Après avoir donné un accord de principe subordonné à une discussion préalable sur le dispositif, je rappelle Daniel Schneidermann, qui pose d'emblée, comme allant de soi, qu'il faut qu'il y ait un « contradicteur ». Je ne me rappelle pas bien les arguments employés, si tant est qu'il y ait eu arguments, tellement cela allait de soi pour lui. J'ai cédé par une sorte de respect de la bienséance : ne pas accepter le débat, dans n'importe quelles conditions et avec n'importe qui, c'est manquer d'esprit démocratique. Daniel Schneidermann évoque des interlocuteurs possibles, notamment un député RPR qui a pris position contre la manière dont les télévisions ont rendu compte de la grève. Ce qui suppose qu'il attend de moi que je prenne la position opposée (alors qu'il me demande une analyse – ce qui tend à montrer que, comme la plupart des journalistes, il identifie l'analyse à la critique).

Je propose alors Jean-Marie Cavada, parce qu'il est le patron de la chaîne où passera l'émission, et aussi parce qu'il m'est apparu comme typique d'une violence plus douce et moins visible : il donne toutes les apparences de l'équité formelle, tout en se servant de toutes les ressources de sa position pour exercer une contrainte qui oriente fortement les débats ; mes analyses vaudront ainsi *a fortiori*. Tout en proclamant que le fait que je mette en question le directeur de la chaîne ne le gênait en rien et que je n'avais pas à me limiter dans mes « critiques », Daniel Schneidermann exclut Jean-Marie Cavada au profit de Guillaume Durand. Il me demande de proposer des extraits d'émissions qui pourraient être présentés à l'appui de mes analyses. Je donne une première liste (comportant plusieurs références à MM. Cavada et Durand), ce qui m'amène, pour justifier mes choix, à livrer mes intentions.

Dans une seconde conversation, je m'aperçois que plusieurs de mes propositions d'extraits ont été remplacées par d'autres. Dans le « conducteur » final, je verrai apparaître un long « micro-trottoir » sans intérêt visant à montrer que les spectateurs peuvent dire les choses les plus opposées sur la représentation télévisuelle des grèves, donc à relativiser d'avance les « critiques » que je pourrais faire (cela sous prétexte de rappeler l'éternelle première leçon de tout enseignement sur les médias : le montage peut faire dire n'importe quoi à des images). Lors d'une nouvelle conversation, on m'apprend que Jean-Marie Cavada a finalement décidé de venir et qu'on ne peut pas lui refuser ce droit de réponse, puisqu'il est « mis en question ».

Dès la première conversation, j'avais demandé expressément que mes prises de position pendant les grèves de décembre ne soient pas mentionnées. Parce que ce n'était pas le sujet et que ce rappel ne pourrait que faire apparaître comme des critiques de parti pris les analyses que la sociologie peut proposer. Or, dès le début de l'émission, la journaliste, Pascale Clark, annonce que j'ai pris position en faveur de la grève et que je me suis montré « très critique de la représentation que les médias [en] ont donnée », alors que je n'avais rien dit, publiquement, sur ce sujet. Elle récidive avec la première question, sur les raisons pour lesquelles je ne me suis pas exprimé à la télévision pendant les grèves.

Devant ce nouveau manquement à la promesse qui m'avait été faite pour obtenir ma participation, j'hésite longuement, me demandant si je dois partir ou répondre. En fait, à travers cette intervention qui me plaçait d'emblée devant l'alternative de la soumission résignée à la manipulation ou de l'esclandre, contraire aux règles du débat « démocratique », le thème que les deux « contradicteurs » ne cesseront de rabâcher pendant toute l'émission était lancé : comment peut-il prétendre à la science objective de la représentation d'un événement à propos duquel il a pris une position partisane ?

Au cours des discussions téléphoniques, j'avais aussi fait observer que les « contradicteurs » étaient maintenant deux, et deux professionnels (il apparaîtra, dès que je ferai une brève tentative pour analyser la situation dans laquelle je me trouvais, qu'ils étaient quatre) ; j'avais exprimé le souhait qu'ils n'abusent pas de l'avantage qui leur serait ainsi donné. En fait, emportés par l'arrogance et la certitude de leur bon droit, ils n'ont pas cessé de me prendre la parole, de me couper, tout en proférant d'ostentatoires flatteries : je pense que dans cette émission où j'étais censé présenter une analyse sociologique d'un débat télévisé en tant qu'invité principal, j'ai dû avoir la parole, au plus, pendant vingt minutes, moins pour exposer des idées que pour ferrailler avec des interlocuteurs qui refusaient tous le travail d'analyse.

Daniel Schneidermann m'a appelé plusieurs fois, jusqu'au jour de l'émission, et je lui ai parlé avec la confiance la plus entière (qui est la condition tacite, au moins pour moi, de la participation à un dialogue public), livrant ainsi toutes mes intentions. Il ne m'a rien dit, à aucun moment, des intentions de mes « contradicteurs ». Lorsque je lui ai demandé s'il comptait leur montrer, au préalable, les extraits que j'avais choisis – ce qui revenait à leur dévoiler toutes mes batteries –, il m'a dit que s'ils les lui demandaient il ne pourrait pas les leur refuser... Il m'a parlé vaguement d'un micro-trottoir au sujet mal défini tourné à Marseille. Après l'émission, il me dira sa satisfaction et combien il était content qu'un « grand intellectuel » – pommadé – ait pris la peine de regarder de près et de discuter la télévision, mais aussi et surtout combien il admirait mes « contradicteurs » d'avoir « joué le jeu » et d'avoir accepté courageusement la critique...

Le jour de l'émission, vers 14 heures, au moment où je m'apprêtais à partir, Daniel Schneidermann m'appelle pour me dire qu'il était très ennuyé parce qu'il avait entendu dire que je comptais me faire accompagner par Pierre Carles, qui tourne un film sur moi [2]. Il me dit que ce cinéaste, qu'il connaît bien, ne manquera pas de se servir des moindres images qu'il pourra prendre pour tourner en dérision mes interlocuteurs et moi-même et suggérer une vision soupçonneuse de nos interactions et de nos relations. Je dis à Pierre Carles de l'appeler ; Daniel Schneidermann n'ose pas lui interdire l'accès au studio et nous partons ensemble. Alors que nous attendons à l'entrée, Daniel Schneidermann vient lui-même annoncer, assez gêné, à Pierre Carles qu'il ne pourra pas entrer.

Les « contradicteurs » et les présentateurs, avant l'enregistrement, me laissent seul sur le plateau pendant près d'une heure. Guillaume Durand vient s'asseoir en face de moi et m'entre-

---

2. *La sociologie est un sport de combat* (C-P Productions, 2001) est une présentation de la sociologie de Pierre Bourdieu au travers de quelques-unes des facettes du sociologue au travail (1998-2001). Un autre film de Pierre Carles, *Enfin pris !*, revient sur ce passage à l'antenne et analyse la « pseudo-critique à la Schneidermann » que Pierre Bourdieu voyait comme « une façon de faire de l'audimat et de restaurer sa bonne conscience » (*in* « Karl Kraus et les médias », *Actualité de Karl Kraus*, Gerald Stieg & Jacques Bouveresse (dir.), *op. cit.*, 1999, p. 37-50). [nde]

prend bille en tête sur ce qu'il croit être ma complicité avec les socialistes (il est mal informé…). Exaspéré, je lui réponds vertement. Il reste longtemps silencieux et très gêné. La présentatrice, Pascale Clark, essaie de détendre l'atmosphère. « Vous aimez la télévision ? — Je déteste. » On en reste là. Je me demande si je ne dois pas partir. Je pense à Pierre Boulez harcelé sur un plateau par un essayiste hargneux et pitoyable, ancien acolyte de Jack Lang dont j'ai oublié le nom. Je pense à tous ces savants, convoqués à la barre des « témoins » par François de Closets et interpellés par des « contradicteurs » pour faire du spectacle.

Si au moins je parvenais à croire que ce que je suis en train de faire peut avoir une quelconque utilité et que je parviendrai à convaincre que je suis venu là pour essayer de faire passer quelque chose à propos de ce nouvel instrument de manipulation… En fait, j'ai surtout l'impression d'avoir seulement réussi à me mettre dans la situation du poisson soluble (et conscient de l'être) qui se serait jeté à l'eau.

La disposition sur le plateau : les deux « contradicteurs » sont assis, en chiens de faïence (et de garde), de part et d'autre du présentateur, je suis sur le côté, face à la présentatrice. On m'apporte le « conducteur » de l'émission : quatre seulement de mes propositions ont été retenues et quatre « sujets » ont été ajoutés, dont deux très longs « micro-trottoirs » et reportages, qui passeront, tous destinés à faire apparaître la relativité de toutes les « critiques » et l'objectivité de la télévision. Les deux qui ne passeront pas, et que j'avais vus, avaient pour fin de montrer la violence des grévistes contre la télévision.

Conclusion (que j'avais écrite avant l'émission) : on ne peut pas critiquer la télévision à la télévision parce que les dispositifs de la télévision s'imposent même aux émissions de critique du petit écran. L'émission sur le traitement des grèves à la télévision a reproduit la structure même des émissions à propos des grèves à la télévision.

CE QUE J'AURAIS VOULU DIRE

La télévision, instrument de communication, est un instrument de censure (elle cache en montrant) soumis à une très forte *censure*. On aimerait s'en servir pour dire le monopole de la télévision, des instruments de diffusion (la télévision est l'instrument qui permet de parler au plus grand nombre, au-delà des limites du champ des professionnels). Mais, dans cette tentative, on peut apparaître comme se servant de la télévision, comme les « médiatiques », pour agir dans ce champ, pour y conquérir du pouvoir symbolique à la faveur de la célébrité (mal) acquise auprès des profanes, c'est-à-dire hors du champ. Il faudrait toujours vérifier qu'on va à la télévision pour *(et seulement pour)* tirer parti de la caractéristique spécifique de cet instrument – le fait qu'il permet de s'adresser au plus grand nombre –, donc pour dire des choses qui méritent d'être dites au plus grand nombre (par exemple qu'on ne peut rien dire à la télévision).

Faire la critique de la télévision à la télévision, c'est tenter de retourner le pouvoir symbolique de la télévision contre lui-même – cela en payant de sa personne, c'est le cas de le dire : en acceptant de paraître sacrifier au narcissisme, d'être suspect de tirer des profits symboliques de cette dénonciation et de tomber dans les compromissions de ceux qui en tirent des profits symboliques, c'est-à-dire les « médiatiques ».

LE DISPOSITIF
DU PLUS VISIBLE AU PLUS CACHÉ

Le rôle du présentateur :

— Il impose la problématique, au nom du respect de règles formelles à géométrie variable et au nom du public, par des sommations (« C'est quoi… », « Soyons précis… », « Répondez à ma question », « Expliquez-vous… », « Vous n'avez toujours pas répondu… », « Vous ne dites toujours pas quelle réforme vous souhaitez… ») qui sont de véritables sommations à comparaître mettant l'interlocuteur sur la sellette. Pour donner de l'autorité à sa parole, il se fait porte-parole des auditeurs : « La question que tout le monde se pose », « C'est important pour les Français… » Il peut même invoquer le « service public » pour se placer du point de vue des « usagers » dans la description de la grève.

— Il distribue la parole et les signes d'importance (ton respectueux ou dédaigneux, attentionné ou impatient, titres, ordre de parole, en premier ou en dernier, etc.).

— Il crée l'urgence (et s'en sert pour imposer la censure), coupe la parole, ne laisse pas parler (cela au nom des attentes supposées du public c'est-à-dire de l'idée que les auditeurs ne comprendront pas, ou, plus simplement, de son inconscient politique ou social).

Ces interventions sont toujours différenciées : par exemple, les injonctions s'adressent toujours aux syndicalistes (« Qu'est-ce que vous proposez, vous ? ») sur un ton péremptoire et en martelant les syllabes ; même attitude pour les coupures (« On va en parler… Merci, madame, merci… »), remerciement qui congédie, par rapport au remerciement empressé adressé à un personnage important. C'est le comportement global qui diffère, selon qu'il s'adresse à un « important » (Alain Peyrefitte) ou à un invité quelconque : posture du corps, regard, ton de la voix, mots inducteurs (« oui… oui… oui… » impatient, « ouais » sceptique, qui presse et décourage), termes dans lesquels on s'adresse à l'interlocuteur, titres, ordre de parole, temps de parole (le délégué CGT parlera en tout cinq minutes sur une heure et demie à l'émission « La Marche du siècle »).

Le présentateur agit en maître après Dieu de son plateau (« mon émission », « mes invités » : l'interpellation brutale qu'il adresse à ceux qui contestent sa manière de mener le débat est applaudie par les gens présents sur le plateau et qui font une sorte de claque).

La composition du plateau :

— Elle résulte de tout un travail préalable d'invitation sélective (et de refus). La pire *censure* est *l'absence* ; les paroles des absents sont exclues de manière invisible. D'où le dilemme : le refus invisible (vertueux) ou le piège.
— Elle obéit à un souci d'équilibre formel (avec, par exemple, l'égalité des temps de parole dans les « face-à-face ») qui sert de masque à des inégalités réelles : dans les émissions sur la grève de décembre 1995, d'un côté un petit nombre d'acteurs perçus et présentés comme engagés, de parti pris, et de l'autre des observateurs présentés comme des arbitres, parfaitement neutres et convenables, c'est-à-dire les *présumés coupables* (de nuire aux usagers), qui sont sommés de *s'expliquer*, et les arbitres impartiaux ou les experts qui ont à juger et à *expliquer*.
— L'apparence de l'objectivité est assurée par le fait que les positions partisanes de certains participants sont déguisées (à travers le jeu avec les titres ou la mise en avant de fonctions d'expertise : par exemple, Alain Peyrefitte est présenté comme « écrivain » et non comme « sénateur RPR » et « président du comité éditorial du *Figaro* », Guy Sorman comme « économiste » et non comme « conseiller d'Alain Juppé ».)

La logique du jeu de langage :

Le jeu joue en faveur des professionnels de la parole, de la parole autorisée.

— Le débat démocratique conçu sur le modèle du combat de catch permet de présenter un ressort d'audimat (le « face-à-face ») comme un modèle de l'échange démocratique.

— Les affinités entre une partie des participants : les « médiatiques » sont du même monde (entre eux et avec les présentateurs). Familiers des médias et des hommes des médias, ils offrent toutes les garanties : non seulement on sait qu'ils passent bien (ce sont, comme disent les professionnels, de « bons clients »), mais on sait surtout qu'ils seront sans surprises. La censure la plus réussie consiste à mettre à des places où l'on parle des gens qui n'ont à dire que ce que l'on attend qu'ils disent ou, mieux, qui n'ont rien à dire. Les titres qui leur sont donnés contribuent à donner autorité à leur parole.

— Les différents participants ne sont pas égaux devant ces situations : d'un côté, des professionnels de la parole, dotés de l'aptitude à manipuler le langage soutenu qui convient ; de l'autre, des gens moins armés et peu habitués aux situations de prise de parole publique (les syndicalistes et, *a fortiori*, les travailleurs interrogés, qui, devant la caméra, bafouillent, parlent avec précipitation, s'emmêlent ou, pour échapper au trac, font les marioles, alors que, quelques minutes avant, en situation normale, ils pouvaient dire des choses justes et fortes). Pour assurer l'égalité, il faudrait favoriser les défavorisés (les aider du geste et du regard, leur laisser le temps, etc.), alors que tout est fait pour favoriser les favorisés.

— L'inconscient des présentateurs, leurs habitudes professionnelles. Par exemple, leur soumission culturelle d'intermédiaires culturels demi-savants ou autodidactes, enclins à reconnaître les signes académiques, convenus, de reconnaissance. Ils sont le dispositif (c'est-à-dire l'audimat) fait hommes : lorsqu'ils coupent des propos qu'ils craignent trop difficiles, ils sont sans doute de bonne foi, sincères. Ils sont les relais parfaits de la structure, et, s'ils ne l'étaient pas, ils seraient virés.

— Dans leur vision de la grève et des grévistes, ils engagent leur inconscient de privilégiés : des uns, ils attendent des justifications ou des craintes (« Dites vos craintes », « De quoi vous plaignez-vous ? »), des autres des explications ou des jugements (« Qu'en pensez-vous ? »).

Questions
aux vrais maîtres du monde

J E NE VAIS PAS ME DONNER LE RIDICULE de décrire l'état du monde médiatique devant des personnes qui le connaissent mieux que moi ; des personnes qui sont parmi les plus puissantes du monde, de cette puissance qui n'est pas seulement celle de l'argent mais celle que l'argent peut donner sur les esprits. Ce pouvoir symbolique, qui, dans la plupart des sociétés, était distinct du pouvoir politique ou économique, est aujourd'hui réuni entre les mains des mêmes personnes, qui détiennent le contrôle des grands groupes de communication, c'est-à-dire de l'ensemble des instruments de production et de diffusion des biens culturels.

Ces personnes très puissantes, j'aimerais pouvoir les soumettre à une interrogation du genre de celle que Socrate faisait subir aux puissants de son temps (dans tel dialogue, il demandait, avec beaucoup de patience et d'insistance, à un général célèbre pour son courage, ce que c'est que le courage, dans un autre, il demandait à un homme connu pour sa piété ce que c'est que la piété, et ainsi de suite ; faisant apparaître, chaque fois, qu'ils ne savaient pas vraiment ce qu'ils étaient). N'étant pas en mesure de procéder de la sorte, je voudrais poser un certain nombre de questions, que ces personnes ne se posent sans doute pas (notamment parce qu'elles n'en ont pas le temps) et qui se ramènent toutes à une seule : maîtres du monde, avez-vous la maîtrise de votre maîtrise ? ou, plus simplement, savez-vous vraiment ce que vous faites, ce que vous êtes en train de faire, toutes les conséquences de ce que vous êtes en train de faire ? Questions auxquelles Platon répondait par la formule célèbre, qui s'applique sans doute aussi ici : « Nul n'est méchant volontairement. »

Vous nous dites que la convergence technologique et économique de l'audiovisuel, des télécommunications et de l'informatique et la confusion des réseaux qui en résulte rendent

Parue dans *L'Humanité* (13.10), *Le Monde* (14.10) ainsi que dans *Libération* (13.10) sous le titre « Maîtres du monde, savez-vous ce que vous faites ? », cette intervention aux journées Canal+ / MTR (Paris, le 11 octobre 1999) fut faite devant un parterre réunissant les patrons des plus grands groupes de l'industrie de la communication.

totalement inopérantes et inutiles les protections juridiques de l'audiovisuel (par exemple les règles relatives aux quotas de diffusion d'œuvres européennes) ; vous nous dites que la profusion technologique liée à la multiplication des chaînes thématiques numérisées répondra à la demande potentielle des consommateurs les plus divers, et que, du fait de cette « *explosion of media choices* », toutes les demandes recevront des offres adéquates, bref, que tous les goûts seront satisfaits. Vous nous dites que la concurrence, surtout lorsqu'elle est associée au progrès technologique, est synonyme de « création ». Je pourrais assortir chacune de mes assertions de dizaines de références, et de citations, en définitive assez redondantes. Un seul exemple, condensant presque tout ce que je viens de dire, et emprunté à Jean-Marie Messier : « Des millions d'emplois ont été créés aux États-Unis grâce à la libéralisation complète des télécoms et aux technologies de la communication. Puisse la France s'en inspirer ! C'est la compétitivité de notre économie et les emplois de nos enfants qui sont en jeu. Nous devons sortir de notre frilosité et ouvrir grandes les vannes de la concurrence et de la créativité. »

Mais vous nous dites aussi que la concurrence des nouveaux entrants, beaucoup plus puissants, qui viennent des télécoms et de l'informatique, est telle que l'audiovisuel a de plus en plus de peine à résister ; que les montants des droits, notamment en matière de sport, sont de plus en plus élevés ; que tout ce que produisent et font circuler les nouveaux groupes de communication technologiquement et économiquement intégrés, c'est-à-dire aussi bien des messages télévisés que des livres, des films ou des jeux télévisés, bref, tout ce que l'on regroupe sous le nom « attrape-tout » *(catch all)* d'« information », doit être traité comme une marchandise comme les autres, à laquelle doivent être appliquées les mêmes règles qu'à n'importe quel produit ; et que ce produit industriel standard doit donc obéir à la loi commune, la loi du profit, en dehors de toute exception culturelle sanctionnée par des limitations réglementaires (telles que le prix unique du livre ou les quotas de diffusion). Vous nous dites enfin que la loi du profit, c'est-à-dire la loi du marché, est éminemment démocratique, puisqu'elle sanctionne le triomphe du produit qui est plébiscité par le plus grand nombre.

À chacune de ces « idées » on pourrait opposer, non pas des idées, au risque d'apparaître comme un idéologue perdu dans les nuées, mais des faits : à l'idée de différenciation et de diversification extraordinaire de l'offre, on pourrait opposer l'extra-ordinaire uniformisation des programmes de télévision, le fait que les multiples réseaux de communication tendent de plus en plus à diffuser, souvent à la même heure, le même type de produits, jeux, *soap operas*, musique commerciale, romans sentimentaux du type *telenovela,* séries policières qui ne gagnent rien, même au contraire, à être françaises, comme Navarro, ou allemandes, comme Derrick, autant de produits issus de la recherche des profits maximaux pour des coûts minimaux ; ou, dans un tout autre domaine, l'homogénéisation croissante des journaux et surtout des hebdomadaires.

Autre exemple, aux « idées » de concurrence et de diversification on pourrait opposer le fait de la concentration extraordinaire des groupes de communication, concentration qui, comme le montre la plus récente fusion, celle de Viacom et de CBS [1], c'est-à-dire d'un groupe orienté vers la production des contenus et d'un groupe orienté vers la diffusion, aboutit à une *intégration verticale telle que la diffusion commande la production.* Le cumul des activités de production, d'exploitation et de diffusion entraîne des abus de position dominante favorisant les films maison : Gaumont, Pathé et UGC assurent eux-mêmes ou dans les salles de leur groupement de programmation la projection de 80 % des films d'exclusivité présents sur le marché parisien ; il faudrait évoquer aussi la multiplication des multiplexes qui font une concurrence déloyale aux petites salles indépendantes, souvent condamnées à la fermeture.

Mais l'essentiel est que les préoccupations commerciales, et en particulier la recherche du profit maximum *à court terme,* s'imposent de plus en plus et de plus en plus largement à l'ensemble des productions culturelles. Ainsi, dans le domaine de l'édition de livres, que j'ai étudié de près, les stratégies des éditeurs sont contraintes de s'orienter sans équivoque vers le succès commercial du fait que, surtout lorsque les maisons d'édition sont intégrées à de grands groupes multimédias, elles doivent dégager des taux de profit très élevés. Je pourrais citer ici M. Thomas Middlehoff, PDG de Bertelsman : selon le journal *La Tribune,* « il a donné deux ans aux 350 centres de profit pour remplir les exigences. [...] D'ici à la fin 2000, tous les

---

1. Ou, au moment où je relis ce texte pour la publication dans la presse (le 12 octobre 2000), la fusion, non moins terrifiante, du géant des médias, Time Warner, et du premier fournisseur mondial d'accès à internet, America Online (AOL).

secteurs doivent assurer plus de 10 % de rentabilité sur le capital investi ».

C'est là qu'il faudrait commencer à poser des questions. J'ai parlé à l'instant de productions culturelles. Est-il encore possible aujourd'hui, et sera-t-il encore longtemps possible de parler de productions *culturelles* et de culture ? Ceux qui font le nouveau monde de la communication et qui sont faits par lui aiment à évoquer le problème de la vitesse, des flux d'informations et des transactions qui deviennent de plus en plus rapides, et ils ont sans doute partiellement raison quand ils pensent à la circulation de l'information et à la rotation des produits. Cela dit, la logique de la vitesse et du profit qui se réunissent dans la poursuite du *profit maximum à court terme* (avec l'audimat pour la télévision, le succès de vente pour le livre – et, bien évidemment, pour le journal –, le nombre d'entrées pour le film) me paraissent difficilement compatibles avec l'idée de culture. Quand, comme disait Ernst Gombrich, le grand historien de l'art, les « conditions écologiques de l'art » sont détruites, l'art et la culture ne tardent pas à mourir.

Pour preuve, je pourrais me contenter de mentionner ce qu'il est advenu du cinéma italien, qui fut un des meilleurs du monde et qui ne survit plus qu'à travers une petite poignée de cinéastes, ou du cinéma allemand, ou du cinéma d'Europe de l'Est. Ou la crise que connaît partout le cinéma d'auteur, faute notamment de circuits de diffusion. Sans parler de la censure que les distributeurs de films peuvent imposer à certains films, le plus connu étant celui de Pierre Carles qui portait, et ce n'est pas par hasard, sur la censure dans les médias. Ou encore le destin d'une radio culturelle comme France Culture, un des rares lieux de liberté à l'égard de la pression du marché et du marketing éditorial, qui est aujourd'hui livrée à la liquidation au nom de la modernité, de l'audimat et des connivences médiatiques.

Mais on ne peut comprendre vraiment ce que signifie la réduction de la culture à l'état de produit commercial que si l'on se rappelle comment se sont constitués les univers de production des œuvres que nous considérons comme universelles dans le domaine des arts plastiques, de la littérature ou du cinéma. Toutes ces œuvres qui sont exposées dans les musées, tous ces ouvrages de littérature devenus classiques, tous ces films conservés dans les cinémathèques et dans les musées du cinéma sont le produit d'univers sociaux qui se sont constitués peu à peu en s'affranchissant des lois du monde ordinaire, et en particulier de la logique du profit. Pour faire comprendre, un exemple : le peintre du quattrocento a dû – on le sait par la lecture des contrats – lutter contre les commanditaires pour que son œuvre cesse d'être traitée comme un simple produit, évaluée à la surface peinte et au prix des couleurs employées ; il a dû lutter pour obtenir le droit à la signature, c'est-à-dire le droit d'être traité comme un auteur, et aussi pour ce que l'on appelle, depuis une date assez récente, les droits d'auteur (Beethoven luttait encore pour ce droit) ; il a dû lutter pour la rareté, l'unicité, la qualité et il n'a dû qu'à la collaboration des critiques, des biographes, des professeurs d'histoire de l'art, etc., de s'imposer comme artiste, comme « créateur ».

Or c'est tout cela qui se trouve menacé aujourd'hui à travers la réduction de l'œuvre à un produit et à une marchandise. Les luttes actuelles des cinéastes pour le *final cut* et contre la prétention du producteur à détenir le droit final sur l'œuvre sont l'équivalent exact des luttes du peintre du quattrocento. Il a fallu près de cinq siècles aux peintres pour conquérir le droit de choisir les couleurs employées, la manière de les employer, puis, tout à la fin, le droit de choisir le sujet, notamment en le faisant disparaître, avec l'art abstrait, au grand scandale du commanditaire bourgeois ; de même, pour avoir un cinéma d'auteurs, il faut avoir tout un univers social, des petites salles et des cinémathèques projetant des films classiques et fréquentées par les étudiants, des ciné-clubs animés par des professeurs de philosophie cinéphiles formés par la fréquentation desdites salles, des critiques avertis qui écrivent dans les *Cahiers du cinéma*, des cinéastes qui ont appris leur métier en voyant des films dont ils rendaient compte dans ces *Cahiers*, bref tout un milieu social dans lequel un certain cinéma a de la valeur, est reconnu.

Ce sont ces univers sociaux qui sont aujourd'hui menacés par l'irruption du cinéma commercial et la domination des grands diffuseurs, avec lesquels les producteurs, sauf quand ils sont eux-mêmes diffuseurs, doivent compter : aboutissement d'une longue évolution, ils sont entrés aujourd'hui dans un processus d'*involution* ; ils sont le lieu d'un retour en arrière, de l'œuvre au produit, de l'auteur à l'ingénieur ou au technicien utilisant des ressources techniques, les fameux effets spéciaux, et des vedettes, les uns et les autres extrêmement coûteux, pour manipuler ou satisfaire les pulsions primaires du spectateur (souvent anticipées grâce aux recherches d'autres techniciens, les spécialistes en marketing). Or on sait tout le temps qui est nécessaire pour créer des créateurs, c'est-à-dire des espaces sociaux de producteurs et de récepteurs à l'intérieur desquels ils puissent apparaître, se développer et réussir.

Réintroduire le règne du commerce et du « commercial » dans des univers qui ont été construits, peu à peu, contre lui, c'est mettre en péril les œuvres les plus hautes de l'humanité, l'art, la littérature et même la science. Je ne pense pas que quelqu'un puisse réellement vouloir cela. C'est pourquoi j'évoquais en commençant la célèbre formule platonicienne « Nul n'est méchant volontairement ». S'il est vrai que les forces de la technologie alliées avec les forces de l'économie, la loi du profit et de la concurrence, menacent la culture, que peut-on faire pour contrecarrer ce mouvement ? Que peut-on faire pour renforcer les chances de ceux qui ne peuvent exister que dans le temps long, ceux qui, à la manière des peintres impressionnistes autrefois, travaillent pour un marché posthume ? Ceux qui travaillent à faire advenir un nouveau marché, par opposition à ceux qui se plient aux exigences du marché actuel et qui en tirent beaucoup de profits immédiats, matériels, économiques, ou symboliques, comme les prix, les académies ou les décorations ?

Je voudrais convaincre, mais il me faudrait sans doute beaucoup de temps, que rechercher le profit immédiat maximum ce n'est pas nécessairement, quand il s'agit de livres, de films ou de peintures, obéir *à la logique de l'intérêt bien compris* : identifier la recherche du profit maximum à la recherche du public maximum c'est s'exposer à perdre le public actuel sans en conquérir un autre, à perdre le public relativement restreint des gens qui lisent beaucoup, fréquentent beaucoup les musées, les théâtres et les cinémas, sans gagner pour autant de nouveaux lecteurs ou spectateurs occasionnels. Si l'on sait que, au moins dans tous les pays développés, la durée de la scolarisation ne cesse de croître, ainsi que le niveau d'instruction moyen, comme croissent du même coup toutes les pratiques fortement corrélées avec le niveau d'instruction (fréquentation des musées ou des théâtres, lecture, etc.), on peut penser qu'une politique d'investissement économique dans des producteurs et des produits dits « de qualité » peut, au moins à terme moyen, être rentable, même économiquement (à condition toutefois de pouvoir compter sur les services d'un système éducatif efficace).

Ainsi le choix n'est pas entre la « mondialisation », c'est-à-dire la soumission aux lois du commerce, donc au règne du « commercial », qui est toujours le contraire de ce que l'on entend à peu près universellement par culture, et la défense des cultures nationales ou telle ou telle forme de nationalisme ou localisme culturel. Les produits kitsch de la « mondialisation » commerciale, celle du film commercial à grand spectacle et à effets spéciaux, ou encore celle de la « *world fiction* », dont les auteurs peuvent être italiens ou anglais, s'oppose sous tous rapports aux produits de l'internationale littéraire, artistique et cinématographique, dont le centre est partout et nulle part, même s'il a été très longtemps et est peut-être encore à Paris, lieu d'une tradition nationale d'internationalisme artistique, en même temps qu'à Londres et à New York. De même que Joyce, Faulkner, Kafka, Beckett ou Gombrowicz, produits purs de l'Irlande, des États-Unis, de la Tchécoslovaquie ou de la Pologne, ont été faits à Paris, de même nombre de cinéastes contemporains comme Kaurismaki, Manuel de Olivera, Satyajit Ray, Kieslowski, Woody Allen, Kiarostami, et tant d'autres, n'existeraient pas comme ils existent sans cette internationale littéraire, artistique et cinématographique dont le siège social est situé à Paris. Sans doute parce que c'est là que, pour des raisons strictement historiques, le microcosme de producteurs, de critiques et de récepteurs avertis qui est nécessaire à sa survie s'est constitué depuis longtemps et a réussi à survivre [2].

Il faut, je le répète, plusieurs siècles pour produire des producteurs produisant pour des marchés posthumes. C'est mal poser les problèmes que d'opposer, comme on le fait souvent, une « mondialisation » et un mondialisme qui seraient du côté de la puissance économique et commerciale, et aussi du progrès et de la modernité, à un nationalisme attaché à des formes archaïques de conservation de la souveraineté. Il s'agit en fait d'une lutte entre une puissance commerciale visant à étendre à l'univers les intérêts particuliers du commerce et de ceux qui le dominent, et une résistance culturelle fondée sur la défense des œuvres universelles produites par l'internationale dénationalisée des créateurs.

Je veux finir par une anecdote historique, qui a aussi rapport avec la vitesse, et qui dira bien ce que devraient être, selon moi,

---

2. Je m'appuie ici sur les analyses de Pascale Casanova, *La République mondiale des lettres*, Seuil, Paris, 1999.

les relations qu'un art affranchi des pressions du commerce pourrait entretenir avec les pouvoirs temporels. On raconte que Michel-Ange mettait si peu de formes protocolaires dans ses rapports avec le pape Jules II, son commanditaire, que celui-ci était obligé de s'asseoir très vite pour éviter que Michel-Ange ne soit assis avant lui. En un sens, on pourrait dire que j'ai essayé de perpétuer ici, très modestement, mais très fidèlement, la tradition, inaugurée par Michel-Ange, de distance à l'égard des pouvoirs, et tout spécialement de ces nouveaux pouvoirs que sont les puissances conjuguées de l'argent et des médias.

En résistance à la contre-révolution libérale

EN PRISE SUR LE CONTEXTE INTERNATIONAL *de contre-révolution libérale qui installe l'économie au pouvoir, Pierre Bourdieu ajoute une sociologie de l'économie aux analyses des effets sociaux des logiques économiques. Dans* Les Structures sociales de l'économie *(2000), il rassemble et reprend une vaste enquête parue au début des années 1990 sur le marché du logement, un texte d'analyse historique des politiques des États en matière de mouvement des capitaux et de délocalisation des entreprises, ainsi que les « principes d'une anthropologie économique » érigés contre la « vision anhistorique de la science économique »* [1].

Parallèlement, le sociologue synthétise ses travaux sur l'Algérie, la « genèse sociale de l'habitus économique » et le « biais scolastique » ; thèmes qui parcourent ses textes sur l'économie des pratiques depuis sa première critique du structuralisme, formulée à l'occasion de l'analyse des stratégies des paysans béarnais [2], *formalisée une première fois dans* Esquisse d'une théorie de la pratique *(1972) et reprise dans* Le Sens pratique *(1980) avant de donner lieu à une critique systématique de la raison scolastique dans les* Méditations pascaliennes *(1997).*

Face à la constitution d'un espace économique mondial unifié selon la logique d'une concentration du capital conforme aux intérêts d'une « internationale conservatrice des dirigeants et des cadres des multinationales industrielles » (appuyés par l'action d'institutions internationales comme le Fonds monétaire international ou la Banque mondiale), Pierre Bourdieu soutient les mouvements en lutte contre la mondialisation néolibérale lors des manifestations de Nice (décembre 2000) et de Québec (avril 2001) [lire p. 455, 457 & 461].

Le relatif succès de ces luttes ne l'empêche toutefois pas de rester attentif à d'autres enjeux internationaux – parmi lesquels l'Algérie garde une place à part – pour des interventions dans des cadres collectifs. Ainsi la mise en cause du silence complice des

---

1. *Les Structures sociales de l'économie*, Seuil, Paris, 2000.
2. « Les relations entre les sexes dans la société paysanne », *Études rurales*, n° 5/6, 1962, repris *in Le Bal des célibataires*, Seuil, Paris, 2002.

instances nationales ou internationales face au « bain de sang »
autorisé, voire fomenté, par les hiérarques de l'armée et de l'État
algériens [lire p. 429] *; et le soutien des initiatives contre les guerres*
qui ponctuent les années 1990, dans le Golfe puis les Balkans [lire
p. 433]*. Ces prises de position doivent être replacées dans le cadre*
des analyses d'une situation internationale où « la communauté
mondiale a donné carte blanche aux États-Unis pour faire régner
un certain ordre », où « les rapports de force sont écrasants en
faveur des dominants », où ne règne plus que « la justice du plus
fort » **3***. Qu'un tel rapport de force transnational puisse être pré-*
senté comme une nécessité naturelle est pour le sociologue le résul-
tat de « vingt ans de travail des think tanks *conservateurs et de*
leurs alliés dans les champs politique et journalistique », inven-
teurs d'une « nouvelle vulgate planétaire » dont il est impératif de
dévoiler les intentions et le travail sur les consciences [lire p. 443] **4***.*

C'est toutefois au niveau européen que Pierre Bourdieu situe le
terrain privilégié d'un renouveau des luttes, auquel il consacre un
texte paru en juin 1999 dans Le Monde diplomatique, *où il cri-*
tique la construction européenne, qui n'est « pour l'instant
[qu']une destruction sociale » **5***.*

L'« Appel pour des états généraux du mouvement social euro-
péen » (1er mai 2000) [lire p. 440] *constitue alors une tentative pour*
regrouper les militants anticapitalistes, au niveau européen, dans
une structure semblable aux mouvements sociaux des années
1990, caractérisés selon Pierre Bourdieu par le refus des formes
traditionnelles de mobilisation politique, une inspiration
autogestionnaire favorisant la participation de la base et un pri-
vilège accordé à l'action directe **6***.*

> Certaines oppositions récurrentes, comme celle qui s'éta-
> blit entre la tradition libertaire et la tradition autoritaire,
> ne sont que la transcription au plan des luttes idéolo-
> giques de la contradiction fondamentale du mouvement
> révolutionnaire, contraint de recourir à la discipline et à

---

3. Entretien dans *Flux News* (14 décembre 2001), *op. cit.*, p. 24.
4. Lire également « Les ruses de la raison impérialiste » (avec Loïc Wacquant), *Actes de la recherche en sciences sociales*, 1998, n° 121/122.
5. « Pour un mouvement social européen », *Le Monde diplomatique*,
juin 1999, repris dans *Contre-feux 2*, Raisons d'agir, Paris, 2001, p. 14.
6. Lire « Les objectifs d'un mouvement social européen » (disponible,
avec de nombreux autres textes d'intervention de cette période, sur
<www.samizdat.net>) publié sous le titre « Contre la politique de dépoli-
tisation », *ibid.*

l'autorité, voire à la violence, pour combattre l'autorité et la violence. Contestation hérétique de l'Église hérétique, révolution contre le « pouvoir révolutionnaire établi », la critique « libertaire » en sa forme « spontanéiste » s'efforce d'exploiter contre ceux qui dominent le Parti la contradiction entre les stratégies « autoritaires » au sein du Parti et les stratégies « anti-autoritaires » du Parti au sein du champ politique dans son ensemble. Et l'on retrouve jusque dans le mouvement anarchiste, qui reproche au marxisme son autoritarisme, une opposition de même forme entre la pensée « plate-formiste » qui, soucieuse de poser les fondements d'une organisation anarchiste puissante, rejette au second plan la revendication de la liberté illimitée des individus et des petits groupes, et la pensée « synthétiste » qui entend laisser leur pleine indépendance aux individus. [7]

Fondées sur le rejet de toute récupération politique, dans la tradition libertaire de la gauche [lire p. 165]*, réactivée par l'« Appel pour l'autonomie du mouvement social* [8] *», les interventions de Pierre Bourdieu entendent alors impulser des actions politiques appuyées sur des savoirs pratiques et permettre l'émergence d'une coordination européenne des mouvements sociaux et des syndicats échappant à l'emprise – et aux compromis – d'institutions dont la Confédération européenne des syndicats fournit alors le modèle. Dans cette perspective, les rencontres de Vienne (novembre 2000) puis d'Athènes (mai 2001)* [lire p. 465] *visent à installer une forme de travail politique soucieuse d'échapper aussi bien à la logique du meeting politique qu'à celle du colloque académique.*

---

7. « La représentation politique » (1981), in *Langage et pouvoir symbolique*, *op. cit.*, p. 234.
8. Cet appel fut notamment lancé, en 1998, par des syndicalistes de SUD et des militants des associations qui ont organisé les marches européennes contre le chômage et la précarité ; certains des initiateurs comptent également parmi les premiers signataires des états généraux du mouvement social européen. (Lire notamment Bertrand Schmitt & Patrice Spadoni, *Les Sentiers de la colère, 15 472 kilomètres à pieds contre le chômage*, L'Esprit frappeur, 2000. Préface de Pierre Bourdieu, « Misère du monde et mouvements sociaux », p. 15-21.)

Lettre ouverte aux membres de la mission de l'ONU en Algérie

À LA DEMANDE du secrétaire général des Nations unies, une délégation présidée par M. Mario Soares, composée de Mme Simone Veil, MM. I. K. Jurgal, Abdel Karim Kabariti, Donald McHenry et Amos Wako, doit se rendre en Algérie le 22 juillet prochain pour une « mission d'information » d'une quinzaine de jours. En tant que membres du Comité international pour la paix, la démocratie et les droits de l'homme en Algérie, récemment créé à Paris, nous ne pouvons que nous réjouir de cette initiative. Nous espérons très vivement qu'elle aidera à faire la lumière sur une situation complexe, confuse et opaque, contribuant par là même au retour à la paix civile en Algérie.

Le gouvernement algérien a voulu cette mission et il lui a promis un « accès libre et entier » à toutes les sources d'information. Certes, nous ne doutons pas que ses membres pourront rencontrer des représentants des forces vives de la nation. Les ministres compétents leur expliqueront ainsi que l'on vit aujourd'hui normalement en Algérie, même s'il existe encore un « terrorisme résiduel ». Ils leur indiqueront que son éradication est contrariée par la trop grande tolérance des gouvernements occidentaux à l'égard des groupes islamistes clandestins qui utilisent leurs pays comme bases arrières du terrorisme en Algérie. Et ils insisteront sur l'urgence d'une meilleure coordination antiterroriste internationale. Surtout, tous souligneront que cette réalité ne doit pas occulter le bon fonctionnement des nouvelles « institutions démocratiques », ni la réalité de la liberté d'expression de la « presse indépendante ».

Ce que confirmeront la grande majorité des représentants de l'Assemblée nationale et du Sénat, ainsi que les rédacteurs

---

Pour le Comité international pour la paix, la démocratie et les droits de l'homme en Algérie, ce texte a été cosigné par Majid Benchikh, Tassadit Yacine (Algérie), Patrick Baudoin, Pierre Bourdieu, François Gèze, Pierre Vidal-Naquet (France), Anna Bozzo (Italie), Inga Brandel (Suède) et Werner Ruf (Allemagne). Sur ce modèle, deux autres textes collectifs interpellent, en février 2001, le gouvernement français, puis, en mai 2001, la Commission europénne.

en chef des différents médias, qui ne manqueront pas de souligner la liberté de ton dont ils font preuve quotidiennement. De même, le président de l'Observatoire national des droits de l'homme (ONDH, placé auprès du président de la République), Me Kamel Rezzag Bara, reconnaîtra l'existence de « bavures et dépassements » de la part des forces de l'ordre, mais il expliquera que ceux-ci restent limités et qu'ils sont systématiquement poursuivis et sanctionnés par la justice. Ce que confirmeront les membres du Conseil supérieur de la magistrature, lesquels souligneront leur rôle de garants de l'indépendance des magistrats.

La délégation rencontrera enfin des représentants de la « société civile » : des associations de femmes, de personnels de santé, des militants pour le logement, des syndicalistes de l'UGTA… Elle sera sûrement impressionnée par leur liberté de propos, y compris dans la critique du pouvoir, et par leur courage face aux drames provoqués par le terrorisme islamiste et aux difficultés de la vie quotidienne.

Si les membres de la mission de l'ONU s'en tiennent à toutes ces rencontres, ils quitteront sans doute l'Algérie avec le sentiment que le pays vit certes encore des heures difficiles, mais qu'il est sur la voie d'une vraie démocratie, comme en aura témoigné la pluralité de leurs interlocuteurs. Et pourtant, ceux-ci ne représentent qu'une faible fraction de la société, celle qui est structurée dans et autour du « pouvoir réel », termes utilisés par les Algériens pour désigner les chefs de l'armée. Si la délégation souhaite « connaître toute la réalité de la situation algérienne dans toutes ses dimensions », comme l'y a conviée l'ambassadeur algérien à l'ONU, M. Abdallah Baali, nous invitons ses membres à prendre ce dernier au mot pour élargir ses investigations.

Nous les invitons par exemple à rencontrer, sans témoins, les avocats de victimes des « bavures et dépassements » des forces de l'ordre, qu'ils pourront contacter par l'intermédiaire du Syndicat national des avocats, présidé par Me Mahmoud Khellili, ou de la Ligue algérienne de défense des droits de l'homme, présidée par Me Ali Yahia Abdenour. Ils leur parleront des jugements prononcés par les tribunaux sur la seule foi d'aveux extorqués sous la torture, des violations systématiques des droits de la défense, des exécutions extrajudiciaires devenues monnaie courante.

Nous les invitons à rencontrer, sans témoins, les représentants du Syndicat national de la magistrature, qui réclament l'abrogation du décret exécutif du 24 octobre 1992 ayant pratiquement réduit à néant l'indépendance des juges, et s'opposent au récent projet de loi sur le statut de la magistrature qui aggraverait encore cette situation.

Nous les invitons à rencontrer, sans témoins, les représentants des milliers de familles à la recherche de leurs proches « disparus », enlevés par des éléments des forces de sécurité ou par des « escadrons de la mort » liés aux milices du pouvoir.

Nous les invitons à rencontrer, sans témoins, les journalistes des organes de presse « suspendus » ou interdits.

Nous sommes convaincus que de tels témoignages les aideront à interpeller avec précision leurs interlocuteurs officiels sur les dénonciations faites depuis plusieurs années par les organisations de défense des droits de l'homme, en leur posant notamment les questions suivantes :

— Pourquoi l'armée algérienne, qui, selon les termes de la Constitution, ne joue aucun rôle politique, occupe-t-elle selon tous les observateurs de bonne foi une place aussi décisive dans le système politique, en imposant ses choix – ouvertement ou non – lors de chaque échéance importante ?

— Quelles garanties l'État s'est-il donné pour que la nécessaire répression des actions terroristes soit menée dans le respect des conventions et pactes internationaux sur les droits de l'homme ratifiés par l'Algérie ?

— Est-il possible de visiter les quatorze lieux de détention de la région d'Alger désignés comme des centres de torture par la Fédération internationale des droits de l'homme ?

— Est-il exact que 18 000 prisonniers politiques seraient actuellement détenus « pour des faits de terrorisme » ? Dans quelles conditions ont-ils été jugés et condamnés ?

— L'« arrêté ministériel » du 7 juin 1994, qui interdit aux médias de diffuser d'autres informations sur la « situation sécuritaire » que les « communiqués officiels » du ministère de l'Intérieur, est-il toujours en vigueur ? Est-il exact que des « comités de lecture » du ministère de l'Intérieur sont présents au sein des trois imprimeries publiques qui impriment les quotidiens algérois ?

— Pourquoi, lors des massacres survenus entre l'été 1997 et le début de 1998, les forces de l'ordre ne sont-elles pas intervenues, alors même que certaines de leurs unités étaient souvent stationnées à proximité ? Des enquêtes ont-elles été diligentées à propos des témoignages recueillis par Amnesty International, donnant, selon cette organisation, « du poids aux informations selon lesquelles les membres des groupes armés qui massacrent des civils agissent parfois de concert avec certaines unités de l'armée et des forces de sécurité, ou avec leur consentement » ?

— Est-il exact, comme l'a indiqué le Premier ministre M. Ahmed Ouyahia, qu'il existe 5 000 « groupes de légitime défense » (GLD) dont le statut est défini par la loi du 4 janvier 1997 ? L'existence de ces GLD, qui rassembleraient quelque 150 000 hommes, est-elle compatible depuis leur création en 1994 avec le Pacte international relatif aux droits civils et politiques de l'ONU, ratifié par l'État algérien en 1989 ? Est-il exact que ces GLD participent à des actions offensives avec les forces de sécurité ? En vertu de quels textes légaux ?

— Quelles suites l'ONDH a-t-il donné aux 1 928 requêtes de localisation de personnes disparues dont il a reconnu avoir été saisi entre 1994 et 1996 ? A-t-il depuis été saisi de nouvelles requêtes ? Si oui combien, et quelles suites leur a-t-il données ?

Nous espérons très vivement que la délégation pourra obtenir des réponses sincères à ces questions, et à toutes celles qu'elle jugera utile de poser. Il en va à nos yeux de la crédibilité et de l'efficacité de sa mission : tout doit être tenté pour éviter que le peuple algérien soit poussé encore davantage au désespoir en pensant que la communauté internationale n'intervient que pour conforter le *statu quo*. Nous voulons également espérer que cette visite ne sera pas utilisée pour exonérer une fois de plus l'État algérien de ses engagements de coopération avec les instances compétentes des Nations unies, engagements liés aux traités internationaux qu'il a ratifiés. Il est en particulier urgent que le gouvernement accorde aux deux rapporteurs spéciaux de l'ONU chargés des exécutions extrajudiciaires et de la torture l'autorisation de venir enquêter en Algérie qu'ils attendent depuis 1993.

Seules des politiques d'ouverture fondées sur le respect des droits de l'homme et des libertés démocratiques peuvent permettre le retour à la paix et la marginalisation des extrémistes, conditions indispensables à l'essor de l'Algérie et à la stabilité de la région. Nous espérons que vous pourrez faire entendre ce message.

Appel européen pour une paix juste & durable dans les Balkans

LES PARTICIPANT(E)S à la réunion internationale tenue à Paris le 15 mai 1999 se sont fait l'écho de nombreux appels convergents qui, en Europe et aux États-Unis notamment, se sont opposés à la fois à l'« épuration ethnique » au Kosovo et aux bombardements de l'Organisation du traité de l'Atlantique Nord (OTAN) contre la Yougoslavie.

Les États qui ont lancé ou soutenu cette guerre non déclarée, menée en dehors de toute légalité internationale, ont prétendu qu'elle était morale et légitime puisqu'elle serait exclusivement justifiée par la défense des droits et des vies d'un peuple. Ils admettent que des « erreurs » ou des « dégâts collatéraux » ont été commis, mais il ne s'agirait que de « faux pas dans la bonne direction ». Toute critique envers la guerre de l'OTAN reviendrait, nous a-t-on dit, à soutenir le régime de Slobodan Milosevic ou, au mieux, à refuser d'agir contre sa politique réactionnaire.

Tout cela est faux. Quel est le bilan de plusieurs semaines de bombardement de l'OTAN ? Une tragédie ! Chaque jour qui passe, la guerre aggrave la situation des populations civiles et rend de plus en plus difficile la résolution des conflits nationaux au Kosovo et dans l'ensemble de l'espace balkanique. On ne peut tenir pour moraux et légitimes : une guerre qui fournit un prétexte à une terrible aggravation du sort du peuple kosovar qu'elle prétendait secourir et favorise son exode provoqué ; une guerre qui soude autour du régime répressif de Slobodan Milosevic la population yougoslave agressée et ainsi aveuglée sur les responsabilités de Belgrade dans le nettoyage ethnique des Kosovars ; une guerre qui renforce le régime, fragilise son opposition démocratique, y compris au Monténégro, et déstabilise la Macédoine ; des bombardements qui tuent des populations civiles, détruisent des infrastructures, des usines et des écoles.

Paru dans *L'Humanité* (17 mai 1999), ce texte collectif est issu d'une rencontre, le 15 mai, dans les locaux du Parlement européen à Paris.

Cette guerre contredit en tous points ses buts affichés. Elle favorise un catastrophique engrenage, dont il faut sortir au plus tôt : entre, d'un côté, l'intensification des bombardements, poursuivis pour tenter de sauver la « crédibilité » de l'OTAN et, de l'autre, l'expulsion brutale et massive de populations, accompagnée d'un déchaînement de violences sans commune mesure avec la répression qui sévissait avant le déclenchement des bombardements.

Il n'est pas vrai que tout avait été tenté et que les bombardements étaient une riposte efficace à la répression serbe et une réponse appropriée à la défense des vies et des droits des Kosovars. Rien n'a été fait pour maintenir et élargir la présence des observateurs de l'Organisation pour la sécurité et la coopération en Europe (OSCE) et pour impliquer les États voisins et les populations concernées dans la recherche de solutions. Les gouvernements occidentaux ont accéléré la désintégration yougoslave et ils n'ont jamais traité de façon systématique les questions nationales imbriquées de cette fédération. Ils ont entériné le dépeçage ethnique de la Bosnie-Herzegovine conjointement organisé à Belgrade et à Zagreb. Et ils ont laissé s'enliser la question albanaise du Kosovo parce qu'ils préféraient ignorer l'expulsion des Serbes de la Krajina croate.

À l'occasion des négociations de Rambouillet, ils ont opté pour le recours aux armées de l'OTAN au lieu de proposer une force d'interposition internationale, agissant sur mandat de l'ONU, alors qu'une telle proposition aurait pu être légitimement imposée face à un refus de Milosevic : cette force d'interposition aurait été beaucoup plus efficace pour protéger les populations que les bombes de l'OTAN. Aujourd'hui, il faut exiger : le retour de populations albanaises sous protection internationale, placée sous la responsabilité de l'Assemblée générale des Nations unies ; le retrait des forces serbes du Kosovo. Et, pour atteindre ces objectifs, obtenir « d'abord » la cessation immédiate des bombardements.

La réouverture d'un processus de négociation sur ces bases, dans le cadre de l'Organisation des Nations unies (ONU), non seulement n'implique aucune confiance envers Slobodan Milosevic, mais elle serait plus déstabilisatrice pour son pouvoir que les bombes qui n'ont, depuis quelques semaines, affecté que la population et l'opposition yougoslaves. Une telle démarche doit reposer sur un principe et s'accompagner de moyens indispensables. Un principe : le respect du droit des peuples, et notamment du peuple kosovar albanais et serbe, à décider eux-mêmes de leur propre sort, dans le respect des droits des minorités. Des moyens : une aide économique aux États balkaniques, uniquement et strictement subordonnée au respect des droits individuels et collectifs ; une enquête sur les atrocités commises au Kosovo, conduite sous l'autorité du Tribunal pénal international ; le respect du droit d'asile, selon les termes de la convention de Genève ; l'accueil de tous les réfugiés qui le souhaitent et des déserteurs yougoslaves et leur libre circulation dans tous les pays d'Europe.

Nous exigeons enfin un débat dans nos pays sur le bilan de l'OTAN, sur le rôle qu'elle s'attribue désormais et sur les perspectives de la sécurité en Europe. Celle-ci ne saurait reposer, à nos yeux, sur une logique de guerre ou d'augmentation des dépenses d'armement, destinée à mener une politique de grande puissance, mais avant tout sur une politique de développement et d'éradication de la misère sociale et de réalisation des droits universels des peuples et des êtres humains, hommes et femmes.

Nous poursuivrons quant à nous :

— l'action de solidarité avec les oppositions démocratiques, politiques, syndicales, associatives, féministes, qui résistent aux pouvoirs réactionnaires ;

— l'action de solidarité avec les populations expulsées, en défense de leur droit d'asile comme de leur droit au retour et à l'autodétermination.

Les signataires décident : de se coordonner de façon durable pour la réalisation de ces objectifs ; de mener en commun sur ces bases un travail de réflexion et de se réunir à nouveau en juin ou en septembre dans une capitale européenne ; de faire signer cet appel et de le soumettre aux candidat(e)s aux élections européennes.

Pour une Autriche
à l'avant-garde de l'Europe

Q UE PUIS-JE DIRE AUX AUTRICHIENS PROGRESSISTES devant ce qui arrive à l'Autriche ? Je risque de paraître naïf, n'étant pas en Autriche, n'étant pas Autrichien, mais je voudrais au moins tenter de les aider à se défendre contre certaines définitions, imposées du dehors, de leur propre situation et contre les donneurs de leçons pharisiens qui, en ramenant sans cesse à des situations du passé, interdisent de voir et d'affronter le présent dans sa vérité. Je pense que la référence que l'on fait trop rapidement à Hitler et au nazisme, et qui repose sur des soupçons *a priori* et des associations non réfléchies, est superficielle et interdit de saisir la spécificité de ce qui arrive ; cette référence empêche d'analyser sérieusement l'ensemble des causes qui ont rendu possible l'ascension de ce personnage à la fois insignifiant et odieux que je ne veux même pas nommer (si j'avais une recommandation à faire, notamment aux intellectuels et aux journalistes, ce serait de ne plus jamais citer son nom).

Si l'on veut à tout prix trouver des analogies, il faut les chercher non dans l'Allemagne des années 1930, mais du côté des États-Unis, à une période beaucoup plus récente, avec un personnage comme Ronald Reagan, bellâtre de cinéma de série B, toujours bronzé, toujours bien coiffé, comme aujourd'hui tel autre, que je ne veux pas nommer, et porteur, comme lui, d'idéologies ultra-nationalistes, ultra-réactionnaires et prêt, comme lui, à jouer le rôle d'un fantoche au service des intérêts et des volontés les plus conservateurs des forces économiques, d'une incarnation chic – même pas chic, *kitsch* – du *laissez-faire* radical. On pourrait continuer avec Margaret Thatcher, mais, pour aller vite, je passerai à Tony Blair, autre sourire hollywoodien, qui, aujourd'hui même, à Lisbonne, prend sur l'Europe des positions plus réactionnaires que celles d'un président français de droite.

Lue par un représentant lors d'une conférence sur « la valeur politique du secteur de la culture entre le marché et l'État » (IG Kultur Österreich, Vienne, 31 mars 2000), cette intervention fait suite à l'entrée d'un parti d'extrême droite dans le gouvernement autrichien.

Mais, si l'on s'interroge non seulement sur les analogies et sur les précédents, qui n'expliquent pas grand-chose, mais sur les *causes*, il faut chercher du côté de ce qui se passe dans le monde politique international, avec le triomphe sans partage du néolibéralisme, simple masque, modernisé, du conservatisme le plus archaïque, de la vieille « révolution conservatrice » qui a produit toute une masse de gens déboussolés, démoralisés, prêts, par désespoir, à se livrer au premier démagogue venu, à la faveur de la mystification dont les médias se font les complices pour les besoins de l'audimat.

En face de cette révolution conservatrice, qu'est-ce qu'on peut faire ? On peut évidemment lutter symboliquement, notamment en se mettant collectivement au travail pour approfondir l'analyse du phénomène et pour inventer, avec l'aide d'artistes, de nouvelles formes d'action symbolique efficaces. Mais on peut aussi mettre en place de nouvelles structures de résistance, et en particulier opposer à ces nationalismes débiles un nouvel internationalisme, une résistance politique internationale. Nous avons, depuis deux mois, lancé l'idée, avec un certain nombre de syndicats et de mouvements de différents pays européens, d'un rassemblement de tous les mouvements, syndicaux bien sûr, mais aussi associatifs (mouvements en faveur des chômeurs, des sans-emploi, des sans-papiers, des sans-logis, etc.) autour de l'élaboration d'une Charte de l'État social européen.

En ce moment où l'on découvre brusquement qu'un clown fantoche que personne ne peut prendre au sérieux menaçait de prendre le pouvoir, je crois que cette Autriche qui a été réveillée en sursaut pourrait réveiller l'Europe. Évidemment, c'est à cela que tous les Européens devraient collaborer. Tous les intellectuels, tous les responsables syndicaux, associatifs, européens, laissant de côté toutes les consignes débiles de boycott, devraient être aux côtés des forces critiques et progressistes qui se sont mobilisées en Autriche : je pense en particulier aux jeunes. J'ai été frappé de voir dans tous les reportages filmés la représentation massive de ces jeunes que l'on dit « dépolitisés » et qui sont simplement démoralisés par les politiques, dégoûtés de la politique par le cynisme et l'opportunisme des politiques. Parce que si le fascistoïde dont on prononce sans cesse le nom est l'opportuniste par excellence, le caméléon, il n'est que la limite de ces hommes politiques qui peuvent dans une même carrière aller de l'extrême gauche au centre droit, voire au-delà, en habillant leurs retournements et leurs reniements d'une rhétorique socialiste. Cette jeunesse, que l'on dit démoralisée, dépolitisée, attend un message politique qui ne soit pas, comme celui de l'extrême droite, un pur verbalisme du « Y a qu'à » (« Y a qu'à faire ci… Y a qu'à faire ça… »), associé à l'exaltation du *laissez-faire* néolibéral, sans être pour autant ce faux réalisme que prêchent les zélateurs socio-démocrates de l'économie néolibéralisée.

Quel message ? Je ne vais pas faire ici un programme au pied levé ; mais nous allons publier ce projet de Charte, que je souhaite voir signée par beaucoup d'Autrichiens, dans tous les journaux européens – pour autant que nous obtiendrions la complicité des journaux, ce qui ne va pas de soi –, le 1er mai, date symbolique, de l'an 2000. Nous aurons une réunion en septembre ou octobre pour mettre au point la Charte qui sera préparée entre-temps. Ensuite nous espérons faire une grande réunion à Athènes, qui serait – ce sont des grands mots… – quelque chose comme les états généraux du mouvement social européen, c'est-à-dire la constitution d'une force politique internationale capable de s'opposer au vrai adversaire, c'est-à-dire à la force brute de l'économie habillée d'une rhétorique néolibérale.

Voilà ce que je voulais vous dire. Je demande pardon à ceux que j'ai pu surprendre, voire choquer. En tout cas, ma conviction est entière que, bizarrement, l'Autriche et les Autrichiens progressistes peuvent être l'avant-garde de ce mouvement social européen que nous devons absolument créer pour lutter contre les forces qui menacent la démocratie, la culture, le cinéma libre, la littérature libre, etc., et dont celui que je ne veux pas nommer n'est qu'un épiphénomène insignifiant et détestable.

Le manifeste « pour des états généraux du mouvement social », qui est issu de discussions menées depuis plusieurs années en différents pays d'Europe, vise à créer les conditions intellectuelles et institutionnelles d'un rassemblement de toutes les forces critiques et progressistes.

Il sera publié, dans les jours qui viennent, à l'occasion du 1er mai, dans des journaux d'Allemagne, d'Angleterre, d'Espagne, de Grèce et d'Italie, ainsi que de nombreux autres pays européens et non européens (Argentine, Bolivie, Corée, Japon, etc.).

Il marque le début d'un vaste travail collectif, interdisciplinaire et international, visant à définir les principes d'une véritable alternative politique à la politique néolibérale qui tend à s'imposer dans tous les pays, parfois sous l'égide de la social-démocratie, et à inventer les moyens organisationnels et institutionnels nécessaires pour en imposer la mise en œuvre.

Il trouvera une premier prolongement dans l'élaboration, à travers une série de réunions de travail, d'une charte du mouvement social européen et dans la tenue d'états généraux du mouvement social européen dans les prochains mois.

Ceux qui veulent s'engager dans ce projet, qui a reçu l'approbation de très nombreux représentants d'associations, de syndicats et d'organisations ainsi que d'artistes, d'écrivains, de chercheurs, peuvent envoyer leurs signatures, accompagnées éventuellement de suggestions, de propositions et de commentaires, sur le site <www.raisons.org> où ils trouveront la liste complète et détaillée des premiers signataires.

Pierre Bourdieu

Manifeste pour des états généraux du mouvement social européen

POUR QUE LES MOUVEMENTS SOCIAUX qui se sont affirmés partout en Europe au cours des dernières années puissent se perpétuer et s'amplifier, il importe de rassembler, d'abord à l'échelle européenne, les collectifs concernés, syndicats et associations, dans un réseau organisé, dont la forme est à inventer, qui soit capable de cumuler les forces, d'orchestrer les objectifs et d'élaborer des projets communs. Ces mouvements, malgré toutes leurs différences, voire leurs différends, ont en commun, entre autres choses, de prendre la défense de tous les laissés-pour-compte de la politique néolibérale et, du même coup, les problèmes laissés pour compte par cette politique.

Ces problèmes sont ignorés ou refoulés par les partis sociaux-démocrates qui, soucieux avant tout de gérer l'ordre économique établi de manière à conserver la gestion de l'État, s'accommodent des inégalités croissantes, du chômage et de la précarité. Il importe qu'un véritable contre-pouvoir critique soit capable de les remettre en permanence à l'ordre du jour, à travers des formes d'action diversifiées exprimant, comme à Seattle, les aspirations des citoyens et des citoyennes.

Ce contre-pouvoir devant affronter des forces internationales, institutions et firmes multinationales, il doit être lui-même international et, pour commencer, européen. Face à des forces orientées vers la conservation et la restauration du passé, notamment à travers le démantèlement de tous les vestiges de « l'État-providence », il doit être une force de mouvement qui pourrait et devrait contraindre les organisations internationales, les États et leurs gouvernements à édicter et à mettre en œuvre des mesures efficaces pour contrôler les marchés financiers et pour lutter contre les inégalités à l'intérieur des nations et entre les nations.

C'est pourquoi nous proposons que soient tenus, avant la fin de l'année 2000, des états généraux du mouvement social

---

Texte collectif paru dans *Le Monde*, 1er mai 2000, avec l'introduction ci-contre.

européen qui auraient pour but d'élaborer une charte du mouvement social et de poser les fondements d'une structure internationale rassemblant toutes les formes organisationnelles et intellectuelles de résistance à la politique néolibérale, et cela en toute indépendance à l'égard des partis et des gouvernements.

Ces états généraux devraient donner lieu premièrement à une confrontation ouverte des différents projets de transformation sociale visant à contrecarrer les processus économiques et sociaux actuellement en cours (flexibilisation, précarisation, paupérisation, etc.), et à combattre les mesures de plus en plus étroitement « sécuritaires » par lesquelles les gouvernements européens tendent à en neutraliser les effets ; deuxièmement, à la création de liens permanents propres à rendre possible la mobilisation rapide en vue d'actions communes de tous les collectifs réunis – sans introduire aucune forme de contrainte centralisatrice et sans rien perdre de la diversité des inspirations et des traditions ; troisièmement, à la définition d'objectifs communs pour des actions nationales et internationales, orientées vers la construction d'une société solidaire, fondée sur l'unification et l'élévation des normes sociales.

Le rassemblement de tous ceux et celles qui tirent de leur combat quotidien contre les effets les plus funestes de la politique néolibérale une connaissance pratique des virtualités subversives qu'ils enferment pourrait ainsi déclencher un processus de riposte et de création collective capable d'offrir à ceux et celles qui ne se reconnaissent plus dans le monde tel qu'il est l'utopie réaliste autour de laquelle pourraient s'organiser des efforts et des combats différents, mais convergents.

La nouvelle vulgate planétaire

DANS TOUS LES PAYS AVANCÉS, patrons et hauts fonctionnaires internationaux, intellectuels médiatiques et journalistes de haute volée se sont mis de concert à parler une
étrange novlangue dont le vocabulaire, apparemment surgi de
nulle part, est dans toutes les bouches : « mondialisation » et
« flexibilité » ; « gouvernance » et « employabilité » ; « *under-
class* » et « exclusion » ; « nouvelle économie » et « tolérance
zéro » ; « communautarisme », « multiculturalisme » et leurs
cousins « postmoderne », « ethnicité », « minorité », « identité », « fragmentation », etc.

La diffusion de cette nouvelle vulgate planétaire – dont sont
remarquablement absents capitalisme, classe, exploitation,
domination, inégalité, autant de vocables péremptoirement
révoqués sous prétexte d'obsolescence ou d'impertinence pré-
sumées – est le produit d'un impérialisme proprement symbolique. Les effets en sont d'autant plus puissants et pernicieux
que cet impérialisme est porté non seulement par les partisans
de la révolution néolibérale, lesquels, sous couvert de modernisation, entendent refaire le monde en faisant table rase des
conquêtes sociales et économiques résultant de cent ans de
luttes sociales, et désormais dépeintes comme autant d'ar-
chaïsmes et d'obstacles au nouvel ordre naissant, mais aussi par
des producteurs culturels (chercheurs, écrivains, artistes) et des
militants de gauche qui, pour la grande majorité d'entre eux, se
pensent toujours comme progressistes.

Comme les dominations de genre ou d'ethnie, l'impérialisme culturel est une violence symbolique qui s'appuie sur une
relation de communication contrainte pour extorquer la soumission et dont la particularité consiste ici en ce qu'elle uni-
versalise les particularismes liés à une expérience historique singulière en les faisant méconnaître comme tels et reconnaître
comme universels [1].

---

1. Précisons d'entrée que les États-Unis n'ont pas le monopole de la prétention à l'universel. Nombre d'autres pays – France, Grande-Bretagne,

Cosigné avec Loïc Wacquant, paru dans
Le Monde diplomatique, mai 2000, p. 6-7.

Ainsi, de même que, au XIXe siècle, nombre de questions dites philosophiques, comme le thème spenglérien de la « décadence », qui étaient débattues dans toute l'Europe trouvaient leur origine dans les particularités et les conflits historiques propres à l'univers singulier des universitaires allemand [2], de même aujourd'hui nombre de topiques directement issus de confrontations intellectuelles liées aux particularités et aux particularismes de la société et des universités américaines se sont imposés, sous des dehors en apparence déshistoricisés, à l'ensemble de la planète.

Ces lieux communs – au sens aristotélicien de notions ou de thèses avec lesquelles on argumente mais sur lesquelles on n'argumente pas – doivent l'essentiel de leur force de conviction au prestige retrouvé du lieu dont ils émanent et au fait que, circulant à flux tendu de Berlin à Buenos Aires et de Londres à Lisbonne, ils sont présents partout à la fois et sont partout puissamment relayés par ces instances prétendument neutres de la pensée neutre que sont les grands organismes internationaux – Banque mondiale, Commission européenne, Organisation de coopération et de développement économiques (OCDE) –, les « boîtes à idées » conservatrices (le Manhattan Institute à New York, l'Adam Smith Institute à Londres, la Deutsche Bank Fundation à Francfort et l'ex-Fondation Saint-Simon à Paris), les fondations de philanthropie, les écoles du pouvoir (Science-Po en France, la London School of Economics au Royaume-Uni, la Harvard Kennedy School of Government en Amérique, etc.), et les grands médias, inlassables dispensateurs de cette *lingua franca* passepartout, bien faite pour donner aux éditorialistes pressés et aux spécialistes empressés de l'import-export culturel l'illusion de l'ultramodernisme.

Outre l'effet automatique de la circulation internationale des idées, qui tend par sa logique propre à occulter les conditions et les significations d'origine [3], le jeu des définitions préalables

---

Allemagne, Espagne, Japon, Russie – ont exercé ou s'efforcent encore d'exercer, dans leurs sphères d'influence propre, des formes d'impérialisme culturel en tous points comparables. Avec cette différence toutefois que, pour la première fois de l'histoire, un seul pays se trouve en position d'imposer son point de vue sur le monde au monde entier.

2. Lire Fritz Ringer, *The Decline of the Mandarins*, Cambridge UP, Cambridge, 1969.

3. Pierre Bourdieu, « Les conditions sociales de la circulation internationale des idées », *Romanistische Zeitschrift fur Literaturgeschichte*, Heidelberg, 1990, p. 14-1/2, 1-10.

et des déductions scolastiques substitue l'apparence de la nécessité logique à la contingence des nécessités sociologiques déniées et tend à masquer les racines historiques de tout un ensemble de questions et de notions – l'« efficacité » du marché (libre), le besoin de reconnaissance des « identités » (culturelles), ou encore la réaffirmation-célébration de la « responsabilité » (individuelle) – que l'on décrétera philosophiques, sociologiques, économiques ou politiques, selon le lieu et le moment de réception.

Ainsi planétarisés, mondialisés, au sens strictement géographique, en même temps que départicularisés, ces lieux communs que le ressassement médiatique transforme en sens commun universel parviennent à faire oublier qu'ils ne font bien souvent qu'exprimer, sous une forme tronquée et méconnaissable, y compris pour ceux qui les propagent, les réalités complexes et contestées d'une société historique particulière, tacitement constituée en modèle et en mesure de toutes choses : la société américaine de l'ère postfordiste et postkeynésienne. Cet unique super-pouvoir, cette Mecque symbolique de la Terre, est caractérisé par le démantèlement délibéré de l'État social et l'hypercroissance corrélative de l'État pénal, l'écrasement du mouvement syndical et la dictature de la conception de l'entreprise fondée sur la seule « valeur-actionnaire », et leurs conséquences sociologiques, la généralisation du salariat précaire et de l'insécurité sociale, constituée en moteur privilégié de l'activité économique.

Il en est ainsi par exemple du débat flou et mou autour du « multiculturalisme », terme importé en Europe pour désigner le pluralisme culturel dans la sphère civique alors qu'aux États-Unis il renvoie, dans le mouvement même par lequel il les masque, à l'exclusion continuée des Noirs et à la crise de la mythologie nationale du « rêve américain » de l'« opportunité pour tous », corrélative de la banqueroute qui affecte le système d'enseignement public au moment où la compétition pour le capital culturel s'intensifie et où les inégalités de classe s'accroissent de manière vertigineuse.

L'adjectif « multiculturel » voile cette crise en la cantonnant artificiellement dans le seul microcosme universitaire et en l'exprimant dans un registre ostensiblement « ethnique », alors que son véritable enjeu n'est pas la reconnaissance des cultures marginalisées par les canons académiques, mais l'accès aux instruments de (re)production des classes moyenne et supérieure, comme l'université, dans un contexte de désengagement actif et massif de l'État.

Le « multiculturalisme » américain n'est ni un concept, ni une théorie, ni un mouvement social ou politique – tout en prétendant être tout cela à la fois. C'est un discours écran dont le statut intellectuel résulte d'un gigantesque effet d'allodoxia national et international [4] qui trompe ceux qui en sont comme ceux qui n'en sont pas. C'est ensuite un discours américain, bien qu'il se pense et se donne comme universel, en cela qu'il exprime les contradictions spécifiques de la situation d'universitaires qui, coupés de tout accès à la sphère publique et soumis à une forte différenciation dans leur milieu professionnel, n'ont d'autre terrain où investir leur libido politique que celui des querelles de campus déguisées en épopées conceptuelles.

C'est dire que le « multiculturalisme » amène partout où il s'exporte ces trois vices de la pensée nationale américaine que sont (a) le « groupisme », qui réifie les divisions sociales canonisées par la bureaucratie étatique en principes de connaissance et de revendication politique ; (b) le populisme, qui remplace l'analyse des structures et des mécanismes de domination par la célébration de la culture des dominés et de leur « point de vue » élevé au rang de proto-théorie en acte ; (c) le moralisme, qui fait obstacle à l'application d'un sain matérialisme rationnel dans l'analyse du monde social et économique et condamne ici à un débat sans fin ni effets sur la nécessaire « reconnaissance des identités », alors que, dans la triste réalité de tous les jours, le problème ne se situe nullement à ce niveau [5] : pendant que les philosophes se gargarisent doctement de « reconnaissance culturelle », des dizaines de milliers d'enfants issus des classes et ethnies dominées sont refoulés hors des écoles primaires par manque de place (ils étaient 25 000 cette année dans la seule ville de Los Angeles), et un jeune sur dix provenant de ménages gagnant moins de 15 000 dollars annuels accède aux campus universitaires, contre 94 % des enfants des familles disposant de plus de 100 000 dollars.

On pourrait faire la même démonstration à propos de la notion fortement polysémique de « mondialisation », qui a

---

4. L'allodoxia est le fait de prendre une chose pour une autre.
5. Pas plus que la mondialisation des échanges matériels et symboliques, la diversité des cultures ne date de notre siècle puisqu'elle est coextensive de l'histoire humaine, comme l'avaient déjà signalé Émile Durkheim et Marcel Mauss dans leur « Note sur la notion de civilisation » (*Année sociologique*, 1913, vol. III, n° 12 ; rééd. Minuit, Paris, 1968, p. 46-50).

pour effet, sinon pour fonction, d'habiller d'œcuménisme culturel ou de fatalisme économiste les effets de l'impérialisme américain et de faire apparaître un rapport de force transnational comme une nécessité naturelle. Au terme d'un retournement symbolique fondé sur la naturalisation des schèmes de la pensée néolibérale dont la domination s'est imposée depuis vingt ans grâce au travail des *think tanks* conservateurs et de leurs alliés dans les champs politique et journalistique [6], le remodelage des rapports sociaux et des pratiques culturelles conformément au patron nord-américain – qui s'est opéré dans les sociétés avancées à travers la paupérisation de l'État, la marchandisation des biens publics et la généralisation de l'insécurité salariale – est accepté avec résignation comme l'aboutissement obligé des évolutions nationales, quand il n'est pas célébré avec un enthousiasme moutonnier. L'analyse empirique de l'évolution des économies avancées sur la longue durée suggère pourtant que la « mondialisation » n'est pas une nouvelle phase du capitalisme mais une « rhétorique » qu'invoquent les gouvernements pour justifier leur soumission volontaire aux marchés financiers. Loin d'être, comme on ne cesse de le répéter, la conséquence fatale de la croissance des échanges extérieurs, la désindustrialisation, la croissance des inégalités et la contraction des politiques sociales résultent de décisions de politique intérieure qui reflètent le basculement des rapports de classe en faveur des propriétaires du capital [7].

En imposant au reste du monde des catégories de perception homologues de ses structures sociales, les États-Unis refaçonnent le monde à leur image : la colonisation mentale qui s'opère à travers la diffusion de ces vrais-faux concepts ne peut conduire qu'à une sorte de « *Washington consensus* » généralisé et même spontané, comme on peut l'observer aujourd'hui en matière d'économie, de philanthropie ou d'enseignement de la gestion. En effet, ce discours double qui, fondé dans la croyance, mime la science, surimposant au fantasme social du dominant l'apparence de la raison (notamment économique et politologique), est doté du pouvoir de faire advenir les réalités qu'il prétend décrire, selon le principe de la prophétie autoréalisante : présent dans les esprits des décideurs politiques ou

---

6. Lire Keith Dixon, *Les Évangélistes du marché*, op. cit.
7. Sur la « mondialisation » comme « projet américain » visant à imposer la conception de la « valeur-actionnaire » de l'entreprise, lire Neil Fligstein, « Rhétorique et réalités de la "mondialisation" », *Actes de la recherche en sciences sociales*, n° 119, septembre 1997, p. 36-47.

économiques et de leurs publics, il sert d'instrument de construction des politiques publiques et privées, en même temps que d'instrument d'évaluation de ces politiques. Comme toutes les mythologies de l'âge de la science, la nouvelle vulgate planétaire s'appuie sur une série d'oppositions et d'équivalences, qui se soutiennent et se répondent, pour dépeindre les transformations contemporaines des sociétés avancées : désengagement économique de l'État et renforcement de ses composantes policières et pénales, dérégulation des flux financiers et désencadrement du marché de l'emploi, réduction des protections sociales et célébration moralisatrice de la « responsabilité individuelle » :

MARCHÉ	ÉTAT
liberté	contrainte
ouvert	fermé
flexible	rigide
dynamique, mouvant	immobile, figé
futur, nouveauté	passé, dépassé
croissance	immobilisme, archaïsme
individu, individualisme	groupe, collectivisme
diversité, authenticité	uniformité, artificialité
démocratique	autocratique (« totalitaire »)

L'impérialisme de la raison néolibérale trouve son accomplissement intellectuel dans deux nouvelles figures exemplaires du producteur culturel. D'abord l'expert, qui prépare, dans l'ombre des coulisses ministérielles ou patronales ou dans le secret des *think tanks*, des documents à forte teneur technique, couchés autant que possible en langage économique et mathématique. Ensuite le conseiller en communication du prince, transfuge du monde universitaire passé au service des dominants, dont la mission est de mettre en forme académique les projets politiques de la nouvelle noblesse d'État et d'entreprise et dont le modèle planétaire est sans conteste possible le sociologue britannique Anthony Giddens, professeur à l'université de Cambridge récemment placé à la tête de la London School of Economics et père de la « théorie de la structuration », synthèse scolastique de diverses traditions sociologiques et philosophiques.

Et l'on peut voir l'incarnation par excellence de la ruse de la raison impérialiste dans le fait que c'est la Grande-Bretagne, placée, pour des raisons historiques, culturelles et linguistiques, en position intermédiaire, neutre (au sens étymologique), entre les États-Unis et l'Europe continentale, qui a fourni au monde ce cheval de Troie à deux têtes, l'une politique et l'autre intellectuelle, en la personne duale de Tony Blair et d'Anthony Giddens, « théoricien » autoproclamé de la « troisième voie », qui, selon ses propres paroles, qu'il faut citer à la lettre, « adopte une attitude positive à l'égard de la mondialisation » ; « essaie (*sic*) de réagir aux formes nouvelles d'inégalités » mais en avertissant d'emblée que « les pauvres d'aujourd'hui ne sont pas semblables aux pauvres de jadis (de même que les riches ne sont plus pareils à ce qu'ils étaient autrefois) » ; « accepte l'idée que les systèmes de protection sociale existants et la structure d'ensemble de l'État sont la source de problèmes, et pas seulement la solution pour les résoudre » ; « souligne le fait que les politiques économiques et sociales sont liées » pour mieux affirmer que « les dépenses sociales doivent être évaluées en termes de leurs conséquences pour l'économie dans son ensemble » ; enfin se « préoccupe des mécanismes d'exclusion » qu'il découvre « au bas de la société, mais aussi en haut [*sic*] », convaincu que « redéfinir l'inégalité par rapport à l'exclusion à ces deux niveaux » est « conforme à une conception dynamique de l'inégalité » [8]. Les maîtres de l'économie peuvent dormir tranquilles : ils ont trouvé leur Pangloss.

---

8. Extraits du catalogue de définitions scolaires de ses théories et vues politiques qu'Anthony Giddens propose à la rubrique « FAQs (Frequently Asked Questions) » de son site <www.lse.ac.uk/Giddens>.

Lettre ouverte au directeur général de l'UNESCO sur les menaces que fait peser l'AGCS

Monsieur le directeur général,

Lorsqu'ils ont adhéré à l'Organisation mondiale du commerce (OMC) en adoptant, en 1994, les Accords de Marrakech, les États signataires, dont la très grande majorité sont aussi membres du Conseil général de l'UNESCO, ont souscrit par la même occasion à l'Accord général sur le commerce des services (AGCS). Or, cet accord constitue la plus grave menace à laquelle l'UNESCO ait jamais été confrontée. L'AGCS et les dispositions en préparation pour sa mise en œuvre affectent profondément les missions imparties à l'UNESCO. Tous les secteurs d'activités de votre organisation sont directement visés. Les négociations successives prévues, cinq ans après l'entrée en vigueur de l'AGCS, pour la mise en application de cet accord « en vue d'élever progressivement le niveau de libéralisation » sont actuellement en cours. À Genève, réunions régulières, groupes de travail et sessions spéciales du Conseil pour le commerce des services de l'OMC se succèdent depuis février de cette année. Nomenclatures, réglementations intérieures et politiques de subvention, accès aux marchés publics, tous les aspects des politiques sont soumis aux tests du « commercialement correct ».

La volonté commune des États-Unis et de l'Union européenne est d'aboutir à un accord général en décembre 2002. Comme le spécifie une note américaine du 13 juillet : « Le mandat de la négociation est ambitieux : supprimer les restrictions sur le commerce des services et procurer un accès réel à un marché soumis à des limitations spécifiques. Notre défi est d'accomplir une suppression significative de ces restrictions à travers tous les secteurs de services, abordant les dispositions nationales déjà soumises aux règles de l'AGCS et ensuite les dispositions qui ne sont pas actuellement soumises aux règles de l'AGCS et couvrant toutes les possibilités de fournir des services. » Les intentions qui se cachent sous le jargon bureau-

Texte collectif paru dans *L'Humanité*, 25 septembre 2000.

cratique sont très claires : imposer, dans les 137 États membres de l'OMC, l'ouverture de tous les services aux lois du libre-échange. Ce qui implique, à terme, la disparition de la notion de service public, la destruction de toute forme de diversité, la négation de droits fondamentaux. Les négociateurs, à Genève, ont convenu d'exclure « la protection de l'intérêt général » du nombre des objectifs à préserver au sein de l'AGCS. Le secrétariat de l'OMC a indiqué que « promouvoir la compétition et l'efficacité économique » est un objectif que les gouvernements doivent se donner. Le négociateur européen pour l'AGCS vient de déclarer que « l'éducation et la santé sont mûres pour la libéralisation ». Les 5 et 6 octobre aura lieu, à l'OMC, une session spéciale et décisive du Conseil pour le commerce des services. C'est pourquoi il nous semble urgent, Monsieur le directeur général, d'interroger les membres de votre Conseil général sur la compatibilité entre les missions imparties à l'UNESCO dont ils ont la garde et l'Accord général sur le commerce des services auxquels ils ont par ailleurs adhéré. Certes, l'AGCS ne s'applique pas aux « services fournis dans le cadre de l'exercice de l'autorité de l'État ». Mais la définition de ceux-ci est très restrictive, puisqu'il s'agit exclusivement des services qui ne sont pas offerts sur une base commerciale ou qui ne se trouvent pas en régime de concurrence.

Certes, jusqu'à ce jour, chaque État conserve le droit de disposer d'une réglementation intérieure (prescriptions en matière de personnel, critères de besoin, normes techniques, licences, monopoles gouvernementaux, subventions à des établissements ou à des institutions). Mais dès à présent, cette réglementation est soumise à des critères formulés dans l'AGCS : ces mesures nationales ne peuvent en aucun cas « être plus rigoureuses qu'il n'est nécessaire pour assurer la qualité du service », l'OMC étant seule juge en dernier ressort. Les États sont tenus de soumettre leur législation et leur réglementation nationales à l'OMC qui, si elle n'a pas – pas encore ? – le pouvoir de les modifier, dispose, dès à présent, du pouvoir de décréter que ces normes sont contraires à l'AGCS et de faire condamner l'État qui ne les modifierait pas. Lorsque fut adopté le Pacte international sur les droits économiques, sociaux et culturels, chacun convenait que la législation nationale constituait un des outils indispensables pour sa mise en œuvre. Avec l'OMC, la législation nationale, instrument de la souveraineté, voit sa portée subordonnée aux lois de la concurrence. Pour les pays du Sud, la suppression de la préférence nationale réduit à néant l'espoir d'un développement adapté aux particularités nationales et locales, respectueux des diversités.

Certes, une série d'annexes à l'AGCS fournissent des listes d'exemptions prévues pour que les gouvernements puissent inscrire des limites à ces exemptions, selon les secteurs. Mais il s'agit là d'une garantie très provisoire et très fragile contre les méfaits de la libéralisation. Car ces exemptions sont soumises à révisions régulières. De plus, elles peuvent être remises en cause par d'autres accords gérés par l'OMC. Ainsi, par exemple, certaines exemptions admises dans le cadre de l'AGCS sont interdites dans le cadre de l'accord sur l'accès au marché.

Le principe de l'AGCS en vertu duquel il ne peut y avoir de discrimination entre les fournisseurs de services va s'imposer dans tous les secteurs et sous toutes les latitudes. Les entreprises privées de services pourront user des lois du marché pour transformer en marchandises et en sources de profits les activités de service répondant à ces droits fondamentaux que sont, en particulier, l'éducation et la culture. Désormais, il n'est plus question, dans les documents de l'OMC, que d'« *education market* ». L'éducation, la formation et la recherche seront peu à peu livrées aux lois du marché, les élèves et les étudiants ne seront plus des citoyens exerçant un droit mais tout simplement des consommateurs. Les chercheurs perdront le peu qui leur reste aujourd'hui d'indépendance scientifique. L'objectif d'un accès pour tous à une éducation gratuite cédera la place à une éducation payante réservé aux privilégiés de l'argent.

Les politiques nationales visant à préserver l'identité culturelle constituent des entraves pour les industries culturelles transnationales qui y voient des « obstacles au commerce ». Il faut savoir qu'entrent dans les négociations en cours, au nom du principe de connexité qui remet en cause toutes les classifications en vigueur, des services comme l'audiovisuel dans sa totalité, les bibliothèques, archives et musées, les jardins botaniques et zoologiques, tous les services liés aux divertissements (arts, théâtre, services radiophoniques et télévisuels, parcs d'attractions, parcs récréatifs, services sportifs), l'impression, la publicité. La protection du patrimoine culturel et naturel, la gestion des parcs naturels et les réserves de la biosphère sont directement menacées par les propositions de libéralisation, en particulier en matière de tourisme.

Monsieur le directeur général, l'Accord général sur le commerce des services, dont l'OMC prépare la mise en œuvre, remet radicalement en cause la mission, qui, au nom de l'idée « qu'une paix fondée sur les seuls accords économiques et politiques des gouvernements ne saurait entraîner l'adhésion unanime, durable et sincère des peuples et que, par conséquent, cette paix doit être établie sur le fondement de la solidarité intellectuelle et morale de l'humanité », a été confiée à l'UNESCO : favoriser la coopération des nations du monde dans les domaines de l'éducation, de la science et de la culture et, plus précisément, « assurer à tous le plein et égal accès à l'éducation, la libre poursuite de la vérité objective et le libre échange des idées et des connaissances ».

Les actions de protection et de promotion de l'UNESCO, par nécessité, contrarient le libre accès au marché érigé en règle absolue. La libre concurrence à laquelle les activités d'éducation, de recherche et de culture vont être livrées va aggraver des inégalités déjà très profondes dans l'accès à ces activités. La libéralisation de ces services signifie l'abandon d'un droit pour tous au profit d'un privilège pour quelques-uns.

Monsieur le directeur général, nous sommes persuadés que, en votre qualité de plus haut responsable de l'UNESCO, vous ne pouvez souscrire à la conception exclusivement marchande de l'éducation, de la science et de la culture que veut imposer l'OMC. Nous vous invitons à en tirer les conséquences et à demander avec nous que l'AGCS soit totalement renégocié ou qu'il soit déclaré caduc.

L'Europe sociale piétine

OBLIGÉ D'ÊTRE À LONDRES AUJOURD'HUI, je suis heureux de pouvoir vous dire, grâce à la gentillesse d'Annick Coupé [1], ce que je pense de l'Europe qu'on nous prépare, et d'abord de la Charte des droits fondamentaux, qui est un trompe-l'œil. Destinée à donner l'illusion d'une « préoccupation » sociale, elle reste très floue (les droits sociaux garantis sont très vagues et ne concernent que les citoyens européens) ; elle ne s'accompagne d'aucune mesure ou dispositif contraignant. Et cela se comprend aisément. La social-démocratie convertie au néolibéralisme ne souhaite pas cette Europe sociale. Les gouvernements sociaux-démocrates persévèrent dans leur erreur historique : le libéralisme d'abord, le « social » plus tard, c'est-à-dire jamais, parce que la dérégulation sauvage rend toujours plus difficile la construction de l'Europe sociale. Les partis politiques se dépolitisent et contribuent à la dépolitisation. Les syndicats européens affaiblis, tournés vers le compromis ou cyniquement « recentrés », ne peuvent pas, ou ne souhaitent pas (comme en témoigne ce qu'on appelle en France la « refondation sociale »), obtenir autre chose que l'aménagement de la domination néolibérale. La Confédération européenne des syndicats veut accéder à l'Europe sociale par la négociation, et cela dans un rapport de force très défavorable. Il en résulte des normes sociales très basses pour des pays développés et des disparités énormes entre les pays.

Bref, l'Europe sociale piétine, cependant que l'Europe néolibérale avance à grands pas. L'adoption de la majorité qualifiée dans le domaine de la libéralisation (article 133) accélérera le processus déjà dramatique de remise en cause des États, des services publics, des cultures, etc. Il faut donc donner un coup d'arrêt à ce processus ou, au moins, le ralentir et le limiter en maintenant, au moins pour un temps et à titre défensif, le principe sans doute très ambigu de l'unanimité.

---

1. Membre de l'union syndicale « Groupe des dix », Annick Coupé est l'une des fondatrices en 1999 du syndicat SUD-PTT. Très active lors des mouvement sociaux des années 1990, elle fut associée à plusieurs interventions publiques de Pierre Bourdieu à partir de décembre 1995.

Déclaration lue à Nice lors de la manifestion du 6 décembre 2000.

Alors que la mondialisation néolibérale s'accélère, l'Europe sociale ne se construira pas sur la base d'une « Charte des droits fondamentaux » ni de décisions prises à la majorité qualifiée. C'est pourquoi les syndicats progressistes (ou les fractions progressistes de ces syndicats) et les mouvements sociaux (en premier lieu le mouvement des chômeurs) de tous les pays doivent s'unir dans un vaste Mouvement social européen qui doit travailler à se doter d'une plate-forme commune de revendications et d'un projet global de construction de l'Europe sociale. Tâche immense, de longue durée, à laquelle tous, chercheurs et militants, doivent contribuer et dont les réunions comme celle-ci sont autant d'étapes.

Pour une vraie mobilisation des forces organisées

J E VEUX D'ABORD REMERCIER LES ORGANISATEURS de cette manifestation de m'avoir donné l'occasion de me ranger parmi les trouble-fête dont vous êtes et qui vont essayer de chahuter le grand *show* médiatico-politique des « maîtres du monde » qui, sous la protection de la police et entourés de leur cour de journalistes, vont nous dire comment ils voient le monde.

Ce monde qui leur apparaît comme emporté par un processus fatal de mondialisation, est en est en réalité, dans ce qu'il a de pire, le produit d'une politique systématique, organisée et orchestrée. Cette politique qui a commencé à la fin des années 1970 aux États-Unis – très exactement en 1979, avec les mesures visant à élever les taux d'intérêt, et qui s'est prolongée par toute une série de mesures visant à déréglementer les marchés financiers dans les grands pays industrialisés – avait pour fin de relancer la hausse des taux de profit sur le capital et de restaurer la position des propriétaires, des *owners*, par rapport aux gestionnaires, aux managers.

Cette série de mesures a eu pour effet de favoriser l'autonomisation du champ financier mondial, de l'univers de la finance, qui s'est mis à fonctionner selon sa logique propre, celle du pur profit, et indépendamment en quelque sorte de l'évolution de l'industrie. Si bien que la finance intervient relativement peu dans le fonctionnement du champ industriel (on sait, par exemple, que la contribution du marché boursier à l'investissement est extrêmement faible).

Pour produire ce champ financier indépendant, tournant en quelque sorte à vide, en vue de la seule fin reconnue qui est l'augmentation permanente du profit, pour produire cet univers-là, il a fallu inventer et instituer tout une série d'institutions financières destinées à favoriser les libres mouvements financiers. Et c'est de ces institutions qu'il s'agit de reprendre le contrôle. Mais il me semble qu'il ne suffit pas pour cela d'une mesure simple de réglementation comme semblent le penser

---

Message vidéodiffusé à Zürich le 27 janvier 2001
à l'occasion du contre-sommet « L'autre Davos ».

ceux qui préconisent l'instauration d'une taxe Tobin, à laquelle bien évidemment je suis favorable. On ne saurait se contenter, selon moi, de ce genre de mesures et la question que je voudrais poser aujourd'hui est celle des moyens d'instaurer de véritables contrôles permanents de ces processus. Donc la question d'une véritable action politique, fondée sur une vraie mobilisation politique, et visant à imposer ces contrôles.

Nécessaire, une telle mobilisation est aussi très difficile. En effet, la politique de globalisation, qui n'a rien de fatal, s'accompagne d'une politique de dépolitisation. Et l'apparence de fatalité, à laquelle je fais allusion et qui est normalement associée à l'idée de globalisation, est le produit d'une action permanente de propagande (il n'y a pas d'autre mot), à laquelle concourent et collaborent tout un ensemble d'agents sociaux, depuis les *think tanks* qui produisent des représentations officielles du monde jusqu'aux journalistes qui les reproduisent et les font circuler. Il faut donc essayer de concevoir une action politique capable de lutter contre la dépolitisation et en même temps contre la politique de globalisation qui s'appuie sur cette politique de dépolitisation pour s'imposer.

Comment serait-il possible d'instaurer et d'exercer des contrôles réels, efficaces sur les mécanismes monétaires et les grandes concentrations de capitaux comme les fonds de pension ? Il me semble que ce pourrait être par l'intermédiaire des banques centrales, et en particulier, puisque nous sommes en Europe, à travers la Banque centrale européenne. Mais pour parvenir à reprendre le contrôle de ces instances financières, il faudrait d'abord reprendre le contrôle des instances politiques. Et cela, seul un mouvement social d'envergure pourrait le faire, en entrant dans le système des instances de contrôle des forces économiques et en imposant la mise en place d'instances internationales enracinées dans un véritable mouvement populaire.

J'ai parlé de mouvement populaire : il est vrai que nous sommes dans une période où les dominés sont démoralisés, démobilisés, notamment par la politique de dépolitisation dont je parlais tout à l'heure. Mais il y a aussi le fait que pour les plus démunis, ceux que les discours officiels appellent les « exclus », on a mis en place dans tous les pays développés des politiques très subtiles d'encadrement social qui n'ont plus rien de l'encadrement brutal et un peu simpliste, un peu policier, de la période antérieure. Ces politiques, on pourrait les mettre sous le signe du projet : tout se passe comme si un certain nombre d'agents – éducateurs, animateurs, travailleurs sociaux

– avaient pour fonction d'enseigner aux plus démunis – en particulier à ceux qui ont été repoussés par le système scolaire et qui sont rejetés hors du marché du travail – quelque chose comme une parodie de l'esprit capitaliste, de l'esprit d'entreprise capitaliste. On a organisé une sorte d'aide à la *self-help* qui est si conforme à l'idéal politique anglo-saxon. Pour instaurer et exercer efficacement ce contrôle démocratique, on ne peut pas se contenter de règlements, ni même d'écrits polis et d'interventions policées auprès des instances politiques. Il faut inventer une nouvelle forme d'action transnationale. Pourquoi me paraît-il important de situer cette action à l'échelle européenne, au moins dans un premier temps ? Parce que c'est là que l'on trouve un ensemble de mouvements, très divers, syndicats, associations, etc. mais qui, en dépit de leur aspect disparate – sans doute parfaitement illustré dans cette salle –, en dépit de leur apparence de désordre et de dispersion, de leurs discordances, de leurs divergences, de leurs concurrences, parfois de leurs conflits, ont beaucoup en commun. Ils ont en commun une vision que l'on pourrait dire libertaire du monde social, un refus des formes autoritaires de gestion de la politique ; une volonté de chercher une nouvelle façon de faire de la politique. Ils ont aussi en commun un très profond internationalisme, dont le tiers-mondisme est une application privilégiée. Il faut donc surmonter les diversités pour mobiliser un vaste mouvement capable de faire pression en permanence sur les instances gouvernementales nationales et internationales ; et, pour parvenir à une sorte d'unification provisoire, il faut surmonter les tentations hégémoniques que beaucoup de mouvements sociaux ont héritées de l'époque passée. Il est impératif d'exorciser les tentations autoritaires pour inventer des formes collectives d'organisation permettant de cumuler les forces politiques sans les laisser s'annuler dans des querelles et des divisions intestines.

Ce rassemblement dans un vaste mouvement social unitaire européen, regroupant à la fois des syndicats, des associations, des chercheurs, pourrait être la force sociale qui, en se dotant d'organisations souples, aussi peu centralistes que possible, pourrait cumuler les traditions critiques européennes en liaison avec les forces progressistes du monde entier ; qui pourrait résister aux forces économiques dominantes et proposer une nouvelle utopie progressiste. Il faut en effet, simultanément, reprendre le contrôle des forces économiques à une échelle où elles donnent prise (c'est pourquoi j'ai pensé aux instances européennes et à la Banque centrale européenne), tout en remettant en marche l'utopie.

Je pense que le mouvement social européen tel que je le conçois, c'est-à-dire dénué de toute forme d'européocentrisme et fort de sa tradition progressiste d'anti-impérialisme et de solidarité internationaliste, devrait se constituer en liaison avec les pays du tiers-monde, d'Amérique latine, d'Afrique et d'Asie, de façon à rassembler toutes les forces nécessaires pour que ceux qui donnent aujourd'hui leur fête à Davos soient soumis à tout moment à cette sorte d'épée de Damoclès que serait un mouvement social présent en tout temps et en tout lieu et pas seulement de loin en loin dans des *happenings* héroïques. Il s'agirait de constituer une force qui serait là en permanence parce qu'elle réaliserait une mobilisation permanente des gens déjà mobilisés et des organismes de mobilisation. On ne peut pas faire l'économie, si rétif que l'on soit – et Dieu sait que je le suis beaucoup – à l'égard de toute forme de délégation syndicale ou politique, on ne peut pas faire l'économie des organisations, des organisateurs et des militants professionnels des organisations. C'est en appelant les organisateurs de la résistance à se fédérer, à se confédérer, à s'unir dans une grande confédération européenne que l'on peut – me semble-t-il – contribuer à créer une force de résistance et de contrôle qui soit à l'échelle des forces économiques et politiques rassemblées à Davos.

Pour une organisation permanente de résistance au nouvel ordre mondial

Vous êtes ici très nombreux à vous inquiéter, à vous indigner, à vous insurger devant le monde tel qu'il est, le monde tel que nous le font les puissances économiques et politiques. Ces puissances qui, longtemps incarnées par les figures trompeuses de bellâtres de série B, ont aujourd'hui pris le visage étriqué et buté de M. Bush.

Vous êtes très nombreux, ici, à Québec, mais aussi à Berlin, à Tokyo, à Rio, à Paris et partout dans le monde, à vous révolter contre la politique de « mondialisation » dont le « Sommet des Amériques » est une nouvelle étape, après Seattle, Séoul ou Prague. Parce que, comme cette réunion visant à instaurer le libre-échange à l'échelle des Amériques le montre bien, la « mondialisation » qu'on nous présente comme une *fatalité*, destin inévitable des sociétés avancées, est bien une *politique*, et une politique visant à imposer les conditions les plus favorables aux forces économiques.

Quel est en effet ce « libre-échange » dont on nous parle ? Il suffit de lire l'Accord général du commerce et des services, dont l'accord de Montréal n'est sans doute qu'une variante, pour être éclairé, et édifié. Mais, soit dit en passant, qui aura le courage de lire ces milliers de pages délibérément confuses, rédigées par des experts à la solde des grands lobbys internationaux ? Or il suffit de lire ces pages pour comprendre qu'il s'agit avant tout de détruire tous les *systèmes de défense* qui protègent les plus précieuses conquêtes sociales et culturelles des sociétés avancées ; pour comprendre qu'il s'agit de transformer en marchandises et en sources de profit toutes les activités de service, y compris celles qui répondent à des besoins fondamentaux comme l'éducation, la culture et la santé. Les mesures que concocte l'OMC sont censées s'appliquer à des services comme les bibliothèques, l'audiovisuel, les archives et les musées, et tous les services liés au divertissement, arts, spectacles, sport,

---

Déclaration vidéotransmise aux manifestants
du Sommet des peuples de Québec le 4 avril 2001.

théâtres, radio et télévision, etc. Je pourrais, pour faire comprendre les effets du règne sans partage de l'argent, prendre l'exemple du théâtre, ou du cinéma – abandonné de plus en plus aux films à grand spectacle et à effets spéciaux qui abrutissent et assomment le monde entier –, mais je m'en tiendrai au domaine du sport où la logique du profit (liée notamment aux rediffusions télévisées des spectacles sportifs) a fait disparaître tout ce qui était lié à une forme d'amateurisme (à commencer par la beauté du spectacle) et introduit la corruption, le dopage, la concentration des ressources sportives aux mains de quelques grands clubs capables de payer des transferts exorbitants – je pense ici au football.

J'ai parlé de destruction des *systèmes de défense immunitaire*, et c'est bien de cela qu'il s'agit. Comment ne pas voir qu'un programme comme celui de l'OMC, qui entend traiter comme des « obstacles au commerce » les politiques visant à sauvegarder les particularités culturelles nationales et propres, de ce fait, à constituer des entraves pour les industries culturelles transnationales, ne peut avoir pour effet que d'interdire à la plupart des pays – et en particulier aux moins dotés en ressources économiques et culturelles – tout espoir d'un développement adapté aux particularités culturelles et respectueux des diversités, en matière culturelle comme dans tous les autres domaines ? Cela notamment en leur enjoignant de soumettre toutes les mesures nationales, réglementations intérieures, subventions, à des établissements ou à des institutions, licences, etc., aux verdicts d'une organisation qui tente de conférer les allures d'une norme universelle aux exigences des puissances économiques transnationales.

Le mythe du libre-échange entre partenaires égaux masque sous les dehors policés d'accords internationaux juridiquement garantis la logique brutale des rapports de force qui s'affirme en fait dans la dissymétrie du *double standard*, deux poids deux mesures : cette logique fait que les dominants, et en particulier les États-Unis, peuvent recourir au protectionnisme et aux subventions qu'ils interdisent aux pays en voie de développement (empêchés par exemple de limiter les importations d'un produit causant de graves dommages pour leur industrie ou de réguler les investissements étrangers). Étranges lois par lesquelles les dominants se placent au-dessus des lois. Pour nommer ces contrats léonins, qui donnent au dominé le droit d'être mangé par le dominant, les Kabyles parlent du contrat du lion et de l'ânesse.

Mais n'êtes-vous pas bien placés, ici, au Canada, pour observer les effets des accords de libre-échange entre puissances inégales ? Et pour analyser l'effet de domination lié à l'intégration dans l'inégalité ? Du fait de l'abolition des protections qui l'a laissé sans défense, notamment en matière de culture, le Canada n'est-il pas en train de subir une véritable intégration économique et culturelle à son voisin nord-américain ? L'union douanière n'a-t-elle pas eu pour effet de déposséder la société dominée de toute indépendance économique et culturelle à l'égard de la puissance dominante, avec la fuite des cerveaux, la concentration de la presse, de l'édition, etc. au profit des États-Unis ? Il faudrait analyser en détail la place très particulière qui revient, dans la résistance à ces processus, aux provinces francophones du Québec : la barrière de la langue peut être une protection (un autre exemple serait la comparaison entre l'Angleterre et la France) ; j'en vois un indice dans la contribution des Québécois à la lutte contre la mondialisation – je pense par exemple au rôle des femmes québécoises dans l'élaboration de la magnifique Charte de la Marche mondiale des femmes.

Ainsi, tout ce que l'on décrit sous le nom à la fois descriptif et prescriptif de « mondialisation » est l'effet non d'une fatalité économique mais d'une politique. Cette politique est tout à fait paradoxale puisqu'il s'agit d'une *politique de dépolitisation* : puisant sans vergogne dans le lexique de la liberté, libéralisme, libéralisation, dérégulation, elle vise à conférer une emprise fatale aux déterminismes économiques en les *libérant* de tout contrôle et à obtenir la soumission des gouvernements et des citoyens aux forces économiques et sociales ainsi « libérées ». Contre cette politique de dépolitisation, il faut restaurer la politique, c'est-à-dire la pensée et l'action politiques, et trouver à cette action son juste point d'application, qui se situe désormais au-delà des frontières de l'État national, et ses moyens spécifiques, qui ne peuvent plus se réduire aux luttes politiques et syndicales au sein des États nationaux. À l'accord des gouvernements des deux Amériques, il faut opposer un mouvement social des deux Amériques, regroupant tous les Américains du Sud et du Nord – projet qui n'est pas aussi irréaliste qu'il peut paraître si l'on songe que c'est souvent des États-Unis eux-mêmes que, avec les Ralph Nader, Suzan George ou Lory Wallach, sont partis les premiers mouvements de contestation de la politique de mondialisation. Ce mouvement trouverait un allié naturel dans le mouvement social européen, regroupant les syndicats, les associations de lutte et les chercheurs critiques de tous les pays européens, qui est actuellement en voie de constitution.

Et l'on pourrait ainsi concevoir, en liaison avec d'autres mouvements internationaux comme la Marche mondiale des femmes, que se constitue une organisation permanente de résistance capable d'opposer ses mots d'ordre (de boycott par exemple), ses manifestations, ses analyses critiques et ses productions symboliques, artistiques notamment, à la violence sans visage des forces économiques et des pouvoirs symboliques qui, dans la presse, la télévision et la radio notamment, s'empressent à leur service.

Les chercheurs
& le mouvement social

Responsabilités intellectuelles

S'il est aujourd'hui important, sinon nécessaire, qu'un certain nombre de chercheurs indépendants s'associent au mouvement social, c'est que nous sommes confrontés à une politique de mondialisation. (Je dis bien une « politique de mondialisation », je ne parle pas de « mondialisation » comme s'il s'agissait d'un processus naturel.) Cette politique est pour une grande part tenue secrète dans sa production et dans sa diffusion. Et c'est déjà tout un travail de recherche qui est nécessaire pour la découvrir avant qu'elle soit mise en œuvre. Ensuite, cette politique a des effets que l'on peut prévoir grâce aux ressources de la science sociale, mais qui, à court terme, sont encore invisibles pour la plupart des gens. Autre caractéristique de cette politique, elle est pour une part produite par des chercheurs. La question étant de savoir si ceux qui anticipent à partir de leur savoir scientifique les conséquences funestes de cette politique peuvent et doivent rester silencieux. Ou s'il n'y a pas là une sorte de non-assistance à personnes en danger. S'il est vrai que la planète est menacée de calamités graves, ceux qui croient savoir à l'avance ces calamités n'ont-il pas un devoir de sortir de la réserve que s'imposent traditionnellement les savants ?

Il y a dans la tête de la plupart des gens cultivés, surtout en science sociale, une dichotomie qui me paraît tout à fait funeste : la dichotomie entre *scholarship* et *commitment* – entre ceux qui se consacrent au travail scientifique, qui est fait selon des méthodes savantes à l'intention d'autres savants, et ceux qui s'engagent et portent au-dehors leur savoir. L'opposition est artificielle et, en fait, il faut être un savant autonome qui travaille selon les règles du *scholarship* pour pouvoir produire un savoir engagé, c'est-à-dire un *scholarship with commitment*.

Interventions du 3 au 6 mai 2001 à Athènes, sous l'égide de Raisons d'agir-Grèce, lors de rencontres avec les syndicats et les chercheurs grecs sur des thèmes tels que l'Europe syndicale, la culture et le journalisme.

Il faut, pour être un vrai savant engagé, légitimement engagé, engager un savoir. Et ce savoir ne s'acquiert que dans le travail savant, soumis aux règles de la communauté savante. Autrement dit, il faut faire sauter un certain nombre d'oppositions qui sont dans nos têtes et qui sont des manières d'autoriser des démissions : à commencer par celle du savant qui se replie dans sa tour d'ivoire. La dichotomie entre *scholarship* et *commitment* rassure le chercheur dans sa bonne conscience car il reçoit l'approbation de la communauté scientifique. C'est comme si les savants se croyaient doublement savants parce qu'ils ne font rien de leur science. Mais quand il s'agit de biologistes, ça peut être criminel. Mais c'est aussi grave quand il s'agit de criminologues. Cette réserve, cette fuite dans la pureté, a des conséquences sociales très graves. Des gens comme moi, payés par l'État pour faire de la recherche, devraient garder soigneusement les résultats de leurs recherches pour leurs collègues ? Il est tout à fait fondamental de donner la priorité de ce qu'on croit être une découverte à la critique des collègues, mais pourquoi leur réserver le savoir collectivement acquis et contrôlé ?

Il me semble que le chercheur n'a pas le choix aujourd'hui : s'il a la conviction qu'il y a une corrélation entre les politiques néolibérales et les taux de délinquance, et tous les signes de ce que Durkheim aurait appelé l'anomie, comment pourrait-il ne pas le dire ? Non seulement il n'y a pas à le lui reprocher, mais on devrait l'en féliciter. (Je fais peut-être une apologie de ma propre position…)

Maintenant, que va faire ce chercheur dans le mouvement social ? D'abord, il ne va pas donner des leçons – comme le faisaient certains intellectuels organiques qui, n'étant pas capables d'imposer leurs marchandises sur le marché scientifique où la compétition est dure, allaient faire les intellectuels auprès des non-intellectuels tout en disant que l'intellectuel n'existait pas. Le chercheur n'est ni un prophète ni un maître à penser. Il doit inventer un rôle nouveau qui est très difficile : il doit écouter, il doit chercher et inventer ; il doit essayer d'aider les organismes qui se donnent pour mission – de plus en plus mollement, malheureusement, y compris les syndicats – de résister à la politique néolibérale ; il doit se donner comme tâche de les assister en leur fournissant des instruments. En particulier des instruments contre l'effet symbolique qu'exercent les « experts » engagés auprès des grandes entreprises multinationales. Il faut appeler les choses par leur nom. Par exemple, la politique actuelle de l'éducation est décidée par l'UNICE, par le Transatlantic Institute, etc. [1] Il suffit de lire le rapport de l'OMC sur les services pour connaître la politique de l'éducation que nous aurons dans cinq ans. Le ministère de l'Éducation nationale ne fait que répercuter ces consignes élaborées par des juristes, des sociologues, des économistes, et qui, une fois mises en forme d'allure juridique, sont mises en circulation.

Les chercheurs peuvent aussi faire une chose plus nouvelle, plus difficile : favoriser l'apparition des conditions organisationnelles de la production collective de l'intention d'inventer un projet politique et, deuxièmement, les conditions organisationnelles de la réussite de l'invention d'un tel projet politique – qui sera évidemment un projet collectif. Après tout, l'Assemblée constituante de 1789 et l'Assemblée de Philadelphie étaient composées de gens comme vous et moi, qui avaient un bagage de juriste, qui avaient lu Montesquieu et qui ont inventé des structures démocratiques. De la même façon, aujourd'hui, il faut inventer des choses… Évidemment, on pourra dire : « Il y a des parlements, une Confédération européenne des syndicats, toutes sortes d'institutions qui sont censées faire ça. » Je ne vais en pas faire ici la démonstration, mais on doit constater qu'ils ne le font pas. Il faut donc créer les conditions favorables à cette invention. Il faut aider à lever les obstacles à cette invention ; obstacles qui sont pour une part dans le mouvement social qui est chargé de les lever – et notamment dans les syndicats…

Pourquoi peut-on être optimiste ? Je pense qu'on peut parler en termes de chances raisonnables de succès, qu'en ce moment c'est le *kairos*, le moment opportun. Quand nous tenions ce discours autour de 1995, nous avions en commun de ne pas être entendus et de passer pour fous. Les gens qui, comme Cassandre, annonçaient des catastrophes, on se moquait d'eux, les journalistes les attaquaient et ils étaient insultés. Maintenant, un peu moins. Pourquoi ? Parce que du travail a été accompli. Il y a eu Seattle et toute une série des manifestations. Et puis, les conséquences de la politique néolibérale – que nous avions prévues abstraitement – commencent à se voir. Et les gens, maintenant, comprennent… Même les journalistes les plus bornés et les plus butés savent qu'une entreprise qui ne fait pas 15 % de bénéfices licencie. Les prophéties les

---

1. Lire *Europe Inc. Liaisons dangereuses entre institutions et milieux des affaires européens*, CEO, Agone, Marseille, 2000.

plus catastrophistes des prophètes de malheur (qui étaient simplement mieux informés que les autres) commencent à être
réalisées. Ce n'est pas trop tôt. Mais ce n'est pas non plus trop
tard. Parce que ce n'est qu'un début, parce que les catastrophes
ne font que commencer. Il est encore temps de secouer les gouvernements sociaux-démocrates, pour lesquels les intellectuels
ont les yeux de Chimène, surtout quand il en reçoivent des
avantages sociaux de tous ordres…

Rendre efficaces les mouvement sociaux

Un mouvement social européen n'a, selon moi, de chance
d'être efficace que s'il réunit trois composantes : syndicats,
mouvement social et chercheurs – à condition, évidemment,
de les intégrer, pas seulement de les juxtaposer. Je disais hier aux
syndicalistes qu'il y a entre les mouvements sociaux et les syndicats dans tous les pays d'Europe une différence profonde
concernant à la fois les contenus et les moyens d'action. Les
mouvements sociaux ont fait exister des objectifs politiques que
les syndicats et les partis avaient abandonnés, ou oubliés, ou
refoulés. D'autre part, les mouvements sociaux ont apporté des
méthodes d'action que les syndicats ont peu à peu, encore une
fois, oubliées, ignorées ou refoulées. Et en particulier des
méthodes d'action personnelle : les actions des mouvements
sociaux recourent à l'efficacité symbolique, une efficacité symbolique qui dépend, pour une part, de l'engagement personnel
de ceux qui manifestent ; un engagement personnel qui est
aussi un engagement corporel. Il faut prendre des risques. Il ne
s'agit pas de défiler, bras dessus bras dessous, comme le font traditionnellement les syndicalistes le 1er mai. Il faut faire des
actions, des occupations de locaux, etc. Ce qui demande à la
fois de l'imagination et du courage. Mais je vais dire aussi :
attention, pas de « syndicalophobie » ; il y a une logique des
appareils syndicaux qu'il faut comprendre. Pourquoi est-ce que
je dis aux syndicalistes des choses qui sont proches du point de
vue que les mouvements sociaux ont sur eux et pourquoi vais-
je dire aux mouvements sociaux des choses qui sont proches de
la vision que les syndicalistes ont d'eux ? Parce que c'est à
condition que chacun des groupes se voie lui-même comme il
voit les autres qu'on pourra surmonter ces divisions qui contri-

buent à affaiblir des groupes déjà très faibles. Le mouvement de résistance à la politique néolibérale est globalement très faible et il est affaibli par ses divisions : c'est un moteur qui dépense 80 % de son énergie en chaleur, c'est-à-dire sous forme de tensions, de frictions, de conflits, etc. Et qui pourrait aller beaucoup plus vite et plus loin si…

Les obstacles à la création d'un mouvement social européen unifié sont de plusieurs ordres. Il y a les obstacles linguistiques, qui sont très importants, par exemple dans la communication entre les syndicats ou les des mouvements sociaux – les patrons et les cadres parlent les langues étrangères, les syndicalistes et les militants beaucoup moins. De ce fait, l'internationalisation des mouvements sociaux ou des syndicats est rendue très difficile. Puis il y a les obstacles liés aux habitudes, aux modes de pensée, et à la force des structures sociales, des structures syndicales. Quel peut être le rôle des chercheurs là-dedans ? Celui de travailler à une *invention collective des structures collectives d'invention* qui feront naître un nouveau mouvement social, c'est-à-dire des nouveaux contenus, des nouveaux buts et des nouveaux moyens internationaux d'action.

INSTITUER EFFICACEMENT
L'ATTITUDE CRITIQUE

> Les aristocrates de l'intelligence trouvent qu'il est des
> vérités qu'il n'est pas bon de dire au peuple. Moi, so-
> cialiste révolutionnaire, ennemi juré de toutes les
> aristocraties et de toutes les tutelles, je pense au
> contraire qu'il faut tout dire au peuple. Il n'y a pas
> d'autre moyen de lui rendre sa pleine liberté.
>
> MIKHAÏL BAKOUNINE

LA FIDÉLITÉ À LA PHILOSOPHIE DES LUMIÈRES, disait à
peu près Foucault, n'est pas la fidélité à une doctrine
mais la fidélité à une attitude, l'attitude critique. Est-il
possible de perpétuer l'attitude critique et de l'instituer efficacement, c'est-à-dire collectivement, dans le monde intellectuel et dans le monde social ? Est-il encore possible
de l'instituer de manière assez efficace pour susciter la fureur de *l'establishment* politique comme nous l'avons fait
en 1981, lorsque nous avons lancé un appel contre le coup
d'État en Pologne ? [lire p. 171] Je n'ai pas oublié les insultes
que cet appel nous avait values. « Intellectuels germano-
pratins », disait l'un, devenu depuis ministre de la Culture,
puis de l'Éducation ; « irresponsables », disait un autre,
devenu depuis Premier ministre.

Les intellectuels n'inquiètent plus guère aujourd'hui.
Les journalistes, qui les ont cantonnés dans les « libres
opinions » de leurs pages « Rebonds » et « Horizons », ont
pris leur place dans le rôle de maîtres à penser. Comme
d'autres débattent sur le quinquennat, ils dissertent à qui
mieux mieux sur les propos racistes d'un écrivain mineur.
Pierre Nora annonce pour la énième fois « la fin des intellectuels ». (C'est sous sa bannière que Ferry et Renaut
avaient proclamé la fin de « la pensée 68 » ou qu'un certain Dosse avait décrété la mort du « structuralisme ».)

La première version de ce texte fut donnée en conférence
le 21 juin 2000 à Beaubourg dans le cadre d'une journée
consacré à Michel Foucault sous le titre « La philosophie,
la science, l'engagement », parue *in L'Infréquentable Michel
Foucault. Renouveaux de la pensée critique*,
Didier Éribon (dir.), EPEL, Paris, 2001, p. 189-194.

Mais on se prend à penser que, après tout, cet arbitre des élégances parisiennes qui joue à l'intellectuel pour dire la « mort des intellectuels » a peut-être raison, quand on voit *Le Débat* publier une contribution au « débat » signée conjointement par celui que les journaux appellent le « second du MEDEF » et par François Ewald, qui dit avoir été l'assistant de Michel Foucault, et qui a mis son nom sur les œuvres inédites de Foucault parues dans la collection dirigée par Pierre Nora chez Gallimard. Le même François Ewald qui, selon les journaux, a amené à la table du patronat modernisé une brochette d'intellectuels médiatico-politiques. Cet article écrit en collaboration (et dont une version moins euphémisée avait d'abord paru dans *Commentaire*) est un éloge de la « société du risque », qui n'est qu'une version intellectuellement dégradée et vulgarisée de la pensée, déjà bien vulgaire, des maîtres à penser de Blair et de Schröder, Anthony Giddens et Ulrich Beck ; rien à envier non plus, pour remonter plus loin dans le temps, aux condamnations heideggeriennes de la *Sozialfürsorge*, de la « sécurité sociale » (déjà !), responsable du « souci », *Sorge*, et du rapport « inauthentique » à l'avenir de *Das Man,* le travailleur, abruti ou abêti par l'excès de sécurité de la société des congés payés. Cette trajectoire, comme celles qui ont conduit tant d'intellectuels de l'extrême gauche à la droite, voire à l'extrême droite, sont un des symptômes les plus effrayants de l'évolution du monde intellectuel. (Un des phénomènes sociaux devant lesquels il est particulièrement difficile de respecter le précepte spinoziste : « Ne pas rire, ne pas déplorer, ne pas détester, mais comprendre. ») Nous portons le deuil de l'intellectuel critique.

Nous avons fini par nous habituer à ces renversements renversants (ou, pour le dire en grec, ces *catastrophes*), au point que nous ne voyons même plus tout ce qu'ils disent sur un monde intellectuel qui a, à proprement parler, perdu le Nord, en perdant son autonomie à l'égard de l'économie, de la politique et, bien sûr, du journalisme, lui-même sourdement asservi à tout cela et contribuant à l'asservissement à tout cela. Nous sommes dans une situation catastrophique, dans laquelle nous avons besoin plus que jamais, de redonner de la force à la critique intellectuelle.

Foucault a beaucoup travaillé à définir la place et le rôle de l'intellectuel critique et spécifique, le rôle et la place qu'il devait tenir par rapport au mouvement social, dans le mouvement social. « Les concepts, disait-il, viennent des luttes et doivent retourner aux luttes. » Comment faut-il entendre cette phrase aujourd'hui ? Est-il possible de concilier la recherche théorique et l'action politique ? Y a-t-il place encore pour des intellectuels à la fois autonomes (à l'égard des pouvoirs) et engagés (le cas échéant contre les pouvoirs) ? Foucault a incarné une tentative exemplaire pour tenir ensemble l'autonomie du chercheur et l'engagement dans l'action politique. L'autonomie d'abord : il a travaillé jusqu'au bout pour satisfaire aux exigences de la recherche historique la plus avancée. Grand travailleur et homme de bibliothèque, il a combattu, toute sa vie, pour élargir la définition, c'est-à-dire la mission et la tâche de la philosophie. Ce qui supposait beaucoup de travail, pour cumuler les exigences de deux traditions, celles de l'histoire et celles de la philosophie, au lieu de se servir des unes pour échapper aux autres et réciproquement (comme cela se fait souvent aujourd'hui, et parfois même en son nom). Et surtout, Foucault ne s'est jamais mis au service d'aucune politique, ni de droite ni de gauche.

L'engagement : il n'a jamais été pour autant un savant pur, exhibant son indifférence à la politique, dans ce que j'appelle l'*escapism* de la *Wertfreiheit*, la fuite dans la neutralité. Il a toujours refusé la fausse neutralité hypocrite et en particulier la philosophie politique dépolitisée (qui mène tout droit à la table du MEDEF) et la manière dépolitisée, policée, science-politisée de parler de la politique, qui s'enseigne à Sciences-Po et qui a pour effet de faire apparaître comme « politique », biaisée politiquement, la science qui critique les présupposés politiques de la « science » politique dans le choix même de ses méthodes et de ses objets, autant que dans ses implications politiques. Pour ne pas avoir l'air de parler en l'air, je voudrais citer un exemple, qui condense toute l'évolution du monde intellectuel et où se manifeste de manière éclatante cette tendance à la « science-politisation »-dépolitisation qui est aussi incarnée par *Le Débat*, cette intersection (vide) de Sciences-Po et de l'École des hautes études (*Le Débat* qui avait été créé par Furet à l'intention de son ami Nora, avec l'aide de l'École des hautes études, incarne assez bien les ambitions hégémoniques que cet historien très politique, et même politicien, a tenté d'exercer sur le champ intellectuel en se dotant d'un ensemble d'instruments de pouvoir, l'École des hautes études, *Le Débat*, la Fondation Saint-Simon et différentes « participations » à des organes de presse très divers, *Le Nouvel Observateur* évidemment, mais aussi *Le Monde* et même *Libération*). L'exemple est celui de France Culture, un des rares lieux médiatiques qui avait échappé à l'emprise et à l'empire des intellectuels médiatiques et qui est devenu le lieu public de cette politique dépolitisée : on ne compte plus les émissions qui, notamment le samedi et le dimanche, sont consacrées à des discours pompeux sur le monde politique et qui, en dépit de leur prétention à la hauteur de l'analyse, ressassent inlassablement le discours dépolitisé de dépolitisation qui est la forme actuelle de la pensée conservatrice.

La combinaison de l'autonomie et de l'engagement théorico-politique, qui définit en propre l'intellectuel (à la fois par rapport aux hommes politiques à capital intellectuel, aux intellectuels journalistes, dont toute la vie se passe dans l'univers de l'hétéronomie, et aux journalistes eux-mêmes), a des coûts sociaux. L'« engagement » est d'abord un manquement à la bienséance : intervenir dans l'espace public, c'est s'exposer à décevoir ou, pire, à choquer, dans son propre univers, ceux qui, choisissant la facilité vertueuse de la retraite dans leur tour d'ivoire, voient dans le *commitment* un manquement à la fameuse « neutralité axiologique », identifiée à tort à l'objectivité scientifique, et, dans le monde politique, tous ceux qui voient dans son intervention une menace pour leur monopole et, plus généralement, tous ceux que son intervention désintéressée menace dans leurs intérêts.

Intervenir dans le monde politique, c'est aussi déroger ; faire de la politique, c'est s'exposer à perdre de l'autorité en transgressant la loi du milieu qui impose la coupure entre la « culture » et la politique, le social, le réel. Mettre en jeu son autorité intellectuelle, transgresser la frontière du sacré académique, qui interdit d'aller sur le terrain de la politique, c'est se mettre dans la position d'extrême vulnérabilité. Celui qui s'engage dans la politique devient immédiatement *relatif, relativisable* : n'importe qui peut l'attaquer en tant que savant en utilisant des armes politiques. C'est là une tentation permanente pour tous les Jdanovs de gauche ou de droite : aujourd'hui, les anciens staliniens ou maoïstes sont ceux qui pratiquent le plus volontiers le jdanovisme, notamment contre ceux qui les ont combattus lorsqu'ils étaient staliniens ou maoïstes.

Comment être fidèle à la tradition que Foucault prolongeait, de Voltaire en Zola, et de Gide en Sartre ? Foucault a essayé de trouver une nouvelle façon de militer qui permette aux chercheurs de ne pas laisser au vestiaire leur compétence et leurs valeurs spécifiques à la manière du compagnon de route ou du signataire de pétitions et de listes de soutien. Il s'agit de dépasser l'opposition, très forte dans les pays anglo-saxons, entre *scholarship* et *committment*, et de restaurer dans toute sa force la tradition française de l'intellectuel, c'est-à-dire celui qui intervient dans le monde politique mais sans devenir un homme politique, avec la compétence et l'autorité associées à l'appartenance au monde scientifique ou littéraire, et aussi au nom des valeurs inscrites dans l'exercice de sa profession, comme les valeurs de vérité et de désintéressement.

Et aujourd'hui, que peut-on faire, que faut-il faire pour prolonger cette tradition ? Le texte que nous avions écrit, en 1981, à l'occasion de l'affaire polonaise reste tout à fait d'actualité, dans sa critique violente des « socialistes » et de toutes leurs compromissions passées. Cependant, beaucoup de choses ont changé : paradoxalement, la CFDT, qui pouvait sembler assez proche, conjoncturellement, pour qu'il soit possible de faire un bout de chemin avec elle (malgré son entourage d'intellectuels d'appareil), est devenue très éloignée, à travers notamment tous ses prolongements dans le champ intellectuel. Il faut donc redéfinir les stratégies et, devant l'adversaire très redoutable que sont les *think tanks* néolibéraux, il faut rassembler des « intellectuels spécifiques » au sens de Foucault, dans un « intellectuel collectif », interdisciplinaire et international, associé au mouvement social le plus critique des compromissions politiques. Aux syndicats et à tous les groupes en lutte, il faut ajouter les artistes, qui sont capables de donner forme visible et sensible aux conséquences prévisibles mais non encore visibles de la politique néolibérale. Cet intellectuel collectif doit se donner pour tâche de produire et de diffuser des instruments de défense contre la domination symbolique qui s'arme le plus souvent aujourd'hui de l'autorité de la science. Il doit, pour cela, inventer une manière d'organiser le travail collectif de production d'utopies réalistes et d'invention de nouvelles formes d'action symbolique.

Je ne voudrais pas finir sans dire un mot sur l'horreur du moralisme, que je partageais avec Foucault. Ce serait une manière de revenir au point de départ et de comprendre ce qu'il y a de constant, d'invariant, dans les trajectoires « catastrophiques », que j'ai évoquées en commençant. Hegel, dans les *Leçons sur la philosophie du droit*, évoque le moralisme de la moralité pure, qui engendre d'une part le terrorisme jacobin, le radicalisme vertuiste de la conscience éthique, et d'autre part le jésuitisme et l'hypocrisie opportuniste. Combien de vies, de radicalismes de jeunesse s'achevant dans les opportunismes d'âge mûr, peut-on subsumer sous cette analyse conceptuelle ?

Index

Abdenour, A. Y. 430

Accords de Marrakech 451

Actes de la recherche en sciences sociales 117-8

Action française 119

Afghanistan 153

AGCS (Accord général sur le commerce des services) 451-4

Algérie 7, 17-45, 175, 255, 260, 292-5, 307-25, 347-8, 399-400, 425-6, 429-32

Alexandre le Grand, 124

Alleg, H. 12

Allègre, C. 294, 330, 367-71

Allemagne 45, 233, 254, 261, 263, 269, 270-77, 284, 287, 308, 335-7, 340, 362, 374, 379, 419-20, 444

Allemagne de l'Est (RDA) 273-4

Allen, W. 423

Alloulla, A. 294, 307-9

Althusser, L. (althussérien) 45, 113, 160

Amérique (États-Unis d') 37, 73, 75, 82, 97, 131, 136, 138-9, 147, 211, 213, 251, 273, 277, 281, 338, 340, 351, 358, 365, 369, 418, 423, 426, 443-4, 437, 445, 449, 447, 451, 457, 462-3

Amérique latine 312, 460, 463

AMI (Accord multilatéral sur les investissements) 364

Amnesty International 431

Amsterdam 290, 292

Arabes 22, 42

Argentine 281, 440

Armand, L. 131, 133, 135

Aron, R. 10, 13, 17, 46, 51-52, 62, 161

Artaud, A. 181

Astier, M. 68

Athènes 427, 439, 465

Attali, J. 62

ARESER (Association de réflexion sur les enseignements supérieurs et la recherche) 293-4, 373

Austin, J. 176, 194

Autriche (autrichien) 285, 374, 435, 437-9

Bachelard, G. (bachelardien) 97, 112-3, 180

Balladur, É. 294, 297, 383, 403, 405

Banque mondiale 425-44

Baqué, P. 217

Bara, K. R. 430

Barbut, M. 68

Barreau 317-8

Barrès, M. 143

Barthes, R. 178, 193

Bataille, G. 181

Baudelaire, C. 212

Bayrou, F. 294, 301, 368-70

Beauvoir, S. (de) 47, 191

Beck, U. 263-4, 349, 471

Becker, S. & G. 366

Beckett, S. 423

Bedos, G. 212

Beethoven, L. von 421

Belgrade 433-4

Benoît-Guilbot, O. 68

Bergé, P. 217

Berlin (mur de) 234, 254

Berlin 292

Berlinguer, E. 169

Berlusconi, S. 212

Bernanos, G. 143

Bernard, C. 212

Bernot, L. 68

Berque, J. 38

Bertelsmann 419

Besançon, A. 111

Bettelheim, B. 282

Bianco, L. 68

Blair, T. 358, 363, 437, 449, 471

Blanchet, R. 217

Blanchot, M. 181

Bloch, E. 350, 352, 355

Bollack, J. & M. 68

Boltanski, J. E. 68

Boltanski, L. 51, 68

Bonamour, M. 68

Bonvin, F. 51

Bosnie-Herzegovine 279, 434

Bosserdet, 68

Boudon, R. 111

Bourgois, P. 251

Bousquet 38

Bouveresse, J. 217, 378

Brasillach, G. 143

Brejnev, L. 267

Brésil 281

Brisson, P. 13

Brubaker, R. 280

Bruyère, J.-C. 68

Burke, E. 275

Bush, G. W. 461

Cambodge 155

Camus, A. 12, 143

Canal + 384

Canguilhem, G. 45, 180

Carcassonne, C. 68

Carles, P. 384, 412, 420

Cassirer, E. 180, 275

Castel, R. 51, 68

Castoriadis, C. 111

Castro, F. 31

Cavada, J.-M. 392, 410-1

Cavaillès, J. 45

CBS 419

Centlivres, M. & P. 153

CNRS 82, 372

Ceyrac, 190

CFDT 155, 160, 166-7, 171, 335, 454

CGT 167, 415

Chamboredon, J.-C. 51, 68

Champagne, P. 51, 384

Chanel, C. 150

Charle, C. 293-4

Chéreau, P. 164

Chevalier, J.-C. 217, 265

Chevènement, J.-P. 116, 210, 212, 348, 363

Cheysson, C. 159, 164

Chicago (École de) 251, 268, 350

Chili (chilien) 164, 169, 281

Chine 155

Chirac, J. 143, 187, 190, 231, 304, 403, 404

Chiva, I. 68

Cinquième (La) 384, 409

CISIA (Comité international de soutien aux intellectuels algériens) 293-5, 312-4, 307, 400

Clark, P. 411, 413

Cognot 74

Coleman (Rapport) 73

Collège de philosophie 111, 206

Coluche 159, 162, 163, 212, 235

CNU (Conseil national des universités) 303

Combessie, J.-C. 68

Conche, M. 68

Condamines, H. 217

Condominas, G. 68

Copernic, N. 190

Copernic (Fondation) 331

Corradi, J. E. 281-2, 312

Coupé, A. 455

Crowther (Rapport) 73

Crozier, M. 132, 135

CSE (Centre de sociologie européenne) 51-3, 69, 72, 384

CSEC (Centre de sociologie de l'éducation et de la culture) 152-3

Cuisenier, J. 68

Curie, M. 213

DaCunha Castelle, D. 217

Daimler-Benz 262

Dallet (père) 38

Darnton, R. 258, 272

Darwich, M. 42

Darwin, C. (darwinien) 139, 190, 372

Davos 460

Débat (Le) 338, 471

Debré, J.-L. 330, 345, 347

Deleuze, G. 181

Delsaut, Y. 51, 68

Dermenghem, É. 38

Derrida, J. 68, 217, 255, 295

Desnos, R. 76

Devaquet (Loi) 187, 212

Djaout, T. 294, 307

Doutté, 38

Dreyfus (Affaire + dreyfusard) 257-8, 291, 316

Duby, G. 180

Dumazedier, J. 68

Dumézil, G. 180

Dumont, N. 68

Durand, G. 410-2

Duras, M. 164

Durkheim, É. (durkheimien) 8, 82, 94, 274-5, 375, 446, 466

Eco, U. 379

École normale supérieure 330

EHESS 194-5, 473

El País 253

Elias, N. 281

Émerit, M. 38

ENA 118, 143, 205

Espagne 164, 440, 444

Esprit 17, 44, 53, 83, 108-10, 112, 115, 119, 329, 338, 384

États-Unis (voir Amérique)

European review of books 253

Europe (Union européenne) 218, 221, 223, 234, 239, 253, 257, 260-3, 266, 268, 276, 289, 291, 298, 304, 306, 313, 318, 322, 353-5, 361, 363-4, 369, 372-3, 418, 426-7, 433, 435, 438-42, 444, 451-4, 459, 463, 467-9

Europe de l'Est 261, 268, 420

Europe 1 169

Ewald, F. 471

Express (L') 12, 402

Faguer, J.-P. 68

Fanon, F. 13, 39

FHAR (Front homosexuel d'action révolutionnaire) 154

Faulkner, W. 423

Fauroux (Rapport) 304

Feraoun, M. 38

Ferry, L. 470

Feuerbach, L. 113

Figaro (Le) 13, 396, 415

Fillon, F. 370

Finkielkraut, A. 233, 384

Flaubert, G. 194, 259

FLN (algérien) 13, 321, 400

FLNKS (Nouvelle-Calédonie) 231

Fonds monétaire international 290

Ford (Fondation) 51

Foucault, M. 44, 154-5, 160, 164, 169, 171-2, 178-81, 195, 287, 470-5

Fourastié, J. 132-3, 145

Fourier, C. 197

France 3 231

France Culture 420

France Observateur 12

Frankfurter Allgemeine Zeitung 253

Freud, S. 77, 114, 190

Friedman, M. 82, 268

Front de libération des jeunes 154

Furet, F. 329, 473

Gallimard (Éd.) 471

Garcias, J.-C. 68

Gare de Lyon 330, 335, 337

Garnett, D. 192

Garreton, M. A. 281

Gaumont 419

Gautier, T. 259

Gavras, C. 164

Gennes, P.-G. (de) 404

George, S. 463

Giddens, A. 449, 471

GIP (Groupe d'information sur les prisons) 154

Girard, A. 73

Giscard d'Estaing, V. 132-4

Glissant, É. 255

Globe 387

Glucksman, A. 155

Goldmann, L. 68

Gombrich, E. 420

Gombrowicz, W. 423

Gorbatchev, M. 260

Gorée 292

Goy, J. 268

Gramain, A. 68

Grande-Bretagne 308, 351, 443, 448

Grignon, C. 51, 68

Gros, F. 186

Guattari, F. 154

Guizot, F. 259

Haacke, H. 254, 276

Habermas, J. 46, 254, 272

Haby (Réforme), 208

Halimi, S. 332, 383, 406

Harlem 251

Harmel, C. 133

Harvard Kennedy School of Government 444

Havel, V. 267

Hegel 5, 111, 113, 116, 136, 350, 475

Heidegger (heideggérien) 173-4, 206, 270-1, 275, 350, 374, 471

Hein, C. 268

Herder (herdérien) 275

Herzlich, C. 68

Hobbes 110-2, 251

Hoffmann, S. 132

Hongrie 164

Hrabal, B. 273, 282

Hue, R. 363

Hugo, V. 236, 259

Humanité (L') 166

Illitch, I. 76, 109

Indice (L') 153

Infini (L') 384

Inrockuptibles (Les) 331

IEP (Institut d'études politiques + Sciences-Po) 84, 118-9, 141, 143, 239, 245, 388, 472-3

IFOP 82

INSEE 40

Isambert, Mme 76

Jaruzelski (Gal) 159

Jdanov (jdanovien) 111, 191, 265, 272, 474

Jésus-Christ 212

Jeanson (Réseau) 13, 44

Jospin, L. 186, 294, 301, 330, 348, 363, 370

Joutard, P. 217

Joxe, P. 399

Joyce, J. 423

Julia, D. 68

Julliard, J. 336

Jullien, M. 69

Juppé, A. (« Plan... ») 329, 335, 384, 415

Juquin, P. 74

Jurgal, I. K. 429

Jurt, J. 322, 324

Kabariti, A. K. 429

Kabylie (Kabyles) 17, 27, 37-8, 41, 212, 322, 462

Kaboul 153

Kafka 42, 205, 241, 423

Kanapa, J. 166

Kaplan, S. L. 365

Karady, V. 68

Kelkal, K. 348

Keynes (keynésien) 134, 445

Khellili, M. 430

Kiarostami, A. 423

Kieslowsky, K. 423

Kis, D. 260

Kosovo 433-5

Kouchner, B. 164

Krajina croate 434

Kraus, K. 374-81

Kurdes 42

Kurosawa, A. 423

Labes, D. 294

Lagneau, G. 51

Lallot, J. 68

Lamartine 259

Lang, J. 160, 300, 370, 413

Langevin, P. 74, 110

Lanson, G. 195

Lanzmann, C. 384

Lautman, J. 68

Lavisse, E. 213

Le Goff, J. 68

Le More, H. 68

Le Pen, J.-M. 241, 336, 364

Le Roy-Ladurie, E. 68, 329

Leca, J. 295

Lefort, C. III

Leibniz 116, 146

Leiris, M. 19

Lemaire, M. 51, 68

Lenine (léninisme) 92, 143, 168, 198

Lévi-Strauss, C. 44, 265, 405

Lévy, B.-H. 155, 265, 384

Lewandowski, O. 68

Liber. Revue internationale des livres 233, 253, 276, 284, 365

Libération 44, 154, 402, 473

Lindon, J. 12

Lisbonne 290

Living (Rapport) 73

Lodge, D. 379

London School of Economics 444, 448

Lorenz, K. 134

Louis-Le-Grand (Lycée) 224

Lui 387

Lustiger, J.-M. 190

Lux, G. 150

Lyotard, J.-F. 154

Maastricht (Traité de) 335-7

Machiavel 251

Maillet, A. 68

Maldidier, 68

Malinvaud, E. 217

Mallarmé (mallarméen) 127, 401

Mallet, J. 68

Mallet-Joris, F. 177

Malraux, A. 143

Mammeri, M. 38

Manet, É. 212

Mao (« Pensée… », maoïste) 153, 339, 474

Marçais, P. (Famille) 37-8

Marchais, G. 104, 115-6, 143, 190

Marcuse, H. 143

Marin, L. 68

Maroc (Marocains) 26, 318

Marx (marxisme) 74-5, 83, 94, 109-12, 116, 118, 129, 139, 143, 155, 175, 179, 191, 196, 212, 240, 242, 268, 272, 322, 338, 350, 352, 391, 427

Matheron, A. 68

Mathey, F. 217

Maunier, 38

Mauriac, C. 164

Maurienne 12

Maurras, C. 143

Mauss, M. 446

McCarthy (maccar-thysme) 272

McHenry, D. 429

MEDEF 471

Mendès France, P. 86, 237

Merleau-Ponty, M. 174

Messager européen (Le) 384

Messier, J.-M. 418

Michel-Ange 424

Michelet 259

Middlehoff, T. 419

Milner, J.-C. 209

Milosevic, S. 433-4

Minc, A. 329, 403

Minuit (Éd. de) 12, 51-2

Miquel, A. 68

Mitterrand, F. (mitter-randisme) 116, 185-6, 198, 212, 363

Molière 176

Monde (Le) 12, 195, 253, 385, 473

Monde diplomatique (Le) 383

Mongin, O. 384

Montagne 38

Montand, Y. 164, 166, 168

Montherlant, H. (de) 143

Montesquieu 84, 281, 467

Morrisson, T. 255

Moscou 164, 268-9

Moulin, R. 68

Mounier, E. 143

MLF 131, 154

Muel-Dreyfus, F. 151

Nader, R. 463

Nehru 31

Nerval, G. (de) 259

New York 423

Nicolaï, A. 68

Nietzsche, F. 181

Nora, P. 113, 329, 470-1, 473

Nora, S. 329

Nouschi, A. 38

OAS 38

Observateur Nouvel (Le) 111, 155, 189, 336, 387, 392, 402, 473

OCDE (Organisation de coopération et de développement économiques) 444

Olivera, M. (de) 423

OSCE (Organisation pour la sécurité et la coopération en Europe) 434

Ordre nouveau 119

OMC 451-4, 461-2, 465

ONU 429-30, 432, 434

ONDH (Observatoire national des droits de l'homme) 430, 432

OTAN 433-5

Ouary, M. 38

Ouvéa (grotte d') 231, 237

Ozouf, J. & M. 68

Palestine 42

Pareto, W. 38, 84

Parménide 20, 123

PC 53, 74-7, 92, 109, 114, 160, 164, 168-9, 211-2, 235

PS 116, 160, 264, 305

Pascal 110-2, 176

Pasqua, C. 317, 330, 336, 344, 347, 399

Passeron, J.-C. 51-2, 68

Pasteur, 212

Pathé 419

Péguy, C. 143

Perrot, J.-C. & M. 68

Pétain, P. (pétainiste) 141, 316

Peters, T. 368

Peyrefitte, A. 415

Picard, R. 193, 195

Pietri, C. 68

Pihan, P. 177

Pividal, R. 68

Pinter, H. 365

Platon (platonisme) 84, 265, 313, 417, 422

Plenel, E. 406

Plowden (Rapport) 73

Point (Le) 402

Poitrey, F. 68

Pol Pot 155

Pologne (polonais) 155, 159-60, 164-71, 423

Polytechnique 60, 118-9, 205

Poniatowski, M. 131-5

Pontalis, J.-B. 68

Popper, K. 272

Pouillon, 47

Prevot, J.-Y. 68

Prost, Ant. 53, 76, 109, 111

Québec 425, 461, 463

Quotidien de Paris 392, 396

Rabant, C. & C. 68

Rainbow Warrior 211

Ray, Satyajit 423

RDA (voir Allemagne de l'Est)

Reagan, R. 351, 437

Redeker, R. 384

Règle du jeu (La) 384

Regnier, H. 68

Renaut, 470

Ricœur, P. 46, 68, 330

Rivière, M.-C. 7

Rivière, T. 38

Rocard, M. 116, 186, 231, 257

Roche, D. 68

Roncayolo, M. 68

Rosanvallon, F. 329

Roussel, R. 181

RPR 403

Rushdie, S. 255

Russie (voir URSS Union soviétique)

Rwanda 255, 291-2

Sade 181

Saint-Bernard (Église) 345-6

Saint-Exupéry 143

Saint-Martin, M. (de) 51, 68

Saint-Simon 259

Saint-Simon (Fondation) 329, 331, 338, 444, 473

Salin, A. & M. H. 68

Sarajevo 255

Sartre, J.-P. 10, 12-3, 39, 44-7, 115, 143, 155, 166, 177, 191, 194, 203, 268, 287, 474

Saussure, F. (de) 195

Sautet, C. 164

Sayad, A. 11, 17

Schnapper, D. 51

Schneidermann, D. 384, 409-10, 412

Schopenhauer 350

Schröder, G. 363, 471

Sciences-Po (voir IEP)

Seine-Saint-Denis 363

Semprun, J. 164

Signoret, S. 164

Simon, M. 91, 93, 95

Singer, J. 68

SNCF 329, 335

Snyders, 76

Soares, M. 429

Socrate 20, 123, 417

SOFRES 138

Solidarnosc 159, 171

Soljenitsyne, A. 155

Sollers, P. 383-4

Sombart, W., 39

Sontag, S. 255

Sorbonne 17, 192, 194-5, 311, 372

Sorman, G. 411

Spengler (spenglérien) 168

Spiegel (Der) 274

Spinoza 325

Staline (stalinien…) 103, 110-1, 113-4, 141, 166, 191, 262, 267-8, 474

Stoetzel, J. 82

Strasbourg 210, 254, 289, 292, 358

Süskind, P. 246

Tapie, B. 212, 405

Tchécoslovaquie 155, 423

Teilhard de Chardin 143

Témoignage chrétien 12

Temps modernes (Les) 13, 17, 44, 80-1, 384

Thatcher, M. 260, 267-8, 351, 437

Tietmeyer (« Pensée… ») 339, 358

Tillion, G. 38

Times Litterary Supplement 45, 253

Tito (M^al^) 31

Tobin (Taxe) 358, 364

Tocqueville 84

Touraine, A. 76, 335

Transatlantic Institute 467

Tristani 68

Tunis (Tunisiens) 26, 318

UGC 419

UNEDIC 358

UNESCO 451-4

UNICE 467

URSS (Union soviétique + Russie) 135, 159, 164, 254, 444

Uriage (École des cadres d') 119

Uruguay 481

Usinor 388

Vaux-en-Velin 251, 348

Veil, S. 429

Vendée 274

Verdès-Leroux, J. 110, 384

Verret, M. 68

Viacom 419

Viarre, S. 68

Vidal-Naquet, P. 12

Vienne (Aut.) 427, 437

Vilar, P. 75

Vill, E. 68

Villeneuve, C. 396

Villetaneuse 216, 227

Villeurbanne 227

Vincent, J.-M. 68

Virolle, M. 295

Voynet, D. 368

Washington consensus 447

Wachtel, N. 68

Wacquant, L. 251

Wako, A. 429

Wall Street 358

Wallach, L. 463

Wallon, H. 74, 110

Waterman, R. 368

Weber, M. 39, 95, 145, 163, 177, 281, 324

Weil, S. 143

Weiss Fagen, P. 281

Wieviorka, M. 335

Wittgenstein, L. 193

Woronoff 68

X Crise 119

Yacine, T. 37

Yacono 38

Yougoslavie 251, 279, 323, 433

Zagreb 434

Zeroual, L. 295

Zola, É. 168, 203, 258, 260, 324, 474

Table des matières

TEXTES & CONTEXTES D'UN MODE
SPÉCIFIQUE D'ENGAGEMENT POLITIQUE   *7*

    1958-1962 : engagements politiques
    en temps de guerre de libération   *12*

1961-1963

GUERRE COLONIALE &
CONSCIENCE RÉVOLUTIONNAIRE   *17*

Révolution dans la révolution   *21*

De la guerre révolutionnaire à la révolution   *29*

Retour sur l'expérience algérienne   *37*

    Sartrémoi. Émoi. Et moi, et moi et moi.
    À propos de « l'intellectuel total »   *44*

1964-1970

ÉDUCATION & DOMINATION   *51*

L'idéologie jacobine   *55*

« Mai 68 a pour moi deux visages… »   *62*

Appel à l'organisation d'états généraux
de l'enseignement & de la recherche   *63*

Quelques indications pour une politique
de démocratisation   *69*

Retour sur la réception des *Héritiers*
& de *La Reproduction*   *73*

1971-1980

CONTRE LA SCIENCE
DE LA DÉPOSSESSION POLITIQUE   *81*

Les doxosophes   *84*

L'opinion publique 87

Les intellectuels dans les luttes sociales 91

Donner la parole aux gens sans parole 99

La revue *Esprit* & la sociologie de Pierre Bourdieu 108

Heureux les pauvres en *Esprit* 109

IDÉOLOGIE DOMINANTE & AUTONOMIE SCIENTIFIQUE
NAISSANCE DES *ACTES DE LA RECHERCHE*
EN SCIENCES SOCIALES 117

Déclaration d'intention du n° 1, janvier 1975
Actes de la recherche en sciences sociales 120

Méthode scientifique & hiérarchie sociale des objets 123

Déclaration d'intention du n° 5/6, novembre 1975
Actes de la recherche en sciences sociales 129

La production de l'idéologie dominante 130

Déclaration d'intention du n° 5, octobre 1976
Actes de la recherche en sciences sociales 150

« Et si on parlait de l'Afghanistan ?... » 153

1970-1980 : engagements politiques
& retournements idéologiques 154

1981-1986

PROFANES & PROFESSIONNELS DE LA POLITIQUE 159

Annonce de la candidature de Coluche
aux élections présidentielles de 1981 162

La politique leur appartient 163

Les rendez-vous manqués : après 1936 et 1956, 1981 ? 164

Retrouver la tradition libertaire de la gauche 165

Les intellectuels & les pouvoirs 171

Dévoiler les ressorts du pouvoir 173

Tout racisme est un essentialisme 177

*Sur Michel Foucault. L'engagement
d'un « intellectuel spécifique »* 178

1984-1990

ÉDUCATION & POLITIQUE DE L'ÉDUCATION.
D'UN RAPPORT D'ÉTAT À L'AUTRE   *185*

Université : les rois sont nus   *189*

Propositions pour l'enseignement de l'avenir   *199*

    Vingt ans avant le rapport du Collège de France   *202*

Le rapport du Collège de France :
Pierre Bourdieu s'explique   *203*

Le refus d'être de la chair à patrons   *211*

Principes pour une réflexion
sur les contenus d'enseignement   *217*

Lettre aux lycéens des Mureaux   *227*

1988-1995

DÉSENCHANTEMENT DU POLITIQUE
& REALPOLITIK DE LA RAISON   *231*

La vertu civile   *235*

Fonder la critique sur une connaissance du monde social   *239*

Notre État de misère   *245*

POUR DES LUTTES À L'ÉCHELLE EUROPÉENNE.
RÉINVENTER UN INTELLECTUEL COLLECTIF   *253*

Pour une Internationale des intellectuels   *257*

L'histoire se lève à l'Est. Pour une politique de la vérité   *267*

    Le langage politique des révolutions conservatrices   *270*

Les murs mentaux   *271*

Responsabilités intellectuelles. Les mots
de la guerre en Yougoslavie   *279*

Comment sortir du cercle de la peur ?   *281*

    Déclaration d'intention du n° 25, 1995 de la revue *Liber*   *284*

Au service des formes historiques de l'universel   *285*

Un parlement des écrivains pour quoi faire ?   *289*

VERS UN INTELLECTUEL COLLECTIF.
L'ARESER & LE CISIA   293

Un exemple de « démagogie rationnelle » en éducation   297

Université : la réforme du trompe-l'œil   301

Un problème peut en cacher un autre.
Sur l'affaire du foulard « islamique »   305

Arrêtons la main des assassins   307

Pour un parti de la paix civile   311

Non-assistance à personne en danger   315

M. Pasqua, son conseiller & les étrangers   317

Non à la ghettoïsation de l'Algérie   319

Dévoiler & divulguer le refoulé   321

1995-2001

EN SOUTIEN AUX LUTTES SOCIALES.
DE DÉCEMBRE 95 À RAISONS D'AGIR   329

Retour sur les grèves de décembre 1995   335

Appel pour des états généraux du mouvement social   341

En soutien à la Marche de la visibilité homosexuelle   343

Combattre la xénophobie d'État   345

Nous en avons assez du racisme d'État   347

Le néolibéralisme comme révolution conservatrice   349

Les actions des chômeurs flambent   357

Pour une gauche de gauche   361

Nous sommes dans une époque de restauration   365

Un ministre ne fait pas le printemps   367

   Actualité de Karl Kraus. Un manuel de combattant
   contre la domination symbolique   374

LES MÉDIAS AU SERVICE
DE LA RÉVOLUTION CONSERVATRICE   383

Libé 20 ans après   387

Questions de mots
Une vision plus modeste du rôle des journalistes   *391*

Du fait divers à l'affaire d'État
Sur les effets non voulus du droit à l'information   *395*

La misère des médias   *399*

Questions sur un quiproquo   *406*

La télévision peut-elle critiquer la télévision ?
Analyse d'un passage à l'antenne   *409*

Questions aux vrais maîtres du monde   *417*

EN RÉSISTANCE
À LA CONTRE-RÉVOLUTION LIBÉRALE   *425*

Lettre ouverte aux membres
de la mission de l'ONU en Algérie   *429*

Appel européen pour une paix juste
& durable dans les Balkans   *433*

Pour une Autriche à l'avant-garde de l'Europe   *437*

Manifeste pour des états généraux
du mouvement social européen   *441*

La nouvelle vulgate planétaire   *443*

Lettre ouverte au directeur général
de l'UNESCO sur les menaces que fait peser l'AGCS   *451*

L'Europe sociale piétine   *455*

Pour une vraie mobilisation des forces organisées   *457*

Pour une organisation permanente
de résistance au nouvel ordre mondial   *461*

Les chercheurs & le mouvement social   *465*

Instituer efficacement l'attitude critique   *470*

Éditions Agone
BP 2326
F-13213 Marseille cedex 02

Achevé d'imprimer en juillet 2002
sur les presses du groupe Horizon
Parc d'activité de la plaine de Jouques
200, av. de Coulin, F-13420 Gémenos
n° d'impression: 0206-128

Distribution en France : Les Belles Lettres
95, bd Raspail, 75006 Paris
Fax 01 45 44 92 88

Diffusion en France : Athélès
Fax Administration 05 56 93 18 79
Fax Commande 01 43 01 16 70

Diffusion en Belgique : Aden
165, rue de Mérode, B-1060 Bruxelles
Tél & fax (00) 32 2 53 44 662

Dépôt légal 3ᵉ trimestre 2001
Bibliothèque nationale de France